OUTLANDER
異鄉人2

琥珀蜻蜓 上

Dragonfly in Amber

黛安娜·蓋伯頓 Diana Gabaldon 著

林步昇 譯

琥珀蜻蜓（上）

目次

序幕 7
第一章 呼喚逝者之名 9
第二章 撲朔迷離 27
第三章 母與女 51
第四章 卡洛登古戰場 59

81 第五章 我的摯愛
97 第六章 興風作浪
137 第七章 覲見法王
155 第八章 夢魘與鱷魚
177 第九章 富麗凡爾賽
201 第十章 一頭褐色鬈髮的女子
211 第十一章 天生我材必有用
239 第十二章 昂吉醫院

261 第十三章 詭計
271 第十四章 皮肉之苦
285 第十五章 一切盡在音符中
303 第十六章 是魔法，還是本質？
317 第十七章 占有慾
335 第十八章 惡夜巴黎
353 第十九章 立下誓約
367 第二十章 誰是白夫人？
385 第二十一章 陰魂未散

415 第二十二章 皇家馬場
441 第二十三章 人算不如天算
459 第二十四章 布洛涅森林
473 第二十五章 雷蒙的藍色之光
483 第二十六章 楓丹白露
497 第二十七章 再見路易
521 第二十八章 撥雲見日？
539 第二十九章 愛人的察覺

序幕

黎明前的黑夜，我三度醒來。第一次帶著哀慟，第二次帶著歡愉，而最後一次是孤寂。

初次醒來，椎心的淚水淌滿雙頰，彷彿有人用濕布溫柔安撫，慢慢將我喚醒。我將臉埋在濡濕的枕中，順著鹽河，進入悲傷的回憶深淵，遁入深不見底的睡眠。

二度醒來，歡愛的愉悅強烈湧現，身子因結合的劇痛而猛然弓起，皮膚仍感受得到他的觸摸，而高潮的快感一波波從我的核心襲來，沿著神經的支脈逐漸消散。我再次翻身，不願醒來，渴求男人饜足後那刺鼻而溫暖的氣味，想像自己正窩在愛人厚實的臂彎中，再度入睡。

第三度醒來，我還帶著夢中的孤獨感，感受不到一絲愛戀或哀傷。巨石陣的景致仍歷歷在目，小小的一個圓，矗立在翠綠的陡丘之頂。小丘名為納敦巨岩，俗稱精靈山丘。有人說那裡被施了魔法，也有人說被下了詛咒。兩種說法都沒錯，但無人能參透這些巨石的作用或目的。

除了我。

第一章

呼喚逝者之名

你是羅杰，沒錯吧？
我是克萊兒．藍鐸，
算是牧師的老朋友，
但上回我們見面時，你才五歲而已。

羅杰・威克菲爾德站在書房中央，覺得自己被團團包圍。這也難怪，他確實被包圍著：四周是一張張擺滿珍奇古玩和紀念品的桌子，還有典型維多利亞風格的家具覆著華麗的絲絨椅背套，而上蠟拋光的木地板上鋪著手工編織的地毯，簡直是蓄意害人滑跤。周圍十二個房間也都塞滿家具、衣物和文件。還有那一大堆書籍——天哪，簡直滿坑滿谷！

他置身書房，書櫃擺滿了三面牆，每個櫃子的藏書多到滿滿溢了出來。閃亮破損的平裝懸疑小說成疊堆放，後面是牛皮裝幀的書籍，旁邊緊挨著讀書會的選書、從圖書館摸來的古籍，以及數以千計的小冊子、傳單和一些親手縫製的手抄本。

屋內各處的狀況大同小異。書本紙張胡亂堆在各種平面上，每個櫃子都被壓擠得嘎吱作響，搖搖欲墜。他那已逝的養父一生可謂悠長圓滿，活到八十來歲，已比聖經所載的壽限多出十歲。而這八十多年來，這位威克菲爾德牧師就連一樣東西都捨不得丟棄。

羅杰得按捺著性子，才不致奪門而出，躍上他的莫里斯迷你車一路逃回牛津，讓這棟舊宅和屋內的東西自然風化腐朽。他深吸了口氣，對自己說：「冷靜點，這難不倒你。這些書還算好處理，只消整理出想留下的，其餘請人運走即可。當然了，這貨車得像火車那麼大才行，但還是可以清光。衣物也不成問題，樂施會❶願意收的。」

羅杰並不知道他們會如何處理這些少說已存放二十年的黑色西裝和背心，但三餐不繼的人或許不太挑剔。這麼想了之後，他稍稍鬆了口氣。羅杰向牛津大學歷史系告假一個月以處理牧師的後事。原本他沮喪萬分，總覺得這事得花上好多年，如今想想，一個月的時間應該夠了。

他走到桌子旁拾起一只小瓷盤，上面裝滿「流浪乞丐」的小方形金屬牌，這都是十八世紀各個教區發出的鉛製徽章，乞丐別上它就可以合法行乞。數個石瓶靜置於燈邊，一旁是羊角鑲銀鼻煙壺。「該全數捐給博物館嗎？」他猶豫著。屋內盡是詹姆斯黨人的遺物。威克菲爾德牧師是業餘歷史學家，尤其熱衷於鑽研十八世紀史。

羅杰的手指不自覺順著鼻煙壺上頭所刻的黑字一路摸下去：一七二六年，愛丁堡卡農蓋特街，服裝公司。「或許可以留下一些精美的收藏……」但他念頭一轉，堅決地搖了搖頭，大聲說：「不行，你別傻了，那是條瘋狂的路。」倘若退讓了一步，很可能就此踏上囤積之路，變得捨不得扔東西，最後連這堆東西也留下來，甚至住進這棟龐然大宅，與這堆幾十年的垃圾為伍，「還會自言自語。」他喃喃說道。

他一想到堆積許久的垃圾，腦海便浮現家中車庫的景象，雙腿不由得發軟。威克菲爾德牧師其實是羅杰的叔公，在羅杰五歲時收他為養子，因為他的父母都在二戰中喪生了，母親死於德軍空襲，父親則葬身英吉利海峽。牧師在囤積本能的驅使下，留下羅杰父母所有的遺物，全數封存於車庫後方的紙箱與木箱內。羅杰很肯定，這些箱子二十年來都未曾開封。

羅杰一想到還得整理父母的遺物，不禁哀嚎出聲：「老天爺，什麼都行，唯獨這件事我做不來！」他並不是真的在呼求老天爺，此時門鈴卻突然響起，彷彿是回應他的請求，嚇得他差點沒咬到舌頭。

天氣一濕，牧師家的大門就容易卡住，事實上，大門一年到頭總是卡住。羅杰用力拉開大門，一陣刺耳的咿呀聲後，見到一位女士站在臺階上。

「請問有什麼事嗎？」

---

❶樂施會（Oxfam）：原名英國牛津饑荒救援委員會（Oxford Committee for Famine Relief），一九四二年成立於英國牛津，是國際發展及人道援助機構，主要提供食物、藥物、用品等，幫助貧困人士自給自足。

這位女士的身高中等，相貌姣好。他一眼望去，只覺得她骨肉停勻，一身潔白亞麻，濃密的棕色鬈髮挽出鬆鬆的髮髻，而其中最引人注目的，莫過於她那雙淺色眼眸，色澤好比陳年雪莉酒。

那雙眼眸從羅杰腳上的十一號帆布鞋往上掃，一仰頭看到他那張年輕臉孔，便展開笑容道：「我實在不想以這麼老掉牙的話開場，但是……哇，你都長這麼大啦，羅杰！」

羅杰漲紅了臉。那位女士笑了笑，伸出手來。「你是羅杰，沒錯吧？我是克萊兒·藍鐸，算是牧師的老朋友，但上回我們見面時，你才五歲而已。」

「呃，妳說妳是我父親的朋友？那想必妳已經知道……」

她的笑容瞬間消失，表情帶著哀傷。「是的，這消息真令人難過。聽說是心臟病，是嗎？」

「嗯，是的，事出突然，我也才剛從牛津趕過來處理……這些事。」他含糊地用手指了指，簡略概括了牧師的後事、身後這棟房子和裡頭一切雜物。

「我記得你父親的藏書不少，這些事恐怕夠你忙到下個耶誕節了！」克萊兒提出她的觀察。

「這樣的話，或許我們不該麻煩你！」此時傳來一陣輕柔的美國口音。

「喔，我忘了介紹，這位是羅杰·威克菲爾德，這是我女兒布莉安娜。」克萊兒半轉過身，面向一名站在門廊角落的女孩。

布莉安娜·藍鐸往前一步，臉上帶著羞赧的微笑。羅杰凝視了好一會兒，才發現忘了請客人進門。他隨即往後站，把門大大敞開，腦中快速回想著上次換上乾淨的襯衫是在何時。

「不麻煩，不麻煩！」他堅定地說道：「我剛好也想休息一下，何不進來坐坐？」

羅杰請兩位客人入內沿著走廊往書房前進，同時也注意到，克萊兒的女兒不僅相當嫵媚動人，身材在他見過的女孩中也是數一數二的高䠷。經過衣帽架時，她的頭幾乎與架頂齊高，羅杰心想，這女孩起碼有一百八十公分。他不知不覺也挺起了身子，展現他近一百九十公分的身高。不過，跟著兩人進入書房的最後一刻，他也差點一頭撞上書房門楣。

——

「我本來想早些來拜訪的。」克萊兒說道，並選了一張高背的沙發椅坐下。牧師書房裡的第四面牆有一大片落地窗，陽光從窗外灑入，讓她淡褐色頭髮上一只珍珠髮夾微微閃爍。髮髻眼看就要鬆脫了，她一面說話，一面不經意地把髮絲塞回耳際。

「其實去年就打算來了，只是波士頓的醫院緊急需要支援……對了，我是醫生。」她解釋道，一看到羅杰掩不住的訝異神情，嘴角微微彎起。「很抱歉，最後沒能過來，我真的很希望能再見你父親一面。」

羅杰很納悶，兩人為何現在才過來？畢竟牧師都過世了，但這麼問似乎不大禮貌，所以他改問道：「兩位順道來觀光是吧？」

「是啊，我們從倫敦開車來的。」克萊兒答道，然後看著女兒笑說：「我想讓布莉來鄉間看看，聽口音可能不覺得，但她跟我一樣都是英國人，只是她從沒待過這兒。」

「真的啊？」羅杰瞥了布莉安娜一眼。她的確不像英國人，除了身材特別高，她一頭濃密紅髮蓬鬆地垂在肩上，五官分明，鼻子又挺又長……也許過長了點。

「我在美國出生，但父母都是英格蘭人，應該說以前都是英格蘭人。」

「以前？」

「我先生兩年前過世了，你應該認識，他叫法蘭克·藍鐸。」克萊兒補充道。

「法蘭克·藍鐸！難怪！」羅杰恍然大悟，拍了拍前額，而布莉安娜咯咯笑了，他雙頰發熱。「妳一定覺得我很可笑，但我現在才搞清楚妳們的身分。」

名字說明了一切，法蘭克．藍鐸是聲譽卓著的歷史學家，也是威克菲爾德牧師的好友。多年來，他倆常分享詹姆斯黨人的祕史，不過，法蘭克．藍鐸少說有十年沒來訪了。

「那妳們會去參觀茵凡涅斯鎮附近的古蹟嘍？去過卡洛登古戰場了嗎？」羅杰試探著問道。

「還沒，我們本來打算這禮拜結束前去一趟。」布莉安娜答道，臉上掛著禮貌的微笑，不冷不熱。

「我們今天下午的行程是遊覽尼斯湖，明天可能會去威廉堡，或是就在茵凡涅斯鎮上晃晃。這裡發展得好快，和我上回的印象很不一樣。」克萊兒說。

「上回來是多久以前了？」羅杰盤算著是否該自動請纓當嚮導。他實在不該花這個時間，但藍鐸家跟牧師交誼深厚，更何況，開車到威廉堡的一路上有兩位美女相伴，比起待在屋內清垃圾，吸引力大多了。

「噢，二十多年前，好久的事了！」克萊兒的語氣有一絲異樣，羅杰瞄了她一眼，但她僅回以微笑。

「那麼，兩位在高地期間，如果有我幫得上忙的地方……」羅杰大膽問道。

克萊兒仍面帶笑容，但表情似乎有所轉變。羅杰幾乎可以肯定她一直在找機會開口。她的目光先飄向布莉安娜，再移到羅杰身上。

「既然你都提了……」克萊兒笑得更開了。

「媽媽，不要麻煩威克菲爾德先生了！妳看他還有這麼多事要做！」布莉安娜說道，坐直身子，手朝擁擠的書房一指，很明顯，房裡的紙箱和書堆都可疊成小山了。

「一點也不麻煩啊！不過……是什麼事呢？」羅杰連忙回道。

克萊兒正色阻止女兒：「我又不是要把他打昏綁走，何況他可能知道誰幫得上忙。」接著向羅杰說明：「這是小型的歷史研究，我想找位專家，必須精通十八世紀的詹姆斯黨，就是美王子查理那群人。」

羅杰傾身向前，頗感興趣地說：「詹姆斯黨？那段歷史雖然不屬於我的研究領域，但我多少了解一點，畢竟卡洛登這麼近，想不知道也難。」他轉而向布莉安娜說明：「那裡是最後的戰場，美王子率領著軍隊討伐坎伯蘭公爵，卻以慘敗收場。」

「是啊，其實那場戰役和我想要找出的真相有關。」克萊兒說道，從手提包內取出一張摺起的紙。

羅杰打開後，快速瀏覽了內容，上面列出約三十人的名字，清一色男性，最上方的標題寫著：「詹姆斯黨起事／一七四五年，卡洛登。」

「喔，四五年，這些人都參與了卡洛登戰役，是吧？」羅杰問道。

「確實如此，我想知道的是，這個名單中，有多少人倖存下來？」克萊兒說道。

羅杰揉了揉下巴，仔細讀過之後說：「這個問題很簡單，但想找出答案可能很困難。追隨美王子的高地氏族有太多人死於卡洛登，因此不是個別下葬而是集體埋葬，頂多立一塊墓碑記載氏族的名字當作標記。」

「布莉安娜還沒去過卡洛登，但我去過……那是很久以前的事了。」克萊兒說道。羅杰注意到克萊兒眼中閃過一絲陰影，不過她一低頭翻找手提包，便被眼簾掩下。他心想，這不足為奇，卡洛登古戰場深具感染力，他自己就曾在那裡泛淚眺望廣袤的曠野，遙想英勇的蘇格蘭高地氏族就此殞命，長眠於腳下的草原。

克萊兒又翻開幾張打上字的紙，一併交給羅杰。他看著她修長的手指滑過一張紙的邊緣，心想：「好美的一雙手！」纖細有致又保養得宜，左右各戴著一只戒指。右手的銀戒特別顯眼，是詹姆斯一世時期常見的寬戒面，高地特有的交織紋樣，綴有薊花圖案。

「這些是遺孀的名字，我知道的都列在上面，或許幫得上忙。如果她們的丈夫在卡洛登戰死了，可能就會再婚或移居，這些資料想必都在教堂的記事錄上吧？這些人都來自南方的莫德哈屯教區，距離這裡有好一段路。」

「這些資訊很有幫助，通常只有歷史學家才想得到。」羅杰有些詫異地說。

「我稱不上什麼歷史學家，話說回來，每天和歷史學家住在一塊，多少也會生出古怪的念頭。」克萊兒平靜地說。

「也是。」語畢，羅杰驀地想起一件事，旋即起身說：「啊！我真是招待不周，現在就去幫兩位倒杯酒，回來再繼續聊。或許我自己就能幫上忙也說不定。」

屋內雖然凌亂，羅杰倒還知道酒瓶的位置，三兩下就幫客人倒好威士忌。他在布莉安娜的酒中加了不少蘇打水，但注意到她才小啜兩口就蹙起眉頭，彷彿嘗到的不是格蘭菲迪單一純麥威士忌，而是殺蟲劑。克萊兒指定要喝純威士忌，看起來就享受多了。

羅杰坐下，拿起那些名單說：「嗯，就史學研究來看，這個問題相當有趣。妳說他們都屬於同一教區對吧？我推測他們可能也是同族或同系，不少人都姓弗雷瑟。」

克萊兒點了點頭，雙手交握於腿上，說道：「他們來自同一個領地，叫作圖瓦拉赫堡，在當地又稱為拉利堡。他們都是弗雷瑟一族，但從未正式宣誓效忠弗雷瑟族領袖羅瓦特勳爵。這群人很早就加入起義，參與了普雷斯頓潘斯之戰，而羅瓦特的軍隊直到卡洛登戰役爆發前才加入。」

「真的嗎？太有意思了。」一般情況下，十八世紀的佃農終其一生都會待在家鄉，死後也都葬在村內教堂的墓園中，並翔實登載於各自的教堂記事錄中。然而，在一七四五年，由於美王子查理試圖奪回蘇格蘭王位，打亂了生活常規，因此一切都說不準。

卡洛登戰後沒多久就爆發了大饑荒，許多高地居民遷徙至新大陸，有些人則從荒原峽谷移居至城市，努力尋找食物和工作。只有少數居民留了下來，固執地守護著自己的土地與傳統。

「這篇文章一定會很精采，追尋一群人的生命足跡，並勾勒他們最後的結局。如果他們全死於卡洛登就太沒意思了，可能有一部分的人活了下來。」羅杰想著想著就脫口而出。即便克萊兒・藍鐸沒有開口要求，他也願意進行這項研究，當作得來不易的閒暇小探險。

「我想我可以幫點忙！」他說道，一見到克萊兒回報的溫暖微笑，便覺得一切足矣。

「真的可以嗎？太好了！」克萊兒說。

「榮幸之至。」羅杰把紙摺好後放在桌上，接著說：「我會馬上著手調查。不過，先說說妳們這趟從倫敦一路開車上來，還開心吧？」

於是三人開始閒話家常，克萊兒和布莉安娜分享她們一路的見聞，包括橫跨大西洋的旅程，以及從倫敦開到蘇格蘭的沿途風光，羅杰聽得津津有味。不過，他漸漸有些不大專心，因為腦中也同時草擬著研究計畫。對於貿然答應幫忙，他仍有些罪惡感，實在不該多花這些時間的。但另一方面，研究題目又很有趣，況且，他其實可以一邊研究，一邊清理牧師的遺物——車庫內就有四十八個紙箱標記著「詹姆斯黨／雜物」，光想到這件事，就夠他頭痛了。

當羅杰硬生生把思緒從車庫拉回來時，發現話題陡然變了。

「德魯伊教徒？」羅杰的神情有些恍惚，狐疑地凝視酒杯，看看自己是否真的有加了蘇打水。

「你沒聽過他們的事嗎？你的父親，也就是威克菲爾德牧師，他知道德魯伊教派，雖然只是玩票性質。大概是覺得這件事不值得一提，他以前也都當笑話看。」克萊兒語帶失望。

羅杰搔了搔頭，抓亂了濃密的黑髮。「我真的沒有印象，但妳說的沒錯，他很可能覺得德魯伊教不是正經的教派。」

「嗯，我也這麼覺得。」她翹起腿來，一道陽光射入，照亮了她側腿上的絲襪，腿部線條更顯細緻。

「我上回和法蘭克來的時候，天啊！算算已經是二十三年前的事了！牧師那時曾說有一群……有一群所謂的現代德魯伊教徒。我不曉得他們與古老德魯伊教的相似程度，很可能還是不太一樣吧！」布莉安娜現在正傾身聆聽，流露出濃厚興趣，忘了雙手還握著威士忌杯。

「牧師無法認真看待德魯伊教，畢竟還是會考量到他們是異教徒。不過，他的管家葛拉漢太太有參與其中，所以他會不時得知他們的活動。他還向法蘭克透露，他們會在五朔節❷的黎明舉辦某種儀式。」

羅杰點點頭，試著在腦海中想像那位正經八百的葛拉漢老太太在清晨參加異教儀式，繞著巨石陣跳舞。他對德魯伊教的唯一印象，就是有些教徒會把人當成祭品，關在柳條編成的籠子裡活活燒死。這麼可怕的行徑，實在很難和一位信奉長老教會的蘇格蘭老太太聯想在一起。

克萊兒不好意思地聳聳肩說：「這附近有座小山頂也豎立著巨石陣，我們當時還在黎明前溜上去，想偷窺他們的活動。你也知道學者的職業病，凡是碰上自己的專業領域，就顧不得什麼優雅、社會觀感了。」羅杰聽了微愣了一下，會意過來後也點頭苦笑贊同。

「結果他們一群人，包括葛拉漢太太，全裹著床單，一邊喃喃吟誦著禱詞，一邊在巨石陣之中跳舞，法蘭克看得相當入迷。那確實讓人大開眼界，連我都不禁要佩服。」克萊兒笑著說道。

她頓了一會兒，若有所思地盯著羅杰看。

「聽說葛拉漢太太幾年前過世了，但我在想……你知不知道她是否有家人呢？這類團體成員通常都是世襲的，或許她的女兒或孫女可以和我分享一些故事。」

「嗯，她的確有個孫女，叫作菲歐娜。其實葛拉漢太太過世後，她就常來這裡幫忙，畢竟牧師年事已高，得有人就近照顧。」羅杰緩緩說道。

羅杰這下總算可以甩開腦中葛拉漢太太裹著床單跳舞的畫面，轉而想像十九歲的菲歐娜守護遠古祕教知識的模樣。不過他立即回過神來，興致勃勃地說道：「她現在不在這裡，但我可以幫妳問問。」

克萊兒揮了揮纖細的手阻止：「別麻煩了，改天吧！我們已經耽誤你太多時間了。」

羅杰還沒從失望中恢復，克萊兒就已把空酒杯放到椅子間的小桌上，布莉安娜也迅速把絲毫未飲的酒杯放在旁邊。此時布莉安娜咬了指甲，這個小動作讓羅杰決定放膽進一步行動。他對布莉安娜很有好感，不希望這麼一別之後，再無相會之日。

「妳說的巨石陣，我應該知道地點！那裡景色優美，離鎮上不遠。」羅杰立刻說道，又向布莉安娜投以微笑，並隨即注意到她一邊顴骨上有三顆小雀斑。羅杰又接著說：「我想我會先去圖瓦拉赫堡一趟，剛好和巨石陣同方向，所以應該……哇啊！」

克萊兒忽然勾到她那稍嫌笨重的手提包，把兩個威士忌杯從桌上撞落，濺得羅杰大腿上全是單一純麥威士忌和汽水。

「對不起，對不起。」她十分驚慌失措，連忙道歉並彎腰拾起地上的水晶杯碎片，羅杰在一旁阻止。

布莉安娜趕緊從櫥櫃取來幾條亞麻餐巾幫忙擦拭，說道：「媽，我真不懂，醫院的人怎麼敢讓妳進手術房。任何比麵包盒小的東西到妳手上都很不保險，妳看他連腳都被威士忌弄濕了！」她跪在地板上，忙著擦拭灑出的威士忌和水晶杯碎片，「連他的褲子都濕了。」

布莉安娜又取來另一條乾淨餐巾，挽在手臂上，認真擦起羅杰的腳趾，一頭紅髮在羅杰的膝蓋附近快速飄動。她抬起頭，盯著羅杰的大腿，奮力拍拭燈芯絨褲上的一塊塊水漬。羅杰趕緊閉起眼睛，逼迫自己想像可怕的車禍場景、稅務局的報稅申請表、外太空的變形蟲等等，只要能讓他不出糗的畫面都好，因為此刻，

❷歐洲傳統節日，每年五月一日舉行，祭祀樹神、穀神以慶祝豐收與春天的來臨。

布莉安娜溫暖的氣息正細細穿過他褲管濕濡的布料……

「呃，你要不要自己來？」聲音從羅杰的鼻頭附近傳來，他張開眼睛，看見一雙深藍色的眼眸，下方帶著一抹笑靨。他虛弱地從她手中接過餐巾，鼻呼粗重，彷彿剛剛被火車追過似的。

羅杰低頭擦拭褲子，瞥見克萊兒望著他，一臉憐憫又想笑的表情。可是就在慘劇發生前一刻，他似乎注意到她眼神有異。不過，當時一陣混亂，或許是他的錯覺吧！畢竟，克萊兒何必故意打翻酒杯呢？

—

「媽，妳什麼時候開始對德魯伊教產生興趣的？難不成妳也要裹上床單加入嗎？」布莉安娜似乎覺得這事有些好笑。我剛剛和羅杰聊天時，就發現布莉安娜咬著下唇努力憋笑。現在笑容才又重新回到她臉上。

「總比每週四參加醫院員工會議還要好玩多了！不過，床單可能太透風。」我答道。布莉安娜噗哧笑了出來，驚動了前方路上兩隻山雀。

「好啦！我並不是要找那群信奉德魯伊教派的女人，而是想找一位我以前在蘇格蘭認識的女士。我沒有她的地址，畢竟已經二十多年沒聯絡了，不過她很愛研究稀奇古怪的東西，像是巫術、古老信仰或傳說之類的。她以前住在這裡。我想，如果她還在，可能就會和德魯伊教徒有往來。」我正經答道。

「她叫什麼名字？」

我搖了搖頭，想抓住滑下髮鬈的夾子，但髮夾從指縫中溜了出去，掉進路邊草叢的深處。

「該死！」我咒罵道，彎下身尋找，手指在茂密的草叢中胡亂摸索，而髮夾沾了草的水氣，滑溜得難以拾起。每當想起潔莉絲．唐肯，我就心神不寧，即便現在也不例外。

「我也不清楚，我是說，都過這麼久，她一定也改名了。她的先生不在了，之後有可能再婚，或是改用娘家姓。」我邊說邊把鬈髮從泛紅的臉撥開。

「喔！」布莉安娜對這話題已失去興趣，沉默地走了一會兒。突然，她問道：「媽，妳覺得羅杰‧威克菲爾德這個人怎麼樣？」

我瞥了她一眼，她的粉頰透著嫩紅色，但或許是因為春天的暖風吧！

「感覺是個很不錯的年輕人，聰明才智自然不在話下，他可是牛津數一數二的年輕教授！」我謹慎答道。聰明的人我見多了，我倒很好奇他的想像力如何，通常學者型的人都死腦筋，但想像力對於作學問其實極有助益。

「他的眼睛非常迷人，妳看過這麼綠的眼睛嗎？」布莉安娜迷茫地說著，忽略了他的腦袋瓜。

「是啊，讓人印象深刻，他那雙眼完全沒變，我還記得他小時候眼睛就這麼綠了。」我同意道。

布莉安娜低頭看我一眼，眉心緊蹙。「說到這個，媽！他來開門的時候，妳何必說什麼『哇，你都長這麼大啦！』多尷尬啊！」

我笑了笑。「欸，我上回見到這孩子，身高還不到我的肚臍，現在突然間這麼高，我得抬頭才勉強看得到他的鼻子，不小心就脫口而出了！」我替自己辯解。

「媽！」布莉安娜也忍不住噗嗤笑了。

「他的屁股也很不賴，他彎腰拿威士忌的時候，我就注意到了！」我品評著，想繼續逗她。

「媽，別人會聽到！」

前面就是巴士站了，只見兩、三位老婦人和一位身著粗花呢衣的老先生在站牌候車，我們母女走近時，他們都轉過頭來瞅著。

「請問去尼斯湖的觀光巴士是在這裡等嗎？」我邊問邊瀏覽著站牌上讓人眼花撩亂的廣告和啟事。

「沒錯！巴士再十分鐘左右就會到了。」一位老婦人親切地回答。她打量著布莉安娜，一看就曉得是美國人：牛仔褲搭配淺白風衣，尤其是那副因憋笑而漲紅臉的模樣，根本在宣告自己的來歷。「妳們要去尼斯湖啊？第一次去嗎？」

我微笑說道：「我和我先生二十多年前搭船遊過一回，這次是我女兒頭一遭來蘇格蘭玩。」此話引起了其他婦人的注意，她們紛紛圍過來，氣氛頓時變得非常友善，提供許多旅遊建議，也問了不少問題，直到一輛黃色大巴士從轉角隆隆駛來。

布莉安娜在上車前停了一下才上巴士，好欣賞那如畫景致——山巒的輪廓彎曲起伏，映照在湛藍的湖泊上，邊緣綴著一排排黑松林。

「一定很好玩，我們會不會看到水怪啊？」她笑著說道。

「說不定喔！」我答道。

—

那天送走藍鐸母女後，羅杰便呈現失神狀態，心不在焉地進行手邊的工作。要捐給古物保存協會的舊書疊到滿出紙箱；牧師的老爺拖車停在車道上，引擎蓋整個掀開，內部機件檢查到一半；浮著泡沫的半杯奶茶擱在手肘邊。他茫然地望向窗外，盯著向晚的細雨翩翩落下。

他曉得自己當前該做的，就是把牧師的書房好好清理一番。書籍還稱不上麻煩，縱然整理起來也頗費力，但只需要決定哪些書該留，哪些該捐給古物保存協會或牧師母校的圖書館。眼下的艱鉅任務之一是整理書桌——文件紙張塞滿了巨大的抽屜，有些甚至擠出了抽屜隙縫。此外，他還得把房中那一整面軟木板牆上琳瑯滿目的雜物逐一拆下，重新整理過。心臟再強的人，面對這陣仗也會無力啊！

除了下意識抗拒這項煩悶工作，羅杰理智上也不願動工，反而想著手進行克萊兒的研究計畫，找尋卡洛登之役的遺族。

這項研究雖然微不足道，卻很有趣。不過，那並非主要原因。真要老實說起來，羅杰之所以想幫克萊兒，是因為想奔去湯瑪斯太太經營的民宿，親自在布莉安娜面前奉上研究結果，如同騎士英勇砍下巨龍首級，獻給公主。即使最後無法得到像樣的成果，他也急切地想找個藉口找她聊天。

布莉安娜的相貌，讓羅杰不禁想到十六世紀名畫家布隆津諾❸的肖像畫。這對母女都給他奇特的印象，如同畫家勾勒出的那些人物，生動細膩，像是活脫脫從背景走出。但是布莉安娜更為耀眼，擁有鮮豔色調，以及布隆津諾筆下人物那種不容忽視的存在感。她們用眼神瞅著你，彷彿就要走出畫框開口說話。羅杰雖沒見過布隆津諾的肖像對著一杯威士忌做鬼臉，但若真有這幅畫，他肯定畫中人會與布莉安娜一個模樣。

「唉，管他的，不過就是翻翻卡洛登大宅的史冊，花不了多少時間。至於你們，可以多等一天。」他對著書桌和凌亂的雜物嚷嚷。「你們也不例外。」又對著那幾面牆說道。然後從書架上用力抽出一本懸疑小說，惡狠狠地環顧四周，像在確認有誰膽敢反對。但室內一片鴉雀無聲，只有電暖爐呼嚕作響。他關上電源，把書夾在腋下，離開書房之前，順手扳下電燈開關。

一分鐘後，他又回到黑漆漆的書房，取走桌上那張名單。

「不管了，反正明早我可不想忘了這鬼東西。」他邊說邊把紙塞到襯衫口袋，拍了拍心窩上方的口袋，紙張發出微微窸窣聲，然後羅杰便回房上床睡覺去。

---

❸布隆津諾（Agndo Bronzino），是十六世紀的義大利佛羅倫斯的重要畫家，以筆法細膩、色彩奪目著稱。

我們已從風大雨冷的尼斯湖回到溫暖舒適的民宿，享受熱騰騰的晚餐與客廳的開放式壁爐。布莉安娜吃著炒蛋，呵欠連連，不久便上樓泡熱水澡。我在樓下待了一會兒，與民宿主人湯瑪斯太太閒聊，直到近十點鐘才回樓上洗澡換上睡袍。

布莉安娜向來早睡早起。我推開房門時，她已發出均勻的呼吸聲。她不但睡得早，還睡得沉。我輕手輕腳在房內走動，掛好衣服，收拾東西，但其實不大可能吵醒她。整理的過程中，屋子越來越安靜，我動作的沙沙聲傳入耳裡也變得異常吵雜。

我把幾本法蘭克的書帶在身上，打算捐給茵凡涅斯圖書館。目前這些書都整齊排在行李箱底部，替其他的脆弱物品墊底。我把書本逐一拿出攤在床上。共有五本硬皮精裝書，亮面書封仍閃著光澤，即便不算插圖或索引，每本仍有五、六百頁，極具分量。

法蘭克的畢生傑作全數編輯成套，並由他人加上詳注，書衣上滿滿的盛讚評語，都是備受敬重的歷史學家所寫。我想，畢生著作能獲此成就實屬不易，值得引以為傲。他的著作扎實有分量，極具學術權威。

我在桌上把這些書整齊疊在皮包旁，以免早上忘了帶走。雖然書名不同，但作者「法蘭克．藍鐸」在整疊書的書脊上都整整齊齊排在一起。在床頭燈光暈的映照下，他的姓名閃著寶石般的光芒。

這間民宿非常安靜，由於現在不是旺季，所以房客少，而且也都早早就寢。布莉安娜睡在自己的床上，發出沉沉的呼吸聲，還在睡夢中翻了個身。紅色的髮絡垂在臉上，一隻腳丫子從被窩中露出，我輕輕拉了毯子蓋上。

熟睡中的孩子總教人忍不住伸手輕撫，儘管眼前的女孩早就長得比母親還高，亭亭玉立。我把她臉上的頭髮撥開，輕摸她的頭，她倏地露出滿足的一笑。我這樣望著她的時候總是掛著微笑，而且已經數不清是第幾次在她入睡後靠上她的耳畔悄聲說道：「老天，妳長得真像他。」

我嚥下哽在喉頭的情緒（這如今已成了習慣），然後拿起椅背上的外套。四月，蘇格蘭高地的夜晚冷得刺骨，但我還不想躲進溫暖的被窩。

我先前請湯瑪斯太太留著客廳壁爐的火，再三保證我會在睡前封爐。我輕輕帶上門時，仍可瞥見布莉安娜修長的四肢，以及潑灑在湛藍床單上的火紅髮絲。

「若要說布莉安娜是我畢生的傑作，也不差了，也許沒那麼精巧，但沒人敢小看。」我對著漆黑的走廊低聲說道。

小客廳黑壓壓一片，但舒適感不減，爐火燒得只剩主木柴上的微微紅光。我拉了張沙發椅，在爐前坐下，雙腳翹在護欄上。現代生活的細微聲響從四面八方傳來：地下室冰箱的微弱運轉聲、中央暖氣系統的嗡嗡聲（壁爐的火光是種慰藉，而不是取暖用），以及屋外車輛不時疾駛而過的呼嘯聲。

但這些聲響背後，就只剩高地夜晚無邊的寂靜。我坐著不動，與這股寂靜合而為一。雖然已二十年沒有這種感受，但那黑暗的撫慰力量還在，隱藏於層層山巒之間。

我把手伸入外套口袋，抽出一張摺起的紙，那是我給羅杰的名單複本。火光過於昏暗，看不清上面的字，但我無需看到那些名字。我打開紙，放在覆著絲質睡衣的膝上，坐在黑暗中凝視一行行潦草的字體。我的手指緩緩滑過一行又一行字，像禱告般低喃著每個名字。這群人比我更應該出現在這樣的寒冷春夜。我緊盯著爐中的火焰，讓外頭的黑暗填滿我內心的空洞。

名字一個個脫口而出，好像在召喚他們。我開始回到過去，跨越空無一物的黑暗，重回他們等待著我的地方。

第二章

撲朔迷離

他所能做的，
就是乖乖閉嘴，
直到克萊兒完成她的計畫，
然後再幫忙收拾殘局。

翌日，羅杰離開卡洛登大宅時，手上雖多了十二頁的筆記，卻越發困惑。這項研究計畫當初看來頗為簡單，豈料調查過程竟冒出一些莫名的曲折。

他根據克萊兒提供的名單去查詢卡洛登戰役陣亡的官兵名冊，卻僅在上面找到三個名字。這當然不足為奇。查理王子麾下軍隊成員變動頻繁，有些氏族領袖很顯然是一時興起才加入，於是也常無故脫隊而去，族人的名字根本來不及記上官方名冊。而蘇格蘭高地軍隊的文書記錄更是亂無章法，資料到最後多半散佚。不過，保留名冊的意義也不大，畢竟若無薪可支，記錄也是枉然。

羅杰小心屈身坐進他的莫里斯迷你車，下意識縮起脖子以免撞到車頂。他拿了夾在腋下的資料打開來，然後皺著眉心專注翻閱著影印來的資料。說也奇怪，克萊兒所列之人，幾乎全出現在另一批軍隊的名冊中。士兵一察覺戰況不利就棄逃，在任何氏族組成的軍團中，都是很常見的狀況。但讓人百思不得其解的是，克萊兒名單所列的士兵，清一色都隸屬於羅瓦特領主的軍團，負責戰役後期的增援任務，以履行羅瓦特勳爵（即西蒙．弗雷瑟）對斯圖亞特一族的承諾。

然而，克萊兒卻言之鑿鑿表示，這些人全都來自名為圖瓦拉赫堡的小領地，遠在羅瓦特領土的西南方，可說是與麥肯錫氏族領土接壤，而她的名單也證實了這一點。此外，她還說他們早在普雷斯頓潘斯一役，就已加入蘇格蘭高地的軍隊，而那時正處於卡洛登之戰的初期。

羅杰搖搖頭，這實在說不通。是啦，克萊兒可能記錯年代了，畢竟她也說自己稱不上歷史學家，但總不會連地點也混淆吧？而且圖瓦拉赫堡的戰士並未宣誓效忠弗雷瑟氏族領袖，怎可能聽命於羅瓦特呢？羅瓦特的綽號「老狐狸」固然其來有自，但羅杰懷疑，這位老爵即使足智多謀，應該也沒狡詐到足以呼風喚雨。

羅杰的眉頭深鎖，接著發動引擎把車駛離停車場。卡洛登大宅的檔案資料少得可憐，多半是喬治．穆瑞動爵那種華美的表現書信，內容多是抱怨後援補給不足，有些資料則適合放在博物館展覽，供遊客欣賞。只是，這些東西對羅杰來說根本不夠。

「等等，你這傻子，當前工作是找出哪些人在卡洛登之戰後倖存下來，查明他們的下落。只要他們小命保住了，誰還管地點兜不起來的問題啊？」他提醒自己，瞇眼望向後視鏡中的彎路。

但他依舊無法放下此事，因為實在太離奇了。人名混淆的現象是司空見慣的，在高地更是常見，往往有半數人口都取名為「亞歷山大」。因此，當地通常會以地名或姓氏來稱呼男子，有時甚至用地名取代姓氏。例如詹姆斯黨中地位最顯赫的氏族領袖羅切爾，本名其實是唐納・卡梅隆，他只是來自羅切爾。最後他便稱為羅切爾，以區別其他動輒數百位的唐納・卡梅隆。

除了唐納和亞歷山大，蘇格蘭高地的常見男子名還有一個：強恩。羅杰在陣亡官兵名冊中，就發現這三個名字出現在克萊兒的名單上，分別為唐納・穆瑞、亞歷山大・麥肯錫・弗雷瑟，以及強恩・葛拉漢・弗雷瑟。這幾個姓名皆未附上地名，只有本名及隸屬軍團，也就是羅瓦特領主麾下的弗雷瑟軍團。

少了地名作依據，羅杰便無從確認誰是克萊兒名單上的人。名冊上至少就有六個強恩・弗雷瑟，可能還有更多同名同姓的人。英格蘭人不太在意資料是否完整或正確，大多是事後才記載，由氏族的族長清點人頭，看看誰沒回來。而多數時候，甚至連族長自己都回不來，這樣的情況就更為複雜。

他苦惱地扯著頭髮，一副刺激頭皮能觸發大腦思考似的。如果這三個都不是克萊兒要找的人，便會讓事情更加撲朔迷離。查理王子的軍隊大半都在卡洛登一役葬送了性命，羅瓦特的人馬更是身陷戰役核心，死傷最為慘烈，實在難以想像這三十名戰士均能全身而退。其他軍團的士兵只要待得夠久，多少都曉得大勢已去，棄逃事件時有所聞，相較之下，羅瓦特領導的援軍是戰爭後期才加入戰事，弗雷瑟戰士又個個盡忠職守，傷亡必定相當慘重。

震耳欲聾的喇叭聲從後方傳來，將羅杰硬生生拉回現實。他靠路邊開去，先讓不耐煩的大卡車轟隆隆地駛過。他心想，開車時還是別思考好了，否則接下來肯定會連人帶車撞個稀爛。

羅杰坐在車裡沉思了一會兒，內心有股衝動想直奔湯瑪斯太太的民宿，向克萊兒回報目前的進展。而且這樣還可以和布莉安娜碰面，更讓他動力大增。

另一方面，羅杰身為歷史學家，自然渴望挖掘更多資料，而他又不確定克萊兒能否幫得上忙。克萊兒既然請他調查，應該不會提供錯誤情報干擾研究才對。這麼做實在有違常理，而克萊兒在他眼中是個通情達理的人。

不過，打翻威士忌一事便啟人疑竇。羅杰回想起來，仍覺得難為情。羅杰肯定克萊兒是故意打翻的，但她看起來又不像是會惡作劇的人，因此不得不推測，她可能是要阻止羅杰邀請布莉安娜走訪圖瓦拉赫堡。克萊兒是不希望羅杰前往，還是只是不希望他帶布莉安娜同行呢？羅杰越思考，越相信克萊兒有事瞞著布莉安娜，至於是什麼事則無從得知，更甭提這事與他或調查本身有何關係。

若非看在布莉安娜的份上，以及好奇心的驅使，他早就宣告放棄了。他想查明事情的真相，而且沒有結果誓不罷休。

他握拳敲了兩下方向盤，腦中不停地思考，完全忽視外面呼嘯的車流。終於，他作出了決定，再度發動引擎上路，開到下個圓環，繞了四分之三圈後，朝著茵凡涅斯鎮火車站駛去。

羅杰搭乘疾速蘇格蘭列車，花了三個小時抵達愛丁堡。愛丁堡的斯圖亞特王朝史料館館長是威克菲爾德牧師的摯友，他恰好有條線索，但是謎團依舊：依據羅瓦特領主的軍團成員名單得知，那三十人小隊的隊長名叫詹姆士・弗雷瑟，來自圖瓦拉赫堡，可以說是羅瓦特的弗雷瑟一族與圖瓦拉赫堡之間唯一關鍵人物。然而，羅杰不解的是，詹姆士・弗雷瑟並不在克萊兒的名單上。

陽光露臉，在四月中的蘇格蘭是非常難得的，羅杰毫不浪費這一刻，搖下駕駛座的小車窗，讓爽朗的微風輕拂耳際。

他不得不在愛丁堡留宿一晚，忙到隔天深夜才回到牧師的家。舟車勞頓使得他疲累不堪，於是在菲歐娜的堅持之下，吃了她準備的熱騰騰晚餐，之後便倒頭就睡。今天起床後，他恢復了朝氣與決心，立刻驅車前往鄰近圖瓦拉赫堡領地的莫德哈屯小村落。就算克萊兒不希望布莉安娜前往圖瓦拉赫堡，也沒辦法阻止他自行一探究竟。

其實，他之前就已經找到圖瓦拉赫堡了，至少他認為是。頹圮的龐大石造建築環繞一座殘缺的圓形碉堡，或可稱為塔臺，古時作為生活居所兼防禦工事。以他對蓋爾語的了解，圖瓦拉赫堡的意思是「北面塔」，但讓他納悶的是，圓形塔臺怎麼會有方位之別？

附近一棟莊園宅邸及附屬房舍也是斷垣殘壁，但完整許多，房地產仲介商的廣告牌仍釘在前院的木樁上，字跡早已風化到無法辨識。羅杰在宅邸上方的斜坡四處張望，掃視一遍後，他還是推測不出克萊兒阻止布莉安娜來到此處的理由。

他把車停在前院後下了車。這地方確實很美，可惜太過偏遠。他小心翼翼地花了將近四十五分鐘，才從高速公路開到崎嶇不平的鄉間小路上，還好油箱底盤沒有在搖晃中裂成兩半。

他並沒有進入宅邸，由於建築內部早就荒廢許久，貿然闖進可能會有危險，而且肯定不會有什麼收穫。不過，門楣上可見「弗雷瑟」的名字，而相同的字樣也刻在許多尚能辨識的小墓碑上，料想此處原本應該是家族墓園。這些線索都無助於研究進展，他思忖，沒有半個是克萊兒名單上的人。他得繼續沿著路開下去。

地圖顯示，再五公里路程就會抵達莫德哈屯的村落。

而他擔心的事果然成真，村裡的教堂早就無人使用，數年前便已拆除。他只好挨家挨戶敲門詢問，但當地村民不是呆頭呆腦就是擺張臭臉，只有一位老農夫不大肯定地說，教區紀錄簿可能存放在威廉堡或茵凡涅斯鎮，那裡有位牧師專門蒐集這類垃圾。

羅杰雖然覺得自己碰了一鼻子灰又疲憊不堪，但還不到灰心的地步。他拖著沉重的步伐回到車上，在酒館旁的巷裡歇著。從事歷史研究的人，對於這種挫敗已是見怪不怪，只要喝個一杯，唔，兩杯吧，就可以重新出發了。

他不禁自嘲，若遍尋不著的紀錄簿根本就躺在養父的檔案櫃裡，那還真是活該，誰教自己要放著正事不做，為了討好心儀的女孩搶著當無頭蒼蠅。他大老遠跑到愛丁堡，結果只確認了卡洛登大宅那三個名字隸屬不同軍團，並非來自圖瓦拉赫堡。

斯圖亞特王朝的史料整整占滿牧師家三個房間，地下室還有不計其數的木箱，他根本無法全部都研究一番。不過，他之前倒是找到了卡洛登大宅那份名冊的複本，上面詳列了羅瓦特領主指揮的軍團成員，羅瓦特領主正是「老狐狸」的兒子，也就是小西蒙。羅杰心想，這傢伙果然老奸巨猾，運用兩面手法，派後代去為斯圖亞特一族效命，自己卻待在家中，誆稱自己始終是喬治國王的忠臣，好處都給他撈盡了。

依據這份名冊，指揮官是小西蒙．弗雷瑟，卻未提及詹姆士．弗雷瑟。然而，一些軍隊派令、備忘錄等其他文件中，倒是有個詹姆士．弗雷瑟，若是同一位男子，他想必相當活躍。但光憑詹姆士．弗雷瑟一名，實在無從判斷這人是否來自圖瓦拉赫堡，畢竟這名字在高地出現頻率之高，不亞於唐肯和羅伯特。這些文件中僅有一處的詹姆士．弗雷瑟附上中間名，算是有跡可循，卻隻字未提他所率領的部隊。

他聳聳肩，不耐地揮打頭上一團飛舞的飢餓蠓蟲。若要在牧師家逐一梳理這些紀錄，勢必得花上好幾年的工夫，那支蠓蟲大軍又揮之不去，他索性躲進陰暗的酒吧，泡在濃濃的啤酒氣味之中，讓那些瘋狂的蟲子去騷擾別人。

他啜著清涼苦澀的麥酒，在腦海中檢視目前的進展，和接下來可能的選擇。他今天還有時間去威廉堡，不過回到茵凡涅斯就很晚了。若在威廉堡的博物館一無所獲，下一步就是好好在牧師的檔案櫃中挖寶，只是這會顯得先前都在瞎忙。

若還是不行呢？他喝完最後幾滴麥酒，向老闆再要了一杯。唔，若真到那步田地，短期內他只能察訪圖瓦拉赫堡一帶教堂或墓地附近的遊民，藍鐸母女想必不會在茵凡涅斯住上兩、三年，只為了等待結果出爐。

他從口袋中掏出歷史學家的良伴：筆記本。在離開莫德哈屯前，他至少得去舊教堂一帶瞧瞧，或許會有意外的發現，再怎麼樣，至少之後不必再跑一趟。

｜

翌日晌午，羅杰邀藍鐸母女來喝茶，聽聽他的研究進展。

「我找到了名單上的幾個人。」他邊說邊請她們進入書房，然後說：「奇怪的是，我無法確定這些人是否在卡洛登一戰中生還，本來以為找到三個人，但結果只是剛好同名同姓。」羅杰瞥了克萊兒一眼，她靜靜站著，一隻手抓著高背椅的椅背，似乎忘了自己身在何處。

「呃，妳不坐嗎？」羅杰問道，她回過神來，身子微微抖了一下，點了點頭，忽地坐在椅子邊緣。羅杰滿腹疑問地看著她，但仍繼續拿出裝著研究筆記的資料夾，遞給她瀏覽。

「真的很不尋常。我還沒找到全部的人，可能還得再翻翻教區紀錄簿，或去圖瓦拉赫堡附近的墓地查查。目前這些資料都是我父親收藏的文件。妳大概以為，既然他們全都參與卡洛登一役，少說會找到一、兩個死者的名字，況且妳也提到這群人屬於弗雷瑟軍團的一支，而且幾乎都身陷核心，戰況最為激烈。」

「這我曉得。」克萊兒的語氣有點異樣，羅杰困惑地看了她一眼，但她隨即越過書桌翻起文件，一下遮住了表情。這些資料多半是羅杰親手抄錄的複本，政府收藏斯圖亞特王朝史料的檔案尚未使用複印技術存檔。不過，有些則是原稿，挖掘自威克菲爾德牧師收藏的十八世紀文件。她用纖細的手指翻閱著資料，動作輕巧，避免傷及脆弱的紙張。

「沒錯，確實很奇怪。」他這下明白她語氣中的情緒了，興奮中摻雜著滿足與寬慰。這結果應該符合她的預料，或者如她所盼望。

「依你看。」克萊兒遲疑了一下說：「你找到的這些人，如果沒在卡洛登戰死，那之後的下落呢？」

他有點意外克萊兒對此竟如此在意，手上也一邊迅速地打開裝著研究筆記的資料夾。「其中兩人出現在一艘船的名冊上，戰後移民到美國。四人在一年後自然過世，這也不難想見，畢竟卡洛登戰後爆發嚴重饑荒，高地死了很多人。還有這個人是我在一本教區紀錄簿中找到，他並不屬於那個教區，但我確定是名單上的人。」

這時，克萊兒的雙肩像放下大石一般鬆開來，羅杰這才發現她原本有多麼緊繃。

「妳要我再查查剩下的名字嗎？」他問道，暗自希望得到肯定的答案。他的眼神飄過克萊兒的肩膀，觀察著布莉安娜，她正側身站在軟木板牆的旁邊，一副對這項研究毫無興趣的模樣，但眉心微微蹙著。

或許布莉安娜也感受到了，克萊兒那壓抑的興奮之情像電場一般圍繞著她。克萊兒剛走進書房的那一刻，羅杰就已察覺，而聽完報告後，這股情緒更加明顯。羅杰甚至覺得，如果這時碰觸到她，可能會有靜電迸射而出。

外面傳來的敲門聲打斷了他的思緒。門打開，菲歐娜．葛拉漢推著茶點餐車走了進來，上頭擺著茶壺、茶杯、桌墊、三種三明治、奶油蛋糕、海綿蛋糕、水果塔，以及附有奶油醬的司康。

「哇！好香！這是為我們準備的嗎？還是待會兒有十個客人要來？」布莉安娜脫口而出。

克萊兒微笑看著面前的茶點，她那股強烈的情緒還在，但在她刻意壓抑之下已減弱許多。羅杰看到她裙襬中的一隻拳頭緊握著，戒指的邊緣都陷進指節中了。

「瞧瞧這些茶點！可以讓我們幾個禮拜都不用吃東西了，看起來好美味！」她說。

菲歐娜聽到布莉安娜這麼一說，頓時神情一亮。她個子嬌小，身材豐腴，棕色皮膚很是亮眼。羅杰聽了則在內心嘆了口氣。他當然高興能好好招待客人，但他也很清楚，這般豐盛的茶點其實是給他的，而不是特地為藍鐸母女所準備。菲歐娜剛滿十九，生平唯一志願就是嫁為人妻，特別是嫁給學有專精的男子。一週前，羅杰為了處理牧師的後事而來，她才看了他一眼，就認定這位歷史教授是茵凡涅斯鎮最理想的丈夫人選。

從那時開始，他每天都被餵得飽飽的，皮鞋也擦得閃亮，拖鞋牙刷排得整整齊齊，床被鋪得跟飯店一樣，外套刷得乾乾淨淨，特地買來的晚報用盤子端上，長時間埋頭工作時，還有人幫忙按摩，更甭提三不五時的噓寒問暖。他從未體驗過如此備受關注的居家生活。

總歸一句，菲歐娜簡直快把他逼瘋了。他如今之所以這般蓬頭垢面、衣衫不整，其實主要是對她糾纏不休的反動，而非暫時擺脫工作與社會束縛後自然樂得不修邊幅。

一想到與菲歐娜．葛拉漢步入禮堂結婚，他就不寒而慄，不到一年，她那天羅地網的糾纏就可以把他逼瘋。不過，撇開這些想法，眼前是布莉安娜若有所思地打量著茶點餐車，似乎在想該先吃哪一樣。

整個下午，羅杰都把注意力集中於克萊兒和研究計畫上，避免眼神飄往布莉安娜。克萊兒十分動人、身材保持得很好，皮膚也還透著光澤，即便到了六十歲，看起來也與二十歲相去不遠。但是看著布莉安娜，都會讓他感到微微窒息。

布莉安娜有種尊貴不凡的氣質，且不像許多高䠷女子那樣駝背，這想必是遺傳自母親，畢竟克萊兒總是抬頭挺胸、姿態優雅。不過，某部分很顯然是遺傳自父親，好比她引人注目的身高；好比那一頭傾洩至腰際的頭髮，泛著金銅色光也帶著幾分肉桂與琥珀色，恣意鬈曲於臉肩周圍，像條華美的披巾；好比她那雙深藍的眼睛，在一些光影中甚至呈亮黑色；更好比她那張略寬的嘴，下唇尤其飽滿豐厚，好似邀人送上輕囓熱吻……

羅杰很慶幸她父親並不在場，否則他深怕自己的表情一旦洩漏了半點意圖不軌的遐想，鐵定會吃不完兜著走。

「來喝點茶吧？」他突然熱心地說。「真厲害，看起來好美味，菲歐娜……呃，謝謝妳，我……呃，覺得這樣就很夠了。」

菲歐娜無視羅杰要她離開的暗示，反而謙虛地頷首，接受大家的讚美，動作俐落地攤開桌墊，擺設茶杯，倒好茶，幫每人都分了塊蛋糕後就在一旁候著，一副女主人的架勢，絲毫不打算離開。

「司康上要塗些鮮奶油啊，羅……我是說，威克菲爾德先生。你太瘦了，得多吃點。」她建議道，不等他回答就舀了一匙給他，還不懷好意地瞄了布莉安娜一眼，接著說：「男人就是這樣，沒有女人照顧，就不會好好吃飯。」

「有妳照顧，真是有口福。」布莉安娜禮貌地回答。

這對話讓羅杰深吸了一口氣，數度屈展著手指，試圖壓抑掐住菲歐娜的衝動。

「菲歐娜，可以請妳……嗯，幫個小忙嗎？」他問。

她眼睛一亮，想到能為羅杰辦點事就情不自禁地咧嘴一笑：「當然可以，羅……威克菲爾德先生，什麼忙都行！」

羅杰覺得有些慚愧，但他認為這對雙方都是好事。她再不離開，難保他不會因為按捺不住脾氣而做出蠢事。到那個時候，後悔也來不及了。

「謝了，菲歐娜。不是什麼大事，就是我訂了一些……」他努力回想鎮上商家的名字，接著說：「一些菸草，是向大街上的布肯先生訂的。不知道妳願不願意去幫我帶回來呢？這麼棒的下午茶之後，最適合來些菸草了。」

菲歐娜已在解圍裙了，羅杰發覺她的裙襬還滾著蕾絲，著實讓人害怕。她帶上書房門後，羅杰安心地閉起眼睛，暫時不去管自己其實並不抽菸。鬆了一口氣後，他再度面對兩位客人，想繼續先前的對話。

「你剛才問我要不要繼續查其他名字，當然好，不會太麻煩你吧？」克萊兒立即接上話。說也奇怪，羅杰竟然覺得菲歐娜離開後她似乎同樣鬆了一口氣。

「不會不會！不麻煩，我很樂意效勞。」羅杰說道，儘管這話並非完全屬實。

羅杰的手在滿滿的茶點餐車上方晃了晃，猶豫片刻，便伸手從下方取出一只水晶酒瓶，裡頭盛著十二年繆爾．布林威士忌。與菲歐娜交手之後，他該好好犒賞自己一下。

「想不想來一點？」他禮貌地探詢。一瞥到布莉安娜臉上的抗拒便立即補上一句：「還是喝茶就好？」

「茶，謝謝。」布莉安娜鬆了口氣地說。

「妳真不明白妳錯失了什麼。」克萊兒對女兒說道，陶醉地品聞威士忌的氣味。

「我就是再明白不過，才不想碰。」布莉安娜說道，聳聳肩，一邊淘氣地對羅杰挑眉。

「美國麻薩諸塞州規定滿二十一歲才能飲酒，布莉還有八個月才滿二十一歲，所以很不習慣威士忌的味道。」克萊兒向羅杰解釋。

「說得好像不喜歡威士忌犯法似的。」布莉安娜反駁道，茶杯遮著嘴，對羅杰笑了一個。

羅杰挑起眉毛語氣嚴肅地說：「這位小姐，這裡可是蘇格蘭，不喜歡威士忌當然犯法！」

「喔，是嗎？」布莉安娜模仿羅杰的蘇格蘭口音，軟語說道：「希望不是謀殺之類的重罪！」

這出其不意的回應讓正要吞下威士忌的羅杰岔氣一笑，嗆得他邊咳邊拍胸口。他瞥向克萊兒，用眼神分享這個玩笑。克萊兒很有默契地裝出驚恐的苦笑，但隨即眨了眨眼開懷地笑了起來，氣氛好不融洽。

這讓羅杰相當訝異，三個人聊開了竟然這麼輕鬆自在，一會兒說著瑣事，一會兒談及克萊兒的計畫。布莉安娜過去顯然對她父親的工作很有興趣，比她母親還了解詹姆斯黨人的歷史。

「他們竟然有辦法打到卡洛登，是相當驚人的。你知道嗎？普雷斯頓潘斯那一戰，高地氏族只靠著不到兩千人，就擊退英格蘭八千名士兵，簡直不可思議！」她說。

「嗯！更早之前的福庫克戰爭也是，兵力不夠、武器不足，而且一路急行軍……要打勝仗簡直比登天還難，但他們還是成功了！」羅杰接著幫腔。

「嗯哼，他們成功了！」克萊兒回應道，豪飲一口威士忌。

「妳想不想一起來，去看看古戰場之類的地方？真的很有意思，而且妳絕對幫得上忙。」羅杰刻意用隨興的口吻對布莉安娜說道。

布莉安娜笑了笑，把頭髮往後順，免得一直飄進茶杯裡。「能不能幫忙我倒不敢肯定，但我還滿想去看看的。」

「太好了！」一聽到她同意，羅杰簡直又驚又喜，伸手想抓酒瓶添酒，卻差點把瓶子給打翻，幸好克萊兒迅速扶住，還俐落地幫他斟好了酒。

「小事一樁，畢竟上次是我打翻的。」克萊兒笑著回應羅杰的連番道謝。

看到克萊兒這般自得鎮定，羅杰不禁開始懷疑自己多慮了，或許上次打翻威士忌真的是場意外，眼前這張漂亮臉孔還是沒有透露半點線索。

半小時後，茶桌上已杯盤狼藉，酒瓶空空如也，三人都帶著倦意，滿足地坐著。這時，布莉安娜有些坐立難安，瞧了羅杰一眼，最後才開口向他借用洗手間。

「廁所嗎？當然、當然。」由於吃下不少英式傳統丹迪蛋糕與杏仁鬆糕，他挪動雙腳時也有些吃力。他心想，若不盡早跟菲歐娜保持距離，恐怕還沒回到牛津，體重就先飆破一百公斤。

「這裡的廁所是老式的那種，水槽裝在天花板下，旁邊垂著一條拉繩。」他指著走廊盡頭的方向說道。

「我在大英博物館的女廁也用過。」布莉安娜點點頭，然後遲疑了一下又問：「你這裡的衛生紙和大英博物館的應該不一樣吧？如果一樣的話，我帶了些舒潔衛生紙。」

羅杰閉起一隻眼，用另一隻眼看著布莉安娜說：「這如果不是個冷笑話，就是我喝多了。」他和克萊兒非常喜歡剛剛喝的這支威士忌，便聯手乾了，布莉安娜則滴酒未沾。

克萊兒聽到兩人的對話後笑了出來，起身遞給布莉安娜幾張皮包裡的面紙：「放心，這裡不是大英博物館，衛生紙絕不會上蠟，也不會印著『英國政府所有』的戳記。話雖如此，紙質觸感也不會太好，大不列顛的衛生紙通常都既乾又硬。」她說。

「謝謝。」布莉安娜接過面紙便朝門走，轉頭補了一句說：「怎麼會有人故意把衛生紙做得跟錫箔紙一樣啊？」

「這兒的男人有橡樹之心❶，當然也有不銹鋼之臀，方能砥礪出蘇格蘭的堅毅性格。」羅杰吟誦著。

「如果是蘇格蘭人的話，我想應該是世代相承，神經早就麻痺的緣故。這些男人都能穿著蘇格蘭裙騎馬

---

❶橡樹之心（Heart of Oak）：原為歌劇曲目，作於十八世紀中葉，後來成為英國皇家海軍進行曲。

了，屁股可是跟馬鞍一樣硬。」克萊兒補充說道。

布莉安娜咯咯笑著說：「我真不敢想像那時候他們拿什麼當衛生紙。」

「其實沒那麼可怕，毛蕊花葉就很柔軟了，差不多和雙層衛生紙一樣。如果是冬天或在室內的話，通常是用一小塊濕布，不怎麼衛生，但擦起來感覺滿舒服的。」克萊兒說道，語出驚人。

羅杰和布莉安娜頓時目瞪口呆，詫異地看著她。

「呃，我從書上讀來的！」她說，雙頰竟然紅了起來。

布莉安娜這才咯咯地笑了，一邊往廁所走去，克萊兒則站在門邊。

「你這麼盛情款待我們，實在太客氣了。」她笑著對羅杰說，方才的不自在轉瞬即逝，回復神色自若的模樣。「還要謝謝你費心，特地幫我查這些名字。」

「很高興幫得上忙，這樣才不用整天和蜘蛛網或樟腦丸為伍，我如果查到任何詹姆斯黨的消息，會立刻通知妳。」羅杰說。

「謝謝。」克萊兒遲疑著，轉頭望了望，然後低聲說道：「趁現在布莉安娜還沒回來……其實，我有件事想私下拜託你。」

羅杰清了清喉嚨、拉直領帶，這可是為此特殊場合才打上的。

「儘管開口，任君差遣！」他說道，下午茶如此成功，他這會兒也聊開了。

「你剛才問了布莉安娜是否跟你一起去勘察，而我想要拜託你，如果可以的話，有個地方希望你不要帶她去。」

這時羅杰腦中的警鈴大作：圖瓦拉赫堡的祕密就要揭曉了嗎？

「就是巨石陣，當地人稱作納敦巨岩。」克萊兒微微傾身靠近，表情十分懇切。「有個很重要的理由，否則我不會這麼拜託你。我想自己帶布莉安娜去巨石陣，至於原因，目前恐怕還不能跟你解釋，但遲早會跟你說，只是現在不是時候。你願意答應我嗎？」

一個個念頭從羅杰心中閃過，原來克萊兒並不是要阻止布莉安娜去圖瓦拉赫堡啊！謎底終於解開，但又多了另一個謎團。

他想了一會兒後說：「就照妳的意思，當然沒問題。」

「謝謝你。」克萊兒輕碰了他的手臂，轉身準備離開。光線勾勒出她的輪廓，羅杰突然想起一件事，或許問的時機不太對，但應該無傷大雅。

「對了，藍鐸醫生，我是說，克萊兒？」

克萊兒迴身面對著他。如今少了讓他分心的布莉安娜，他才發現克萊兒也是別具風姿的美女：她的臉頰因威士忌而泛紅，雙眼則是淺淺的金棕色，相當奇特，好似水晶中的琥珀。

「與這群人有關的紀錄當中，都有提到一位詹姆士．弗雷瑟隊長負責率領這群人，但他不在妳的名單上。我在想，不曉得妳知不知道他？」羅杰說，措詞謹慎。

她頓時僵在原地，就像今天下午剛到這裡的緊繃模樣，但不一會兒就微微動了下身子，語氣平靜地回答：「知道啊！」她答得自然，但臉已失去紅潤，羅杰看到她的頸上有條脈搏快速跳動著。

「他之所以不在名單上，是因為我已經知道他的下場，傑米．弗雷瑟在卡洛登早就戰死了。」

「妳確定嗎？」

克萊兒一副急著離開的樣子，拎起了包包，望著走廊另一頭的廁所，老舊的廁所門把喀喀作響，看樣子布莉安娜正想辦法開門。

「是啊！」她回道，但並未轉頭，接著說：「十分確定。對了，羅杰……」她突然轉過身，那雙奇特的眼睛盯著他瞧，在昏暗光線下，雙眸近似黃色，彷若花豹。

她說：「麻煩你，別跟布莉安娜提起傑米·弗雷瑟。」

—

夜已深，羅杰這時早該就寢，但他卻失眠了。想著菲歐娜變本加厲的殷勤，克萊兒謎樣的矛盾態度，還有可以和布莉安娜一同實地勘察的雀躍，他不僅清醒得很，而且顯然一整晚都睡不著了。於是，與其在床上翻來覆去或數綿羊，他決定善用這段時間來整理牧師那堆資料，說不定很快就無聊到想睡了。

走廊另一頭，菲歐娜的房間燈還亮著，他躡手躡腳地下樓，以免驚動她。啪嚓一聲，他打開書房的燈，站了一會兒，掂量著面前這工程有多浩大。

這面牆足以反映威克菲爾德牧師的內心世界，它完全占據書房一方，底部貼著長約六公尺、寬約四公尺的軟木板。不過，軟木板也幾乎看不到了，因為上面附掛了一層層的文件、便條、照片、油印紙、帳單、收據、羽毛、從信封角落撕下的趣味郵票、地址標貼、鑰匙圈、明信片、橡皮筋等，不是以線繩綁著，就是用大頭釘固定。

軟木板上的雜物琳瑯滿目，厚達十二層，但牧師總有辦法精準找到他要的東西。羅杰心想，它們一定是根據某種潛規則排列，微妙到即便是美國航太總署的科學家也研究不出個所以然。

羅杰苦惱地盯著那面牆，根本不知從何下手。他伸手拿起主教辦公室寄來的一張油印複本，上頭列著開會日期，但隨即給底下的蠟筆畫分了神：那是一隻巨龍，偌大鼻孔冒著團團煙圈，血盆大口則噴出綠焰。

畫紙底部簽著大大的羅杰，字體有些歪七扭八。他依稀記得那時候曾說，這隻龍因為吃太多菠菜才會噴出綠焰。他放回那張開會通知，轉身背對著牆，決定晚點再來傷腦筋，看要如何搞定這一區。

書桌是橡木製成，至少有四十個塞得滿滿的文件分類格子。羅杰嘆了口氣，拉來一張破舊的辦公椅坐下，思考著牧師當初是怎麼想到要收藏這些文件。

一疊是未繳款的帳單；一疊則看似正式文件，包括汽車所有權狀、公證報告、建築檢驗證書等；一疊是史料和筆記；一疊是家族相傳的收藏物；還有一疊，也是最大的一疊，他打算當垃圾扔了。

忙碌之中，他沒聽見背後的開門聲和逐漸靠近的腳步聲，忽然一只大茶壺出現在他身旁的書桌上。

「欸？」他挺直身子，眨了眨眼。

「想說你可能會想喝點茶，威克菲……我是說，羅杰。」菲歐娜放下一個小托盤，上頭是一組茶杯和碟子，以及一盤餅乾。

「喔，謝謝。」他也正好餓了，便對菲歐娜投以微笑，她圓潤的臉蛋因而漲紅了起來。像是得到羅杰的鼓勵一般，她就這麼靠在書桌一角，歡欣地看著他一邊吃巧克力餅乾，一邊忙著手邊的工作。

羅杰心想，總不能把她當成空氣，便拿起一片吃了一半的餅乾，咕噥地說：「好吃。」

「真的嗎？這是我自己做的！」菲歐娜的臉更紅了。她相貌可人，個子嬌小，有一頭黑色鬈髮和大大的褐色眼睛，而羅杰同時間卻突然意識到自己居然正想著布莉安娜是否會下廚。他甩了甩頭，不再多想。

菲歐娜誤認為羅杰是搖頭不相信，便傾身靠近堅持道：「真的！是我祖母留下的食譜，她常常說這是牧師最愛吃的，她也把全部的食譜和遺物都留給了我，因為我是她唯一的孫女。」她的褐色眼睛泛起了淚光。

「妳祖母的事，真的很讓人遺憾。才一轉眼的事，對吧？」羅杰懇切說道。

菲歐娜哀悽地點點頭說：「唉，那天看起來明明氣色很好，晚餐後她說覺得有點累，就上床休息去了。她睡著後，就再也沒醒來了。」她聳了聳肩。

「這樣離開也不是壞事，很替她高興。」羅杰說。早在羅杰被牧師收養之前，葛拉漢太太就是這家的一分子了。羅杰當時剛失去父母，相當怕生，正值中年的葛拉漢太太與先生離異，孩子又都大了，但每當羅杰從學校放假回到牧師家，她總是帶給他滿滿的母愛。她和牧師是很另類的組合，但也因為兩人，這個老房子才成為真正的家。

羅杰被回憶所觸動，伸手輕捏了菲歐娜的手，她也回捏了一下，那雙褐色眼睛忽然深情如水，如玫瑰花蕾的嘴微微張開，傾身往羅杰靠近，羅杰的耳邊逐漸感受到溫暖的呼氣。

「呃，謝謝妳。」羅杰忽然說。他迅速把手抽離，像被燙到似的。「謝謝妳特地準備……呃，茶和點心，好吃，真的好吃，謝啦！」他急忙轉過身，伸手取來另一疊文件，想遮掩心中的焦慮，並隨意從文件分類格子中抽出一捆剪報。

他攤開泛黃的剪報，用手掌壓在桌上，神情專注地皺眉，再低頭觀看髒汙的字跡。過了一會兒，菲歐娜站起身，深深嘆了口氣，腳步聲逐漸往門的方向離去，而羅杰始終沒有抬起頭。

羅杰大嘆一口氣，微閉雙眼，感謝上蒼讓他脫離窘境。菲歐娜的確可人，廚藝也精湛，但也好管閒事、礙手礙腳、令人不耐，而且一心想結婚。他的手只要再放到她紅潤的手上，說不定下個月就有人要宣布喜事了。但按羅杰的意，就算真要公布喜訊，教區紀錄簿上羅杰．威克菲爾德的名字旁也該放上布莉安娜．藍鐸才對。

羅杰邊想著自己和布莉安娜有沒有什麼機會，邊張開眼睛用力眨呀眨，此時眼前的剪報上恰好出現了他希望在自己結婚證書上看到的「藍鐸」。

剪報上印的當然不是布莉安娜．藍鐸，而是克萊兒．藍鐸。頭條標題印著斗大的「起死回生」，底下則是一張二十年前克萊兒的照片，容貌與現在沒有太大的差別，但表情迥然不同。照片中的她，直挺挺地坐在病床上，頭髮蓬亂飛散，嘴巴張得很開，炯炯有神的雙眼怒瞪著鏡頭。

羅杰大吃一驚，飛速翻閱起那一疊剪報，仔細閱讀起來。報導極盡誇大渲染之能事，但確切的來龍去脈卻少之又少。

一九四六年暮春，知名歷史學家法蘭克．藍鐸博士的妻子克萊兒．藍鐸在茵凡涅斯鎮度假時人間蒸發。警方找到她開的車，但人卻無聲無息地消失了。所有搜查行動都無功而返，警方及她的先生那時判定克萊兒．藍鐸想必已遭殺害，凶手可能是附近的流浪漢，屍體可能藏匿於岩石峭壁一帶的某處。

一九四八年，將近三年過後，克萊兒．藍鐸回來了。她被發現的時候，蓬頭垢面、衣衫襤褸，在她失蹤的地點附近徘徊。藍鐸夫人除了有點營養不良，身體狀況大致良好，但她顯得神智不清且語無倫次。

想到克萊兒竟會語無倫次，羅杰驚訝得瞠目結舌。他翻閱完剩下的剪報，大多只提到藍鐸夫人因受驚過度和餐風宿露，在當地醫院接受治療。剪報上還有幾張法蘭克．藍鐸的照片，久別重逢的他理應欣喜若狂，但羅杰卻覺得法蘭克看來反而十分錯愕。不過，這也情有可原。

羅杰好奇地看了又看這些照片。法蘭克瘦長、英挺，散發著貴族氣息，以陰鬱中帶著優雅的姿態站在醫院門內，正準備探視失而復得的妻子時，被攝影師出其不意地捕捉到這一幕。

羅杰用手指畫過法蘭克窄長的下顎、頭顱的曲線，發覺自己原來是在找尋布莉安娜與她父親的共同點。禁不住好奇心驅使，他起身從書架上取來一本法蘭克的著作，在書封上找到一張較為清晰的照片：法蘭克的全彩大頭照，頭髮確實是深棕色，並非紅色。布莉安娜那熾焰般的紅髮，八成是隔代遺傳，還有那深藍的雙眸，猶如貓眼般上揚，美則美矣，卻不似遺傳自母親或父親。羅杰再怎麼努力，都無法在這位名史學家的身上找到他心中那位耀眼女神的影子。

他嘆了一口氣，闔上書，把剪報整理好。他實在得停止這些天馬行空的想像，開始做點正事，否則接下來一年都別想脫身了。

正當他準備把剪報歸類到家族收藏物時，其中一則頭條吸引了他的目光：「被精靈給綁架了？」嚴格來說，吸引他的其實也不是剪報本身，而是頭條上面的日期：一九四八年五月六日。

他輕輕放下那張剪報，彷彿手中握著一顆未爆彈。他閉上眼，回想與藍鐸母女的第一次閒聊，克萊兒當時說：「美國麻薩諸塞州規定滿二十一歲才能飲酒，布莉還有八個月才滿二十一歲……」這代表布莉安娜仍是二十歲。

他心算不夠快，便起身查找牧師收藏的萬年曆。那面軟木板牆雖凌亂不堪，卻有一個萬年曆的專屬空間。他找到了日期，指尖壓著年曆呆站在原地，臉上血色盡失。

克萊兒神祕失蹤多年，再度歸來時除了蓬頭垢面、營養不良、語無倫次……還有了身孕。

—

羅杰終究還是睡著了，但熬夜的後果就是隔天早上爬不起來、精神不濟，外加蠢蠢欲動的頭痛，就算洗了冷水澡，配上菲歐娜一整個早餐時間的滔滔不絕，都沒有辦法消除。

由於實在太難受，羅杰索性拋下工作出門散步去。他在細雨中大步走著，吸了幾口新鮮空氣後，發覺頭痛好了很多，也因為腦袋逐漸清晰，他又開始思考昨晚那些發現背後的糾葛。

布莉安娜顯然毫不知情，這從她提到已故父親的態度就可判斷，她完全以為法蘭克．藍鐸就是她的生父。克萊兒似乎也不想讓她知道，否則大可自己告訴女兒。難不成這趟蘇格蘭之旅，就是吐露真相的開端？布莉安娜的生父肯定是蘇格蘭人，畢竟克萊兒在此失蹤，又在此出現。那他還在這裡嗎？

一想到這裡，就教人頭皮發麻。克萊兒帶女兒來到蘇格蘭，是為了見她真正的父親嗎？羅杰懷疑地搖搖頭，這樣太冒險了，布莉安娜勢必會一片迷亂，對於克萊兒而言也是種痛苦，更可能嚇壞那位正牌父親。況且，布莉安娜早已認定了法蘭克，發現向來敬愛又崇拜的父親竟與自己毫無血緣關係，她的感受又會是如何？

無論對誰而言（包括他自己），羅杰都覺得這情況真令人難受。真希望時光倒流，回到昨天幸福的無知之中。他非常喜歡克萊兒，而他發現自己對於她的外遇有些反感，卻又暗暗自嘲自己古板的心態。誰又知道她和法蘭克婚姻生活過得如何？或許她這麼做有她的正當理由，但她又為什麼要回來？

走著走著，滿身大汗又心情煩悶，羅杰決定晃回老屋。他回到家，在走廊脫下了外套，直接上樓準備泡個澡。泡澡有時可以舒緩他的不安，而這正是他當下最需要的。

他把手伸進衣櫃中沿著一排衣架摸索，想構到他那白浴袍的毛絨衣肩，但瞬間遲疑了一下，轉而伸手至衣櫃深處。衣架往後擠成一堆，好不容易他才抽出了一件睡袍。

他愛憐地看著破舊的睡袍，衣底的黃絲早已褪成赭色，但數隻多彩孔雀依舊鮮豔，如王者般恣意開屏，鼓溜的黑眼珠四處張望著。他把柔軟的睡袍拿近鼻子，深深吸氣，同時閉上雙眼，回味著帆船牌菸草與威士忌殘留的味道，比起琳瑯滿目的軟木板牆，這更能喚起威克菲爾德牧師的形象。

他常常這麼嗅著這件睡袍，每回都能感到安心。香氣的前調是老牌古龍水「Old Spice」的東方香料氣味。他會把臉貼在滑順的絲料上，就像在牧師略胖的臂彎中，躲入安全無比的港口。牧師其他的衣服都捐給樂施會了，唯獨這件他不忍割捨。

一時興起，他穿上了牧師的睡袍，意外發現它仍帶微溫，如同手指輕撫過皮膚。他開心地動動肩膀，讓它更貼身，然後握緊，隨意在腰際打了個結。

他謹慎地四處張望，以防菲歐娜的埋伏，然後沿著樓上的穿堂走進浴室。熱水器豎立於浴缸一頭，彷彿守護著永恆的聖泉，這勾起了他兒時每週一次的驚魂記憶：那時要燒熱水洗澡，得先用一種打火器摩擦金屬打出火花來點燃熱水器，而氣體老是撲面而來，發出駭人的嘶嘶聲。他常常深怕就此引起爆炸而一命嗚呼，因此手心不停冒汗，打火器也老是打滑，不得要領。

現在的熱水器早就自動化，透過那奧妙的內部機制，自己就會咕嚕加熱，基座的瓦斯圈呼隆作響，火焰則藏在金屬蓋底下。羅杰把老舊裂開的「熱水」水龍頭扭到底，再稍微轉點「冷水」，一邊等著浴缸中的洗澡水放滿，一邊站著端詳鏡中的自己。

看起來不太糟。他打量著自己，同時縮起小腹、挺直身子，面對著浴室門上的鏡中映像。結實且精瘦，腿長但不過細，唯獨肩部略顯單薄。他不滿意地皺起眉，左右轉動著瘦長的身軀。

他抬起手撥著粗黑的頭髮，直到髮梢如刷子般翹起，一邊想像自己跟學生一樣，留起鬍髭長髮。這樣看起來會是瀟灑或頹廢呢？或許可以順便戴個耳環。他搞不好會像海盜，例如十七世紀著名海盜愛德華．蒂奇或亨利．摩根。他刻意蹙起雙眉、露出牙齒。

「吼……」他對鏡中的自己發出低鳴。

「威克菲爾德先生嗎？」鏡子說道。

羅杰嚇得向後彈起，腳趾重重地撞向古董浴缸凸出的腳柱。

「唉呦！」

「你還好嗎，威克菲爾德先生？」鏡子說道，接著瓷製門把咔嗒轉動。

「好得不得了！走開，菲歐娜，我正在洗澡！」他沒好氣地說，怒瞪眼前那扇門。

咯咯的笑聲從門的另一邊傳來。

「唉呦，一天洗兩回。真是講究！那你想用月桂萊姆皂嗎？需要的話，可以在櫃子裡拿！」

「我不需要！」他咆哮著。浴缸內的水已經注滿一半了，他關上水龍頭，突來的靜默讓人舒暢，他深深吸進一口水蒸氣。浴缸裡的水溫讓他瑟縮了一下，但隨即踩入水中緩緩坐下，當熱度由下往上襲來，他感覺臉上開始冒汗。

「威克菲爾德先生？」菲歐娜的聲音再度出現，有如惱人的知更鳥在門另一頭啁啾。

「走開，菲歐娜！我什麼都不缺。」他咬牙切齒地說，身體輕輕向後靠著浴缸。水蒸氣瀰漫四周，有如情人臂膀般撫慰著他。

「不缺才怪。」菲歐娜說。

「真的不缺。」他迅速掃視浴缸置物架上的瓶瓶罐罐，連珠砲說道：「這裡有三瓶洗髮精、潤髮乳、刮鬍膏、刮鬍刀、肥皂、洗面皂、鬍後水、古龍水、體香劑，真的應有盡有了，菲歐娜。」

「那毛巾呢？」菲歐娜問道，語氣甜美。

羅杰目光瘋狂地搜索浴室各個角落，但找不到半條毛巾，只好閉上雙眼、咬緊牙關，慢慢從一數到十，但仍嫌太少，於是數到了二十，才覺得自己不致於氣到口吐白沫。

他平靜說道：「好吧！菲歐娜，麻煩妳把毛巾放在門外，然後拜託、拜託妳，菲歐娜……請走開！」

外頭一陣窸窣，接著是不捨離去的腳步聲越來越遠。羅杰總算鬆了口氣，全然沉浸於獨處的喜悅之中，既祥和又寧靜，沒有菲歐娜攪局。

這下，他終於能以較為客觀的角度思考先前驚人的發現，他其實對布莉安娜神祕的親生父親好奇不已。從布莉安娜的外表判斷，她父親勢必英俊非凡，不過，光憑這點就足以讓克萊兒傾心嗎？

羅杰之前便揣測，布莉安娜的父親可能是蘇格蘭人，那他是否現在或曾經住在茵凡涅斯？或許正因距離如此之近，克萊兒才會這般緊張，似乎懷著祕密。但她為何提出那匪夷所思的請求？她希望他不要帶布莉安娜去納敦巨岩，也不要提及圖瓦拉赫堡，究竟理由為何？

一個念頭在他腦海閃過，他瞬間坐直身子，激起的水波嘩啦撞擊著鐵製浴缸內側。莫非她不是真的關心十八世紀的詹姆斯黨人，而是在意名字？莫非一九四七年與她有段露水姻緣的男子就叫詹姆士．弗雷瑟？這名字在高地再普遍不過了。

原來如此，他心想，這樣就說得通了。至於克萊兒為何想親自帶女兒去巨石陣，或許便與親生父親的謎團有關，可能那裡是兩人邂逅之處或懷上布莉安娜的地點。羅杰清楚得很，巨石陣常常是情侶幽會的首選，他高中時就曾帶女生去過，該地散發異教般的詭譎氛圍，總能讓她們放下矜持，而且屢試不爽。

他心中頓時浮現一幅驚心動魄的景象：克萊兒露出白皙的四肢，與一位結實的紅髮裸男狂野交纏，兩人身上布滿著濕滑的雨水、沾黏著壓扁的雜草，在矗立的巨石之間歡愉扭動。想到如此鉅細靡遺的畫面，他不禁微微顫抖，汗水自胸膛淌下，消失於蒸氣瀰漫的浴缸水中。

這下可好！他下次與克萊兒碰面時，該怎麼面對她？他又該怎麼跟布莉安娜相處？難不成要說：「最近有讀到什麼好書嗎？有沒有推薦哪些電影？啊！對了，妳知道自己是私生女嗎？」

羅杰甩甩頭，想讓自己清醒一點。坦白說，他完全不曉得該怎麼辦，情況一團混亂，他根本不願蹚此渾水，卻早已涉入其中。他喜歡克萊兒，也喜歡布莉安娜——說實話，不只是喜歡而已。他想保護她，盡可能不讓她為此傷心。但傷心已在所難免了，他所能做的，就是乖乖閉嘴，直到克萊兒完成她的計畫，然後再幫忙收拾殘局。

第三章
母與女

妳到底有完沒完？
不能再這樣下去了！
話明明都已經說出口了，卻硬生生吞回去。
為什麼不向她坦白呢？

我心裡嘀咕著，茵凡涅斯鎮到底有幾家小茶館？放眼望去，大街兩邊是一間間的小咖啡館和觀光禮品店。蘇格蘭高地自從十九世紀受到維多利亞女王宮廷的重視後，治安逐漸改善，眾多南方遊客紛紛湧來。在此之前，南方人來到蘇格蘭往往是進行政治干預或武力入侵，如今蘇格蘭人面對觀光大軍來襲，已有萬全準備。

高地的城鎮之中，每走三、兩步就會碰到一家禮品店，販售之物不外乎蘇格蘭奶油酥餅、愛丁堡岩石糖、繡著薊花的手帕、玩具風笛、鋁製氏族徽章、拆信的短劍、狀似毛皮袋的零錢包（有些底部還附有等比例的「蘇格蘭人」圖樣），以及琳瑯滿目的蘇格蘭氏族格紋製品，裝飾著各式布料織品，包括無邊帽、領帶、餐巾，甚至不乏其醜無比的「布坎南」黃格紋尼龍布製成的男性三角內褲。

放眼望去，形形色色的茶巾，上頭印著奇形怪狀的尼斯湖水怪唱著蘇格蘭古老民謠《友誼長存》❶……我想維多利亞女王難辭其咎。

布莉安娜徐緩步入店內狹窄的通道，頭微微後仰，滿臉詫異地盯著掛在梁上五花八門的商品。

「妳覺得這些東西全都是真的嗎？」她問道，指著上頭垂吊的一對鹿角，角尖從密密麻麻的風笛中好奇地探出頭來。

「鹿角嗎？喔，當然。塑膠的技術應該還不至於這麼先進，況且光看標價也知道，超過一百英鎊的東西很有可能是真的。」我回答。

布莉安娜雙眼睜得老大，低下頭來。

「好貴！我幫珍妮買條可以裁成裙子的格紋布就好。」

「品質好一點的羊毛格紋布也不便宜，不過倒是很方便帶上飛機，我們去蘇格蘭裙專賣店看看吧！那兒有最好的布料。」我興趣缺缺地說。

天空下起大雨，完全在意料之內。我們把紙包裹塞在雨衣底下，幸好我先前堅持要穿「麥克衣」❷出來。布莉安娜看著我笑了出來。

「媽媽，妳總是習慣講『麥克衣』，都忘記它原本叫雨衣吧！也難怪蘇格蘭人會發明雨衣。這裡一年到頭都下雨嗎？」她一邊說，一邊看著自傘面邊緣滑落的斗大雨滴。

「差不多了。」我在雨中左右張望，留意來車，然後說：「但我猜發明雨衣的麥金塔許先生八成弱不禁風，因為我認識的蘇格蘭人都不怎麼在意淋雨……」差點說溜嘴的我把後面的話硬是吞了回去，還好布莉安娜並未察覺異樣，她正盯著雨水集結而成的小河，水深及踝，汩汩流入排水溝。

「媽媽，我們最好走斑馬線，別在這裡直接穿越。」

我點頭贊同，便跟著她走。濕黏的雨衣底下，我的心跳加速、腎上腺素倍增，無聲地吶喊著：「妳到底有完沒完？不能再這樣下去了！話明明都已經說出口了，卻硬生生吞回去。為什麼不向她坦白呢？」

時候未到，我告訴自己。我並不是懦弱，但即便被看作懦弱也無妨，總之時候未到。我希望布莉安娜好好看一看，不是透過面前這種賣著格紋嬰兒鞋的商家，而是從蘇格蘭的鄉間和卡洛登古戰場好好認識真正的蘇格蘭。最重要的是，我希望能告訴她這一切的來龍去脈，所以請求羅杰幫忙。

---

❶《友誼長存》（Auld Lang Syne）：十八世紀英國詩人羅伯特・伯恩斯（Robert Burns）的代表作，全詩以蘇格蘭語寫成，描述往日情懷與美好的時光，經人譜曲後成為家喻戶曉的民謠。

❷現代常見的一種膠製布料裁製的短風衣，是英國的雨衣（raincoat），一般又稱為「mac」，取名自其蘇格蘭發明人查爾斯・麥金塔許（Charles Macintosh, 1868~1928）的姓氏簡寫。麥金塔許是蘇格蘭非常重要的建築藝術大師，他設計格拉斯哥藝術學院所開創的方形風格，也影響了近代建築的發展。

彷彿受到我思緒的召喚，一輛老莫里斯迷你車的亮橙色車頂映入眼簾，就停在左邊的停車場，在濛濛的雨中像發光的交通號誌一般搶眼。

茵凡涅斯鎮上這種顏色和車況的車子應該沒幾部，布莉安娜瞧見後指著車說：「媽，妳瞧！那不是羅杰的車子嗎？」

「嗯，的確是。」停車場右手邊有家咖啡館，新鮮司康、酸吐司以及濃醇咖啡混雜而成的香氣撲鼻而來，與外頭雨水清新又潮濕的氣味和在一起。我挽著布莉安娜的手臂，拉她進咖啡館。

「反正我也餓了，就來點杯熱可可配餅乾吧！」我說著。

布莉安娜還像孩子一般熱愛巧克力，而且年輕人胃口也好，所以毫無異議地一屁股坐下，拿起一張沾有茶漬的綠色菜單。

其實，我沒有特別想喝熱可可，只是需要一些時間好好思考。對街停車場的水泥牆上有張偌大的告示牌，寫著「蘇格蘭鐵路旅客專用」，下頭則以小寫字體注明多項規定，詳列非火車旅客在此停車的後果。除非羅杰曉得怎麼規避茵凡涅斯鎮的停車法令，否則他一定是搭火車出鎮了。我不確定他跑去哪，想必不是倫敦就是愛丁堡。這年輕人倒是挺有心的，滿把這項小研究當一回事。

我們母女倆就是從愛丁堡搭火車來的。這時我努力回想時刻表的列車時間，但腦袋卻不大管用。

「不知道羅杰會不會搭傍晚的火車回來……」布莉安娜說，把我心裡想的給說了出來，害我差點被口中的可可嗆到。她會作此猜想，讓我不禁好奇這孩子究竟有多在意羅杰。

想必是非常在意了。

「我在想啊！我們逛街的時候或許可以買個東西送他，好謝謝他願意幫妳的忙。」她漫不經心說道。

「也是，那妳覺得他會喜歡什麼東西？」我很好奇她會怎麼回答。

她蹙眉望著手中的熱可可，似乎在找靈感：「不知道，買好一點的吧！感覺這個研究滿花時間的。」她忽地抬頭看我，揚起雙眉。

「妳為什麼想找他幫忙呢？」她問道。「如果想找十八世紀的人，可以委託專業的研究單位啊！像是研究宗族史之類的公司。爸爸以前如果想找特定的族譜，但自己沒時間，都會利用蘇格蘭族譜搜尋網。」

「這我曉得。這項計畫對於……對於妳父親來說，具有特別的意義，他一定也會希望由羅杰來幫忙的。」我說道，深吸了口氣，如今已觸及敏感話題。

她沉默片刻，望著雨水大珠小珠地拍打著咖啡館的窗子。

「妳想念爸爸嗎？」她忽然問道，鼻尖埋在杯子裡，睫毛低垂，避免與我的眼神交會。

「想念啊！」我說，食指沿著杯緣畫著，抹掉一滴濺出的可可。「妳也知道，我們雖然有時處得不太好，但是……還是會想他。我們許多方面都相互尊重，也很喜歡彼此的陪伴，儘管難免有些摩擦。是啊！我確實很想念他。」

布莉安娜點點頭，不發一語，輕輕捏著我的手，我也回握她的手許久，直到掌心傳來她的溫度。我們就這樣牽手坐著一會兒，在靜默中輕啜著熱可可。

「對了……」我打破沉默，把椅子往後推，椅腳與亞麻地板摩擦，頓時金屬聲聒耳。「我忘了給醫院寄信，原本來鎮上的途中要寄的。現在趕去郵局的話，說不定還來得及今天寄出。妳先去專賣店看看，就這條街直直走去的對街。我寄完信就過去找妳。」

布莉的表情有些訝異，但馬上點頭答應。「好。但郵局不是很遠嗎？妳這樣會淋濕的。」

「沒關係，我搭計程車。」我留了一英鎊在桌上，隨即把雨衣穿上。

每逢雨天，城市裡的計程車通常會自動消失，好像碰到雨就融化了一般。但在茵凡涅斯鎮，若不作雨天的生意，計程車這行恐怕就活不下去了。我還沒走到下一個街口，就看到兩輛既矮又寬的黑色計程車在一家旅館外候客。我坐進其中一輛，裡面溫暖帶著菸草味，一股熟悉的舒適感湧上了心頭。英國的計程車除了雙腿伸展空間較大、坐起來比較舒服，車內的味道也有別於美國計程車。二十年了，我從未料到自己竟然掛念著這芝麻小事。

「六十四號？是不是那棟牧師舊宅？」車內暖氣其實很強勁，但司機的身上仍緊裹著厚外套和圍巾，連一對耳朵也都包住了，外加紳士扁帽保護頭頂，以免亂竄的寒風鑽進骨子裡。我不禁訝異，現代的蘇格蘭人竟如此身嬌體弱。當年他們的高地祖先個個身強體壯，身穿襯衫和格紋裙就可在石南叢倒頭就睡。但話說回來，我也寧願不要穿著濕透的格紋裙睡石南叢。我向司機點點頭，車便向前駛去，車外濺起一片水花。

我覺得自己有點像暗地使詐，趁羅杰不在時溜去他家探管家的口風，還連帶欺騙了布莉。但另一方面，眼下也實在很難向兩人解釋，我只曉得目前還不是時候，也還沒決定啟齒的時機和方式。

我把手伸進雨衣口袋，摸到蘇格蘭族譜搜尋公司信封的皺摺，感到十分安心。雖然我不大留意法蘭克的工作，倒也知道這家公司約有十來位常駐的專業研究員專門研究蘇格蘭宗族史。我知道他們不會只給你看看族譜樹，告訴你與十三世紀蘇格蘭國王的關係，就把你給打發了。

他們接下我的委託後，對羅杰．威克菲爾德進行了一貫翔實的身家調查，甚至上溯到他七、八代的族譜。如今還不清楚的，是他本身究竟有幾分真才實學，而這就有待時間來解答了。

我付了車資，踩著積水的小徑，踏上牧師舊宅的階梯。幸好玄關仍是乾的，我甩甩身上的雨水，按了門鈴，等著裡頭的人來應門。

菲歐娜笑容滿面地迎接我。她圓圓的臉龐甚為討喜，彷彿天生就帶著微笑，牛仔褲外面圍著百褶圍裙，飄散出檸檬油與糕餅烘烤的混合香氣。

「怎麼了？藍鐸夫人，我能幫上什麼忙嗎？」她顯得有點驚訝。

「說不定可以！我想聊聊妳祖母，菲歐娜。」我說道。

—

「媽，妳真的不要緊嗎？如果需要我陪，我可以打電話給羅杰，請他改到明天。」布莉安娜站在房外走廊上踱步，焦急地深鎖眉頭。她一身健行的行頭：靴子、牛仔褲和毛衣。但她圍上了一條亮眼的橙藍相間絲巾，那可是法蘭克過世前兩年從巴黎買回來送她的禮物。

「跟妳眼睛的顏色一模一樣，小美人，橘澄澄的。」他當時微笑著把絲巾披在布莉安娜的肩上。「小美人」成了他倆之間的小玩笑，因為法蘭克身高不過近一百八十公分，而布莉十五歲時就高過他了。但打從布莉還在襁褓中，法蘭克就這麼喚著她，還會帶著溫柔的語氣伸手輕點一下她的鼻尖。

絲巾藍色的部分其實才是她雙眸的顏色，一如蘇格蘭的湖水、夏日的穹蒼，以及遠處迷濛的山嵐。我知道她十分珍視這條絲巾，今天這裝扮足見她對羅杰感興趣的程度比我想像中還高。

「不用，我不會有事的。」我安撫道，還指了指床邊的小桌，上面擺著一小只茶壺，茶壺還貼心覆著保溫用的針織壺套。旁邊是鍍銀吐司立架，供烤好的吐司慢慢放涼。「湯瑪斯太太幫我準備了茶和吐司，說不定我待會兒就能吃一點了。」希望她沒聽到我的肚子正在被子底下咕嚕叫，發現我的話並沒什麼說服力。

「好吧！那我們會從卡洛登直接回來的。」她十分不捨地轉向門口。

「別特地為了我趕回來啊！」我在她身後喊了一句。

一直到樓下傳來關門聲，確定布莉安娜出了門，我才伸手至桌子抽屜內，取出前晚預先藏好的杏仁巧克力棒。

這會兒肚子當然不疼了，我倚著枕頭凝望外頭逐漸灰霾的天空。萊姆樹的枝梢似有若無地彈著窗子，起風了。房內相當溫暖，位於床腳的暖氣呼嚕嚕運轉著，但我仍不禁顫抖起來。卡洛登古戰場上應該很冷。

但再怎麼冷，可能也不比一七四六年四月，那時查理王子率領麾下人馬衝鋒陷陣，不畏冰雹凍雨與英軍的隆隆炮火。根據史料記載，當日寒風刺骨，高地軍隊死傷慘重，雨水與血水交融，傷者倚靠在死者身上，靜靜期待著大獲全勝的英格蘭人手下留情。然而，英軍統帥坎伯蘭公爵對敵軍可毫不心軟。

戰場上屍首如成堆的軟木塞高疊，然後悉數以火燒之殆盡，避免疾病蔓延。而史料也記載，傷者也沒有機會倖免，即便一息尚存，仍活活被燒死……到了現代，眾亡魂總算無需再受戰事或天候侵擾，長眠於卡洛登的原野之下。

我也去過卡洛登。將近三十年前，我和法蘭克便是在那兒度蜜月。法蘭克不在了，我把布莉安娜帶來蘇格蘭，希望女兒親眼看看卡洛登。但我，再也不願踏上那片血腥之地。

還是別下床比較好，這樣他們才會相信我是真的胃不舒服，所以無法一道前去。要是我起身去找午餐吃，難保湯瑪斯太太之後不會說漏嘴，把我拆穿了。我瞥了一下抽屜，還剩三條點心棒，外加一本懸疑小說……嗯，幸運的話，這些應該夠我撐上一天。

小說精采歸精采，但外頭呼呼的風聲深具催眠效果，而溫暖的床褥也熱情地款待我。於是我平靜地進入夢鄉，夢見身穿蘇格蘭裙的高地勇士，帶著含糊的蘇格蘭口音，圍著篝火軟語呢喃，彷彿石南原上的蜂群，不停嗡嗡作響。

第四章

卡洛登古戰場

一九四八年五月間，神祕失蹤的克萊兒終於返家，牧師與藍鐸夫婦關係如此緊密，日記想必會提起這件大事。

「真是一張卑鄙的小豬臉！」布莉安娜彎下身，入迷地盯著一尊披著紅外套的坎伯蘭公爵仿真人像。這尊人像惡狠狠地占據卡洛登遊客中心大廳的一角，大概一百五十多公分，一頭抹著灰粉的假髮挑釁般向前翹起，遮住一邊的眉毛及下垂的紅潤雙頰。

「嗯，他確實胖胖的，這位將軍真夠狠，比那位舉止優雅的親戚來得凶殘多了。」羅杰同意道，頑皮地朝大廳另一頭指了指。那端的查理王子人像戴著一只藍絨軟帽，上頭釘有白色帽徽，不可一世地凝視遠方，無視坎伯蘭公爵的存在。

「他的外號是『屠夫比利』。」羅杰邊說邊指著公爵面無表情的人像。人像的下身是白色馬褲，上身則穿著金線織的外套。他接著說：「這外號其來有自，當然也跟這裡的戰役有關。」他的手向外頭一指，只見卡洛登那片廣大的春日原野，因夜幕低垂而顯得黯淡。他又接著說：「坎伯蘭的手下在高地施行高壓統治，手段暴虐，在英國史上無人能及。他們把倖存者驅逐到山間，沿途燒殺擄掠，婦孺都給活活餓死，男丁則就地槍決，不管是不是查理王子的人馬，下場都一樣。那時代的人這麼形容坎伯蘭公爵：『他造成了荒漠，卻稱之為和平。』即使是現在，這兒的居民對他的反感恐怕絲毫不減。」

此言不假，這個博物館的館長恰好是羅杰的朋友，他就曾告訴羅杰，查理王子的人像備受敬重，但公爵的外套鈕釦卻常憑空消失，人像本身也常被當成笑柄。

「館長說他有天來得早，一開燈，赫然發現一把蘇格蘭短劍就插在公爵的肚子上，而且還因為攻擊的力道過大，人像整個朝右邊歪斜。」羅杰的下巴朝著矮胖的公爵像指了指。

「我想也是。」布莉安娜喃喃自語，然後不解地看著公爵像，問道：「大家還是很在意這段歷史嗎？」

「欸，蘇格蘭人記性可好了，而且不怎麼寬宏大量。」

「真的？羅杰，那你是蘇格蘭人嗎？威克菲爾德這名字聽起來不太像，但你提起坎伯蘭公爵的時候，總有些……」她嘴角帶著一抹意味深長的微笑，羅杰不確定她是不是在捉弄他，於是仍正經八百地回答她。

他帶著微笑說：「我的確是蘇格蘭人。威克菲爾德不是我原本的姓氏，是牧師收養我後才冠上的。牧師其實是我母親的叔叔，在我父母死於戰爭之後，他就收留了我，而我本來姓麥肯錫。至於坎伯蘭公爵……」他對著大玻璃窗點了點頭，向窗外望去，可清楚眺望到卡洛登古戰場上眾多紀念碑，接著說：「那裡有個氏族的石碑就刻著麥肯錫，我有許多祖先都埋葬於此地。」

羅杰伸手撥弄了一下人像的金色肩章，又說：「我的感受不像有些人那麼強烈，但我也沒有遺忘那段歷史。」接著他伸出手邀請布莉安娜：「要不要出去看看？」

外頭寒意蕭瑟，強風吹拂著兩面旌旗，分別飄揚於左右邊柱的頂端，一黃一紅，代表當時兩方指揮官所站位置，靜觀兩軍的勝負。

「原來是退居後方，我懂了，這樣絕對不會受流彈波及。」布莉安娜嘲諷道。

羅杰注意到她在顫抖，便拉著她的手穿過自己的胳臂，好讓她靠近些。他擔心這般肢體接觸會讓自己得意忘形，便不動聲色地滔滔講起歷史故事：「喔，以前的將軍都是這樣領軍的，從後方發號施令。查理王子更是如此，戰況大勢已去時，他逃得飛快，連野餐用的銀器都忘了帶走。」

「野餐銀器？他竟然在戰場上野餐？」

「欸，是啊！」羅杰發覺，自己挺喜歡在布莉安娜面前當起蘇格蘭人。他在大學裡通常要費心地隱藏自己的蘇格蘭口音，改用牛津與劍橋的標準腔調，但如今卻毫無顧忌地流露，就為了得到布莉安娜那一臉滿滿的笑容。

「妳知道為什麼他叫作『查理王子』嗎？」羅杰問道。「英格蘭人都以為是因為他很受部下愛戴，所以把他的名字『查爾斯』親暱地喚成『查理』。」

「不是嗎？」

羅杰搖搖頭說：「完全不是。他的部下其實是稱他為『查利克王子』，因為『查利克』是蓋爾語中的『查爾斯』。」羅杰仔細拼出字母：「Tcharlach mac Seamus 意思是『查利克，詹姆斯之子』，是非常正式且恭敬的說法。只不過蓋爾語的『查利克』聽起來很像英語的『查理』，這跟王子是否受愛戴完全沒有關係。」

布莉安娜這才恍然大悟地笑了開來，說：「所以他根本不是『美王子查理』嘍？」

「那時還不是。現在當然就是啦！歷史的小錯誤，一代傳一代，也就積非成是嘍！這類的例子可多了。」羅杰聳聳肩。

「真不愧是歷史學家！」布莉安娜促狹地說。

羅杰露出調皮的笑容：「所以我才曉得呀！」

他們兩人漫步在砂石步道上穿越古戰場，羅杰一邊指出不同軍團的位置，並解說作戰序列、描述眾指揮官的軼事傳聞。

走著走著，風勢逐漸趨緩，原野越發靜寂。他們交談的聲音也越來越低，直到對話中出現許多留白，輕如耳語。天空灰濛濛的，烏雲壓著地平線，烏雲下籠罩的一切平靜無痕，僅剩原野植物的沙沙低語，宛如六呎之下眾烈士的呢喃。

「這裡俗稱死亡之井。」羅杰在一小座井泉旁彎下身，裡頭是不到一呎見方的小池黑水，在石下不斷翻湧，他接著說：「有位氏族首領在此喪命，他的部下就是取這井裡的水，替他洗去臉上血跡。再往那邊走，就是各氏族的墓區了。」

氏族墓碑都是灰色花崗岩，長年風吹日曬已磨去稜角，上頭苔蘚斑斑，底下是平順的草皮。一塊塊岩石就這樣散落在原野邊緣，每個都刻有氏族之名，但許多都因風化而顯得模糊，有些甚至難以辨識：麥吉利瑞、麥唐納、弗雷瑟、葛蘭、齊斯霍姆、麥肯錫。

「你看。」布莉安娜低聲說，指著其中一塊墓石，一小堆綠灰色的樹枝擺在那兒，幾朵凋零的早春花兒混在其中。

「石南，在夏天更常見，因為那時是它的開花季，每塊氏族墓石前都有，多半是紫色，也有白色石南花摻雜其中。白色代表好運，也象徵王權，白石南與白玫瑰都是查理王子的徽印。」羅杰說。

「誰會把花放在這兒呢？」布莉安娜蹲在小徑旁，纖細的手指觸碰著石南枝。

「訪客嘍！」羅杰蹲在她身旁，手指撫著墓石上淡去的字跡：弗雷瑟。「可能是同一個家族的後裔，或是想對死者致意的遊客。」

布莉安娜側臉望著他，飄揚的髮絲掠過她的臉龐。「那你有帶花來過嗎？」

羅杰低下頭，對著自己的雙手微笑：「有啊！或許有點多愁善感了，但我的確會來致意。」

布莉安娜轉頭望向對面沿著小徑生長的另一叢花草。

「教我分辨哪個才是石南花吧！」她說。

回程的路上，卡洛登古戰場的憂鬱氛圍已經散去，但情感在彼此間的流動卻更加緊密，兩人就像一對老朋友般有說有笑。

「媽不能一起來實在太可惜了。」布莉安娜說道。車子轉進一條路，再往前開就是她們落腳的民宿。

羅杰固然喜歡克萊兒，但對於她沒能一起同遊倒是不覺得可惜。不過，他還是虛應了一番：「所以，克萊兒怎麼了？希望她身體沒有大礙。」

「應該沒事，她是說她的胃不太舒服。」布莉安娜皺了皺眉，然後面向羅杰，將一隻手輕放在他的腿上。此刻的他感覺膝蓋到鼠蹊部的肌肉正微微顫抖著，幾乎無法專注聽她說話，而她仍在說著克萊兒的事。

「……我想她沒事吧！」她搖搖頭，秀髮在昏暗的車內仍泛著棕銅色的光暈。「我也不知道，她看起來心事重重，不太像生病，比較像在擔心什麼事。」

羅杰忽然覺得胃部一沉。

「可能是離開工作崗位不習慣吧！一定沒事的。」他說道。布莉安娜這時露出感謝的微笑，車子這會兒已停在湯瑪斯太太的石屋前。

「羅杰，我今天玩得很開心。」她輕拍了他的肩膀，又說：「但媽媽的這個研究我好像幫不上忙，我可不可以改做些打掃整理的工作？」

羅杰頓時才放鬆下來，笑著對她說：「這件事好辦。不然妳明天過來，跟我一起整理車庫如何？如果妳不怕髒，那就再適合不過了。」

「太好了！」她微笑道，倚在車身上，望著羅杰說：「媽可能也會想一道來幫忙。」

一聽到這句話，他感覺到自己的臉部瞬間僵硬，但仍勉強保持笑容。

「是啊，可以的話是再好不過。」他說。

—

結果，隔天是布莉安娜獨自來到牧師宅邸。

「媽媽在鎮上的圖書館，好像在翻舊電話簿，想找以前認識的朋友。」她解釋道。

羅杰愣了一下，他前晚才剛翻完牧師的電話簿，裡頭有三筆資料記載著「詹姆士．弗雷瑟」，另有兩筆資料的名字不同，但留有中間名的縮寫「J」。

「希望她有找到人。」羅杰裝得一派輕鬆。「妳真的想幫忙嗎？這差事可是既無聊又骯髒喔！」這時他狐疑望著布莉安娜，但她很篤定地點點頭，絲毫不在意。

「我知道。我以前偶爾也會幫我爸爸的忙，查閱古老的文件、注腳等等。而這次是媽媽的研究，我也應該盡一點心力。」

「好吧！」羅杰瞥了一眼自己的白襯衫，然後說：「我先換件衣服，再一起去車庫看看。」

車庫大門發出咯吱咯吱的怪聲，然後忽地向上升起，同時間彈簧尖銳作響，塵埃漫天飛揚。

布莉安娜的手大力搧開，咳個不停，「咳咳！這地方多久沒人來啦？」她問道。

「想必有幾百萬年嘍！」羅杰心不在焉地說。他把手電筒往車庫內部照，先亮相的是堆疊成山的紙箱、木箱、布滿斑駁標籤的老舊扁皮箱，以及罩著防水布且奇形怪狀的物品。到處都有散落的家具，許多都四腳朝天，偶爾從陰暗角落突刺而出，一如小恐龍骨骼化石自岩中露出蹤跡。

這一大堆垃圾之中，隱約有道隙縫可以通行。羅杰順著隙縫慢慢走，彷彿進入隧道，消失在灰塵與暗影之中，只能藉由手電筒不時照到天花板的微弱光暈，得知他的位置。終於，垃圾堆裡傳來欣喜的呼聲，他抓住一條從上垂下的電源線一扯，車庫瞬間重見光明，一球大燈泡亮得刺眼。

「走這裡。」羅杰說。驀然現身的他，拉起布莉安娜的手說：「後頭有一小片空間。」

有張陳舊的桌子挨著後牆板，可能本來是威克菲爾德牧師的餐桌，後來接連充當過廚房備料桌、工作桌、鋸木架、畫桌，最後來到這灰濛濛的實地中安息。上方還有一扇結滿蜘蛛網的窗子，窗子透出一道昏暗的光線，照著那盡是刻縫裂痕與顏料殘漬的桌面。

「我們可以在這動工。」羅杰說著，然後從雜物中拽來一張凳子，用張大手帕草草拍了兩下說：「請坐，我去看看窗戶能不能撬開，不然我們鐵定會給悶死。」

布莉安娜點點頭，但並沒坐下，而是好奇地翻起身旁一堆破舊物，羅杰則試圖拉起已變形的窗櫺，聽到身後布莉安娜正在讀著箱上的標籤：「這箱是一九三〇～三三年，這箱則是一九四二～四六年。裡面都裝些什麼呀？」

「日記。」羅杰悶哼出聲，他一邊把手肘撐在髒汙的窗臺上一邊說：「牧師有寫日記的習慣，每天晚飯之後就開始動筆。」

「看樣子他有不少事情可寫。」布莉安娜搬下幾個箱子堆到一旁，想看看後面擺了什麼東西。「這裡一些箱子有標名字，『克斯』『利文斯頓』和『柏南』，這是教區居民嗎？」

「不是，都是村落的名字。」羅杰稍作歇息，大喘了一口氣。他指了眉毛，結果襯衫袖子留下一道汙漬，但幸好兩人都穿著適合在骯髒環境裡幹活的舊衣。「那些都是跟各個高地村落歷史有關的筆記，有些已經集結成冊出版，不少高地的觀光禮品店還有販售呢！」

他走到一個釘板前，上頭掛了各類破銅爛鐵般的工具。他挑了一支螺絲起子，準備繼續和窗戶搏鬥。

「找找看有沒有『教區紀錄簿』，或是留意圖瓦拉赫堡一帶的村名。」他提議道。

「那裡的村子我一個都不認識。」布莉安娜說。

「啊，對！我差點給忘了。」羅杰把螺絲起子尖端插進窗櫺邊緣，這一用力連帶削去了窗櫺上的油漆。「那就留意有沒有莫德哈屯、瑪莉安南……呃，聖科達村。其實還有別的，但就這幾座村子的教堂比較有規模，雖然後來有的關了、有的拆了。」

「好。」布莉安娜推開箱子外層防水布一角。突然間她發出一聲尖叫，並迅速向後跳開。

「怎麼了？」羅杰離開了窗戶，拿著螺絲起子準備迎擊。

「不知道，我碰到防水布的時候，有個東西一閃而過。」布莉安娜指著某處。這時羅杰放下螺絲起子，鬆了一口氣。

「就這樣？那八成是家鼠，也可能是大老鼠呦！」

「老鼠？你這裡有老鼠？」布莉安娜真的驚慌起來。

「呃，希望沒有，如果有的話，我們在找的資料可能早被啃得亂七八糟了。」羅杰回道，遞給她一只手電筒，然後說：「喏，哪裡暗就往哪裡照，至少不會突然嚇到。」

「謝謝。」布莉安娜接過手電筒，但仍盯著那疊紙箱，表情有些勉強。

「繼續工作吧！還是妳要我來念一首鼠諭呢？」羅杰說。

布莉安娜這時好奇地笑了，問道：「鼠諭？什麼意思？」

羅杰並未立刻回答，而是再次嘗試打開窗子。他用力上推，襯衫被二頭肌繃得好緊。一陣刺耳的吱呀聲後，窗戶終於鬆動，他勉力打開約十五公分縫隙，讓清新的涼風簌簌吹入。

「呼，好多了。」他誇張地搧著風，笑著對布莉安娜說：「我們現在可以繼續了吧？」

她把手電筒遞給他，往後退了兩步說道：「不如你來找箱子，我負責整理如何？你還沒跟我說鼠諭是什麼呢？」

「膽小鬼。」他笑道，一邊彎下身子，在防水布底下翻找，又說：「鼠諭是蘇格蘭的一項古老習俗。如果家中或穀倉出現老鼠，可以作一首詩來趕走牠們。詩可以用唱的，告訴這群鼠輩這裡吃的有多麼寒酸，而別的地方有多麼美好，並建議牠們可以搬去哪、怎麼走。如果這首詩做得夠好，老鼠就會自行離開。」

他拉出一個紙箱，上頭標著「詹姆斯黨，雜物」。他把箱子抬到桌上，哼起歌來：

鼠兒鼠兒何其多，
呼朋引伴來鼠窩，

天留地留我不留。

他重重地放下箱子，見布莉安娜給逗得嘻嘻笑，便對她彎身行禮以接受讚美，然後再轉身面對那堆箱子，繼續以宏亮的聲音唱著：

坎貝爾花園多美好，
沒有凶巴巴壞貓，
只有綠油油甘藍。

趕緊過去吃飽飽，
不要在這亂亂咬，
鼠兒啊鼠兒，快快走！

布莉安娜佩服地跟著哼了兩聲，笑道：「這是你即興編出來的？」

「是啊！」羅杰一邊說著，一邊用戲謔的動作把另一個箱子擺到桌上，然後說：「鼠諭要朗朗上口，非得自創不可。」他瞥一眼成堆的紙箱，接著說：「詩念完了，方圓數里內保證不見老鼠蹤影。」

「很好。」布莉安娜從口袋抽出一把摺刀，劃開封著最上層紙箱的膠帶。「你應該來我們民宿唱一首，媽媽說浴室裡一定有老鼠，因為她的香皂盒有咬痕。」

「品味這麼特殊、專吃香皂的老鼠，天曉得要怎麼趕走牠！這恐怕遠遠超出我的能力所及。」他大笑道，然後從一疊搖搖欲墜的舊百科全書後面，取出一張破爛的圓跪墊，扔至布莉安娜腳邊，說：「坐吧，妳負責翻教區紀錄簿，讀起來也容易些。」

兩人就在融洽的氣氛中忙了一整個早上，偶爾會出現饒富趣味的篇章、長相奇異的蠹蟲、團團飛舞的灰塵，但對於手邊的研究都沒什麼幫助。

「我們還是先來休息吃午餐吧！」羅杰說。他其實非常不願回到屋內，這樣又得面對菲歐娜的過度關愛，但他和布莉安娜早已餓到肚子咕嚕叫。

「好，如果你還有力氣的話，我們就吃飽再繼續嘍！」布莉安娜起身伸懶腰，拳頭幾乎都要頂到舊車庫的梁柱。她雙手在牛仔褲管上拍了拍，低頭穿過箱子堆之間的小通道。

「嘿！」她接近門口時，忽地停住，尾隨在後的羅杰跟著站直，鼻頭差點撞上她的後腦勺。

「怎麼了？該不會又是老鼠吧？」他問道。這時陽光照亮她的粗髮辮，泛著金銅的光澤，讓他驚歎出神。她周圍是一小圈金黃塵暈，晌午的光線勾勒出她的側臉，鼻梁高挺，好似來自中世紀的女子，負責管理此處的古老卷宗。

「羅杰你瞧！」她指著一個紙箱，側邊標籤上是牧師有力的字跡，寫著「藍鐸」。

這時回神的羅杰心情有些複雜，既興奮又焦慮，布莉安娜則顯然喜出望外。

「裡面可能有我們要找的東西喔！媽媽說爸爸以前做的家族研究好像很重要，說不定他早問過牧師了。」她高興地說。

「可能喔！」羅杰看到這名字，心頭便湧上一股惶恐，但只能強裝鎮定，蹲下身搬出那只箱子，然後說：「我們先把它搬進屋內，吃飽了再來研究。」

兩人在牧師的書房打開箱子，裡面盡是些稀奇古怪的東西：好幾個教區紀錄簿部分內頁的影本；兩、三份軍隊召集名冊；一些信件與散裝文件；一本灰卡紙封面的輕薄筆記本；一疊邊角已捲起的舊照片；封面印著「藍鐸」的硬式資料夾。

布莉安娜拾起資料夾，打開翻看。「怎麼會是爸爸的族譜！你看。」她驚呼，把資料夾遞給羅杰。裡面裝著兩張厚羊皮紙，上頭是族系支狀圖，整齊地往橫向與縱向延伸，起始於一六三三年，最後一項紀錄位於第二頁底部，記載著：

法蘭克・沃夫頓・藍鐸　娶　克萊兒・伊莉莎珀・博尚，一九三七年。

「那時妳還沒出生呢！」羅杰低聲說道。

羅杰的手指沿著族譜表的直系慢慢往下滑，布莉安娜則站在他身後瞧著，她說：「這我之前看過，爸爸書房裡也有一份，他以前老愛拿給我看，不過那一份最底端是我的名字，這份應該是舊的版本。」

「或許牧師有幫他做些研究。」羅杰把資料夾還給布莉安娜，從桌上的箱子中取出一份文件。

「這可是妳的傳家之寶。」他說，摸著頁首的浮凸徽印，然後說：「軍隊受命函，由喬治二世國王陛下親筆簽署。」

「喬治二世？天哪，那比美國獨立戰爭還早。」

「早多了。這是一七三五年，受命人是喬納森・沃夫頓・藍鐸，妳知道他嗎？」

「知道啊！」布莉安娜點點頭，幾綹髮絲落到臉上，她不經意地用手撥回去，拿起那封信函說：「爸爸以前時常談到這個人，是爸爸少數熟悉的先祖之一。他是一名上尉，參與了對抗查理王子的卡洛登之戰。」她抬頭望著羅杰，眨了眨眼，繼續說：「我想他可能就此戰死沙場了。你想他是不是也埋葬在那裡？」

羅杰搖搖頭說：「我覺得不可能。卡洛登戰爭過後，清理戰場的是英格蘭人，殉職的英格蘭人多半被運回家鄉安葬，至少軍官是如此。」

他才推測到一半，菲歐娜忽然出現在門廊上，手上拿著羽毛撢子，好像拿著一把戰旗一樣。

「威克菲爾德先生，有位先生要來開走牧師的卡車卻發動不了。他問你能不能過去幫個忙？」她說。

羅杰內疚地跳起來，想起他先前把電瓶搬到車庫測試，如今仍放在他那輛車的後座，難怪牧師的卡車無法發動。

「我得去處理一下這件事，恐怕會花點時間。」他向布莉安娜說。

「沒關係，我也該走了，媽媽現在差不多回來了。我們有可能會抽空去克拉發石塚看看。謝謝你的午餐嘍！」她對著他燦笑，湛藍雙眼縮成三角形。

「小事一件，菲歐娜也很樂意。」眼下無法提議陪她前往，羅杰不禁感到有點遺憾，但正事要緊。他瞥了一眼布滿整張桌子的資料，便兜成一落放回紙箱之中。

「喏，這是你們家族的史料，拿去吧！克萊兒可能會有興趣。」他說。

「真的嗎？太感謝了！羅杰，你確定嗎？」

「當然。」他謹慎地將族譜的資料夾置於最上方，接著又說：「喔！等等，這個可能得留給我。」受命函下方，露出灰色筆記本一角，他抽出筆記本，再把其他資料擺回箱內。「這好像是牧師的日記，不曉得當初怎麼塞進去的，我最好還是把它和其他東西放在一塊，歷史學會應該想全部留存。」

「沒問題。」布莉安娜起身準備離開，把箱子抱在胸前，但躊躇了一會，看著他說：「呃，你希望我再過來嗎？」

羅杰投以微笑，而布莉安娜頭髮沾了些蜘蛛網，一條長長汙漬畫過鼻梁。

「可以的話就太好了。那就明天見嘍？」他說。

——

羅杰一直掛念著牧師的日記，先是心不在焉地發動那輛破舊的卡車，之後估價商來訪，也任憑其揀取尚有價值的古董，再替一堆家具敲定拍賣底價。

在處理牧師遺物的過程中，羅杰老覺得惆悵不安，畢竟，清掉家中無用的古玩飾物，就像是在拆卸自己的青春歲月。晚餐後，他坐在書房，依舊不確定自己之所以把日記挑出來，純粹是出自對藍鐸一家的好奇，還是想找回和相伴多年的養父之間的連結。

日記內容寫得非常認真，整齊的字跡記錄了教區內的大事，以及多年來街坊鄰居的重要活動。灰色素面筆記本的觸感、一頁頁的日記內容，讓牧師的身影頓時在羅杰腦海中浮現：他孜孜不倦地寫著日記，光溜溜的頭頂在桌燈映照下微微閃爍。

「這是一種紀律，規律地從事需要全神貫注的工作是絕對有益的。像是天主教教士每天在固定時間祝禱，神父則每天誦念祈禱書。我雖然沒這麼虔誠，但每晚記錄一整天的大小事可以幫我梳理雜念，之後我就能以平靜的心境進行晚禱。」他曾這麼對羅杰說。

平靜的心境。羅杰真希望他也可以做到，但自從他在牧師書桌上發現那些剪報後，就與平靜無緣了。

日記封面的日期是一九四八年一月至六月，他隨手打開日記，慢慢翻閱，用目光搜尋任何提及「藍鐸」

的段落。他向布莉安娜說的是實話，歷史學會的確要收藏遺物，但那並非他留書的主要動機。一九四八年五月間，神祕失蹤的克萊兒終於返家，牧師與藍鐸夫婦關係如此緊密，日記想必會提起這件大事。

一如所料，五月七日寫道：

傍晚去探望法蘭克·藍鐸，聊到他妻子的事，實在太讓人心痛了！昨天見到她，身體相當虛弱，但雙眼緊盯著人，老覺得坐在她旁邊不大自在，真是可憐。不過，她說起話來倒不失條理。很難想像她受過什麼苦，但必定足以教人發瘋。流言蜚言滿天飛，都怪巴托洛繆醫生太不小心，把她懷孕的事說溜了嘴。法蘭克想必很不好受，他妻子就更不用說了！我深深同情他們。

葛拉漢太太這禮拜病了，實在太不湊巧。下禮拜就是二手用品拍賣會，玄關盡是些舊衣物……

羅杰迅速往後翻閱，尋找接下來提及藍鐸夫婦之處，也果真在同一星期找到：

【五月十日】

與法蘭克·藍鐸共進晚餐。凡是公開場合，我都盡可能陪在他們夫婦倆身邊，大多數的日子，我會坐在藍鐸夫人身旁至少一小時，希望平息一些街談巷議。如今流言多半帶著可憐的口吻，說她早已精神錯亂。就我認識的克萊兒·藍鐸而言，她大概寧可讓人當成瘋子，也不願被認為不守婦道。一定是這樣，不然還有別的可能嗎？

我多次想與她聊聊那段失蹤的日子，她卻一字未提，談論其他事情則不成問題，不過總覺得她心不在焉。

這禮拜天教會講道時，記得談談流言之惡……但我擔心如此又引人聯想，到頭來會適得其反。

【五月十二日】

總覺得克萊兒．藍鐸的精神狀況沒問題，我當然曉得外頭在傳哪些謠言，但就我觀察，她的舉止沒有絲毫異樣。

但她心裡頭一定有天大的祕密，還打算就這麼隱瞞下去。我私下向法蘭克．藍鐸提過此事，他雖然不置可否，但克萊兒肯定跟他說了什麼。我也說了，任何我能幫上忙的地方，他儘管開口。

【五月十四日】

法蘭克．藍鐸來訪。我實在百思不得其解，他來找我幫忙查些資料，但我完全不懂背後的緣由，只知道似乎對他至關重要。他表面上十分鎮定，但心裡似乎相當緊繃，我擔心他會崩潰。

克萊兒恢復情況良好，已經可以遠行，因此他這禮拜想帶她回倫敦。我要他放心，若有任何結果，一定會寄到他大學的研究室，不會讓克萊兒知道。

現在手邊是有幾份喬納森．藍鐸的資料，但法蘭克的先人與眼下這事有何關聯，我實在無法參透。至於詹姆士．弗雷瑟，我已告訴法蘭克，一點線索也沒，完全是謎樣人物。

「完全是謎樣人物。各方面都是吧！」羅杰心想。法蘭克向牧師所託何事？顯然是蒐集有關喬納森．藍鐸和詹姆士．弗雷瑟的資料。可見克萊兒曾向法蘭克提起詹姆士．弗雷瑟的事，就算沒有全盤托出，至少也說過一些。

可是，一七四六年戰死於卡洛登的英格蘭軍官、疑似與一九四五年克萊兒離奇失蹤事件息息相關的陌生男子，以及布莉安娜的神祕身世，三者之間，究竟有什麼意想不到的關聯呢？

日記後半盡是教區內五花八門的日常瑣事：酗酒毛病不改的德里克．高文，最後在尼斯河溺斃，五月底給人打撈上來時已是一具浮腫的遺體；瑪姬．布朗和威廉．鄧迪閃電結婚，一個月後牧師幫他們出世不久的女兒瓊恩受洗；葛拉漢太太切除了盲腸，結果教區內的婦女們得知，紛紛送來慰問佳餚，讓牧師應接不暇，但似乎多半進了狗兒哈伯特的肚裡。

羅杰逐頁讀著，發覺自己嘴角上揚，彷彿聽到牧師生動地口述教區居民的生活點滴。他就這麼一直翻著，差點略過最後一則日記，是關於法蘭克的委託：

【六月十八日】

收到法蘭克．藍鐸的短箋，說他妻子健康狀況不佳，懷孕期間恐有危險，希望我能代為禱告。我回信要他放心，絕對會為他倆祈福，另外也一併附上他託我查詢的資料。實在說不準那些東西用處何在，但想必他自有方法判斷。另外也順便跟他說，我意外在聖科達的教堂發現喬納森．藍鐸的墳墓，看他需不需要我幫忙拍張墓碑的照片。

這些便是全部了，後面不再提到藍鐸夫婦或詹姆士．弗雷瑟。羅杰放下日記，揉了揉太陽穴，一直閱讀歪斜的書寫體，他頭也微微痛了起來。

除了確定有位名叫詹姆士．弗雷瑟的男子牽涉其中，整件事情依舊撲朔迷離。喬納森究竟與此有何關聯？他又到底為何會葬在聖科達？根據受命函的內容，喬納森出生於英國南部薩塞克斯郡內一座莊園，怎麼會長眠於遙遠蘇格蘭的教堂墓園之中？雖然這個地點離卡洛登古戰場不遠，但為何不是照一般慣例，將這名英格蘭軍官的遺體運回他的家鄉薩塞克斯安葬呢？

「今晚還有什麼要幫忙的嗎，威克菲爾德先生？」菲歐娜的聲音將他拉回現實，想了半天還是徒勞無功。他坐起身，眨了眨眼，看見她手拿掃帚和拋光布。

「什麼？呃，不用。沒事了，謝謝，菲歐娜。不過，妳怎麼拿了一堆清潔用具？該不會這麼晚了還要打掃吧？」

「喔，是那些常來教會的太太們啦！還記得嗎？你之前跟她們說過明天可以來這裡開每月例會，我才想說最好整理一下。」菲歐娜解釋道。

教會的太太們？羅杰不禁開始頭疼：四十來位同情心過剩的家庭主婦，接踵來到牧師家致意，放眼望去，各式格紋衣裳、針織外套搭毛衣、人工養殖的珍珠項鍊，不眼花也難。

「你會請她們一起用茶嗎？這是牧師的習慣。」菲歐娜問道。

一想到要同時招待布莉安娜和教會的三姑六婆，羅杰便難以靜下來思考。

他支吾地說：「呃……不了，我明天有約。」然後將手放在埋藏於書桌雜物堆中的電話筒上，說：「不好意思，菲歐娜，我得打通電話。」

—

布莉安娜悠悠地晃回房間，面帶微笑。我把目光從書本移到她身上，好奇地揚起眉毛。

「羅杰打來的嗎？」我說。

「妳怎麼知道的？」她頓時一臉驚訝，隨即露齒而笑，一邊脫下外套說：「噢，因為他是我在茵凡涅斯認識的唯一男性嗎？」

「我想，妳那些哥兒們應該不會從波士頓打長途電話過來，至少不會挑這時候，現在他們八成都在忙著練足球。」我說道，瞄了一眼桌上的時鐘。

布莉安娜假裝沒聽到，雙腳塞到棉被底下，說：「羅杰邀請我們明天一起去聖科達。他說，那裡有座很特別的老教堂。」

「我聽過這個地方。」我邊打呵欠邊說：「好啊，有何不可？我順便把壓花器給帶著，說不定會發現小冠花，我先前答應亞伯納希醫生，說會找些小冠花給他研究。但既然明天一整天都得到處看墓碑，我現在就要睡嘍，挖掘歷史可是很費工夫的呢！」

布莉安娜臉上閃過一絲喜悅，我以為她有話要說。但她只點點頭便伸手關燈，嘴角仍帶著莫名的微笑。

我躺在床上，望進黑暗之中，女兒翻來覆去的窸窣聲，漸漸化作規律的呼吸聲。聖科達是吧？我從來沒有去過那個地方，但有聽過。正如布莉安娜所言，那是座古老的教堂，年久失修且人跡罕至，偶有研究人員前往。也許，我等待許久的機會終於來臨了吧？

我希望羅杰和布莉安娜都在場，沒有不相關的旁人打擾。話說回來，選擇在那裡告訴他們，可能再適合不過了，四周只有長眠於聖科達教堂墓園的教區居民。雖然羅杰尚未確認拉利堡其餘戰士的下落，但應該可以肯定的是，他們至少是活著離開卡洛登。對我而言，知道這點就已足夠。我可以跟布莉交代之後的事了。

一想到即將面對他們的質問，就讓我口乾舌燥。我該怎麼啟齒？我試著在腦海中模擬可能的過程，但還是徒勞無功。如今我十分懊悔的是，當初竟然答應法蘭克絕不寫信給牧師，否則，至少羅杰心裡也有個底……但這也很難說，因為牧師可能也不會相信我。

我焦慮地翻了身，希望能再想些好辦法，這時倦意襲來，我也不再多想，於是仰臥著，在黑暗中閉起雙眼。我的思緒恍若召來了牧師的魂魄，在我越來越模糊的意識中浮現一段聖經字句：「已足今日消受。」牧師的聲音也好像在我耳邊，悄悄說著：「今日之憂已足今日消受。」之後我便沉沉睡去。

—

我在黑暗中甦醒，雙手攫著床單，心臟跳得猛烈，身體不由得顫抖起來，如定音大鼓的鼓面般震動，「啊，天哪！」我脫口而出。

身上的絲質睡衣此刻濕熱黏膩，我向下望，乳尖清晰可見，硬得像彈珠。我的手腕和大腿的痙攣一波又一波，宛如尚未平息的餘震。希望剛剛我在夢中沒有大喊出聲……布莉安娜的呼吸聲依然規律又沉穩……應該沒有吧！

我躺回枕上，虛弱地顫抖著，突來的潮熱濡濕了雙鬢。

「我的老天……」我低喃道，大口呼吸，讓心跳慢慢回復正常。

由於睡眠週期紊亂，我的夢也無法連貫了。我先是當了母親，後來成為實習醫生、住院醫生，接著開始輪值夜班，早已習慣沾枕即眠，即使作夢，也僅是稍縱即逝的片段，就算神經意外觸發了黑暗中那不安分的泡影，也會迅速轉化為隔天的工作動能。

近幾年，生活作息回到正軌，我又開始作夢了，而夢境無論好壞，總是一長串畫面，遊走於潛意識的叢林中。這類夢境我習以為常了，缺乏睡眠的期間也會出現。

但是，通常這些夢悄悄地來，輕如綢緞，即便驚動了我，我也很快再度熟睡，只留一絲記憶隱約閃耀，並於清晨前消逝無蹤。

這回完全不同。我不大記得夢境本身內容，但仍依稀感受到抓住我的那雙手，既粗野又急躁，是強迫就範，而非渴求歡愛，還有一道近乎吶喊的聲音，在我內耳嗡嗡迴盪，混雜著漸漸平息的悸動。

我把手放在隨著脈搏鼓動的胸口上，感覺到絲質睡袍下的乳房柔軟而豐滿。布莉安娜輕輕打鼾，一下又找回規律的呼吸。還記得她小時候，我就習慣聽著她的鼾聲，緩慢深沉而安穩，迴盪在夜晚的育嬰房中，猶如心跳一般。

此刻，我手掌下的心跳漸漸變緩，身上深玫瑰色的絲質睡袍，色澤就像寶寶熟睡的臉龐。每次抱著寶寶親餵母乳，小小頭顱的曲線貼合著被吸吮的乳房弧線，兩個圓交會的畫面像在說明眼前的新生命是從孕育她的血肉之軀所映射出來。

寶寶的身體好軟。瞧著他們就能發現他們的皮膚嬌嫩柔軟，如玫瑰花瓣，教人忍不住伸手輕輕撫觸。只要和寶寶朝夕相處、疼愛著他們，就更能感覺到那無與倫比的柔嫩，圓嘟嘟的身體如卡士達般晃動，而軟綿綿的小手指則緩緩地伸展著。寶寶的關節彷如橡膠融合而成，當你懷著迎接新生命的喜悅對他充滿熱情地用力一吻，雙唇會深深陷入那柔若無骨的身軀。要是把寶寶抱在懷裡，他們柔軟似水的身子伏貼在妳身上，彷彿隨時想溜回母親的肚子裡。

但生命形成之初，每個孩子體內就有「自我」的存在，一如鋼鐵般堅定，成為日後的人格核心。一歲之後，隨著骨骼長硬，孩子可以站立，頭部大而結實，保護柔軟的腦，而「自我」也隨之成長。每當凝望著孩子，那人格核心若隱若現，如木心般堅韌，在半透亮的肌膚底下熠熠發光。

六歲，臉部骨形浮現；七歲時，靈魂在心中穩固。如此層疊包覆，一直到青春期達到巔峰。那時包覆在光亮外殼下方的，是青少年用來武裝自己的多層性格，而最初的柔軟皆深藏其中。

接下來幾年，硬化的過程開始由內而外，發掘並固定了靈魂的各個面向，直到「自我」定型，精美又細膩，猶如鑲於琥珀之中的昆蟲。

我原以為自己早過了那些階段，不留一絲兒時的柔軟，反而形塑出中年的剛強意志。怎麼知道，法蘭克的死帶來了相當大的衝擊，內心的裂痕一直不斷擴大，讓我再也無法置之不理。現在，我帶了繼承著高地人強韌血脈的女兒回到蘇格蘭，只希望她夠堅強，不但可以承受得住衝擊，還能保有最內心的自我。

反觀著我的人格核心，早已是分崩離析，失去了保護，只剩裸露的脆弱與不堪。我不曉得自己是誰，也不清楚未來命運，只知道眼下該做的事。

重回到舊地，高地空氣依舊冷冽，夢境再度延續。夢中的聲音在心頭圈圈迴繞，伴隨著布莉安娜沉睡的呼息，一次又一次說著：

「妳是我的骨肉，我的！我不會讓妳走。」

第五章

我的摯愛

羅杰現在的表情看來，像是有了重大的發現。
雖然有點納悶，但我也沒辦法多想了，
因為此刻只能拚上全力吞嚥著字句，
好讓故事聽來不那麼荒謬。

聖科達教堂墓園在陽光的照拂下，顯得格外靜謐。墓園本身並不平坦，所處的高地原屬於山丘的一側，是某個地質狂硬闖出來的小片墓地，以致地勢傾斜崎嶇，使得有些墓碑隱匿於小窟窿中，有些則自隆起的地面鑽出。由於地表長期位移，因此眾多墓碑若沒有整個傾塌，也泰半頹圮，只剩殘垣斷石，埋沒於長得老高的雜草之中。

「這裡沒怎麼整理。」羅杰語帶歉意。他們在墓園的出入口停下腳步，望向那堆古老的墓碑，籠罩在成排蔓生的巨大紫杉樹之下。這些紫杉很久以前就已種下，以抵禦從北海襲來的暴風雨。這會兒，烏雲正在遙遠河灣的上空聚集，但山頭的陽光依然耀眼，無風且溫暖。

「我父親還在的時候，每年會從教會召集一批年輕人來這裡除草整地，但現在已經荒廢好一陣子了。」

他半試探地推開入口處的木門，發覺那副鉸鏈門閂早已破損，只靠一根釘子懸著。

「這裡真舒服，而且好安靜。」布莉安娜小心通過那扇半腐朽的木門說：「這裡一定歷史悠久吧？」

「是啊！我父親認為，這座教堂前身可能是另一座舊教堂，或者是更古老的異教神廟，所以才會選在這麼不方便的地點。他有位牛津大學的朋友，老是嚷嚷著要來這兒開挖，看看教堂底下有沒有埋東西，但是當然啦，最後沒得到教會的許可，儘管教堂早已經撤除多年了。」

「這段山路好陡！」布莉安娜用旅遊手冊搧著風，雙頰因費勁使力而產生的紅暈也慢慢褪散。「但是真美。」她欣賞著教堂的外觀，教堂正好嵌於岩壁的天然缺口，內部的石頭和梁柱等建材則是人工所搭建，罅隙以泥煤與泥土填補，看上去渾然天成，儼然是峭壁的一部分。門檻與窗框上都雕有古老的圖樣，有些是基督教的象徵，有些年代更為久遠。

「喬納森．藍鐸的墓碑在這裡嗎？媽媽一定會大吃一驚！」她朝門後的墓園指了指。

「我想也是。我自己也還沒見過。」羅杰希望這真的能帶來驚喜。前一晚，他和布莉安娜通電話時有提及墓碑的事，她相當興致勃勃。

「我知道喬納森‧藍鐸的事，爸爸一直都很欣賞他，說他是家族中少數別具意義的祖先。我猜他應該是很優秀的軍人，爸爸收藏了很多他的物品，像是獎章之類的。」她對羅杰說。

「真的嗎？」羅杰回頭張望，想看克萊兒有沒有跟上：「需要幫克萊兒操作壓花器嗎？」

布莉安娜搖搖頭說道：「應該不用，媽媽只是被路旁的一株植物吸引了，等一下就會上來了。」

四周靜謐無聲。此刻接近正午，鳥兒異常安靜，高地邊緣的濃密常綠林也呈靜止狀態，毫無微風吹動枝枒。墓園內沒有新墳動土的痕跡，也沒有人近期前來悼念而留下的花束，空氣中只殘存著先人的平靜。這裡不再有戰亂紛擾，只剩一座座墓碑在這個空曠孤絕的高地上印證著先人的存在，聊以寬慰。

三位訪客漫步其中，隨興地在墓園中閒晃。羅杰和布莉安娜不時停下腳步，朗讀斑駁墓碑上的古老刻文，克萊兒則自個兒在一旁摘花拈草，偶爾彎腰裁剪藤蔓，或拔起幾株花草植物。

羅杰在一個墓碑前彎下身，咧嘴笑了起來，示意要布莉安娜讀上頭的刻文。

「趨近閱讀摘帽致意，貝里‧威廉‧沃森長眠此地，思想學識名聞遐邇，飲酒節制人盡皆知。」布莉安娜一字不漏讀了起來，然後站起身咯咯笑著，雙頰紅通地說：「沒有日期耶，不知道這位威廉‧沃森是哪個時代的人物。」

「想必是十八世紀，因為十七世紀的墓碑大部分都風化到難以閱讀，這裡已經兩百年沒有新墳，教堂早在一八〇〇年撤除，不當教會用了。」羅杰說。

不一會兒，布莉安娜低聲驚呼：「在這裡！」她起身揮手，呼喚站在墓園另一頭的克萊兒，而她正好奇凝視著手中的一株草莖。「媽！快過來看！」

克萊兒也揮手回應，看到他倆身旁有個扁平方正的墓碑，便走了過去，並小心翼翼跨過凌亂的墓碑。

「看什麼呀？發現了什麼特別的嗎？」她問道。

「確實很特別，認得上面的名字嗎？」羅杰向後退，好讓她看得仔細。

「我的老天爺啊！」這話嚇得羅杰瞄了她一眼，發覺她的臉頰血色盡失。克萊兒直盯著斑駁的墓碑，喉部肌肉如抽搐般吞嚥著，而她手上的植物也給扯爛了。

「藍鐸醫生！克萊兒，妳還好嗎？」

她那雙琥珀色的眼睛茫然望著，似乎沒聽到他的問話。隨後，她才眨了眨眼抬起頭來，臉色還是很蒼白，但已開始好轉，稍微恢復了鎮定。

「我沒事。」她語調平緩地說完，隨即彎下身，手指沿著碑上字母滑著，彷彿摸讀點字一般。

「喬納森·沃夫頓·藍鐸，生於一七〇五年，卒於一七四六年。我說的沒錯吧？你這個王八蛋，我就說了！」她一開始平緩唸著，然後忽然轉為激動，滿是壓抑不住的怒火。

「媽，妳還好吧？」布莉安娜慌了，拉住母親的手臂。

羅杰留意到克萊兒眼中閃過一道暗影，方才的情緒瞬間隱匿無蹤。她回過神來，發覺面前的兩人吃驚地望著她。克萊兒趕緊擠出淺淺的笑容，點了點頭。

「很好，好得不得了，沒事了！」她鬆開手，扯爛的草莖掉落在地。

「我以為這是個驚喜……這不是爸爸的祖先嗎？在卡洛登戰死的那位？」布莉安娜擔心地看著母親。

克萊兒眼神移至腳邊的墓碑。「是，確實是他。」她說道。

羅杰和布莉安娜面面相覷。羅杰覺得應該做些什麼，於是輕拍克萊兒的肩膀。

「今天還真熱，要不我們去教堂裡避避陽光吧！洗禮盆上頭有不少的雕紋圖樣，都很有意思，很值得一看。」他說，一副若無其事的輕鬆口吻。

克萊兒這時的微笑，沒有半點勉強，雖然有些疲累，但十分清醒。

「你們去吧！我得吸點新鮮空氣，想在外頭待一下。」她說，同時側頭向布莉安娜示意。

「那我陪妳。」布莉安娜有些舉棋不定，顯然不願留下母親，但克萊兒不但恢復了原先的沉穩，也重拾了作為母親的權威。

「說什麼傻話，我好得很。我會到樹蔭底下歇一會兒。你們去吧！我想獨處一下。」她俐落地說道，語氣相當堅決，而羅杰張口正要反對。

她二話不說，轉身走向墓園西邊那排深色紫杉樹。布莉安娜遲疑地望著她的背影，這時羅杰挽起她的手，把她拉向教堂。

「讓她靜一靜好了，況且妳母親是位醫生，應該很清楚自己的身體狀況。」他低聲說。

「也對……應該吧！」布莉安娜為難地看著母親漸行漸遠的身影，最後才讓羅杰帶著她離開。

教堂內冷清空蕩，僅剩鋪木地板，以及早已廢棄的洗禮盆，這顯然是因無法搬走而棄置於此。那是在教堂一側石臺上挖鑿的淺槽，上方則是聖科達的面部雕像，出神地凝望天花板，雙眼虔敬地向上望。

「這早先可能是某個異教神祇，雕像的披巾和薄紗都是後來才加上去的，眼睛部分的加工痕跡更是明顯。」羅杰說道，手指畫過雕紋。

「眼睛好像水煮蛋。」布莉安娜還一邊翻起白眼模仿道：「這裡的雕刻又是什麼呢？我記得克拉發石塚外面的皮克特族石碑上有類似圖案。」

他們在石牆周圍散步，吸著灰塵瀰漫的空氣，檢視牆上的古老雕紋，閱讀一塊塊小木匾，想必是百餘年前居民紀念祖先所用。兩人低聲交談，一邊注意墓園的動靜，發現還是一片靜寂，才逐漸放鬆下來。

羅杰跟著布莉安娜走到教堂正前方時，視線不禁落在她垂蜷於粉頸之上的一綹鬈髮。

原本的聖壇石早被移走，如今只剩毫不起眼的木板蓋著下方孔洞。面對空空如也的聖壇，羅杰靜靜站在布莉安娜身旁，突來的瞬間，有股電流從脊椎竄了上來。

如此天旋地轉的強烈感受，在空蕩的教堂中放肆地盤旋著。但願她察覺不到他的異樣，畢竟，兩人相識不過一週，而且幾乎沒有私下互動的機會。萬一她發現了他的心意，肯定是大為驚訝甚或害怕不已，但最慘的情況，莫過於被她當成笑話來看。

這時，羅杰偷偷打量她，發現她一臉平靜而認真地望進他眼底，深邃的藍色眼眸透露出某種訊息。他情不自禁朝她轉去，吸鐵一般著迷地向她靠近。

羅杰輕淺地落下一吻，似乎只是像婚禮尾聲，雙唇拘謹而神聖地輕觸那般。然而，這在他們內心卻已如電擊般重重劈下，強烈震盪讓剎那間已成永恆。

羅杰鬆開了雙手，掌心、雙唇和身上還殘留著她的溫度。兩人站在原地，身體似有若無地貼近，呼吸著彼此的氣息，布莉安娜這時往後退了一小步。羅杰的掌心還留著她的撫觸，於是他蜷起指頭，試圖保有這份感覺。

就在這一瞬間，一道銳利的尖叫聲劃開天際，教堂內停頓的時空顫慄成碎片，揚起了漫天塵埃。羅杰來不及作任何思考便已奔出教堂，頹圮的墓碑絆得他又踉又蹌，但他仍全速衝向一排陰暗的紫杉樹。他奮力扳開一層層過度茂盛的樹枝，顧不得緊跟在後的布莉安娜是否會被彈回枝枒擊中。

他看到克萊兒身在暗處，一臉蒼白毫無血色，恍若紫杉樹枝旁一縷幽魂。克萊兒先是搖搖晃晃地站著，雙膝又突然沒入草地，彷彿雙腿已無力支撐身體。

「媽！」布莉安娜蹲在母親身旁，緊握著她無力的手。「媽，怎麼了？是頭暈嗎？應該把頭放在膝蓋之間……啊，要不要先躺下來休息？」

克萊兒並不打算這樣做，而是再次抬起頭來。

「我不想躺下，我想……噢，天哪！我的老天。」她大喘著氣，跪在茂密的雜草中，顫抖地伸長手臂想觸碰某塊石碑。這看起來是一塊花崗岩石板，外觀簡單樸素。

「克萊兒？」羅杰單膝跪在她另一邊，一手橫過她背後以撐住她的身體。克萊兒的樣子實在嚇人，雙鬢滿是汗水，隨時都有可能昏厥過去。「克萊兒！」他再度呼喊，想大聲喚起她的注意，她卻直愣愣地望向前方。「妳在看什麼？是妳認識的名字嗎？」話一出口，耳邊就響起自己先前跟布莉安娜說的：「十八世紀後就沒人葬在這兒了，已經兩百年沒有新墳了。」

克萊兒的手掠過羅杰，伸手輕觸著那塊石碑，溫柔且充滿憐惜，像是愛撫著血肉之軀。她的手指輕滑過碑文，刻痕雖已變淺，字樣依舊清晰。

「詹姆士·亞歷山大·麥爾坎·麥肯錫·弗雷瑟。」她大聲讀出，然後說：「是啊！的確認識。」她的手再往下撥開墓碑周圍的濃密雜草，讓石碑底部的細小刻文得以顯露出來。「克萊兒深愛之夫。」她唸道。「是啊！的確認識。」她又說了一遍，聲音輕柔得幾乎快要消逝。「我就是這個克萊兒，他是我的丈夫。」她目光往上移，直直看進女兒充滿詫異的雙眼：「也是妳的親生父親。」

羅杰和布莉安娜兩雙眼睛逼視著她。此刻墓園裡萬物靜默，只剩下紫杉枝葉沙沙作響。

—

「不要！我說第五次了，不要！我不要喝什麼水。我沒曬到半點太陽，也沒有頭暈，更沒有生病，神智清楚得很，倒是你們誤以為我腦袋糊塗了。」我語帶慍怒。

看著羅杰和布莉安娜交換的眼神，他們果然是這麼看待我。他倆一左一右，把我攙出墓園、扶上車。我堅持不去醫院，所以回到了牧師家。羅杰給自己倒了杯威士忌想驅散慌亂，但目光卻投向電話，似乎在盤算是否找人幫忙，或是乾脆送我到精神病院算了。

「媽！」布莉安娜把我臉上的頭髮往後撥，安慰我道：「妳現在情緒不太穩定。」

「我是不穩定！」我激動地說完，顫抖著長吸一口氣，閉緊雙唇，決定等心平氣和後再開口。

「我的確情緒不穩，但並沒有發瘋。」我說道，停頓一會兒，努力控制自己的語氣。這個狀況不是我的本意，即使原先也不曉得該怎麼打算，但絕非這樣毫無準備、沒有組織好想法就托出真相。偏偏冒出這要命的墓碑，打亂我的步調。

「傑米．弗雷瑟，你這王八蛋！怎麼會跑到那裡？那裡離卡洛登可是有好幾百里耶！」我勃然大怒。眼見布莉安娜聽得瞠目結舌，羅杰的手已伸向電話，我旋即閉上嘴巴，再次設法穩住激動的情緒。

「請冷靜一下，博尚小姐。」深呼吸，一口、兩口、三口，好多了。「現在很簡單，妳只要把真相告訴他們就好，這不也是妳來蘇格蘭的目的嗎？」我默默對自己說。

我張開了嘴，卻吐不出半句話，只好又閉上嘴，同時闔上雙眼，希望避開眼前這兩張蒼白的臉孔，讓我能夠重拾勇氣開口說話。「拜託，讓我說出真相！」我在心中祈求，也不知對象是誰，或許是傑米吧！

我曾經坦白說出實情，但結果並不順利。

我用力緊閉著雙眼，似乎又嗅到醫院內消毒水的味道，臉頰底下透進陌生枕套漿過的觸感。走廊傳來法蘭克的咆哮聲，聽來既困惑又惱怒。

「說什麼不要逼她！不要逼她？我妻子失蹤了將近三年，現在回來渾身髒成這樣、受盡折磨，還有了身孕！是哪個老天要我現在不准問問題！」

醫生咕噥了幾句安撫的話，我只聽到一些片段，像是「錯亂」「心靈受創」，還有「先緩緩吧！一下也好。」法蘭克雖然極力爭辯、一再打斷醫生的話，但聲音已漸漸平緩下來。他的聲音如此熟悉，在我心中重新掀起悲傷、憤怒與恐懼的滔天巨浪。

我還記得那時我全身瑟縮成團，緊緊抓著枕頭失控地用力咬著，直到棉枕套撕裂，羽毛竄入齒間。如今的我再度緊咬牙根……但我又拉回到當下，於是我停下動作，睜開雙眼。

「聽我說，我很抱歉，這聽起來很不可思議，但句句屬實，而我也無能為力。」我盡量保持理性。

布莉安娜的身子輕輕靠向羅杰，顯然這番話未能讓她放心。而原先臉色鐵青的羅杰，則逐漸恢復血色，並浮現傾聽的神情。他有沒有可能具有豐富想像力，能夠接受真相的衝擊？

我在他的表情中重新找回了一絲希望，於是鬆開了雙手。

「都是那些要命的巨石，就是精靈山丘上，西邊的巨石陣，你曉得吧？」我說道。

「納敦巨岩，是嗎？」羅杰低語。

「沒錯。」我刻意吐了口氣，接著說：「你們應該都聽過精靈山丘的傳說吧？就是居民被困在岩丘之中，醒來後，世間已過了兩百年。」

布莉安娜的表情越發驚恐。

「媽，我真的覺得妳應該回房躺著休息，我可以請菲歐娜……」她說道，準備站起身。

羅杰一手放在她的臂上阻止道：「不，請等一下。」他盯著我，難掩眼中的好奇，一如科學家準備用顯微鏡檢視載玻片上的新標本時所展現的興奮之情。「請繼續。」他對我說。

「別擔心，我接下來不會亂扯精靈的故事，只想讓你們知道，這些傳說並非憑空杜撰。我也不清楚精靈山丘的來龍去脈，也不知道過程怎麼發生的，但事實就是……」我深吸一口氣，接著說：「在一九四五年，我走進了巨石陣，穿越裂開的石柱，人卻來到山腳下，時光也倒流回一七四三年。」

我曾對法蘭克說過同樣的話，而他先是怒不可遏地瞪我，然後突然抓起床頭櫃上的花瓶砸得一地粉碎。而羅杰現在的表情看來，像是有了重大的發現。雖然有點納悶，但我也沒辦法多想了，因為此刻只能拚上全力吞嚥著字句，好讓故事聽來不那麼荒謬。

—

「我遇見的第一個人是名全副武裝的英格蘭龍騎士，那時我就知道事情有些不對勁了。」我說。

突如其來地淺笑爬上羅杰的嘴角，布莉安娜仍是不敢置信。「這也難怪。」他說。

「那時最大的難題就是，我不曉得怎麼回來。」我覺得最好直言不諱地對羅杰說個明白，無論他相信與否，至少他似乎打算繼續聽下去。

「而且，那時代的婦女到哪兒都得有人護送，就算單獨行動，也不會穿著花洋裝和厚底牛津鞋，我在那裡遇到的所有人，包括那位龍騎士，都覺得我有些不尋常，卻又說不上來哪裡奇怪。他們哪可能懂呢？當時的情況和現在很像，我根本無從解釋起，那時的瘋人院不比現在，可沒有編籃子之類的休閒活動。」我說道，最後那句玩笑原要緩和氣氛，但似乎不大成功，布莉安娜擠出苦笑，表情更憂慮了。

「那名龍騎士長得與法蘭克非常相像，我還以為自己出現幻覺，乍看之下，我真的以為是他。」說到這裡，我不禁全身顫抖，想起皇家第八騎兵隊隊長喬納森·沃夫頓·藍鐸，然後瞥見桌上一本法蘭克的著作，封底照片中的男子臉型瘦長，既黝黑又英俊。

「那也太巧了。」羅杰說道，目光留神地直瞅著我。

「其實也沒多巧，他本來就是法蘭克的先祖，那一家族的男子都極為相似，至少外貌如此。」我努力將目光從書上移開，心想兩人的個性簡直是天壤之別。

「那他……是什麼樣的人？」布莉安娜似乎稍微回過神來了。

「噁心又骯髒的變態。」我說，羅杰和布莉安娜滿臉驚愕，瞠目結舌地四目相覷。

「你們不用驚訝，十八世紀也是有變態的，一點也不稀奇。但當時可能更猖狂，因為根本沒人在意，只要不傳出去、做好表面工夫就好。外號黑傑克的喬納森．藍鐸隊長，是名騎士，他在蘇格蘭高地率領了一支駐軍，負責監控各氏族的勢力。他擁有很大的權限幾乎可以從事任何活動，而且全受到英國皇室的認可。」我邊說邊拿起手中那只酒杯，喝了一大口威士忌。

「他喜歡虐待人，完全樂在其中。」我說。

「那他……有傷害妳嗎？」羅杰謹慎地停頓然後問道，布莉則若有所思，顴骨繃得緊緊的。

「沒直接傷害到我，就算有也不多。」我搖搖頭，只覺腹部發冷，有一股威士忌也無法驅除的寒氣。那裡曾挨過黑傑克一拳，回憶起來仍隱隱作痛。

「他喜歡的東西相當多，但傑米……是他最想得到的人。」我死都不會用「最愛的人」來形容。喉頭一陣乾澀，我飲下最後幾滴威士忌。羅杰舉起醒酒瓶，眉毛微微上揚，似乎問我是否真要再喝，我點點頭，伸出酒杯。

「傑米，就是傑米．弗雷瑟嗎？他是……」

「他是我丈夫。」我說。

布莉安娜奮力搖頭，像馬兒想甩掉蒼蠅。

「但妳已經有爸爸了，妳不能……就算……我是說……妳不能這樣。」她說。

「我別無選擇，我不是有意的。」我坦然說道。

「不是『有意』的？媽，妳不可能『不小心』結婚啊！」布莉安娜原以為我瘋了，所以百般容忍，但這時也逐漸按捺不住性子了。我想這也許是好的發展，即使會惹她不高興。

「嚴格說或許也算是『有意』吧！畢竟這比落到黑傑克手上好太多了。傑米娶我是為了保護我，這真的非常慷慨仗義。」我說，目光越過酒杯，不客氣瞅著布莉，又說：「他大可撒手不管，但他卻決定娶我。」

新婚之夜的回憶浮現腦海。傑米當時仍是處子之身，觸碰我時，雙手還顫抖不已，而我也非常害怕，只是不比他那樣忐忑。黎明到來，他擁著我，我赤裸的背抵著他的胸膛，他的大腿靠在我的腿後，既溫暖又結實，對著我蓬鬆的髮絲輕輕喚著：「別怕，現在只有我倆。」

「現實就是，我根本無法回到現代。我那時拚命要逃離黑傑克的魔爪，剛好一群蘇格蘭人發現了我。這些人專偷牛群，傑米與他們同行，他們都是傑米母親的族人，也就是來自里歐赫堡的麥肯錫一族。他們搞不清楚我的來歷，但還是把我當成人質帶走，所以我一直脫不了身。」我面向羅杰。

我還記得自己屢次設法逃離里歐赫堡未果，後來才向傑米坦白實情，他雖然與法蘭克一樣滿腹疑問，但至少願意表面上相信我，甚至帶我回到巨石陣。

「他大概以為我是女巫吧！在這時代被當成瘋子看，在那時代卻被視為女巫，全都是文化風俗使然。」我閉上雙眼，想到這裡不禁淺淺一笑，然後張眼繼續說：「以前叫作魔法，現在則是換成心理學那一套說法，都差不了多少。」羅杰點點頭，但表情還是十分詫異。

「他們以施行巫術之名審判我，就在里歐赫堡下方的克蘭斯穆村。傑米趕來救了我之後，我就告訴他真相了。他帶我到精靈山丘，要我回來……回到法蘭克身邊。」我停了下來，深吸口氣，憶起那個十月午後，久違的命運之鑰突然塞回我手中，要我作出抉擇。

「回去吧！妳在這裡什麼都沒有！除了危險，什麼都沒有。」傑米說。

「我在這裡真的什麼都沒有嗎？」我問道。他的自尊不容他開口，但答案已盡在不言中，我也早就作出了抉擇。

「一切都太遲了。」我邊說邊望著攤於膝上的雙手。天空黑壓壓一片，風雨欲來的樣子，我的兩只婚戒，一金一銀，仍在殘存的光暈中閃爍。雖然我與傑米成婚當時，沒有取下左手那只法蘭克的金戒，但我右手無名指上那只傑米的銀戒，二十多年來一次也不曾拿下。

「我愛過法蘭克。」我靜靜說道，刻意不看著布莉，接著說：「我曾經深愛著他，但那一刻，傑米已是我身心的全部，我不能就這樣離開他，我辦不到。」這時我突然抬頭望向布莉，希望得到諒解，她卻面無表情地看著我。

我再度低頭盯著雙手，繼續述說著。

「他帶我回家，也就是拉利堡，那兒好美。」我又閉上雙眼，好迴避布莉安娜的表情，試圖喚起圖瓦拉赫堡的畫面。當地人稱之為拉利堡，那是一大片高地田野，景色宜人，樹林與溪流點綴其上，土地也相當肥沃，在高地是很少見的。這個地方寧靜美好，且坐落於群山之中，遺世獨立，唯一通道是下方山谷小徑，故得以自外於高地長年的戰亂。但拉利堡終究只是個暫時的桃花源。

「傑米當時是名逃犯。」我說著，腦海中浮現他背上遭英軍鞭笞的傷疤，細長白痕交織如密網，布滿他寬闊的肩膀。「他遭懸賞通緝，一名佃農背叛了他，把消息透露給英軍。他被逮捕後，就被關到溫特沃斯監獄，準備處以絞刑。」

這時，羅杰吹了個低沉的口哨。

「那個地方是煉獄啊！妳看過那個監獄嗎？外牆起碼厚達三公尺。」他說道。

我張開雙眼說：「是啊！我不只看過，還進到監獄裡。但牆壁再厚，還是有門路的。」我苦笑著，當時的感覺隱隱襲來，我真是鼓足勇氣，不顧一切闖入溫特沃斯監獄，只為了救出心愛的人。我在心裡對傑米說：「那時都能為了你劫獄了，這時為你說出真相又有什麼困難？但好歹幫幫我，你這個臭蘇格蘭佬，拜託給我點勇氣！」

「我把他救了出來，但他已被折磨得不成人形，溫特沃斯監獄的守衛全由黑傑克掌管。」我邊說邊深吸了口氣。然而，即使我不願想起當時的情景，畫面卻不斷湧現：我們躲在艾爾錐淇莊園，傑米渾身是血，赤裸躺在地板上。

「我不會再讓他們抓回去了，英國姑娘。」他邊咬緊牙關，忍受著肉體的疼痛對我說，當時我正固定著他碎裂的手骨並清潔傷口。「英國姑娘……」他起初就這麼喚我，蓋爾語音為「薩森納赫」，是外地人或英國人的意思，他的口吻一開始是嘲弄，後來則滿懷愛意。

我沒讓英軍找到傑米，幸虧有他的族人穆塔夫幫忙，我才能帶他穿越英吉利海峽到法國，藏身在聖安妮德波普雷修道院，院長是弗雷瑟家族的一位叔叔。然而，安全無虞之後，我才發覺，雖然把傑米救了出來，但任務並未因此結束。

黑傑克的所作所為，深深烙印在他的靈魂之中，如同背上無數鞭痕留下的永久傷疤。直到今天，我依然不知當時何以能勇闖他內心的黑暗幽谷，召喚出他的心魔，單槍匹馬與之搏鬥。對於某些療法而言，巫術與醫藥並無二致。

一切仍舊歷歷在目：冷硬的石頭，挫得我傷痕累累，而傑米在半夢半醒間，被我勾起狂烈暴力的反擊，雙手緊掐住我的脖子，像一隻燃燒的怪物，在黑暗中失控地追捕著我。

「但我終究治好他了，他回到了我身邊。」我輕聲說道。

布莉安娜緩緩甩著頭，充滿固執與不解，這我再清楚不過了。「葛拉漢一族多蠢蛋，坎貝爾一族多奸巧，麥肯錫一族風采迷人但詭計多端，弗雷瑟一族多固執。」傑米曾這麼貼切地形容各氏族的性格特質。弗雷瑟簡直固執到家，他自己便是如此，布莉安娜也不遑多讓。

「我不相信！妳就是因為太投入卡洛登戰役的事情，而且最近壓力過大，加上爸爸過世才會……」她冷硬地說道，坐起身子盯著我。

「法蘭克不是妳爸爸。」這時我毫不客氣地說道。

「他是！」她幾乎是瞬時間反駁，快得我們兩人都嚇了一跳。

法蘭克後來終究遵照了醫生的囑咐，不再「強迫我接受現實」，以免危及懷孕期間的健康。醫院走廊時而迴盪低語，時而傳來怒吼，但他已放棄從我身上得到真相，而身心俱疲的我，也放棄向他說出實情。

但是這一次，我絕對不會放棄。

「二十年前，妳剛出生的時候，我答應過法蘭克。那時我決定離開，但他不讓我走。」望著布莉安娜時，我發覺我的語氣和緩下來：「他很愛妳，雖然不相信我說的真相，卻也無法否認妳的親生父親另有其人。他求我別跟妳提起，求我讓他做妳的父親，直到他死後再交給我決定。」我嚥下口水，輕舐乾燥的雙唇。

「那是我欠他的，因為他非常愛妳。但如今法蘭克死了，妳有權知道自己的身世。」我說。

「國家肖像美術館裡頭有幅艾倫．麥肯錫的畫像，她是傑米的母親，她脖子上戴著的項鍊就是這個。」我撫觸著頸部的珍珠項鍊，那是串淡水珍珠，採自蘇格蘭溪流，呈不規則狀，並以金珠鑲串其間。我接著說：「這是傑米在婚禮那天送我的禮物。」

我凝視著布莉安娜，她僵直地坐著，顴骨俐落分明，像是無言抗議。「妳大可帶上小鏡子，仔細看那幅畫像，再看鏡中的自己，妳可以發現妳有著祖母的神韻。」我說道。

這時，羅杰重新打量著布莉安娜。他的目光在我們母女之間移動，接著彷彿下定了決心一般挺起胸膛，從沙發上站了起來。

「我這裡有些東西，覺得妳們應該看看。」他語帶堅定，一個箭步走到牧師的辦公桌，從某格抽屜取來一捆橡皮筋綁著的泛黃剪報。

「讀的時候，注意日期。」他對布莉安娜說，並把剪報遞給她。然後他轉過身，開始打量我，神情專注且不帶情感。我了然於心，這是學者專屬的超然客觀。他尚未相信我所說的話，但有探索問題的想像力。

「一七四三年。」他開始喃喃自語，一邊搖頭，一邊驚奇地說：「我原以為是妳一九四五年時在這裡認識的男士。萬萬也沒想到——但話說回來，誰又想得到呢？」

我大感意外，然後說：「你知道這件事了？」

羅杰朝著布莉安娜手中剪報點了點頭。布莉安娜卻看都沒看，直盯著羅杰，帶著不知所措的憤怒。我幾乎可以看見她眼中正在延燒的怒火，相信羅杰也不可能沒看見，但他連忙把目光移開，回頭問我。

「那麼，妳給我的那個名單中，那些參與卡洛登戰役的人，妳都『認識』？」

我些許放鬆了一下。「沒錯，我認識他們。」東邊天空傳來隆隆雷聲，雨水啪嗒啪嗒地打著書房那一面長長的落地窗。布莉安娜低頭看著剪報，劉海遮住她大半臉孔，但露出了漲紅的鼻尖。傑米每回暴怒或氣憤時，也總是漲紅著臉，弗雷瑟家的人大發雷霆之前的模樣，我是再清楚不過了。

「妳又在法國。」羅杰又喃喃自語起來，深入地挖掘拼湊著真相。突然間，羅杰一臉詫異，然後又轉為推測，還帶了一點興奮：「妳該不會也曉得……」

「你說的沒錯，所以我們才會去巴黎。我把一七四五年卡洛登戰役會發生的事，全都告訴了傑米。我們潛入巴黎宮廷，企圖阻止查理王子的行動。」

第六章

興風作浪

現場的氣氛相當緊張，

伯爵和他的船長凶惡地看著我，

傑米也毫不畏懼地迎視著他們，

而那名死者則無神地凝望著十來公尺高的天花板。

「麵包。」我含糊地嘟噥著，雙眼緊閉。身旁暖呼呼的大塊頭毫無反應，只傳出微微的呼吸聲。

「麵包！」我稍稍提高音量。一陣驚慌中，被褥突然掀起，而我則是緊抓著床墊邊緣、繃緊全身的肌肉，試圖緩和五臟六腑翻攪的感受。

床的另一側傳來翻找東西的嘈雜聲，緊接著是抽屜拉動、以蓋爾語咕噥咒罵、赤腳在厚木板上快走的腳步聲，最後則是沉重的身軀陷進床墊所發出的咿呀聲。

「吃吧，英國姑娘。」這是充滿焦急的聲音，接著我感覺到麵包輕觸我的下唇。我等不及睜眼伸手便抓，然後小心翼翼咀嚼起來，一口口嚥進乾澀的喉嚨裡。即使如此，我也知道最好別要水來喝。

毫無水分的麵包擠成一團緩緩在食道中推進，好不容易掉進胃裡，便如同一團團安定劑平息了肚子裡翻湧的嘔吐感，讓五臟六腑得以各安其位。我睜開眼，傑米憂心的臉龐正杵在我身旁不到十公分的距離。

「噢！」嚇了我一跳。

「好點沒有？」他問道。我點點頭，虛弱地坐起身子，他一隻手撐住我的背，和我一起坐在粗硬的床鋪上，然後溫柔地摟住我，輕撫我睡亂的髮絲。

「可憐吾愛，來點酒會不會好些？我的鞍袋裡有瓶德國白酒。」他說。

「不用，真的不用，謝了。」一想到喝白酒，我就直起哆嗦。光提到它，那濃重的水果味便撲鼻而來，讓我全身僵硬。

「我過一會兒就好了，別擔心，孕婦早上害喜是很常見的。」我勉強擠出一點開朗的表情說道。

傑米懷疑望著我，起身去窗邊凳子上取來他的衣服。法國二月依舊天寒地凍，窗子霧面玻璃結了層厚厚的霜。他光著身子，肩膀起了一陣疙瘩，手臂與雙腿的金紅色寒毛直豎。但他對寒冷的氣溫早習以為常，還從容穿上了長襪和襯衫。衣服才穿到一半，他便停下動作回到床邊擁著我。

「再睡一下吧！我會請女僕上來生火。妳現在吃過東西，可以休息一會。妳確定沒生病吧？」他叮嚀著。其實我也不大確定，但仍點頭要他放心。

「沒有啦！」我發現床上的被褥不大乾淨，這類旅館提供的床被單多半如此。有賴傑米皮包內的銀子，這已經是最好的房間，床鋪固然窄小，但內裡充填的是保暖的鵝毛，而非米糠或羊毛。

「嗯，那我就再躺躺吧！」我輕聲說著，並把雙腳抽離冰冷的地板，塞進被窩，搜尋著殘存的溫度。我的胃好多了，喝一口水應該無妨，於是我拿起帶著裂痕的水壺倒了一杯水。

「你剛才在踩什麼東西嗎？這裡應該沒有蜘蛛吧？」我緩緩喝著水問道。

傑米正把蘇格蘭裙繫在腰間，搖了搖頭。「噢，那沒什麼！」他雙手擊著裙子，下巴往桌子的方向指了指，接著說：「只是隻老鼠罷了，大概想找麵包吃吧！」

我的目光向下移，一瞧見一團灰撲撲的東西癱在地上，鼠鼻上的血珠還閃著微光，我嚇得跳下床反胃吐了起來。

不久，我無力地說：「這下好了，能吐的都吐光了。」

「漱漱口吧！英國姑娘，千萬別吞下去。我的老天！」傑米一手拿著杯子，一手拿著布巾幫我擦嘴，好像在照顧髒得一蹋糊塗的嬰孩。接著他抱起我，小心翼翼地把我放回床上，同時憂心忡忡盯著我看。

「我看我還是待著，我差人傳話就好。」他說。

「不用不用，我沒事。」我連忙說。我並不是逞強，因為無論我再怎麼壓抑因為害喜的反胃，往往徒勞無功，只能耐心等待難受的感覺消退。除了口腔內殘留的酸味，和腹部肌肉微微痠痛之外，全身上下都沒有什麼異樣。我拉開床單，站起身子，好證明給他看。

「你瞧，我不會有事的。而且你一定要赴約，怎麼好意思讓他久等？」

我覺得心情又好了起來，毫不在意門底下灌進的陣陣寒風竄入睡衣的褶縫。傑米還是十分猶豫，捨不得離開我。我於是走向他，緊緊擁抱他，除了希望讓他安心，也因為他的身子實在暖和。

「欸？你怎麼只穿一條蘇格蘭裙，還能夠熱呼呼地像條剛出爐的吐司？」

「我也有穿襯衫啊！」他笑著抗議。

這時的法國，清晨還相當寒冷，我們就這麼貼在一起，享受著片刻的溫存。走廊上傳來器具碰撞與拖行的腳步聲，想來是女僕提著柴桶走近。

傑米挪動了一下，身體緊貼著我。在冬季遠行跋涉特別辛苦，我們自聖安妮修道院出發後，花了將近一星期才抵達阿弗赫。整個旅途中，我們抵達旅店時往往天色已晚，而這些小旅店多半陰暗潮濕又骯髒，旅途中疲憊受凍也加重了我的害喜症狀，經常夜半驚醒。因此我倆自從離開修道院之後，就幾乎不曾像這樣觸碰著對方。

「和我一起睡嗎？」我溫柔地邀請。

他有點遲疑，但藏不住蘇格蘭裙底下的強烈慾望，溫暖的雙手暖著我冰冷的肌膚，卻不打算擁我入懷。

「呃……」他含糊地回應。

「你不是也想要嗎？」我一隻冰涼的手探入了他的蘇格蘭裙。

「噢！欸……我是很想。」我握住的炙熱鐵棍證實了他的自白。於是我的手托在傑米雙腿間，他聲音低啞地吼道：「噢，老天，別這樣，英國姑娘，我會無法放開妳……」

他抱緊了我，長長的雙臂圈著我的身體，我的臉埋在他雪白襯衫的褶襉，我聞到修道院洗衣房衣服上漿的那種淡淡氣味。

「那就不要放開啊……」我隔著他胸口的亞麻布悶悶地說：「你時間應該還夠吧？從這裡騎馬到港區，

一下子就到了。」

「不是這個問題啦！」他邊說邊順著我那蓬頭亂髮。

「那是嫌我胖嘍？還是說……」其實我的肚子仍幾近平坦，加上害喜的緣故，甚至比平時還瘦。

「都不是，妳問太多嘍！」他一邊笑著說，一邊彎下身吻我，然後一把將我抱起接著坐在床邊，把我擱在他大腿上輕摟著我。這時，我轉身一扭躺到床上，然後霸道地想把他拉到我身上。

「克萊兒，不要啦！」當我開始解開他的蘇格蘭裙時，他抗拒道。

我瞪著他：「為什麼不要？」

「呃，寶寶……我是說，我不想傷害寶寶。」他尷尬地說，開始臉紅。

我笑了。「傑米，你傷害不到寶寶的。胎兒現在頂多跟我的指尖差不多大。」我豎起一根手指作比方，然後放到他的下唇，沿著那豐厚的唇線輕輕撫著。才幾下，他就突然抓住我的手，衝動地彎身狂吻著我，以為這樣就能止住我指尖撒下的那一陣難忍的酥癢。

「妳確定？我意思是，我總覺得寶寶會很不舒服……」他忽然停下問道。

「他不會發現的。」我一邊安撫，雙手再度忙著解開他的蘇格蘭裙。

「呃……妳都這麼說了。」

這時外面傳來砰砰的敲門聲，這位高盧女僕可真會挑時間，先是用背抵開門進來，轉過身時，還粗魯地用木棍把門撐開。門板和門框表面都是刮痕，可見她平時都是這個樣子。

「日安，先生夫人。」她低聲說著，朝床鋪點個頭，便曳步移向爐火，態度顯然就是：大部分客人並不在意她這樣。旅館傭人面對衣衫不整的旅客，早已見怪不怪，所以我簡單回了句：「日安，小姐。」便隨她繼續打掃，也暫時放開傑米的蘇格蘭裙，縮回被窩並拉起棉被遮住我漲紅的臉頰。

傑米可就泰然自若得多。他俐落地拿起長枕放在腿上，兩手肘杵著長枕攤開掌心托著下巴，便和女僕閒話家常起來，還稱讚了這間旅館的伙食。

「小姐，請問酒是哪裡買來的呢？」他客氣問道。

「這裡買買，那裡買買。」她聳聳肩，一面動作嫻熟地添上柴火，一面接著說：「哪裡便宜哪裡去。」

她微微皺起圓滾滾的臉龐，從爐火那兒斜睨著傑米。

「我想也是。」傑米說，咧嘴笑著，她則是冷冷笑著哼了一下。

「我敢打賭，我用一樣的價格，可以買到更好的酒。跟妳老闆娘說說吧！」他提議道。

她揚起一邊眉毛，存疑地問道：「那你要收多少佣金，先生？」

傑米做了一個道地高盧手勢展現他的慷慨：「不收半毛錢，小姐。我只要跟我那賣酒的族人吩咐一下就好，這樣一來可以讓他多拉點生意上門，我在這兒也會住得較舒服。妳覺得如何？」

她點點頭，覺得頗有道理，咕噥了兩聲就站起身來。「好的，先生，我會轉達老闆娘。」

她臨走時靈巧地扭一下臀部，房門砰地應聲關上。傑米把長枕丟一邊，起身準備繫回他的蘇格蘭裙。

「你要去哪裡？」我不滿地說道。

他往下瞥了我一眼，寬闊的嘴唇勉強擠出微笑：「喔，那……妳確定妳可以，英國姑娘？」

「我確定，就跟你一樣。」我實在沒有辦法抗拒。

這時，他一本正經地看著我：「就憑妳這句話，我應該馬上出門才對。不過，我聽說應該要盡量滿足孕婦的願望。」他一面說著，蘇格蘭裙已落在腳邊，身上只穿襯衫坐到我身旁，床鋪因為他的重量而發出一陣吱呀聲。

當他滑進被窩撩開我的睡袍前襟，讓我的雙峰完全展露時，他溫熱的呼吸也化成了一陣令人神迷的霧氣。他低頭輕啄，用柔軟的舌尖輕逗著乳尖，綻放開來的深粉色在他的魔法下，挺立於我白皙的雙峰頂端。

「天哪！好美……」他低喃著，在另一邊的乳尖也施下了謎樣的魔法，然後伸手輕托著細細品嘗。

「她們變重了一點點，乳尖的顏色也變深了。」他說道，一隻食指沿著乳暈旁鬈曲的細毛滑著，在霧濛濛的晨光映照下，我的細毛微微閃著銀光。

他掀起被子側臥在我身旁，讓我鑽進他懷中環住他堅韌寬厚的背部，然後順著背脊曲線向下溜，捧著那圓滾結實的雙臀。他赤裸的身軀沾染了清晨微薄的涼意，肌膚上才冒出的疙瘩，在我溫柔愛撫下漸漸平息。

我把他拉向我，但他輕巧地擋開，反而一手把我扣在枕頭上，一口一口輕囓著我敏感的頸子與耳際。另一手則沿著我的大腿往上溜，薄薄的睡衣在一波波律動中，往我腰際滑了上來。

他的頭開始向下探，雙手輕輕分開我的雙腿。冷空氣呼然襲來，接觸到我赤裸的腿部時，我不禁打了個寒顫，但隨即在他雙唇中溫熱的撫慰之下，完全放鬆開來。

他還沒綁起來的紅髮整個散開，輕搔著我大腿。他身體的重心則在我的兩腿之間找到了密合的位置，然後伸出他那雙大手，扣住我渾圓的雙臀。

「嗯？」下方傳來了疑問的聲音。

我微微拱起臀部回應，他輕笑著，呼出的熱氣掠過我的肌膚。

一雙手滑到我臀部下方，把我抬起，當微弱的酥麻越來越強烈，擴散到全身每一寸肌膚時，我在幾近融解的邊緣，迅速攀上那令人癱軟交織著嬌喘的高峰。傑米把臉靠在我大腿上，等我緩過氣來，又愛撫著我腿部的曲線，準備接續下一波。

我撥著他一頭亂髮，輕撫著耳朵，這麼一個粗獷大塊頭，卻有著如此小巧玲瓏的雙耳，耳廓上方內凹處，透亮著淡粉色，我的拇指滑過彎彎的耳廓邊緣。

「你的耳朵好像被削尖了一樣，就這裡，像法翁的耳朵。」我說。

「喔？妳是說那個古畫裡，專門追逐裸女的半羊人？不是小鹿吧？❶」他說著，停了下動作。

我抬起頭，目光越過與床單、睡衣交纏在一起的軀體，看進他那一雙映著我濕濡的棕色鬈毛、宛如貓眼般熠熠生輝的深藍眼眸。

「你覺得是就是了！」我說。當他應聲發笑時的震顫，刺激著我已經太過敏銳的肌膚，讓我激情難耐地躺回枕頭。

「噢，天哪！傑米，快上來。」我的身體不禁往上撐。

「還沒完！」他說道，他的舌尖一搔，我的身體也不聽話了，無法控制地蠕動起來。

「快！」我低吼。

這時，他已經不想回應我了，而我也被他逗弄得嬌喘不止，說不上話了。

「噢，這太……」

「嗯？」

「太舒服了，快點上來。」我輕喘出聲。

「不，等等。」他說著，臉孔埋在棕紅與肉桂色相間的亂髮中：「妳會不會希望我……」

「傑米，我要你立刻過來！」我在迷亂中強硬地說。

他拗不過我，嘆了口氣，便起身讓我拉了上來，他把雙肘撐在我身旁，讓身體服貼在我上方，肚子黏著肚子，唇對著唇。他還想張口抗議，被我旋即湊上的一吻給制止，在他還能克制自己之前，他的下身已經滑到我的雙腿之間。他進入我的那一瞬間，不由自主地輕聲發出愉悅的呻吟，而他雙手牢牢抓住我的肩膀時，我還可以感受到他身上每寸肌肉的緊繃。

他又柔又緩地滑動著，又時而停下深深長吻，直到我無聲催促，才再度催動他的身軀。我的雙手徐徐滑過他的背脊，避開他癒合中的傷疤。他貼著我的大腿微微顫抖著，我感覺到他隱約的克制，不願加快速度。

我把臀部往上一迎，將他帶進更深入的核心。

他閉上雙眼，神情專注地輕輕皺起眉心，雙唇微張，呼吸越來越急促。

「不行……噢，天啊！我受不了……」他說，接著臀部一緊，一波波張力透進我的掌心。

我滿足地吐出長長的一口氣，緊緊擁著他。

隔了一陣子之後，他問道：「妳還好嗎？」

「骨頭不會散掉，放心。」我回答，微笑望進他的眼眸。

他乾笑兩聲後說：「妳是不會，英國姑娘，但我可能會呦！」他把我摟得更緊，臉頰貼住我的頭髮。我把棉被拉高，圍住他的肩膀，圈出兩人的溫暖角落。爐火的溫度還沒傳到床鋪這裡，窗上薄冰卻正漸漸消融，冰霜硬化的邊緣一點一滴融化成閃爍的晶鑽。

我們靜靜地躺著，聆聽柴火啪滋作響的燃燒聲，以及房客陸續起床後，走廊外頭傳來的微微聲響：陽臺與中庭間的呼喚，外面泥濘石地的馬蹄噠噠，與樓下不時傳來的怪怪豬叫聲，想來是房東太太在廚房爐子後方養的豬仔。

「滿有法國味道的，對吧？」我笑著用法語說道，一邊偷聽樓板底下的一場小爭執，是旅館老闆娘和當地酒商正在談買賣，交涉過程格外「融洽」。

---

❶半人半羊的潘神英語為faun，發音同fawn（未滿一歲的小鹿），故傑米有此一問。

「狗狼養的死兔崽子，上禮拜的白蘭地難喝死了，根本和馬尿沒兩樣。」是老闆娘的聲音。不必看到酒商的神情，都可以想見他聳著單肩，一副無所謂的模樣。

「夫人，妳根本不懂，酒過三巡，喝起來都差不多了啦，不是嗎？」

這場對話讓我和傑米笑到整個床都振動了起來。突然，他抬起頭來，滿足地嗅著從樓板縫隙飄入房內一股美味的煎火腿香。

「果真是法國啊！美食、美酒，還有美人。」他說著，拍了拍我的裸臂，然後抓來皺巴巴的睡袍蓋上。

「傑米，你開心嗎？我們要有孩子了。」我輕聲說道。他在蘇格蘭被通緝，又遭流放，來到法國也是前途茫茫，如今又多了一份責任，要是高興不起來，也實在不能怪他。

「嘿！英國姑娘，我非常開心，驕傲得像隻傲慢的駿馬，只是我也害怕得不得了。」他一隻手輕揉著我的肚子。

「擔心難產嗎？我不會有事的。」他的憂心不是沒有原因，畢竟他的親生母親便是因為難產過世，況且在這個時代，分娩過程的突發狀況，更是婦女死亡的主因，所以我也不打算接受這裡所謂的醫療照護，畢竟我對生產還算略知一二，可以照顧自己。

「嗯，擔心得不得了。」他溫柔地說：「我想好好保護妳，像件披風一樣把妳緊緊罩著，守護著妳和孩子。」這時他的聲音變得更輕柔低啞，帶著哽咽：「我願意為妳犧牲一切……可是，我卻什麼都做不到，不管我再怎麼強壯、再怎麼心甘情願，都沒有辦法替妳承受……甚至就連幫忙也無從幫起。只要一想到這些事，而我竟然束手無策……欸，我擔心得不得了，英國姑娘。」

「可是，」他托著我面向他，一手輕撫著我的乳房：「每當想起寶寶躺在妳懷裡的樣子，就輕飄飄得像個快樂的泡泡一樣。」

然後，他緊緊地環住我，而我也用盡全力擁著他。

「克萊兒，我好愛妳，愛得我心都要碎了……」

—

我睡了一會兒，在附近廣場的教堂鐘響聲裡醒了過來。由於剛離開聖安妮修道院不久，而那裡的一切日常活動都取決於鐘聲，因此我下意識瞥向窗戶，從光的強度猜測當下時間。日光明亮清澄，窗戶未結冰霜，鐘聲是教堂為了提醒信徒禱念三鐘經❷而響的，所以此時應該是正午時分。

我伸了伸懶腰，享受著不必趕著起床的幸福。懷孕初期已經非常折騰了，長途跋涉更是讓我筋疲力盡，如今能好好睡一覺，實在求之不得。

正逢冬季風暴侵襲法國海岸之際，一路上雨雪交加。但目前的情況已經算是不幸中的大幸了，因為我們原本的目的地是羅馬，並非法國的阿弗赫，若是在這種天候下趕路，恐怕得花上三、四個星期。

傑米考量到在異鄉謀生的問題，早早就設法取得了擔任翻譯官的推薦函，以期協助詹姆斯・法蘭西斯・愛德華・斯圖亞特，也就是流亡海外的蘇格蘭王（其他稱號還包括聖喬治騎士、老僭君等等，端看效忠對象而定）。所以我們原先是打定主意前往羅馬，加入詹姆斯王的陣營。

就在我們已經整裝完畢，準備前往義大利的前夕，傑米的叔叔，也就是聖安妮修道院的院長亞歷山大，

❷三鐘經（Angelus），為拉丁文的「天使」，是天主教之記述聖母領報與基督降生的經文。十六世紀從法國開始，每日分別於上午六時，正午十二時，以及下午六時響起，以提醒信徒誦念三鐘經。

派人請我們到書房見他。

「陛下傳來了口諭。」我們才坐下，他就開門見山說道。

「哪位陛下？」傑米問。雖然有血緣關係，但是亞歷山大和傑米相似之處竟然僅在他們姿態上：抬頭挺胸、筆直地端坐著。院長是因遵奉苦行主義，早就習以為常，傑米則是不願讓背上初癒的傷疤碰到木椅背。

「是詹姆斯國王陛下。」他叔叔答道，朝我微微蹙額。我小心地不流露出任何反應，畢竟我能來到院長的書房，是一種信任的象徵，而我並不想貿然挑動這樣的信任。從我把受盡凌虐的傑米從大牢裡救出來，出現在修道院門口的那天算起，院長和我認識也不過六星期。雖然經過相處，院長已經相當信任我了，但另一方面，我仍舊是一個英格蘭人，而當下英格蘭的國王是喬治，並非詹姆斯。

「喔？他不需要翻譯官了嗎？」傑米依舊瘦削，但與負責打理馬廄和修道院內外的修士一起在戶外活動的日子，讓他的氣色也日漸好轉。

「他需要一位忠誠的手下，一個朋友。」亞歷山大院長用手指輕輕敲著桌上一封摺好的信函，印著王徽的封蠟已經拆開。他撇著嘴，眼神先看向我再朝他姪子掃去，然後又轉回來盯著我。

「我現在要說的事，絕對不能洩漏出去，」他嚴肅地說：「這件事很快就會傳開，但目前仍是個祕密……」我試著展現可靠、守口如瓶的樣子，而傑米只是點點頭，有點不耐。

「查理・愛德華王子殿下已經離開羅馬了，一個禮拜內就會抵達法國。」院長一邊說著，身體微微前傾，似乎想強調這件事的重要性。

這的確是一件大事。一七一五年，詹姆斯・斯圖亞特發起軍事行動，企圖奪回王位，但這個計畫不周的行動，最後也因為缺乏支援而潰敗。而據院長所言，流亡在外的詹姆斯王此後仍不遺餘力地策畫，不斷去函各國君主，尤其是法國的表親路易王，重申自己才是正統的英格蘭與蘇格蘭共主，長子查理王子理應為繼任王儲。

「然而，儘管詹姆斯王的共主地位如此明確，路易王卻一直充耳不聞，實在讓人憂心啊！」院長一邊說著，一邊皺眉盯著桌上的那封信，彷彿它就是路易王。「如果他能及時頓悟，了解自己的責任所在，就是我們這些擁戴神聖王權的臣子最感振奮的事了。」

院長口中所謂的臣子，指的便是詹姆斯黨人，而身為蘇格蘭弗雷瑟一族的亞歷山大院長，也是其中一員。傑米跟我說，院長是詹姆斯王最常往來的對象之一，他與所有斯圖亞特家族相關人士也都保持著聯繫。

「他的身分再適合不過了。由於教宗的信差遍布義大利、法國、西班牙等國，傳信迅速且各國的關防都不能阻擋，因此信函比較不會被中途攔截。」我們先前討論未來該如何開展時，傑米這麼跟我提過。

流亡到羅馬的詹姆斯王擁有教宗支持，畢竟對羅馬教廷而言，也樂見英格蘭和蘇格蘭再度由信奉天主教的君王治理。因此，詹姆斯王的密函多交由教宗的信差傳送，再交付給教會裡忠於詹姆斯的神職人員，例如亞歷山大院長，由他們負責聯絡在蘇格蘭的支持者，其風險遠低於直接從羅馬寄信到愛丁堡和高地。

在院長仔細說著查理王子此行的重要性時，我一邊觀察著他：院長跟我差不多高，健壯結實、皮膚黝黑，比他姪子傑米矮了不少，但有個同樣微微上揚的雙眼，敏銳且充滿智慧，還有弗雷瑟族人特有善於洞悉他人背後動機的天賦。

「所以，我不能說查理殿下是因為路易王的邀請來訪，還是為了詹姆斯陛下而來。」他撫著布滿下巴的深棕色鬍鬚。

「這就有微妙的差別了。」傑米懷疑地揚起一邊眉毛評論道。

他的叔叔點點頭，濃密的鬍中閃過一抹苦笑。

「你說對了，孩子。」他那口標準英語出現一絲蘇格蘭腔：「所以才需要你和你妻子幫忙。」

這個提議十分單純：倘若忠貞的摯友亞歷山大的姪子願意前往巴黎，鼎力協助查理王子殿下，那麼詹姆斯國王陛下會負責提供一路上所需旅費並額外補貼一點報酬。

我聽了又驚又喜。我們本來打算前往羅馬，因為那裡最適合展開我們的行動：阻止詹姆斯黨於一七四五年醞釀的第二次起事。就我對這段歷史的了解，這起反抗行動是由法國政府資助、查理王子領軍，規模遠超過一七一五年詹姆斯王的反抗，卻依舊功敗垂成。假使事態發展如我所料，一七四六年查理王子的軍隊會在卡洛登兵敗如山倒，而此後兩百年，高地人也將因戰敗而付出極為慘痛的代價。

如今，一七四四年的此刻，查理王子顯然才剛打算在法國招兵買馬，如果想要阻止反叛活動，沒有哪裡比得上可以直接在旁勸退更好了。

我瞄了傑米一眼，他正面無表情地望著院長背後牆壁的神龕，目光停留在聖安妮的金像，與擱在她腳邊的一小束花，但其實腦中正迅速盤算著。最後傑米眨了眨眼，對院長投以微笑。

「任憑殿下差遣？那當然，我應該可以勝任，我們這就出發。」他平靜地說道。

我們隨即啟程，但並非直接前往巴黎，而是先繞到阿弗赫港，與傑米的遠親賈爾德．孟羅．弗雷瑟碰面。賈爾德是個經商致富的蘇格蘭移民，專門進口各種紅白酒與烈酒，在巴黎城內擁有一座小倉庫與別墅，而在阿弗赫這裡則是他的大型倉庫所在地。當傑米寫信告訴賈爾德我們正在往巴黎的路上，他便請我們折往阿弗赫會面。

休息到現在，我也有點餓了。桌上的食物，想必是我熟睡時，傑米吩咐女僕送來的。

我沒有穿睡袍，但我那厚重的天鵝絨長袍就在手邊，於是我坐起身，把溫暖的長袍披在肩上，才起來上廁所、添柴火，然後坐下來享用我的早午餐。

我滿足地嚼著法國圓麵包與烤火腿，一邊配著牛奶。希望傑米沒有餓著了。雖然傑米非常信賴賈爾德，但他的親戚是否真的都如此好客，我仍有些存疑。當然，亞歷山大院長是竭誠歡迎我們的，畢竟他身為一個修道院院長，還能如此接納逃亡的姪子帶著身分可疑的妻子突然造訪。然而，前一年秋天，我們借住里歐赫堡的期間，傑米母親的麥肯錫族人可是差點害死了我，我不但被抓起來監禁，還被當成女巫審判。

「的確，這位賈爾德也屬於弗雷瑟家族，似乎比你的麥肯錫親戚來得友善。但你以前跟他打過交道嗎？」我說。

「我十八歲時，跟他一起生活過一段時間。」他說，把熱蠟滴在信函上，再拿父親的婚戒戒面印壓在那灰綠色的熱蠟上。這只戒指鑲著一顆圓形小紅寶石，外圈的金屬戒托部分，則以法文刻著弗雷瑟族的座右銘「Je suis prest」（我準備好了）。

「當初我剛來到巴黎念書的時候，賈爾德便邀請我待在他那裡。他是我父親的好友，對我非常慷慨。況且，最了解巴黎社會的人，非酒商莫屬。」他一邊把戒指從凝固的熱蠟中拔起，說著：「我希望先和賈爾德談過後，再去路易王宮裡找查理王子。我想確保自己有脫身的機會。」他苦笑地說。

「什麼意思？你覺得會有麻煩嗎？」我問道。顯然，所謂「任憑殿下差遣」，似乎很有問題。見我一臉憂心，他對我展開微笑。「當然不是，我並不覺得會有麻煩。但是，我的英國姑娘，聖經也寫了：『不要倚靠君王。』❸對吧？」他起身在我的額頭上輕輕一啄，然後把戒指放回他的蘇格蘭毛皮袋，又說：「我區區一介凡人，怎麼敢違背上帝的話語呢？」

❸出自於《希伯來聖經》之〈詩篇〉146:3。

我整個下午都在研究藥草，這是安博思修士在我臨行前，塞給我當作餞別禮物的一堆藥草。接著，我便忙著做針線活兒。我倆都沒帶多少衣物，旅途中一切從簡固然有不少好處，但只要襪子破了洞、衣邊掉了線，便得立即處理。因此對我而言，針線盒與草藥箱幾乎同樣重要。

細針在布料之間鑽進穿出，透入的窗外光線眨眼閃爍。我一邊掛念著傑米和賈爾德的會面，一邊又好奇著查理王子的為人。這是我首次接觸歷史名人，雖然我曉得不能盡信那些過去（或該說即將發生）的傳說，查理王子的真實樣貌仍是一團謎。一七四五年那場起事的成敗，完全取決於這名青年的性格，而能否避免其發生，則可能得仰賴另一名青年，也就是傑米．弗雷瑟。還有，我的努力。

我專注地縫縫補補，沉浸在自我的思緒中，當走廊傳來重重的腳步聲時，我才驚覺天色已暗。隨著氣溫下降，屋簷水珠滴落的速度也變緩，落日的紅焰映著屋頂垂下的冰柱熠熠生輝。房門一開，傑米走了進來。

他朝著我輕輕微笑，然後突然停在桌子旁，表情非常專注，好像在回想些什麼。他一邊脫下斗篷，先是摺半再俐落地掛在床腳，挺起身朝另一張凳子走去，很小心地坐了下來，然後闔上雙眼。

我靜靜坐著，忘了腿上的針線，大感好奇地觀察他的舉動。過了一會兒，他張開了眼睛，不發一語，就只是衝著我笑。然後他湊身向前，非常仔細盯著我的臉，好像我們有幾個禮拜沒見面了一樣。終於，他臉上掠過一道恍然大悟的神情，然後整個人放鬆，肩膀垂了下來，把雙肘輕靠在膝蓋上。

「威士忌。」他說，語氣中透露著莫大的滿足。

「原來如此，喝了很多嗎？」我謹慎地說。

他緩緩搖著頭，好像有千斤重一般，我簡直快聽見他滿腦漿糊攪動的聲音。

「不是我，是妳。」他非常明確地說道。

「我？」我有點憤憤不平。

「妳的眼睛。」他邊說邊笑，洋溢著幸福的眼神溫柔迷濛，像雨中的池水，如夢似幻的樣子。

「我的眼睛？我的眼睛跟這有什麼關係……」

「他們的顏色就像上等威士忌，而且是有陽光從後面穿透過來的那種顏色。早上，我本來覺得是雪莉酒，但我根本就大錯特錯，不是雪莉酒，不是白蘭地，是威士忌才對。沒錯，就是威士忌！」他說話時一臉欣慰，讓我忍不住笑了出來。

「傑米，你根本喝醉了。你跑去做了什麼？」

他的眉頭皺了起來。「我才沒喝醉。」

「喔，沒有嗎？」我把針線放一旁，走到他身旁，把手放在他額頭上。他的額頭又涼又濕，但他卻滿臉通紅。他的雙臂逮到機會環住了我的腰，把我拉近，鼻頭往我懷裡猛蹭。混雜著酒精的味道從他身上散發出來，像霧氣般瀰漫，濃得化不開。

「快來我身邊，英國姑娘。我的女孩有雙威士忌的眼睛，我的最愛，讓我帶妳上床去。」他自言自語。依我看來，眼下是誰要帶誰上床，實在是很難說，但我也不回嘴了，畢竟他為何想上床並非重點，前提是他必須上得了床。我彎下腰，把肩膀撐在他的腋下，試圖扶他起來，但他把身體偏向另一邊，憑著自己的力氣慢慢起身，傲氣十足。

「我不需要幫忙，我跟妳說了，我沒醉。」他伸手想搆著襯衫衣領的細繩。

「是啊，你現在的樣子已經無法用『醉』來形容了，傑米，你根本是喝到快癱了。」我說。

他的眼神往下移至他的蘇格蘭裙，接著越過地板，飄到我睡袍的前襟。

「沒，我沒有。」他鄭重地說道，然後向我走近一步，熱切地說：「來麼！英國姑娘，我準備好了。」

「準備好了」聽來有些言過其實。他只把鈕釦開一半，襯衫斜掛在肩上，接下來顯然需要別人幫忙。

但另一方面也不全然沒有「準備」，他的大半胸膛坦露在外，乳頭邊的細鬈毛輕輕飄動，我總愛將下巴擱在他的胸肌之間。他看我瞅著他，便拉起我的手貼住他的胸膛。他的身子暖得出奇，我本能地靠向他。他另一隻手臂往我背後一攬，彎下身給了我綿長的一吻。噢，光是他這身酒氣，就足以把我迷醉了。

「好吧，你要是準備好了，那我也沒問題。但先讓我幫你好好把衣服給脫掉，我做了一天的針線活，可不想再縫縫補補。」我笑著說。

他就這麼杵在原地讓我脫掉他的衣服，一直到我也解開了我的睡袍、掀開了棉被，他還是一動也不動。我爬上床，轉身看著他，他站在日落餘暉之中，紅潤而雄偉地好似一尊精心雕琢的希臘雕像，而高挺的鼻梁、聳立的顴骨，則宛如羅馬硬幣上澆鑄的側臉。他的嘴寬闊而柔軟，掛著夢幻般的迷人微笑，上揚的雙眼正望向遠方。他還是文風不動。

我有點擔心地望著他。「傑米，你怎麼知道自己有沒有醉呢？」我說道。

他被我的聲音喚醒了過來，重心忽然倒向一邊，幸好及時伸手撐著壁爐架，他的目光在房內游移，然後凝視我的臉。霎時間，那雙眼睛變得澄澈透亮，散發著智慧的光芒。

「啊，那還不簡單，英國姑娘。如果還站得起來，就代表沒醉呀！」他的手放開爐架，才朝我走近一步，便一下子癱軟在爐邊，然後雙眼一翻，一臉滿足地笑著進入夢鄉。

「是喔！」我說。

翌日清晨，外頭公雞的啼鳴聲此起彼落，樓下鍋碗的碰撞聲不絕於耳，把我從睡夢中喚醒。我身旁的大個子抽動了一下，猛然驚醒坐了起來，又定住片刻，因為突來的起身動作，晃得他頭疼欲裂。

我用手肘撐起身子，察看他宿醉的狀況，「還不算太糟。」我心想。為了躲避迸射而入的陽光，他緊緊閉著雙眼，而頭髮也像刺蝟般七橫八豎，只是皮膚蒼白了些，兩隻手穩穩抱著棉被。

我扳開他一邊眼簾仔細地端詳，然後打趣地問：「有人在家嗎？」

他慢慢睜開另一隻眼，一起露出淒慘的眼神。我把手放開，給他一個燦笑。

「早安！」

「安不安，可是見人見智呦！英國姑娘。」他話一說完又閉上了眼睛。

「你知道自己大概多重嗎？」我一副準備閒聊地問了起來。

「不知道。」

見他回答得不假思索，顯然他不但不曉得自己有多重，也不怎麼在乎，不過我還是追問著。

「我猜起碼超過九十公斤，和一頭大野豬差不多重。可惜我身邊一個幫手也沒有，不然就可以把你倒吊起來，五花大綁扛回家做成煙熏肉。」

他又睜開一隻眼睛，若有所思地看著我，目光再移至房間另一頭的爐火邊，這時他揚起一邊嘴角，勉強擠出笑容。

「妳怎麼把我弄上床的？」

「沒有啊！我根本抬不動你，所以只幫你蓋了條被子，讓你睡在壁爐邊。到了半夜你才醒過來，自己爬上床。」

「真的嗎？」他顯得相當驚訝，睜開了另一隻眼。

「當然是真的，而且你腦子裡只有一個念頭。」我點點頭，一面把他左耳上方亂翹的頭髮撥到耳後。

「一個念頭？」他皺了皺眉頭，一邊伸懶腰，當手臂高舉過頭的時候，他的表情變得十分驚訝。「不會吧！怎麼可能。」

「當然可能，還兩次呦！」

他瞇眼朝胸膛往下看去，彷彿要確認我剛剛說的事，然後眼神又回到我身上。

「真的？唉，那很不公平耶！我什麼都不記得了。」他猶豫了一下，然後害羞地問我：「那表現得還好嗎？我沒做什麼蠢事吧？」

「放心，不算什麼蠢事，只是話不太多。」我撲通躺回他身旁，依偎在他的肩窩。

「真感謝老天了。」他說道，他的胸膛傳來笑聲。

「嗯，除了『我愛妳』好像就不會說別的了，而且還說個不停。」

這回他笑得更大聲了：「喔？看樣子，沒想像中糟糕啊！」

他深吸口氣，愣了一下，突然抬起手臂轉頭嗅著腋窩那團肉桂色的毛髮，滿臉疑惑。

「老天！」他大叫出聲，想把我推開，接著說：「妳的頭不要靠過來，英國姑娘，這味道臭得不像話，像死了一個禮拜的野豬。」

「而且還是白蘭地醃過的。」我附和著，但還是湊了過去說：「你是怎麼喝到這麼……噢，這麼臭氣沖天啊？」

「賈爾德太好客了。」他躺回枕頭上，深深嘆了一口氣，手臂環著我的肩膀。

「他帶我參觀他在港區的倉庫，裡面有個庫房全都是他珍藏的稀有紅酒、葡萄牙白蘭地和牙買加蘭姆酒。」他做了個鬼臉，繼續回想：「紅酒味道還不賴，只要淺嘗即可，所以都是含一口，品嘗完就吐掉。不過，我們實在不想這樣浪費白蘭地。況且賈爾德說，要讓白蘭地慢慢滑入喉嚨，才能完整品嘗它的風味。」

「那你『品嘗』了多少呢？」我好奇問道。

「我第二瓶喝到一半就昏頭了。」話才說完，附近傳來教堂鐘聲，提醒居民做晨間彌撒。傑米忽然坐直身子，連忙往窗戶瞧去，外頭灑滿陽光。「糟了，現在幾點啦？」

「大概六點左右吧！怎麼了嗎？」我困惑地問道。

「喔，那就好，我還以為已經中午。我完全睡糊塗了。」他稍微放鬆下來，但仍然坐在床上。

「你是睡糊塗了。但，睡過中午有什麼關係？」

他一股腦掀開棉被，站起身來。他還是有點搖搖晃晃的，但幸好保持住平衡，倒是他的雙手抓著頭，想確定自己的腦袋還在。

「有關係呢！」他才說完，就倒抽了口氣：「今早和賈爾德有約，要在港區那裡的倉庫碰頭，而且我們兩個都要去。」

「喔？」我下床伸手到床底下找夜壺，然後說：「如果他打算把事情解決，應該不希望有人在場吧！」

「把什麼事情解決？」傑米的頭從襯衫領口冒出來，揚起雙眉。

「你那些親戚不是想幹掉你，就是想殺掉我，賈爾德也一樣吧？他也算聰明，先從灌醉你開始。」

「妳真愛說笑，英國姑娘，妳有正式一點的衣服穿嗎？」他正經地說。

旅途中，我都穿著灰色毛料長袍，而且這還是聖安妮修道院的救濟品，不過我逃離蘇格蘭時穿的長袍還在，那可是安娜貝兒．麥藍諾荷夫人送的禮物，是別致的翠綠天鵝絨所裁製，雖然我穿起來會讓膚色顯得蒼白，但整體造型還稱得上別具風格。

「有是有，但希望上頭的汗水漬不要太多。」

我跪在小旅行箱旁，攤開綠色天鵝絨長袍，而傑米則是在我身邊掀開醫藥箱的蓋子，研究裡頭的瓶瓶罐罐，以及用紗布裹著的藥草。

「英國姑娘，妳這裡有沒有可以治頭痛的東西啊？」

我的眼神越過他的肩膀，瞧了瞧，伸手取了一個瓶子。

「苦薄荷可能有幫助，但不是最有效的。用柳樹皮泡茶，再加點大茴香，可以減輕頭痛，只是需要時間熬煮。不然這樣吧！我給你配個治療肝硬化的處方如何？對付宿醉最有效了。」

「治療肝硬化？聽起來好噁心。」他那湛藍的眼眸裡充滿著狐疑。

「是滿噁心，但你會覺得好多了，在你把它吐出來之後。」我一派輕鬆地說。

「哼……」他站起身，用腳趾把夜壺推回來給我。

「一早就吐真是妳的專長，英國姑娘。妳倒是先吐一吐，然後穿好衣服準備出門。這種小頭痛我忍一忍就好。」他說。

賈爾德矮小精壯，有雙黑眼珠，像極了他的遠親穆塔夫，也就是一路護送我們到阿弗赫的族人。我第一眼見到賈爾德時，他豪氣十足地站在倉庫大門正中央，川流不息的木桶搬運工全得從旁繞過，由於外貌與穆塔夫太過相似，我又是眨眼又是揉眼，想確認清楚：穆塔夫分明還在旅館照顧那匹瘸馬才對啊！

賈爾德一樣有著一頭黑色直髮與銳利的雙眼，以及有如猿猴般結實的體格。不過，相似之處僅止於此了。

當我們越走越近，傑米一邊擋開迎面而來的人潮好幫我開出一條通道，這時我才得以分辨出賈爾德與穆塔夫的差別：賈爾德的臉比較長，而不是稜角分明的方形。由於原先遠遠看去，他那身剪裁出色的衣裝搭配著直挺的姿態，讓人有種氣宇非凡的感覺，但靠近一瞧，剛剛的印象馬上就會被他那討喜的朝天鼻給化解掉。

賈爾德的生意做得有聲有色，不需要靠偷牛維生，而穆塔夫表情就算再怎麼自然，也總顯得有些嚴肅陰沉，相較之下，賈爾德就很懂得善用笑容。我們在一陣推擠之後，終於上了坡道，他一見到我們，馬上露出大大的微笑，迎接我們到來。

「親愛的！」他大喊，一把抓住我的手臂，敏捷地將我從走道拉開，因為後頭兩名魁梧的工人正滾著巨大木桶，一路通過那高聳的大門。「真高興，終於見到妳了！」桶子轟隆隆地壓著坡道木板，經過我身邊時，甚至可聽見桶內液體搖來晃去的聲響。

「蘭姆酒可以這樣搬動。」賈爾德看著笨重的龐然酒桶，迅速穿越倉庫，接著說：「波特酒就不行了，還有瓶裝的紅酒，我都得親自監督運送才行。對了，我正好準備去看一批上等貝爾波特酒，兩位有沒有興趣一道前往呢？」

我瞄了傑米一眼，他點點頭，我們便跟在賈爾德的後頭，閃避周圍琳瑯滿目的貨物：大大小小的木桶、手推車與雙輪車，一群高矮胖瘦老小都有的男工扛著布料、穀物食品、銅製品、麵粉，以及所有可以海運的東西。

阿弗赫位於船運交通樞紐，港區更堪稱城市心臟地帶。長型碼頭環繞著港口邊緣，延伸近五百公尺，另有小碼頭從旁岔出，沿著碼頭停泊著三桅船、雙桅船、平底船與槳帆船等各式船隻，供應法國政府所需。

傑米緊抓著我的手肘，偶爾適時地拉我一把，否則難保不會被手推車、滾動的酒桶、粗魯的商人和船員給迎面撞上。他們走路多半不看路，而是仗著一股蠻勁，在繁忙的港區裡亂竄。

我們到了碼頭，賈爾德走在我的另一側，為我一一講解各種有意思的東西，聲音雖大卻不失優雅，他也解釋著各種船隻的歷史與船主。但他東一艘、西一條地介紹，我們聽得零零落落。當我們準備上前看看一艘名為「亞歷安娜號」的船，才發現那是屬於賈爾德的財產。就我所知，船隻往往是商會的共同財產，或由船長簽約租下後，針對特定航程來僱用船員與各項服務，屬於個人名下的船隻就比較少。如今一眼望去，大部分的船隻的確多屬商會，而個人專屬的簡直寥寥無幾的情況下，讓我不禁開始佩服賈爾德的能耐。

亞歷安娜號停泊在眾船隻的中央，一旁是一座大型倉庫，上頭以斜體刷白的字漆著「弗雷瑟」。一看見這個姓氏，我內心忍不住地激動，油然升起了一股向心力與歸屬感，特別是意識到自己也是這個姓氏的一分子，與弗雷瑟族人共同牽繫著同一條屬於親族的連結。

亞歷安娜號是一艘三桅船，全長約十八公尺，船首相當寬闊，靠近碼頭的那一側裝有兩尊大砲，應該是為了預防公海上的海盜。甲板上的船員非常地忙碌，我猜他們應該是為了各自的任務奔走，但看起來實在很像蟻窩遇襲，螞蟻們慌張四散的樣子。

所有船帆都已經綁好繫妥，但潮水讓船身微微偏移，船首的斜桅向著我們，下方裝飾的女神，表情雖然有點陰沉，但卻擁有壯觀的裸胸，交纏的鬈髮上沾滿海鹽，看起來似乎一點也不享受海風的鎮日吹拂。

「真是個小美人，對吧？」賈爾德問道，豪爽地揮了揮手。我想他指的應該是亞歷安娜號，而不是船首那尊女神像。

「真的很美。」傑米客氣地說，但我發覺他不安地瞄向水位線，深灰色的浪花正拍打著船身。我想他一定希望我們留在原地就好，不必上船參觀。傑米平時雖然驍勇善戰，卻是個不諳水性的旱鴨子。

傑米絕對不是那種熱愛航海的蘇格蘭人，更不用提那些頑強的捕鯨人，或是航行世界各地尋找財寶的水手。傑米飽受暈船之苦，因此我們在十二月時跨越英吉利海峽的那段航程，簡直快要了他的命，更何況他當時才逃離酷刑與監禁的桎梏，身體本已虛弱不堪。雖然他昨晚湊巧喝了個爛醉比較不那麼害怕上船，但此刻也不可能因此便禁得起大小風浪。

就在賈爾德不斷炫耀著亞歷安娜號堅不可摧、速度驚人，甚至在傑米耳邊振振有詞的時候，我觀察到傑米臉上浮現了過去的陰影。

「停泊在碼頭的船，應該可以吧？」我問道。

「很難說，英國姑娘。」他看了那艘船一眼，交雜著難以克制的反感與無可奈何的心情：「但我們很快就會知道了。」賈爾德此刻已上了船板，高聲向船長打招呼。「要是發現我臉色發青，妳可以假裝昏倒之類的嗎？可別讓我吐在賈爾德的鞋上，那我的男子漢形象就毀於一旦了。」

我安慰地輕拍他的手臂說：「放心，我對你有信心。」

「不是我的問題，是我的胃作怪啊！」他說著，然後萬分不捨地看了陸地最後一眼。

所幸亞歷安娜號出奇地平穩，傑米和他的胃都表現得很好，或許是船長倒的白蘭地幫了大忙。

「真是好酒。」傑米邊說邊拿著酒杯在鼻下晃了晃，然後閉上雙眼，享受著馥郁的香氣。「葡萄牙貨，對吧？」

賈爾德笑得開懷，推了船長一下。「聽到了沒，波堤斯？就說他天生有品味吧！嘗過一次就記住了！」

我咬著牙根迴避傑米的眼神，忍著不笑出來。船長身材壯碩、外貌邋遢，看來對這樣的場合感到十分無聊，但仍禮貌地對傑米擠出一點微笑，露出了三顆金牙。這名船長真是個財不離身的男人。

「喔，就是這小子要幫你壓底艙，對吧？」他說。

賈爾德的表情瞬間變得十分尷尬，牛皮般強韌的皮膚開始漲紅。我注意到他一隻耳朵穿著耳環，使我十分好奇他過去的來歷，何以讓他今日能獲得此番成就。

「欸，這個……」他終於現出他的蘇格蘭口音，說：「還不知道啦！但我想……」他的目光忽然穿過船長的酒杯，瞥向碼頭上熙來攘往的人潮，再回到酒杯上，只見船長三口飲盡，我們卻還小口啜飲著。「我說波堤斯啊，你方便讓我借用一下你的船艙嗎？我跟我姪子和姪媳婦有要事商量。對了，你船尾貨區那兒的貨網好像出了什麼問題，聽起來不對勁。」最後那兩句加得巧妙，波堤斯船長立刻衝出船艙，像頭狂奔的野豬，以沙啞的聲音高分貝咒罵，混雜著西班牙語和法語的方言，幸好我完全聽不懂。

在船長壯碩的身軀離開之後，賈爾德躡手躡腳地走到門邊把門牢牢關上，大幅隔絕了外面嘈雜的音量。他走回船長那張小桌旁，慎重其事地為我們斟了酒，分別看了傑米和我一眼，再次展露笑容，親切中帶著暗地打量的意味。

「本來我不打算這麼貿然提議的，但既然船長先洩了我的底，那我就直說了。」他說道，舉起酒杯，酒水表面左右蕩漾，閃映著艙內的黃銅裝潢。「我缺個人手。」他把杯子朝向傑米一指，再拿到唇邊啜飲。

「這個人要很能幹。」他強調著，一邊把酒杯放下，然後對我說：「是這樣的，我有幸在德國摩澤爾區投資了一座酒廠，卻又不放心交代下屬幫我視察。但是我的確應該前去親眼看看營運狀況，為他們的未來發展做些安排，只是這得花上好幾個月的工夫。」

他若有所思地凝視著酒杯，輕輕轉動著裡頭濃郁的棕色液體，整個船艙因而飄滿酒香。我不過才小啜幾口，就已有些頭暈目眩，與其說是酒精使然，不如說是太過興奮。

「這可是不容錯失的大好機會，說不定還會認識在隆河沿岸酒廠工作的人，那裡的酒品質絕佳，但在巴黎難得一見。天哪，那些達官貴人一定會搶著要的！」賈爾德說著，貪婪光芒掠過他那雙精明而銳利的黑色眼珠，然後帶著玩味的目光盯著我。

「不過……」他說。

「不過，你也沒辦法丟下這裡的事業，除非有個幫手。」我幫賈爾德把話接了過來。

「不但美麗動人，還這麼有智慧。真是恭喜你了，我的姪兒。」他把梳理油亮的頭朝向傑米，揚起一邊眉毛，幽默地認可。

「我得承認，本來我有些慌亂，不曉得怎麼辦才好。」他邊說邊把酒杯放回小桌，似乎不打算再客套下去，準備正經談生意。「但我收到你從聖安妮修道院寄來的信，說你打算前往巴黎……」他一邊思索片刻，然後笑著對傑米古怪地搧動雙手。

「小夥子，我知道你對數字挺在行的，你的出現簡直像是上天派來回應我的祈禱一般。雖然我覺得這個主意完美極了，我還是覺得我們應該先見個面好好熟悉一下，我才好正式提出請託。」他朝傑米點點頭。

「你分明是想看看傑米的妻子是不是夠體面吧！」我在心裡不以為然地反駁，但臉上還是保持著微笑。我望著傑米的眼睛，見他一邊眉毛向上抽動著。這一星期來，真是委託不斷，一個被放逐的亡命之徒和一個可疑的英國間諜，竟然如此搶手。

賈爾德開的條件相當優渥，只要傑米在接下來六個月裡，接手賈爾德在法國的事業，賈爾德不僅會支付薪酬，還願意將他在巴黎的別墅留給我們使用，傭人也任我們差遣。

「這都是小意思、小意思。」他說道，不理會傑米的異議。他一隻手指搓了一下鼻尖，咧嘴朝著我笑著，然後對傑米說道：「小夥子啊，從事賣酒這一行，有個美人在旁幫忙主持晚宴，絕對事半功倍。你只要讓客人先嘗到甜頭，銷量勢必會一飛沖天的。」他又突然搖搖頭說：「不對，應該這麼說，如果你的妻子不嫌麻煩，願意款待客人，對我的生意勢必有莫大助益。」

一想到在巴黎社交圈舉行晚宴，其實讓人有些望之卻步。傑米揚起眉毛探詢我的意願，我勉為其難地扛了下來，微笑地點點頭。這是個非常棒的提議，傑米都自覺可以勝任這樣的進口事業，我起碼可以打點晚餐，順便練練法語。

「當然不麻煩。」我低喃道。

「再來，我想你可能會需要個落腳處，畢竟你前往巴黎應該也別有目的。」賈爾德儼然早料到我不會拒絕，黑色眼珠子只盯著傑米，自顧自地繼續說著。

傑米面露笑容，而賈爾德則在輕笑中，舉起他的白蘭地酒杯。在場的我們都另有一杯水，目的是讓我們每飲下一種酒之後，可以用來沖掉味蕾的味道。這時，賈爾德另一手拿起了水杯。

「那就敬一杯吧！敬我們成為夥伴，小夥子，還有敬陛下！」他大聲地說，高舉白蘭地酒杯，刻意地晃過另一手的水杯上方，才送到唇邊飲下。

我吃驚地看著這古怪的儀式，但傑米顯然覺得很重要，他朝賈爾德笑了笑，拿起自己的酒杯與水杯，用同樣的方式晃過水杯上方。

「敬陛下。」傑米說道，瞧我一頭霧水，便笑著解釋：「敬陛下，在水一方啊，英國姑娘。」

然後我才忽然領悟。原來，這個動作意指飄洋過海之王，也就是詹姆斯王。無怪乎眾人力促我們在巴黎安頓下來，否則這一切未免顯得巧合過了頭。

如果賈爾德也是詹姆斯黨人，那麼他與亞歷山大院長的通信就絕非偶然，說不定傑米的信函中，便附著亞歷山大的短箋，說明詹姆斯王的委託。而倘若我們待在巴黎恰與賈爾德的計畫相符，更是再好不過了。我忽然欽佩起詹姆斯黨複雜綿延的網絡，遂舉起自己的酒杯滑過水杯之上以敬陛下，敬祝我們的夥伴關係。

賈爾德和傑米隨後開始討論生意，交頭接耳起來，並仔細鑽研一份份的文件，想必是各式船貨艙單與提單。小小的船艙內，瀰漫著菸草味、白蘭地香、船員體臭等種種的味道，我又開始覺得有些反胃。既然我此時派不上用場，便默默地起身，往甲板走去。

船後貨艙口附近的騷動仍未結束，我小心翼翼地迴避，繞過捆捆麻繩、繫索栓與凌亂成堆的船帆布，找到一個安靜角落。在此處，港口景色一覽無遺。

我坐在木箱上，倚著船尾欄杆，享受著鹹鹹的海風，魚腥混雜焦油的味道，是海港所特有的氣味。空氣依舊冷冽，但斗篷緊緊罩著我，所以身體還暖烘烘的。

船身順著潮水起伏緩緩搖晃，而附近碼頭樁纏著的水藻浮沉攪動，藏身其中的黑色孔雀貝隱隱閃耀。我想起前晚才享用的清蒸奶油貽貝，頓時覺得飢腸轆轆。懷孕期間身體的劇烈反應，讓我很難忽視我的消化狀況：不是害喜想吐，就是食慾大開。說到食物，讓我又聯想到菜單，再想到賈爾德所提到的款待賓客一事。晚宴嗎？藉此展開拯救蘇格蘭的任務，還真有點奇怪，但我也想不到更好的辦法。

至少，我可以藉著和查理王子共進晚餐時，掌握他的一舉一動……想到這裡，我也覺得好笑，而且要是他有任何即將搭船遠征蘇格蘭的跡象，我還可以先在他的湯裡下藥……

話說回來，這其實也不全然像個笑話。我一想起潔莉絲．唐肯，便失去了笑容。她身為克蘭斯穆治安官的妻子，利用兩人出席宴會的時機，把砒霜摻入丈夫的食物中，使他中毒而死。沒多久後，她遭控為女巫，被逮捕時我正在她家，於是我們兩人被關在一起，並公開受審，幸虧傑米救了我。但我畢竟還是在克蘭斯穆被監禁了好幾天，那裡既陰冷又幽暗，一想到此，徐徐的海風顯得更加寒冷。

我微微顫抖著，不全然是因為寒風刺骨，而是每想到潔莉絲．唐肯，背脊總是竄起一陣涼意，這無關乎她的所作所為，而是因為她的真實身分。潔莉絲是忠貞的詹姆斯黨人，為了支持查理王子，她不僅瘋狂且不擇手段。更糟的是，我倆都是穿越巨石陣的時空旅人。

我並不曉得她究竟是不是和我一樣意外來到過去，還是經過仔細盤算的，而我也不清楚她從何而來。我見到她的最後一幕：她高䠷而白皙，對著一群想燒死她的法官放聲咆哮，高舉的雙手露出上臂的圓形記號，那是接種天花疫苗所留下的疤痕。一想到此，我下意識地摸著自己上臂，在舒適斗篷下尋找那一小塊硬化的疤痕，當手指觸碰到的瞬間，我下意識打了個寒顫。

隔壁碼頭越來越激動的爭執，把我從不愉快的回憶拉回現實。一群男子聚集在一艘船的舷梯附近，大聲吼叫推擠。沒有打起來，我一手遮著眼睛上方直射的陽光，仔細張望著遠方的爭執，並沒有拳腳相向的場面。相反地似乎有一股力量想從黑壓壓的群眾中清出一條通道，好通往碼頭前端的大型倉庫，但卻一再地被人潮淹沒，宛如湧來的波波潮水。

傑米忽然在我背後出現，賈爾德緊跟在一邊，瞇眼瞧著下方推擠的場面。我專注聽著這場叫囂，才沒發覺他們倆走了上來。

「在吵什麼呀？」傑米問道，我則向後倚進他的懷中，以免因為船身晃動加劇而讓我失去平衡。我聞到了他的味道，他早先在旅館已經洗過澡，聞起來既乾淨又暖和，還有淡淡的陽光與塵土的氣息，看來自從懷孕之後，我的嗅覺變得更敏銳了。即便港口瀰漫各種惡臭與奇怪的氣味，我依舊可以分辨出屬於他的味道，好比身處嘈雜的群眾之中，低沉聲音格外清晰。

「不曉得，看樣子好像是與另一艘船有糾紛。」我說道，傑米同時伸手扶著我的手肘，穩住我的身體。而賈爾德則轉身大吼，用喉音濃重的法語對著附近一名船員發號施令。這名船員隨即縱身越過欄杆，攀著一條繩索盪到碼頭上，他那一頭漆黑的髮辮也懸向水面。我們在甲板看著他穿入人群，戳了某船員的肋骨，然後得到夾雜激動手勢的回應。

賈爾德眉頭深鎖，看著綁辮子的船員爬上擁擠的舷梯走來。船員同樣以濃濃的法語向他回報，但速度快得讓我沒有辦法聽懂。簡單交談幾句後，賈爾德轉身走到我旁邊，瘦削的雙手抓著船欄。

「他說，巴塔哥尼亞號上有瘟疫。」

「什麼瘟疫？」我沒想過這次拜訪有必要攜帶醫藥箱來，因此眼下也幫不上什麼忙，但我仍相當好奇，而賈爾德看起來非常憂慮。

「他們擔心是天花，但還不確定，已經請港務巡官和港務首長過來了。」

「你願意讓我去看看嗎？我起碼可以判斷是不是瘟疫。」我提議道。

賈爾德的雙眉懷疑地揚起，沒入他前額平直的黑色劉海中，而傑米的表情有點尷尬。

「我妻子的醫術小有名氣。」他解釋道，但隨即轉身對我搖搖頭：「不行，英國姑娘，太危險了。」

我可以清楚看到巴塔哥尼亞號的舷梯，人群忽然向後退，發生嚴重的推擠。兩名船員從甲板走下來，兩人之間吊著一條帆布充當臨時的簡便擔架，白色的布面因為裡頭的男子重量而下沉，一隻黝黑的手臂掉了出來無力地垂在外面。

兩名船員的口鼻都綁著布條，臉部盡可能撇得遠遠地，一邊扛著沉重的擔架搖頭晃腦地對彼此咆哮，踩過裂開的木板，穿過湊熱鬧的圍觀群眾，走進附近一座倉庫。

我很快地作下決定，然後轉身走下亞歷安娜號後方的舷梯。「別擔心，如果真的是天花，我也不會被傳染。」我轉頭對傑米說。在旁的一名船員聽到時，驚訝地看著我，我對他淺淺一笑，便閃身而過。

人潮還沒退去，但已經沒有前後推擠的狀況，所以穿過這些低聲咕噥的船員們並不會太困難，而他們一察覺到我鑽過他們身邊時，不是皺起眉頭，就是一臉錯愕。這座倉庫早已廢棄，偌大的空間只剩長長的陰影，不見捆捆雜物或成堆的木桶，然而鋸木、燻肉及魚腥等味道仍未散去，遠比其他殘留氣味強烈。

病人早被匆匆丟到門邊，躺在一堆棄置的稻草上。我一進門就被那兩名扛病人的船員推開，他們簡直是迫不及待地逃離現場。

我謹慎地走近病人，停在距離他數呎的地方觀察。他的身體因為發燒而漲紅，皮膚透著詭異的深紅色，長著厚厚的白膿包。他痛苦地呻吟，頭不安地左右搖晃，乾裂雙唇輕顫著，似乎在找水喝。

「幫我取些水來。」我對著站在附近的船員說道。那傢伙身材矮壯，下巴的鬍子長得又油又尖，一個勁兒盯著我瞧，彷彿聽到一隻魚在說話。

我焦急地轉身背對他，蹲在病人身旁，解開他骯髒的襯衫。他身上發出惡臭，但可能原本就不大乾淨，畢竟其他船員都不敢碰他，任憑他癱躺在穢物之中。他除了手臂還算乾淨，其他像是胸部與腹部全都布滿膿包，皮膚灼熱得不可觸碰。

就在我專心看診的時候，傑米和賈爾德走了進來，隨同的是一名身材像梨子般的矮小男子，穿著派頭十足的金黃外套，料想應該是港務首長，他旁邊另有兩名男子，其中一位從衣著上判斷起來，想必非富即貴，另一位則相當高瘦，單從膚色來看像是個討海人，在這個形勢下，我猜可能是巴塔哥尼亞號的船長。

種種跡象研判，這確實很像天花。我見過天花很多次了，我的朗柏叔叔是一名聲譽卓著的考古學家，在我還小的時候，他前往一些未開化的地區作研究時總會帶著我。眼前這位病患並未尿出血來，表示腎臟尚未遭到感染，但其他病徵都是典型的天花症狀。

「恐怕真的是天花。」我說。

突然間，巴塔哥尼亞號船長一邊惱怒地咆哮著，一邊向我走來，臉上的表情猙獰，舉起手來準備要攻擊我的樣子。「才不是！妳這個蠢貨！婊子！無腦的賤婦！妳是想害死我嗎？」他大吼。

不等他說完，傑米已經一手勒住他的脖子，一手揪著他的衣領往上拉，他的腳尖簡直碰不到地面了。

「你對我妻子最好放尊重點，先生。」傑米語氣平和地說。船長面色發紫，抖著點頭答應，傑米才把他放下。他趕緊後退，揉著脖子嘶叫了幾聲，便往同伴的背後鑽，彷彿在找掩護一般。

那位矮胖官員則是小心地彎身探視那位病人，手上垂著一只帶鏈的銀製大香球在鼻子旁掩蓋飄來的臭味。外頭的喧鬧聲突然平息，人群再次退開倉庫大門，好讓另一個帆布擔架進入。

我們面前奄奄一息的男子忽然坐起，讓那位官員嚇得險些栽了一跟頭。那名男子瘋狂地四處張望，接著眼睛翻白，砰地倒回稻草堆上，好像被利斧劈倒一般。

「他死了。」我說。

官員恢復神色並拾起他的香球，再靠向前仔細觀察遺體，隨後挺直身子宣告：「確實是天花。這位女士說得沒錯，很抱歉，爵爺，法律就是法律。」

聽到這話，一名男子大嘆口氣，瞄了我一眼，皺起眉頭，又轉頭面對官員。

「這絕對可以商量的，麻煩一下，我們私下談談吧……」他指了指一棟廢棄的領班棚屋，它距倉庫有些距離，算是大型建築內的破舊小屋。服裝或頭銜均可看出這位伯爵的貴族身分，而他身材高䠷、舉止文雅、濃眉薄唇，還有一副向來為所欲為的高傲態度。

但是這個小官員連忙向後退，像是自我保護般伸出雙手做出推擋的手勢，「很抱歉，爵爺，我恕難從命……真的沒辦法，這件事太多人知道，現在搞不好已經傳遍整個港區了。」他說道。

他無奈地瞥向傑米和賈爾德，手指向倉庫大門強調著，而圍觀群眾背對晌午的陽光，只剩萬頭攢動的剪影，周圍漾著金黃的光暈。

「真的不行。」他又說一遍，圓胖的五官透露出堅決的表情，然後說：「我先告辭了，先生……還有夫人。」他補上最後這句，似乎終於注意到我。「我得去辦理船隻銷毀作業的法律程序了。」

聽到這句話，船長又發出哀吼，攫住官員的袖子，官員甩開船長的手，快步離開了現場。

官員離去之後，現場的氣氛相當緊張，伯爵和他的船長凶惡地看著我，傑米也毫不畏懼地迎視著他們，而那名死者則無神地凝望著十來公尺高的天花板。

伯爵向我逼近，眼神射出歹毒的目光，怒道：「妳知道妳幹了什麼好事嗎？小心點，夫人，妳會付出代價的！」

傑米聞言就要衝向伯爵，但賈爾德在第一時間就已出手拉住他的袖口，同時輕輕把我推向大門，然後對大受打擊的船長低語了幾句話，但船長僅搖頭回應，悶不吭聲。

「可憐的傢伙。」賈爾德在外頭說道，搖了搖頭。「呼！」碼頭上頗有寒意，冷冽陰風吹得停泊的船隻晃啊晃。然而，賈爾德卻從外套口袋抽出一條大紅色的帆布手帕，擦拭起臉和脖子的汗水，看起來實在很不相稱。「來吧，小夥子，我們去找家酒館，我需要喝一杯。」

我們窩在碼頭邊一家酒館樓上的包廂，桌上擺著一壺酒，賈爾德癱坐在椅子上，一邊搧風一邊喘氣。

「老天爺，真是走運！」他倒了一大杯酒，一飲而盡之後又再倒了一杯，發現到我正盯著他瞧的時候，他笑了開來，把酒壺往我這推。「唔，有的酒是品嘗用的，有的酒則是除晦氣用的，姑娘，快點把它乾了，別讓它在嘴裡待著，保證立即見效。」他一解釋完，馬上示範了起來，乾了一杯後又拿起酒壺，看到這一幕我逐漸曉得傑米前天為何醉成那副德性了。

「好運還是霉運啊？」我好奇地問賈爾德。我原本料想答案是後者，但賈爾德看起來實在太開心了。不太可能是這支紅酒的緣故，畢竟味道難喝無比，簡直是電池酸液。我放下酒杯，暗自希望臼齒的琺瑯質沒被腐蝕才好。

「聖日耳曼伯爵走霉運，我當然是走好運啦！」他簡潔地說道，隨後站起身向窗外望去。

「很好，日落前，酒就會全搬到倉庫裡了，萬無一失。」他說，然後一臉滿足地坐了下來。

「所以，聖日耳曼伯爵的船上也有酒嘍？」傑米往後靠著椅背，挑起一邊眉毛，笑著觀察賈爾德。

賈爾德這時笑而不語，露出下顎兩顆金牙，看起來更像海盜了。「皮尼昂鎮的頂級陳年波特酒，他花好大一筆錢，才買下飛鳥莊園一半的年分波特酒，這下就要再等一年了。」他忍不住開心地說。

「我猜另一半的年分波特酒，正搬進你的倉庫吧？」我開始理解他何以興奮莫名。

「沒錯，好姑娘，說對了！」賈爾德臉帶得意的笑，簡直就樂不可支。「你們曉得這在巴黎會賣到什麼價錢嗎？」他一邊說著，一邊傾身向前，重重地把酒杯放到桌上，又說：「本來就已經不多了，現在這些好酒都在我手上！天哪，一整年都不用愁了！」

我站起身子，同樣望向窗外。亞歷安娜號停泊一旁，船身明顯高出許多，大型吊貨網自帆桁垂下後，便固定於後甲板上，待船員小心翼翼把酒一瓶瓶取出，放入手推車中，再一路送進倉庫。

「我不是有意掃興，但你是說你跟聖日耳曼伯爵的波特酒，都來自同一個地方嗎？」我客氣地問道。

「沒錯！飛鳥莊園釀製的波特酒，可以說是西班牙與葡萄牙的第一名，我本來想全部買下，但可惜本錢不夠，怎麼了嗎？」賈爾德站到我身旁，瞇眼瞧著下方搬貨的行列。

「可是如果這些船從同一個港口出發，你的這批船員裡面，可能也有人染上天花。」我說道。

賈爾德喝得漲紅的面頰頓時慘白，於是他又喝了一大口，想平復心情。

「我的老天，虧妳想得到！」他說道，放下酒杯，倒抽了口氣，接著說：「但我想應該不打緊的，酒也差不多搬一半了，不過我還是會告知船長一聲。」這話似乎在安慰自己，他接著蹙眉又說：「我會叫他等貨全搬好之後，馬上付錢打發船員，如果有人看起來病懨懨，可以立刻領錢走人。」他毫不猶豫地轉身準備外出，走到門口時，他轉頭說道：「點些晚餐來吃吧！」人就消失在樓梯間，傳來的腳步聲像隻小象經過。

我轉頭看著傑米，他心事重重地凝視自己那杯酒，半滴未沾。

「不行啊！如果船上真的有天花，他卻把船員打發走，恐怕會讓天花在城裡蔓延開來。」我情急大叫。

「那麼，我們只能祈禱沒人得病了。」傑米緩緩點著頭淡淡地說道。

我轉向門口，語帶遲疑說道：「但是……我們應該做點什麼吧？我至少可以去看看他的船員，還有告訴他們怎麼處理另一艘船的遺體……」

「英國姑娘。」他低沉的聲音依然溫和，但語氣中充滿勸誡的意味。

「怎麼？」我一轉頭問道，發現他上身前傾，目光越過酒杯，意味深長地看著我，才開口說話。

「妳認為我們的任務重要嗎，英國姑娘？」

我的手從門把上放了下來。「你說阻止斯圖亞特在蘇格蘭發動革命嗎？當然重要啊，為什麼這麼問？」

他點點頭，像一個老師充滿耐性地引導資質駑鈍的學生那樣。

「欸，那就過來坐著陪我喝點酒，一起等賈爾德回來。如果妳認為不重要……」他話說到一半，長長地嘆了一口氣，吹動了前額紅髮。

「如果妳認為我們的任務不重要，那就去碼頭找那些認為女人靠近船就會帶來霉運的群船員和商人吧！而且謠言已經滿天飛，都說是妳詛咒了聖日耳曼伯爵的船，妳儘管去給他們建議吧！運氣好的話，他們會害怕到不敢強暴妳，頂多割開妳的喉嚨，再丟到水裡餵魚，然後再輪到我。但這也很難說，說不定聖日耳曼伯爵會先動手掐死妳，妳應該看到了他那時的表情吧？」

我走回桌子旁跌坐回椅子上，雙膝微微地顫抖。「有是有，但是可能嗎？他應該不會……」我說道。

傑米抬起雙眉，把一杯酒推到我面前。「絕對可能，他只要有辦法做得不著痕跡，就一定會動手。我的老天爺，英國姑娘，妳害他失去將近一整年的收入啊！他看起來並不像是那種可以冷靜接受這樣龐大損失的人。要不是妳在大庭廣眾之下，對港務長說那個人得了天花，像這樣的事他原本只要塞些錢賄賂就解決了。況且，賈爾德又何必二話不說就直接帶我們來這裡？妳覺得是因為這裡的酒好喝嗎？」

「你的意思是……我們現在有危險？」我的雙唇發麻，彷彿灌了一大口壺中發酸的紅酒。

他背往後靠，點了點頭，溫柔說道：「妳終於懂了吧！我想是賈爾德不希望讓妳緊張才沒有說開來，現在他應該是去幫我們找個保鏢，順便看看船員的狀況。他應該不會有事，畢竟大家都認識他，而且他的船員和搬運工也在外頭。」

我搓了搓雙臂冒出的疙瘩。房內溫暖舒適、煙霧迷濛，爐火滋滋作響，我卻不自主地發冷。

「你怎麼如此了解聖日耳曼伯爵的手段？」我並不是懷疑傑米，畢竟我還記得伯爵當時惡狠狠的模樣，只是很好奇傑米是如何認識他的。

傑米小啜一口酒，擠出了個怪表情，再放下酒杯。

「首先，他為人殘酷無情是出了名的。我住在巴黎那段時間，就耳聞過他的惡行，但幸好沒和他有什麼過結。另外，賈爾德昨天也告誡我千萬小心這個人，他是賈爾德在巴黎商場的勁敵。」

我把手肘倚在磨損嚴重的桌上，下巴則置於交疊的雙手上方。

「我把事情搞得一團糟，對不對？害你初入商場就被盯上。」我懊悔地說道。

傑米微笑起身走到我背後，彎下腰環抱著我。他掀開的殘酷現實，讓我極為不安，但此刻他在我背後給我如此高大厚實的依靠，我才覺得安穩許多。然後他輕輕地在我頭上一吻。

「不用擔心，英國姑娘，我可以照顧好自己，也可以照顧好妳，交給我吧？」他充滿溫暖笑容的聲音問著我。我點點頭，往後倚著他的胸膛。

「就交給你吧！也只好讓阿弗赫城的居民在天花的威脅下自求多福了。」我說道。

約莫一小時後，賈爾德回到酒館，耳朵冷得發紅，但所幸沒有被割喉，而且氣色很好。我十分高興能見

到他回來。

「沒事了。船上都是壞血病、痢疾和風寒這類常見的疾病，沒有天花啦！」他眉飛色舞地宣布，接著環視房間，搓揉著雙手說道：「咦？晚餐呢？」

他的臉頰被寒風吹得紅通通的，整個人看起來爽朗又幹練。由此可見，對他這樣的商人而言，即便和會僱用殺手來解決紛爭的競爭對手打交道，也是家常便飯。「這有什麼難的？」我苦笑著想：「他畢竟是蘇格蘭佬。」

像是為了證實這一點，賈爾德點了晚餐，然後差人去倉庫取來一瓶上等好酒，等到吃飽喝足了之後，便開始傳授傑米如何與法國商人過招的手腕。

「一群土匪。每個人都會在背後捅你一刀，盡會使些骯髒手段，完全不值得信任。對了，先收一半訂金，另一半等送貨時當面收訖。還有，絕對不可以讓貴族賒帳。」他說道。

儘管賈爾德再三保證，已在樓下安排了兩名保鑣看守著，我心裡仍然有些不安。晚餐過後，我倚近窗戶，望著碼頭上熙來攘往，但覺得這樣盯著也不是辦法，大部分的人看起來都像殺手。

雲層漸漸籠罩港口上空，今晚應該又要下雪了。收起的船帆在風中猛烈甩動，不斷敲擊著船桅，聲響大到幾乎壓過搬運工的吆喝，港口閃著灰綠色的光芒，落日被逼近的烏雲趕入海面。

天色漸暗，人潮的喧囂也隨之沉寂了下來，搬運工推著手推車，消失於鎮上街道之中，船員紛紛進入燈火通明的酒館。然而，並非所有人都消聲匿跡，穿著制服的男子們圍成一道封鎖線，看守著巴塔哥尼亞號舷梯，以防盜賊上船或攜貨下船。賈爾德先前已經下令，健康無虞的船員雖可以上岸，但除了自己身上的衣物，不准攜帶任何東西下船。

「已經比荷蘭人仁慈多了，如果船隻出發的港口流行瘟疫，該死的荷蘭人可是會叫船員脫光光游上岸。」他說道，搔著下巴冒出的黑鬍碴。

「那上岸後沒有衣服穿，怎麼辦？」我好奇問道。

「我也不曉得。」賈爾德毫不在意地說道。「但反正他們一上岸後，就會找家妓院廝混，我想應該也用不著穿……呃，請原諒我的失言，親愛的。」他猛然想起面前是位女士，才趕緊補上最後一句。

為了化解這尷尬的片刻，賈爾德熱切地起身來到我旁邊，看向窗外。

「啊！他們準備要把船給燒了，既然船上有天花，最好離港口越遠越好。」他說道。

大勢已去的巴塔哥尼亞號，繫上了牽引用的繩索，許多小船的划槳手正在等候港務長一聲令下，天色漸暗，港務長的金髮長辮也只剩一點光澤。港務長大喊出聲，緩緩在頭上揮動雙手，如同打旗語一般，槳帆船的眾船長同聲呼應，牽引繩逐漸拉緊，緩緩自水面升起，水花自厚重的麻繩上落下，嘩啦啦的聲音格外清脆，襯托出碼頭的沉寂。接著，四周只剩來自拖船的吆喝聲，巴塔哥尼亞號黑壓壓的船身咿呀抖動，逆風而行，橫桅索呼嚕作響，這艘命運乖舛的船隻，展開她最後一小段航程。

巴塔哥尼亞號被拖至港口中央，與其他船隻有段安全距離。甲板上已灑滿了燃油，牽引繩拋下、划槳船遠離後，一艘小艇上出現港務長矮小的身影。他彎下身，靠近一名划槳手，再度起身之後，手上多了把熊熊燃燒的火炬。

港務長背後的划槳手讓開身子，港務長手臂向後拉，用力投出火把。那支纏著燃油布的火把在空中旋轉了好幾圈之後，火焰縮得只剩藍光，落在船欄後方。港務長並未等著看船著火，二話不說立即坐下，激動地指揮划槳手划離現場。這些小拖船便迅速穿越黑漆漆的水面。

過了好一會兒，依然毫無動靜，碼頭上人潮喃喃低語。我看到傑米的臉孔映在我上方窗戶的玻璃上，顯得異常蒼白。玻璃既冰又冷，因為我們的呼吸而結了一層薄霧，我抓了衣角擦拭著玻璃。

「有了。」傑米輕聲說道。船欄後方突然竄出一道火焰，然後延燒成長長的藍色螢火。接下來又出現星火，前桅索受熱彈出，一道道橙紅線條映著天際。大火迅速蔓延開來，火舌沿著船欄起舞，收起的船帆爆裂開來，讓火焰一口吞噬。

不到一分鐘，已經燒到後桅索，主帆也整個攤開，固定纜完全燒毀，只剩上下一大片烈火。用目光掃視也跟不上火勢竄升的速度，眼前的一切轉瞬間全成了火海。

「下樓吧！船艙等等就會起火了，到時就是脫身的最佳時機，沒人會注意到我們。」賈爾德突然開口。他說的沒錯。當我們躡手躡腳溜出酒館大門時，兩名拿著手槍與穿索針❹的男子守在賈爾德身旁，他們都是他的船員。在場的人都沒發現我們離開的行動，全都眺望著港口，巴塔哥尼亞號的龐然骨架清晰可見，但已燒成焦黑，周圍的熾焰向外鯨吞蠶食，傳來一連串的啪滋爆破聲，猶如機關槍的炮火。接著，船中央爆發巨大火光，四射的火燒木材落下的時候，簡直就像火焰噴泉一般。

「走吧！」傑米穩穩抓著我的胳臂，一起尾隨著有船員保護的賈爾德，悄悄離開碼頭。鬼鬼祟祟的模樣，彷彿火是我們放的。

---

❹穿索針：一種方便船員編繩索的工具，形狀像一支巨型的縫針，大小有如匕首。

第七章

覲見法王

眾朝臣魚貫進入寢宮，每一位都手持一樣專責的盥洗用具，像是毛巾、刮鬍刀、漱口杯、御印等，讓整件事帶著儀式般的氣息。

賈爾德在巴黎的房子矗立於特穆蘭街。這一帶的居民相當富有，建築形式多半是緊緊靠在一塊的三到五層樓石板鋪面房屋，雖然不時也可見到四周圍繞著私人花園的獨棟大宅，但大體而言，任何飛賊只要稍具運動細胞，都能輕易在這一帶的屋頂間暢行無阻。

「唔……我會自己找地方住。」穆塔夫一看到賈爾德的房子，便如此表示。

「能夠住像樣點的地方，反倒讓你不自在啦？那不然你睡馬廄，我們會請僕人用銀盤子端麥片粥給你。」傑米笑著對他那身材矮小、一臉嚴肅的教父提出建議。

房子內部裝潢得舒適典雅，但我後來才曉得，若與那些王公貴族和資產階級的宅邸相比，這裡簡直是既簡陋又寒酸。我心想，可能是這棟房子少了女主人，因為賈爾德從未結婚，只是他至今也不曾對身旁缺乏賢內助這件事表示遺憾。

「欸，他當然有個情婦啦！」傑米說道，省得我繼續揣測賈爾德的私生活。

「我想也是。」我喃喃回道。

「但她是有夫之婦。賈爾德跟我說過，凡是從商的男人，千萬不要和未出嫁的姑娘糾纏，因為這太浪費時間和金錢了。要是娶了她們，包準坐吃山空，最後只會淪為乞丐。」

「他對妻子的見解真是獨到。那你聽了這麼充滿智慧的忠告，卻還是結了婚，他怎麼想呢？」我說。

傑米大笑：「哈哈，我本來就沒什麼財富，所以再窮也不過如此啦！但賈爾德倒是覺得妳非常賞心悅目，還特別提醒我，一定得幫妳買套新禮服。」

這時，我攤開手邊那件洋裝，一襲蘋果綠天鵝絨，已破損得有些嚴重。

「不然再不久，我就只能裹著床單出門了。現在這件的腰身已經有點緊了。」我同意道。

「不只有腰身吧！」他說道，咧嘴笑著打量了我一番，說：「胃口好些了吧，英國姑娘？」

「你明知故問，我又不是安娜貝兒．麥藍諾荷夫人，沒有她樹枝般纖瘦的好身材。」我冷冷地說。

「當然不是，也幸好不是。」他滿意地凝視著我，親暱地拍一下我的臀部。「我早上要去倉庫找賈爾德，了解各類別的帳目，然後他會帶我去拜訪他的客戶。妳一個人在這兒沒問題嗎？」

「當然沒問題，我會到屋子各處逛逛，熟悉一下這裡的僕人。」我說道。我們昨天下午剛抵達時，眾僕人全都出來迎接，算是打過照面了。但之後我們是在臥房裡用晚餐的，所以我只見到了送餐的男僕，以及大清早進房幫忙拉開窗簾、添柴火和倒夜壺的女僕。一想到要使喚僕人，我不免有些焦慮，但隨即安慰自己：這就跟指揮醫院勤務工和新進護士一樣，沒太大的差別，而一九四三年，我在法國野戰醫院擔任資深護士時，就有過這類經驗了。

傑米出門後，我花了點時間整理儀容，但手邊僅有梳子和水，實在變不出好效果。若賈爾德真打算讓我主持晚宴，除了一件新禮服，接下來需要添購的行頭可多了。

醫藥箱側袋放著潔牙用的柳枝，我取出一條充作牙刷，內心不禁感到慶幸：一路上真是老天保祐，我們才有辦法來到這裡。

我們當時可以說是遭驅逐出境的，原本就得找個地方替將來打算，如果不是在歐洲落腳，就只能前往一洋之隔的美洲。因為知道傑米對乘船的觀感，所以對於他選擇了距離較近的法國也毫不意外。

此外，弗雷瑟家族與法國的關係深厚，亞歷山大院長和賈爾德等許多家族成員也都在法國定居，很少回到蘇格蘭的家鄉。傑米也說過，許多追隨流亡蘇格蘭國王的詹姆斯黨人，如今都在法國或義大利努力謀生，盼望國王有朝一日重登大位。

「要討論國王復辟這件事，我們大部分都會在家裡私下聊，不會在酒館裡談，所以常常都是不了了之。如果跑到酒館來談，就代表大家是認真的了。」他曾這麼說。

「我問你，蘇格蘭人是個個生來就對政治特別有頭腦，還是只有你是這個樣子？」我邊問，邊看他撣著外套的灰塵。

他笑了，然後很快地收起笑容，打開巨大的衣櫥把外套掛起來。他的外套看起來破舊又窮酸，在散發雪松香氣的衣櫥內懸著。

「老實告訴妳，英國姑娘，我還寧願不懂這些。但我身為麥肯錫和弗雷瑟兩大家族聯姻下不受歡迎的孩子，從小到大周旋於這兩大勢力之間，根本無從選擇。加上曾在法國生活了一年，又在軍中服役兩年，再怎麼不明事理，也要學會在談話中聽出弦外之音。不過，在我們這個時代，不只是我，蘇格蘭上至地主，下至佃農，都躲不過未來的命運。」

「未來的命運。」但究竟是什麼命運？我不禁納悶。我只知道，倘若我們的任務失敗，未來的命運就是一場武裝叛變，試圖重建斯圖亞特王朝，領軍的是流亡海外的蘇格蘭王之子，人稱美王子查理。

「美王子查理。」我輕聲自言自語，凝視著穿衣鏡中的自己。此刻他就在同一座城市，離我們不過咫尺之遙。他是什麼樣的人呢？我腦海中查理王子的形象來自歷史人物的肖像畫，十六歲上下的俊秀少年，有對粉嫩雙唇，頂著假髮，穿著此時流行的宮廷服飾。要不然就是那些畫家憑空想像的場景：還是同一名少年，但外表健壯了些，剛下船的他手中揮舞著寬刃劍，一腳踏上蘇格蘭海岸。

他努力想替自己與父親奪回蘇格蘭，到頭來卻親手摧毀了這片土地。即使這場戰事從一開始就注定要失敗，他依舊獲得眾多子民的支持，但整個國家也因而分裂。他率領旗下忠心耿耿的軍隊發動戰爭，卻在卡洛登戰場上被英軍擊潰，血流成河。他個人得以全身而退逃回法國，他拋下的子民卻將代他承受敵軍無情的報復。

我們此行目的，便是要阻止這場人禍——即使我們此刻住在賈爾德家中，生活安穩自在，根本難以想像戰爭的慘烈情況。我們該如何阻止一場革命？倘若酒館可以催生一場叛亂，那麼或許也可以在酒酣耳熱之際勸退他們。我對鏡中的自己聳聳肩，吹開遮住眼睛的凌亂髮絲，下樓找廚子套交情。

起初，僕人都對我丟來驚恐又狐疑的目光，但不久便發覺我無意干擾他們工作，態度才較為放鬆，改為一種帶著防備的順從。我一開始累昏了頭，以為走廊上就有一打僕人排排站，隨時等候差遣。但其實這裡共有十六位僕人，包括平時不太會注意到的隨從、馬伕、廚房雜役等等。我原先還很欽佩賈爾德經商有成，後來我卻發現他家裡僕人的工資少得可憐：男僕每年獲得一雙新鞋與兩法鎊❶，清掃女僕和廚房女僕拿得更少，只有掌管伙食的廚子薇歐奈太太與管家馬努斯地位稍高，領得稍微多一些。

我逐步熟悉屋內的運作模式，並從大廳女僕的八卦中蒐集資訊。這段期間，傑米每天都與賈爾德出門，拜訪不同客戶、認識各界人士，以拓展有助於這位流亡王子的重要人脈，當作「協助殿下」的事前準備。我們接下來的工作，就是得從晚宴出席人士中結交盟友——或辨認敵人。

「聖日耳曼？妳是說聖日耳曼伯爵嗎？」我說道。我忽然從瑪格麗特的閒談中聽到熟悉的人名，她當時正擦拭著鑲木地板。

「是的，夫人。」她身形矮胖，臉孔出奇地扁平，加上凸出的雙眼，讓她看上去頗像比目魚。但她為人

---

❶ Livre又稱里弗爾，為法國古銀幣，流通於七八一～一七九五年間。根據美加家譜學會（American-Canadian Genealogical Society）會員的研究，此時一般工人的年薪大約三百～六百法鎊。而一法鎊相當於一英鎊，也就是一磅白銀。

客氣，且特別殷勤。如今她的嘴巴嘛成了小圓圈，顯然正準備吐露特別見不得人的流言蜚語，我盡可能地表現出好奇萬分的神情。

「夫人哪，伯爵的名聲壞透了。」她說道。但依瑪格麗特的角度，幾乎每個來參加過晚宴的賓客都是如此，於是我弓起眉毛，等她揭發更多醜聞細節。

「他早把靈魂賣給了魔鬼，還會參加黑彌撒，出席儀式的都是惡人，他們會一同享用無辜孩童的血肉！」她神祕地說，壓低音量並四處張望，彷彿伯爵就隱身於壁爐後方，伺機而動。

「而妳竟與此人為敵。」我心裡對自己說。

「喔，大家都知道的，夫人。但那又怎麼樣，反正女人都瘋狂迷戀他。他不管走到哪裡，都有女人投懷送抱，誰叫他那麼富有呢！」瑪格麗特篤定地說。顯然凡是符合富有的條件，飲人血、食人肉也不足為懼。

「真有意思，但我以為伯爵是賈爾德先生的競爭對手，他不是也進口紅酒嗎？既然如此，賈爾德先生怎麼會邀請他來呢？」瑪格麗特原本還擦著地板，這會兒卻突然抬起頭來，咯咯地笑。

「怎麼不會，夫人！這樣的話，賈爾德先生才能在晚宴中拿出伯恩區的好酒炫耀，當面告訴伯爵他剛買了十箱，等到用餐結束，再大方送伯爵一瓶帶回家啊！」

「原來如此。那麼，賈爾德先生也接受過伯爵的邀請嘍？」我咧嘴笑道。

她點頭回應，白頭巾在她擦地板用的油罐和抹布上方飄動：「有，夫人，但次數可少了！」

幸好今晚沒有邀請聖日耳曼伯爵，只有幾個親友。我們選擇在家用膳，好讓賈爾德交代傑米幾件事情，他才能放心離開法國，其中最重要的一件事，便是法王在凡爾賽宮的起床接見式。

賈爾德在晚餐時提到，獲邀路易王接見實屬莫大榮耀，也代表了路易王的看重。

「對你來說當然沒差，小夥子。」他語氣和藹揮著叉子對傑米說：「但對我來說就非同小可了。路易王想確保我會從德國回來……至少財政大臣杜維內這麼希望，因為最新一波稅制壓得商人喘不過氣，許多外國人陸續離開法國，自然就衝擊到王室收入。」他一提到繳稅，臉上就有些扭曲，皺眉望向他餐叉上的鰻魚。

「我打算禮拜一前離開，等威廉米娜號確定安全抵達加萊港，就可以動身了。」賈爾德咬了一口魚，朝傑米點點頭，滿口食物邊嚼邊講：「這裡的買賣有你這個能手負責，我完全放心。不過有些別的事，在我走前我們得再討論討論。兩天後，我們要和馬里夏爾伯爵去一趟蒙馬特，一切都已安排妥當，到時候要讓你覲見查理．愛德華王子殿下。」

興奮之情油然升起，我迅速與傑米交換了眼神。他朝賈爾德點點頭，一臉理所當然，但轉頭看我的時候目光也忍不住露出期盼：任務終於要開始了。

「殿下在巴黎過得十分低調，除非法王正式召見，否則不大適合拋頭露面。所以，殿下很少離開宅邸，也幾乎不主動會客，只接見想對他父親表達敬意的支持者。」賈爾德邊說，邊戳著盤緣剩餘的鰻魚。魚肉塗了奶油，非常滑溜。

「這和傳言不一樣呢！」我插話。

「什麼？」兩雙詫異的眼睛直盯著我，賈爾德放下叉子，放棄了最後一塊魚肉。

傑米揚起眉毛，望著我說：「妳聽到什麼傳言，英國姑娘，是誰說的？」

「那些僕人們哪！」我說道，並專心吃著我的鰻魚，但抬頭瞧見賈爾德眉頭深鎖，我才恍然大悟，原來女主人與女僕嚼舌根、話人長短，恐怕給人不好的觀感。但，管他的，我天生叛逆，反正我也無事可做。

「大廳女僕說，查理王子殿下常去拜訪羅翰家的露易絲公主。」我說道，接著咬了叉子上的鰻魚，然後細細咀嚼。魚鮮味美，可是一旦入喉，便教人隱約不安，總有魚還活著的錯覺。我小心翼翼地下嚥，所幸還沒感覺到任何不適。

「……還是趁她先生外出的時候去拜訪。」我加上這句，深知話題敏感。

傑米聽得興味盎然，賈爾德則是大感驚駭。

「羅翰家族的公主？奧弗涅堡的瑪莉．露易絲．亨利葉．吉恩嗎？她的夫家與國王相當親近耶！」賈爾德說道，手指不斷摩擦雙唇，嘴角因而油亮亮的。「這樣風險太大了，該不會那個蠢小子……不對，他應該沒傻到那種地步，想必只是因為未經世事，太少外出接觸人群，加上羅馬的社交環境也不一樣，但還是……」他喃喃自語起來，接著以堅決的目光轉頭看傑米。

「那就是你得為殿下效勞的第一件任務了，小夥子。你與殿下的年齡差不多，但因為你在巴黎待過，處世比較老練，現在又經過我的精心調教，雖說這有些自吹自擂……」他淺淺朝傑米微笑，繼續說道：「你可以去當殿下的朋友，善用對他有利的人脈，盡量排除眼前的阻礙，你還得向殿下建言，對女士表現騎士風範固然是好事，可是一旦用錯地方，恐怕會壞了他父親的大業——這番話說得越圓融越好。」

傑米點點頭，卻一副心不在焉的模樣，顯然心裡有其他顧慮。「我們的大廳女僕怎麼會曉得殿下偷偷出訪，英國姑娘？她每個禮拜只會出門參加望彌撒，不是嗎？」他問道。

我搖了搖頭，嚥下口中食物後才回答。「我目前的推測是，廚房女僕是從雜役那兒聽來的，而雜役的消息來自馬伕，馬伕的消息則來自隔壁的隨從。我不清楚中間隔了幾個人，但羅翰家族的大宅不過三棟之外，說不定公主也對我們家的事一清二楚。」我一派輕鬆，又加一句：「如果她常和廚房女僕聊天，就難免會知道啊！」

「高貴的女士才不會跟女僕湊在一塊道人長短。」賈爾德語氣冷淡地回答，同時瞇眼盯著傑米，顯然在責備他沒把妻子管好。

我看到傑米的嘴角抽動，但他僅僅啜著他那杯蒙哈榭紅酒，隨即改變話題，討論起賈爾德最近的戰利品：一批仍在運送途中的牙買加蘭姆酒。

賈爾德搖鈴叫僕人來清理碗盤，順便拿出白蘭地待客，我見狀便趕緊先行告退。賈爾德有項癖好，喝白蘭地時非得抽幾支又長又黑的方頭雪茄，而我直覺認為，儘管我剛才用餐時十足細嚼慢嚥，但要是讓那雪茄來煙燻我胃裡翻騰的鰻魚，肯定不會有好結果。

我躺在床上盡量不去想鰻魚的事，效果卻很有限，只好闔上雙眼努力想像牙買加的景色：宜人的白沙灘連綿無際，熱帶的陽光煦煦灑落。但一想起牙買加，反而讓我憶起威廉米娜號，進而聯想到海洋，結果腦中又出現了巨大鰻魚，牠們蜷縮扭動，穿越不斷起伏的翠綠波浪。所幸此刻傑米進房，讓我得以分神坐起身子。

「呼！我快變成煙燻香腸了。我雖然很欣賞賈爾德，但真巴不得他快點去德國，這樣我就不必忍受他可怕的雪茄。」他倚著門板，用他的花邊領巾搧著風。

「如果你身上有那股菸味的話，拜託離我遠一點。我胃裡的鰻魚可承受不起菸味。」我說。

「這也難怪。」他脫去外套，解開襯衫鈕釦，接著說：「我覺得這是賈爾德的鬼計，就跟蜜蜂那檔子事一樣。」他語帶神祕地脫下襯衫，頭朝門口探了探。

「什麼蜜蜂？」

「就是摘蜂窩的方法。」他一邊解釋，一邊打開窗戶把襯衫掛在窗框上。「先在你的菸斗裡裝滿菸草，越濃烈越好，然後把菸斗塞進蜂窩中，再把煙吹入。用這種方法，蜜蜂很快就會全被燻昏、任你擺布了。我認為賈爾德就是用這招對付客戶：他先用菸味把客戶燻得暈頭轉向，讓他們簽下超出需求數倍的訂單，等到他們恢復理智，早就為時已晚。」

我不禁笑出聲來，他望著我也咧嘴一笑，然後他忽然把一隻手指放至唇邊，要我安靜。原來走廊上傳來賈爾德輕巧的腳步聲，正經過我們房門外，回到他自己的房間。

一等危機解除，他便走到我身旁，伸起懶腰，僅穿著蘇格蘭裙和長襪。

「菸味不會太糟吧？如果會的話，我可以去更衣室睡覺，或是頭靠在窗邊等味道散去。」他問道。

我嗅了嗅他的頭髮，菸草的氣味仍殘留著，而燭光也映在紅髮間。我用手指隨意撥弄著，享受他頭髮濃密、柔軟的觸感，以及頭皮底下結實的骨感。

「不會，我還好。賈爾德就快要出城了，你不擔心嗎？」

他輕吻我的額頭，躺了下來，一手撐著頭，笑著朝我搖搖頭。

「不擔心啊！我已經和所有主要買家和船長打過照面了，也認識了所有倉庫工人和工頭，連價目表和存貨清單都記牢了，剩下就是得從實際經驗中學習，賈爾德能教我的都教了。」

「那查理王子的事呢？」

他的雙眼半闔，發出無奈的咕噥聲，接著說：「欸，這個賈爾德也幫不上忙，我只能聽天由命了。我敢說，如果賈爾德不在這兒盯著我的一舉一動，事情會容易得多。」

我在他身旁躺下，他轉身面向我，胳臂摟著我的腰，我們彼此依偎。

「那我們該怎麼辦呢？傑米，你有對策嗎？」我問道。

他溫暖的吐息拂過我的臉龐，帶有白蘭地的香氣，我抬頭給他一吻，他那柔軟寬厚的雙唇微開，在我的嘴上停留片刻，才開口回答。

「天曉得他們在打什麼主意，但我是想了些對策。」他的頭微微退開，輕嘆了口氣。

「快跟我說。」

「嗯……」他換了較舒服的姿勢，轉身仰臥，一隻胳臂攬我入懷，我的頭枕著他的肩膀。

「就我看來，一切都是錢的問題，英國姑娘。」

「錢？我還以為跟政治手段有關。法國佬之所以希望詹姆斯王復辟，不正是因為這樣會給英國添亂？我依稀記得，法王路易當時希望——不對，應該是未來將會希望——查理王子分散英王喬治的注意力，這樣路易王才能趁機在布魯塞爾搞鬼。」

「確實如此，但復辟需要足夠的資金，路易王沒辦法一面在布魯塞爾打仗，一面又資助查理王子反攻英格蘭。賈爾德先前提到王室收入和稅賦的事情，妳應該也聽到了吧？」

「嗯，但是……」

「光靠路易王的援助並不夠。當然他有一定的發言權，但詹姆斯國王和查理王子也會設法尋找其他奧援，像是法國銀行家族、梵蒂岡和西班牙王室等等。」傑米耐心向我解釋著。

「詹姆斯王負責拉攏梵蒂岡和西班牙，查理王子則負責法國銀行界，你覺得是這樣嗎？」我好奇問道。

他點點頭，目光飄至天花板上的雕花，胡桃木板在微微燭光中呈現柔和的淺棕色，房間的每個角落都裝飾著纏繞的深色玫瑰花與緞帶圖案。

「沒錯。亞歷山大叔叔給我看了詹姆斯國王陛下寫的信。就我看來，西班牙金援的機會比較大，教宗則是不得不資助，畢竟妳也知道，陛下信奉天主教。教宗克萊孟十一世多年來都資助著詹姆斯國王，現在他過世了，換成教宗本篤十三世接手，只是金額就沒先前多了。但西班牙國王菲利浦和法國國王路易都是詹姆斯的表親，他仰仗的就是同為波旁王朝的血脈，應該責無旁貸伸手相助。不過，就我目前親眼所見，凡是牽扯到錢的問題，王族血脈根本不重要，英國姑娘。」他側著臉，露出挖苦般的微笑。

他分別抬起左右腳，單手脫下長襪，丟到小凳上。

「一七一五年那場起事中，詹姆斯王獲得過西班牙的資助，得到一批艦隊和士兵。但他的運氣實在太差，自己都還沒抵達，軍隊就在薛瑞夫穆爾被擊退。所以依我看來，西班牙佬對第二次復辟行動應該興趣缺缺，除非出現一個夠強烈的理由，讓他們確信這次能夠成功。」

「查理王子之所以來法國，就是為了遊說路易王和銀行家，而以我對這段歷史的了解，他也確實成功了。我們接下來該怎麼辦呢？」我苦惱地問。

傑米將胳臂自我的肩上移開，伸展了起來，瞬間改變重心讓我身下的床墊跟著傾斜。

「我，就負責賣酒給銀行家，至於妳，英國姑娘，就繼續和女僕聊天吧！如果我們煙吹得夠多，說不定真能把蜜蜂給燻昏哩！」

—

就在賈爾德臨去德國前，他帶傑米到蒙馬特的一棟小屋，覲見查理·愛德華王子殿下。身無分文卻圖謀大位的查理王子正在那裡靜待時機，端看表親路易王是否願意伸出援手。

那天，兩人盛裝出發，我目送他們離開後，便想像著會面的情況，揣測事勢會如何發展。

「談得如何？」傑米回來後，我趁著賈爾德不在場的時候問他：「他人怎麼樣？」

他搔搔頭，思考了半天。「嗯，他那時候牙很疼。」傑米終於開口。

「什麼？」

「他自己說的，看起來真的很痛，他半邊臉整個緊繃，下巴還有點腫。我不確定他是平常舉止就這麼僵硬，還是因為牙痛不好說話，反正他沒說什麼。」

正式引介之後，賈爾德、馬里夏爾伯爵與一位被稱為「薄哈迪」的邋遢男子便聚在一塊兒，議論起蘇格蘭的政治，多少有讓傑米和殿下獨處的意味。

傑米在我的催促下，一五一十地報告：「我們喝了杯白蘭地。然後我問他對巴黎的看法，他說在巴黎過得綁手綁腳，完全沒機會打獵，於是我們就開始聊打獵的事。他說，跟有隨從幫忙驅趕獵物的打獵活動比起來，他還是喜歡自己帶著獵犬出去打獵，我就說我也是。後來，他跟我分享某回在義大利獵到多少隻野雉，但還沒說完義大利的事，窗戶透進陣陣冷風，他的牙就開始疼了，他住的那棟小別墅顯然蓋得不大密實，所以他又喝了幾口酒，想減緩疼痛。我接著提到過去在高地獵鹿的經驗，他就說改天也想試試，然後問我射箭技巧如何，我說還不錯，他就說希望有機會邀我一起在蘇格蘭打獵。後來賈爾德過來說，回來的路上他得去倉庫一趟。於是殿下就伸出手來，我行了吻手禮之後，我們就離開了。」

雖然就常理判斷，歷史名人（嚴格來說是成名前的查理王子）言行舉止和一般人本來就應該大同小異，但我仍必須承認，傑米描述的查理王子實在有點讓人失望。儘管如此，至少傑米已再度獲得邀請，而且，誠如傑米所言，當務之急就是和王子殿下打好關係，才能緊盯他的反攻計畫。而我不禁好奇，法國國王本人會不會比較稱頭些。

答案在一星期後便揭曉了。傑米那天起了個大早，冒著寒風摸黑出門，前往凡爾賽宮參加法國國王的起床接見式。路易王每天早上六點準時起床，此時少數有幸侍候國王盥洗的僕從須在前廳集合，準備加入其他貴族與侍臣的行列，陪同國王迎接新一天的到來。

凌晨時分，傑米就被管家馬努斯喚醒，他睡眼惺忪、搖搖晃晃地下床，一面穿著衣服，一面呵欠連連、念念有詞。由於起得太早，我完全沒有任何害喜的症狀，於是看著眼前的大個子不情願地整裝，而我則慶幸自己不需要負責這份差事。

「要仔細觀察喔！回來說給我聽。」我聲音有點沙啞，也還處於半醒之中。睡意仍濃的他咕噥了兩聲回應，傾身過來吻我，隨即拖著腳步離開，手抓著燭臺去確認馬已上鞍。我再度進入夢鄉前，樓下傳來傑米的聲音，在黑夜冷冽的空氣中顯得格外清晰，他正在外頭與隨從道別。

凡爾賽宮離此有段距離，賈爾德也提過，傑米很可能還會獲邀參與午宴，因此中午前若沒回到家也算正常，但我實在是好奇萬分，越等越煩躁。終於，傑米在午茶時分回來了。

「接見式進行得如何？」我問道，同時幫傑米脫下外套。他手上還戴著進宮覲見時那雙服貼的皮手套，而天鵝絨外套的質地又非常光滑，他一時之間無法自己解開衣服上的紋章銀釦。

我幫他把鈕釦逐一解開後，他歎道：「呼，這樣舒服多了。」然後一邊活動著寬闊的肩膀。這件外套的肩膀處勒得特別緊，以至於幫他脫下外套，就像剝蛋殼一般費事。

「挺有意思的，英國姑娘，至少頭一個小時還不錯。」他回答我。

眾朝臣魚貫進入寢宮，每一位都手持一樣專責的盥洗用具，像是毛巾、刮鬍刀、漱口杯、御印等，讓整件事帶著儀式般的氣息。侍寢官拉開遮光的厚重窗簾，並褪去御床周圍的帷幔，讓晨曦照拂國王的尊顏。

侍寢官協助國王起身坐在床沿。國王坐在那兒呵欠連連，搔著留有鬍碴的下巴，侍寢官取來布滿金銀錦繡的絲質晨袍披在國王肩上，接著跪下身子，幫國王脫下睡覺時穿的厚氈襪，換上輕薄純絲長統襪，再套上兔毛襯裡的拖鞋。

接著臣子逐一來到國王跟前，行單膝跪禮並恭敬問安，關心陛下是否一夜好眠。

「依我判斷，想必是不太安穩，他看起來頂多只睡一、兩個小時，而且八成噩夢連連。」傑米補上了他自己的觀察。

儘管雙眼充血、雙頰下垂，國王陛下仍禮貌地點頭向朝臣致意，接著緩緩站起身子，朝著聚於寢宮後方的賓客行禮。他意興闌珊地揮了揮手，一名侍寢官便前來攙扶他至會客椅，讓他坐著閉目養神，享受旁人的服侍。這時，奧爾良公爵率領賓客一一上前，先簡單問候陛下，而正式請願得稍後提出，因為那時路易國王才會比較清醒。

「但我不是為了請願而去，只是單純受邀前往罷了。」傑米說：「所以我只有跪著說：『早安，陛下。』然後由公爵向陛下介紹我。」

「國王有和你說話嗎？」我問道。

傑米笑了笑，雙手伸展完便交握在腦後。「有！他張開一隻眼睛看著我，然後一副不敢相信的樣子。」當時路易王用他睜開的那隻眼打量面前的客人，似乎頗感興趣，然後說道：「你滿高大的！」

「我回答：『是的，陛下。』他接著說：『你會跳舞嗎？』我說我會，然後他又把眼睛閉上了，公爵便揮手要我退下。」傑米說道。

賓客介紹完畢後，眾侍寢官開始替國王盥洗更衣，幾位要臣從旁協助，行禮如儀。此時，在奧爾良公爵的召喚下，請願人士逐一上前到國王的耳邊低語。國王的頭時而左擺右晃，好順應刮鬍刀的方向，時而彎著脖子，讓人調整假髮的角度。

「那你有幸幫陛下擤鼻子嗎？」我問道。

傑米露齒一笑，伸直交握的雙手，讓關節發出咔啦聲。「幸好沒有，謝天謝地。我躲在衣櫃旁邊，努力不讓人發現。那些小鼻子小眼睛的伯爵公爵，都用眼角餘光瞄著我，好像怕沾染蘇格蘭人的習性。」

「你起碼長得夠高，什麼都看得到吧？」

「沒錯，連他坐在便椅上如廁都看得一清二楚。」

「真的嗎？在眾目睽睽之下？」我聽得興味盎然，雖然曾在書上讀過這碼事，但是依舊難以置信。

「是啊！大家都面不改色，好像他不過是在洗臉和擤鼻涕一樣，奈維公爵更是三生有幸，竟然能夠幫陛下擦屁股。我沒注意到後來那條毛巾怎麼處理，想必是拿去鍍金了吧！」傑米調侃道。

「那可是件苦差事，擦了老半天，陛下跟貓頭鷹一樣，屁股緊繃得很。」他補上一句，然後一邊向前彎下腰把雙手平貼在地，好伸展腿部肌肉。

「像貓頭鷹一樣緊繃？你是說便祕嗎？」我問道，覺得這比喻相當好笑。

「就是便祕。這也難怪，宮廷裡吃的就那些，飲食習慣很糟糕，一堆奶霜跟奶油做的東西。他早餐應該改吃燕麥粥，就不會有便祕的問題了，可以幫助腸胃蠕動。」他一面發表高見，一面伸展，將身子往後彎。

蘇格蘭人生性固執，對許多事情都不願妥協，其中又以早餐吃燕麥粥這事為甚。他們長年生活在窮鄉僻壤，糧食短缺，因此燕麥成了唯一主食，但他們卻順水推舟，把這吹捧成一種美德，還堅稱自己愛吃燕麥。

傑米這會兒已經在地板上做起皇家空軍研發的伸展運動，這是我指導他做的健身計畫，可藉此強化背部肌肉。

想到他先前那句話，我問道：「為什麼你會用貓頭鷹形容呢？我聽過有人用貓頭鷹來形容喝醉酒，但拿來比喻便祕還是頭一遭。貓頭鷹有便祕的毛病嗎？」

他做完一組伸展操之後，翻身躺在毯子上，氣喘吁吁。

「是啊！」他長長呼出了一口氣，等呼吸平復後，便坐起身，撥開眼前頭髮，接著說：「其實也不一定啦，但傳說是這樣沒錯，老一輩都會跟你說貓頭鷹沒屁眼，所以吃的老鼠或其他任何東西都無法排泄，於是牠們肚子裡消化完的殘渣會成為球狀。既然牠們的後門不通，只好把這些糞球吐出來。」

「真的嗎？」

「是啊！真的有那些糞球。想找到貓頭鷹棲息的樹，只要看看地上有沒有小球就行了，貓頭鷹不太愛乾淨，總是弄得滿地都髒兮兮的。」他拉拉領口，讓涼風吹入。

「但是牠們其實有屁眼耶！我有次用彈弓打昏一隻，還特地檢查了一下。」他告訴我。

「你這傢伙的求知慾挺旺盛的！」我笑道。

「當然嘍！英國姑娘，而且貓頭鷹也確實會正常排便。我和伊恩有次花了一整天待在樹下觀察，就是為了確定這件事。」他咧嘴笑了開來。

「天哪！你好奇心也太強了。」我說道。

「我就想知道嘛！但是伊恩很不想坐著枯等，我還得打他兩拳，他才不會動來動去。」傑米笑著回憶道：「他乖乖跟我坐著等糞球掉下來，但沒想到他立刻抓起一把，猛塞進我的衣領口就溜掉了。算這小子厲害，像風一樣跑得真快。」他的臉上閃過一絲憂傷。年少回憶中那名飛毛腿好友，如今成了他的姊夫。伊恩先前參與海外某場戰事，一腿不幸遭霰彈擊中，現在必須靠義肢蹣跚跛行，雖然如此，他也從不怨天尤人。

「這樣的生活也太慘了——我不是說貓頭鷹，我是說路易國王，一點隱私都沒有，就連上廁所也得讓人看光光。」我說道，設法轉移他的注意力。

「我寧願自己來也不想讓別人動手。話說回來，他可是國王，生來就是受人侍候的命。」傑米說道。

「也對，而且他身為國王既有權勢又有財富，多少可以彌補不自由的缺憾。」

他聳了聳肩說：「不管他喜不喜歡，都是上天的造化，他也無從選擇，只能盡力而為嘍！」他拿起披肩，尾端穿過腰帶，再拉至肩上。

「讓我來吧！」我從他手中接過銀製胸針，把熾紅色的披肩繫於他肩膀上。他理了理垂懸的布料，手指撫順色彩鮮豔的羊毛。

「我也有自己的造化，英國姑娘。」他淡淡說著，低頭看著我，露出淺笑：「幸好，我不需要伊恩來幫我擦屁股。但我生來就是堡主的命，擁有自己的領地和族人，這是命運的安排，所以我也得盡力而為，照顧好他們。」

他伸手輕揉我的髮絲。「當妳說讓我們一起努力、一起去改變未來的時候，我真的很高興。但是另一部分的我也希望能帶著妳和寶寶遠走高飛，後半輩子簡簡單單，白天勤勞耕種、照料牲口，傍晚回家躺在妳身邊，一夜好眠。」

他的深藍眼眸藏著千思萬緒，而他的手則一邊順著披肩褶邊，撫觸弗雷瑟家族的亮面格紋。格紋滾著淡淡白色條紋，那是拉利堡的專屬紋路，以便與其他派系或氏族區隔。

此刻，以彷彿自言自語的口氣，他接著說下去：「然而，如果我真的這麼自私，就等於背棄自己部分的靈魂，我覺得……我覺得我永遠都會聽到族人的聲音，在我的背後呼喊著。」

我一手輕放在他的肩膀上，他抬頭凝視著我，寬唇一角揚起淺淺的笑。

「我也有同樣的感受，傑米。無論發生什麼事，無論我們能不能做得到……」講到這裡，我的喉嚨也哽住了。我們肩負的任務太過沉重，常壓得我喘不過氣，甚至連話都說不出口。我們是何許人也？竟妄想改變歷史、扭轉乾坤？而改變歷史的目的還不是為了自己，而是為了王公貴族、農民百姓，更是為了蘇格蘭這整個國家。

傑米的手輕輕覆上我的手，要我寬心。「我們盡力而為，英國姑娘，做多少算多少。如果真的阻止不了流血衝突，至少雙手沾滿血腥的不會是我們，現在只能向老天祈禱，不要演變到這種地步。」

我想像卡洛登古戰場上，眾多孤零零的氏族墓碑，與長眠其下的高地戰士。倘若任務失敗，我們便得接受如此慘痛的後果。

「那就祈禱吧！」我說。

第八章

夢魘與鱷魚

傑米聽到沙啞的呼吸聲撫著背部，同時感受到汗濕的皮膚黏貼上來。

他咬牙切齒，既痛苦又挫折，

背後的男子發現傑米在發抖，笑了出來。

傑米接下來的生活十分忙碌，除了不時得謁見國王，每天也必須顧及賈爾德的生意。早餐過後，他便和穆塔夫出門去，檢查倉庫新到的酒，清點現有存貨，再前往塞納河各個碼頭，當然這個行程裡也少不了拜訪各處酒館，不過從他的描述判斷，這些酒館裡的人物都低劣至極。

「幸好你還有穆塔夫作伴，而且大白天的，你們應該不可能碰上什麼麻煩吧！」這樣一想，我不由得稍放下心來。穆塔夫這個族人身材瘦小，看上去實在不大體面，若非下身穿著格紋裙，還真像港區那些遊手好閒的混混。然而，我之前為了把傑米救出溫特沃斯監獄，與穆塔夫騎馬跨越半個蘇格蘭，我若要在這廣大世界上找個人照應著傑米，他絕對是第一人選。

午餐過後，傑米就會開始四處拜訪，可能是社交應酬或生意往來，但兩者交疊的狀況越來越頻繁。之後，他便會回到書房待上一、兩個小時，研究帳本和收支明細，直到晚餐才出來，忙碌自是不在話下。

相較之下，我倒是每日賦閒在家。住在賈爾德家的頭幾天，我與廚師薇歐奈太太相敬如賓，但從我們之間的小小摩擦裡，看得出我並不是真正的一家之主。薇歐奈太太每天早上會來我的休息室，與我確認當日餐點，並拿出開銷清單，採購項目包括：城外農場每日清晨新鮮直送的蔬果、奶油與牛奶，街販手推車裡來自塞納河的魚，旁邊還有覆著軟爛水藻的新鮮黑色淡菜。我瀏覽清單不過是形式，總是照單全收，順便讚美她前晚的手藝，如此而已。除了偶爾幫忙拿鑰匙開啟床單櫃、酒窖、地窖或食品室，我的時間完全自行掌控，直到晚餐時間到了才須更換禮服，稍事打扮。

賈爾德雖然出了遠門，但屋內的交際應酬依舊熱絡。我還不敢舉行大型晚宴，但我們每晚都舉辦簡單的小宴會，舉凡貴族、爵士、夫人、富商夫婦與流亡的詹姆斯黨員都會出席。

縱使如此，宴飲招待與準備工夫仍然花不了太多心思。見我常常無聊得坐立難安，傑米總算提議，我可以幫他抄錄帳目。

「這總比讓妳閒得發慌啃指甲好，況且妳又寫得一手好字，倉庫記帳員全都比不上。」他邊說邊看著我咬痕斑斑的指甲。

某天的下午，我跟著傑米窩在書房伏案抄寫厚重的帳冊時，有位霍金斯先生來訪，下訂了兩大桶的法蘭德斯地區白蘭地。霍金斯先生是英格蘭的移民，體型福態，憑著經商致富，專門經營出口生意，把法國白蘭地賣回英國老家。

倘若酒商看起來像是個滴酒不沾的人，那他賣酒時想必很難取信於人，生意也不會太好。不過，霍金斯先生受老天眷顧，一對雙頰老是紅通通，又總是帶著爽朗的笑容，感覺就是個千杯不醉的豪飲客。但據傑米所言，霍金斯先生其實從來不喝自己賣的葡萄酒，甚至除了粗麥芽酒外，幾乎很少喝其他飲料。不過，凡是他造訪過的酒館，店老闆都曉得他是個大胃王。他為人也豪爽乾脆，總能輕鬆敲定買賣，而他那雙明亮的棕色眼珠，則透露著他精打細算的真實個性。

「我得說，你們真是我最愛的供應商。」他大聲宣告，一邊簽著鉅額訂單，手邊在半空誇張地舞動。「誠實可靠，每批酒的品質都是一流啊！賈爾德不在的這段期間，我會非常想念他。不過，他也選對了代理人，都是蘇格蘭人嘛！這樣才能確保家族事業不假外人之手。」他微微向傑米行禮。

他那雙小眼炯炯發亮，目光停在傑米的蘇格蘭裙上。弗雷瑟家族的鮮紅圖樣，在客廳的深色木板襯托之下，格外顯眼。

「最近剛從蘇格蘭過來嗎？」霍金斯先生隨口問道，手伸入外套裡摸找。

「不是耶！我已經在法國待一陣子了。」傑米笑道，就此避開問題。他從霍金斯先生手中接過鵝毛筆，但嫌那支筆尖太鈍，便先丟至一旁，從邊櫃塞滿了鵝毛筆的小玻璃罐內，取來一支全新的筆。

「喔，從身上的衣著看來，你應該是高地一帶的蘇格蘭人吧！我本來就在想，你能不能跟我說說那裡當前的情勢？你也知道，現在外頭謠言可不少咧！」霍金斯先生看到傑米擺擺手，便找張椅子坐了下來，紅潤的圓臉一邊專心看著剛從口袋掏出的厚皮夾。

「謠言嘛，蘇格蘭本來就盛產謠言，不是嗎？」傑米說道，認真削著新鵝毛筆，接著說：「至於情勢的話，我所知無幾了，如果你是指政治方面的事，恐怕是問錯人了，因為我很少注意這類事情。」小筆刀發出尖銳的嚓嚓聲，削去鵝毛筆粗桿的多餘碎屑。

霍金斯先生從皮夾拿出一些銀幣，俐落地在兩人之間的桌上，疊出整齊的小圓柱。

「真的啊？這樣的話，你可是我碰過頭一個不關心政局的高地人。」他狀似心不在焉地說著。

傑米削完後，舉起筆尖，瞇眼檢查角度。

「欸，我有其他事要煩惱，像經營這樁賣酒生意就很花時間，我想你也明白。」他淡淡回道。

「也是啦！」霍金斯先生仔細數著銀幣，然後移走一枚，換成兩枚較小的銀幣，接著說道：「我聽說查理．斯圖亞特最近到巴黎了。」他那圓滾滾的酒鬼臉龐僅露出些微好奇，但一雙身陷肥厚眼袋的小眼睛裡卻閃著警醒的光。

「喔，是噢！」傑米低聲道，語氣聽不出是肯定，或僅是滿不在乎的禮貌性答腔。他一絲不苟地在面前的每頁訂單上簽字，筆畫道道分明而非草率帶過，這已是習慣使然了。傑米天生是個左撇子，從小卻被迫用右手學寫字，因此老覺得寫字費力。不過，即使如此，他也鮮少像現在這樣寫得這麼刻意。

「所以你不會跟你賈爾德一樣，同情斯圖亞特嘍？」霍金斯稍稍向後靠，望著眼前傑米的頭頂，但想當然耳，瞧不出任何端倪。

「這與你有什麼關係嗎，先生？」傑米抬起頭，藍眼珠輕輕瞅著霍金斯先生，這位外表福態的商人也回瞪一眼，隨即揮了揮微胖的手，似乎不以為意。

「沒啥關係啊！不過，我很清楚你的賈爾德支持詹姆斯黨，他對這件事也從來不避諱，我只是好奇，是不是所有蘇格蘭人都抱持相同看法，希望斯圖亞特重登王位。」他一派輕鬆地說。

「如果你對蘇格蘭高地人有些了解的話，就應該曉得高地人彼此常意見不合，就連天空的顏色都能爭個老半天。」傑米面不改色地回答，遞出一份訂單複本。

霍金斯先生笑了起來，背心底下圓滾滾的肚子隨著笑聲振動，然後他把摺好的複本塞入外套內側口袋。我看傑米沒興趣繼續說下去，便趁此插上話，熱切地要準備馬德拉葡萄酒和餅乾招待他。

霍金斯先生一瞬間似乎有點心動，但還是無奈地搖搖頭，推開椅子站起身。

「不用不用，感謝夫人，真的不用了。艾拉貝拉號這禮拜四要回到加萊港，我到時候必須在場迎接，而在這之前，得先處理完一堆有的沒的鳥事，才好動身離開。」他皺著眉頭取出一大捆訂單與收據，放入傑米剛給的那張，再塞回一只旅行用的大皮夾中。

「不過，我一路上應該可以多跑些旅店和酒館，多少可以做點買賣。」他說到這，眼神發亮。

「如果你真要沿途拜訪所有旅館，我看下個月才到得了加萊港。」傑米說道，並從毛皮袋掏出皮夾，把那一小堆銀幣丟進去。

「大人說得真有道理，我只好先放棄一、兩家，回程再去拜訪嘍！」霍金斯先生皺起眉頭惋惜說道。

「既然你時間寶貴，應該也可以派人代你去加萊港吧？」我提議道。

他生動十足地轉了轉眼睛，還噘起那討喜的小嘴，想再哀怨一番。

「我何嘗不希望如此啊，夫人。但艾拉貝拉號載的人，可不能隨便差人去打發啊！我的姪女瑪莉正搭著那艘船前來法國，她才十五歲，而且是頭一回離家，我不可能讓她自己想辦法來巴黎哪！」他吐露了實情。

「我想也是。」我客氣地答道，但覺得這名字有點熟悉。瑪莉．霍金斯，聽起來相當平凡無奇的名字，實在喚不起什麼特定聯想。當我仍沉浸於思緒中，傑米已起身送霍金斯先生到門口。

「相信你姪女的旅途會很愉快。她是來念書嗎？還是拜訪親戚呢？」他禮貌問道。

「她是來結婚的。我哥哥替她找到很不錯的親家，對方可是法國貴族喔！我哥本身也是個准爵。❶」霍金斯看起來志得意滿，肚子顯得更大了，背心金鈕釦緊緊繃著布料。

「她十五歲嗎？」我有點訝異，雖然早婚在這個時代司空見慣，但十五歲也太小了吧！我十九歲和法蘭克結婚，二十七歲則與傑米結婚，而二十七歲的我可比以前懂事多了。

「呃，你姪女認識她未婚夫很久了嗎？」我小心翼翼地問道。

「從來沒見過，其實啊……」霍金斯先生靠了過來，一隻手指放在唇上，壓低聲音繼續說道：「她還不曉得有這樁婚事，有些細節還沒完全談攏。」

我大感詫異，張口準備說話，傑米卻牢牢抓住我的手肘，警告我切勿多嘴。

「如果對方是貴族的話，說不定我們會在宮廷見到你姪女。」他說，像座推土機一樣使勁把我推向門邊，霍金斯先生本能地向後退，以免被我一腳踩到，但依然滔滔不絕。

「說不定喔，老爺。如果她能見到你和夫人，絕對是莫大的光榮。我敢說，來自英國的她一看到有同鄉女士的陪伴，一定會感到很安心。」他對我投以諂媚的微笑，繼續說：「當然啦，我們純粹是生意往來，我可不好意思跟您攀親帶故就是了。」

「你會不好意思？」我的內心憤慨萬分：「你為了攀上法國貴族，勢必會不擇手段，就連把姪女許配給……給……」

「呃，你姪女的未婚夫究竟是誰呢？」我唐突地發問。

霍金斯先生的表情狡詐，傾身過來對我耳語，聲音嘶啞。

「我真的不該多嘴，畢竟合約還沒簽好，但既然夫人想知道……我可以透露一點，新郎倌是加斯科涅家族的人，地位可是很崇高的！」

「這樣啊！」我說。

霍金斯先生說完，便搓揉著雙手離開了，顯然對這門婚事滿心企盼。他一走，我馬上轉向傑米。

「加斯科涅家族！他一定是說……不會吧？是上禮拜來參加晚宴的那個噁心糟老頭嗎？他那天竟然下巴還沾著鼻煙粉就來赴宴耶！」

「妳說馬里尼子爵嗎？」傑米聽了我的形容後笑了笑，說：「大概吧！就我所知，他早年喪妻，現在是家族裡唯一的單身男子。而且，我覺得那不是鼻煙粉，只是他鬍碴長的樣子怪，東一塊西一塊的，但他臉上疣長那麼多，刮鬍子想必麻煩死了。」

「他不能就這麼把十五歲的少女嫁給……嫁給那種人！而且還沒有問過她的意見！」

「他當然可以。」傑米這時的語氣平靜得令人氣結，又說：「無論如何，英國姑娘，這都不關妳的事。」他牢牢抓住我的雙臂，搖晃著我。「妳聽到了嗎？我知道妳覺得不舒服，但在這裡事情就是這樣。況且……妳自己不也是被逼婚的嗎？後來也接受我了，不是嗎？」

「我可不曉得接受你是不是個正確的決定，也常常對此感到納悶啊！」拉拉扯扯間，我努力想讓胳臂掙脫，傑米卻大笑著摟我入懷，還給了我一吻，於是我不再掙扎，任憑他抱著，暫時投降。但我心想，我一定要和瑪莉．霍金斯碰面，聽聽她對這樁婚事的想法。若她不願意被許配給馬里尼子爵，那麼……一瞬間，我

---

❶ 准爵（baronet）也稱准男爵或從男爵，是位階低於男爵之下的世襲榮譽，但不屬於貴族爵位。

全身僵硬，旋即推開傑米。

「怎麼了？妳還好嗎？妳的臉好蒼白啊！」傑米一臉擔憂。

我終於想起自己在哪裡看過瑪莉．霍金斯的名字。傑米大錯特錯，這件事和我的關係大了。我曾在族譜表上瞧見這個名字，是以工整的印刷書寫體寫成，墨水早因年代久遠而褪成棕色。瑪莉．霍金斯注定不會嫁給年老體衰的馬里尼子爵，而會在一七四五年與喬納森．藍鐸，也就是黑傑克，成婚。

━

「她不可能嫁給他了吧？黑傑克已經死了。」傑米說，倒了一杯白蘭地遞給我。他的手牢牢握著水晶杯腳，但說得咬牙切齒，「死了」這兩個字說得特別短促，結尾帶有十足的恨意。

「腳抬起來，英國姑娘，妳看起來還是沒有血色。」他說道。於是，我乖乖抬起雙腳，側臥在沙發上。傑米坐在我身邊，下意識地把手放在我的肩上，他的手指溫暖有力，溫柔按摩著我的肩窩。

「馬可士．麥藍諾荷說他親眼看到藍鐸在溫特沃斯監獄地窖中，被牛群給活活踩死，像破布娃娃一樣躺在血泊之中。這是馬可士爵士親口說的，而且他相當篤定。」他一再說著，彷彿這麼樣重複能讓自己安心。

「是啊！」我啜著白蘭地，終於感覺雙頰又溫暖起來，接著說：「他也跟我說過這件事。黑傑克已經死了沒錯，我只是忽然發現了瑪莉．霍金斯與我的關連，勾起了可怕的記憶。都要怪法蘭克。」我凝視擱在肚子上的左手，爐內燃燒的餘火映著我的第一枚婚戒，金環光滑透亮，而傑米送我的蘇格蘭銀戒，則圈在我右手無名指上。

「唉！」這時傑米安撫的雙手停了下來，他低垂著頭，但目光上移，與我四目相對。自從把傑米救出溫特沃斯監獄之後，我們就再也沒提起法蘭克，以及黑傑克的死，因為這件事似乎已無關緊要，唯一值得慶幸的，就是我們從此不用再擔心黑傑克的追捕。而也是從那時開始，我都盡量避免喚起傑米對溫特沃斯的記憶。

「妳應該知道他不在了吧，我的美人？」傑米輕聲說道，指頭輕放在我的腕上。我曉得他這時指的是法蘭克而非喬納森。

「不一定。傑米，如果黑傑克死了，法蘭克就也不會存在，那為什麼他送的戒指還在我手上呢？」我說道，雙眼盯著那只金戒，然後舉起手，戒指在午後餘光中閃爍著。

他凝視著戒指，嘴角肌肉微微抽動。我發現他臉上也沒了血色。不曉得他如今想起黑傑克這個人，是否還會在他心上留下傷口？但眼下我卻毫無選擇。

「你確定黑傑克死前沒有任何小孩嗎？如果有的話，答案就揭曉了。」他問道。

「的確，但我很確定那時候沒有。法蘭克……」一提到這名字，我的聲音便不自覺地顫抖起來，傑米緊握住我的手腕，我才能繼續說下去：「法蘭克說了不少關於黑傑克死後的事情。他說黑傑克死於詹姆斯黨起事的最後一仗，也就是卡洛登一役。他的兒子戰後幾個月後才出生，算起來是法蘭克的五代前曾祖父，而黑傑克的妻子守寡數年後才再婚。就算他真有個私生子，也不會是法蘭克的祖先。」

傑米眉頭深鎖，露出一道深深的皺紋，他說：「會不會搞錯了呢？說不定小孩根本不是他的，而法蘭克可能只是瑪莉．霍金斯的後裔，畢竟她還活著啊！」

我無助地搖搖頭。「不可能。你並不認識法蘭克……但話說回來，是我沒跟你提過，我第一次遇到黑傑克的時候，還以為他就是法蘭克。他們兩個人的長相當然不是一模一樣，但相似度真的是……高得驚人。他一定是法蘭克的祖先，無庸置疑。」

「好吧！」傑米的手指開始出汗，他直覺地往蘇格蘭裙上擦。

「那麼……或許戒指並不代表什麼，我的美人。」他溫柔說著。

「或許吧！」我撫著有我體溫的戒指，無力地垂下手來。「唉，傑米，我不知道！我現在腦中簡直一片混亂。」

他勾起指節，然後在眉間揉了揉疲憊地說：「我也是，英國姑娘。」他放下手來，努力擠出笑容。「不過，有個關鍵，妳說法蘭克告訴過妳，黑傑克戰死於卡洛登對吧？」他說。

「嗯！事實上，為了讓黑傑克感到恐懼，我在溫特沃斯的時候，也親口跟他預言了這件事。那時他把我一把推到雪地裡，然後……才回去找你。」聽到這裡，傑米的雙眼和嘴唇忽然緊緊閉上，像是痙攣一般，我發覺不對勁，立刻從沙發上起身。

「傑米！你還好嗎？」我正要摸摸他的頭，但他卻整個人躲開，起身走到窗邊。

他對我甩了甩手，額頭壓著冰冷的窗戶玻璃，雙眼緊緊閉著，然而嘴裡一邊還說著話，彷彿想藉此轉移注意力，以減輕深沉的痛苦：「不好……其實也還好，我沒事，英國姑娘。只是我寫信寫了一個早上，所以覺得腦袋快爆炸了，妳不用擔心。」

「這樣的話，妳和法蘭克……本來以為黑傑克會死在卡洛登，可是我們現在知道他並不會死在那裡……那就沒問題了，克萊兒。」

「什麼沒問題？」我開始焦急起來，想幫他卻又束手無策，但他此時明顯不希望誰靠近他。

「未來會發生的事，都有機會改變啊！」傑米自窗上抬起頭，露出疲倦的笑容，臉色依舊慘白，但方才的痙攣已不復見。「他提早死了，所以瑪莉．霍金斯的夫婿另有其人，也就是說法蘭克不會出生……或可能還是會出生，只是是用另一種方式，在另一個人家……」這句話顯然是要安慰我，他又說：「這就代表我們的任務有機會成功。說不定他之所以沒有死在卡洛登，是因為那場戰爭根本不會開打。」

我看得出來，他正努力提起精神，而刻意走回我身邊，攬著我的肩膀，而我也一手輕摟著他的腰，動也不動。這時，他低下頭來，前額靠在我耳朵上方。

「我知道妳一定很難過，我的美人。但想想這些改變可能因此帶來好結果，難道不會令妳開心點嗎？」

「是啊！」我的臉埋在他的襯衫裡，過了一會兒才低聲說道。然後，我輕輕抽離他的懷抱，一手放在他的臉頰上，他眉間的皺紋更深了，眼神有些渙散，但他仍對我笑了笑。

「傑米，休息一下吧！我差人捎個便箋給阿班維爾一家，說我們今晚不過去了。」我說。

「欸，不用取消啦！這種頭痛我早就習慣了，不會有事的，英國姑娘。我只是寫東西寫太久，睡一個小時就會好了。我先上樓。」他轉身要走向門口，猶豫片刻後又轉了回來，一臉似笑非笑。

「對了，英國姑娘，如果我在夢中大喊，妳只要把手放在我身上，然後跟我說：『黑傑克已經死了。』我就會沒事的。」

我們在阿班維爾家吃得很盡興，也聊得非常開心，回到家時天色已晚。我倒頭就睡，深沉得連夢也沒有。然而，睡到半夜，我忽然驚醒過來，覺得有什麼不大對勁。

深夜寒冷，羽絨被跟平常一樣鬼鬼祟祟地溜到地板上，我身上只剩下薄薄一條羊毛毯子。我翻過身，像往常一樣在半夢半醒之間討索著傑米的體溫。但他不見了。

我驚坐起身張望，才發現他坐在窗邊，雙手抱著頭。

「傑米！發生什麼事了？又頭痛了嗎？」我摸黑取來蠟燭，想找我的醫藥箱，但傑米坐著的模樣有些奇怪，我於是撇開醫藥箱，直接走到他身旁。

他的呼吸急促，彷彿剛剛快跑了一圈回來，全身冒著冷汗。我碰了碰他的肩膀，發現它們緊繃僵硬又冰冷，宛如一尊金屬雕像。

我這麼碰觸到他時，傑米全身一震，並反身跳了起來，空洞的眼睛在黑暗中瞪得老大。

「對不起，嚇到你了。你還好嗎？」我問道。

傑米的表情完全沒變，彷彿沒聽見一樣，眼光好像穿過我看著什麼，讓我一度以為他在夢遊。無論他眼前的幻覺為何，勢必都不是什麼好東西。

「傑米！傑米，快醒醒！」我大聲說道。

他眨眨眼，這才看到了我，但他的神情還是像一隻陷入絕境的困獸。

「我沒事，我很清醒。」他說，彷彿在說服自己。

「怎麼了？你作噩夢了嗎？」

「作夢，欸，就是個夢。」

我走向前去，把手放在他的手臂上。「跟我說吧！說出來夢就不會再來了。」

他緊緊抓住我的前臂，既是當作支撐，同時也阻止我的撫觸。天空掛著滿月，我看見他身上每寸肌肉都緊緊繃著，全身僵硬得像塊石頭一樣，皮膚底下卻流竄著一股憤怒的力量，似乎隨時都會爆衝，作出什麼莽撞的事來。

「不。」他說，聽來似乎尚未回神。

「不行，傑米，跟我說。告訴我你看到什麼了。」

「我什麼都……看不到。我什麼都看不到。」

我拉著他，帶他離開陰暗的角落，轉身面對窗外耀眼的月光。這似乎有些幫助，他的呼吸逐漸緩和，然後才斷斷續續、帶著痛苦地開口。

他夢到了溫特沃斯監獄的石牆。他說話的同時，黑傑克的虛幻形體彷彿就在房間遊蕩。那天，傑米裸身躺在床上，身下壓著一塊羊毛毯。

傑米聽到沙啞的呼吸聲撫著背部，同時感受到汗濕的皮膚黏貼上來。他咬牙切齒，既痛苦又挫折，背後的男子發現傑米在發抖，笑了出來。

「呦！我們還有些時間，他們晚一點才會來吊死你，我的男孩。在那之前，我們就先好好享受吧！」黑傑克在他耳邊輕輕說著，然後忽然猛烈抽動，情不自禁地發出細微的呻吟。

黑傑克一手撥開傑米眉上的髮絲，順勢塞入他的耳朵後方。傑米感受到耳後陣陣濕熱的吐息，他撇頭想要躲開，卻徒勞無功，被迫聽著黑傑克黏膩的聲音。

「你親眼看過人被吊死的過程嗎，弗雷瑟？」黑傑克自顧自說著，不待傑米回答，一隻修長的手繞至傑米腰前，順著肚子弧度輕撫，隨著他的每一字句，手也一寸寸地往下挑逗。

「我想你當然看過了，畢竟你在法國待過，想必時常看到叛逃者被吊死吧？人被吊死後會失禁，對吧？就在繩子緊緊勒著他脖子的時候。」黑傑克那隻手一邊說著，一邊握住傑米的下體，一鬆一緊，既揉又搓。而掙扎不得的傑米只能緊抓住床沿，把臉埋進扎人的粗毛毯子中，但黑傑克的字字句句卻緊逼不放。

「那就是你的下場，弗雷瑟。再過幾個小時，你就能體驗到被吊死的感覺了。」黑傑克大笑，喜不自勝，然後說：「你就這麼上絞架吧！屁股留著被我痛快過的灼熱，等到你失禁的時候，我的精液會順著你的腿流下來，滴在絞架下方的地面。」

傑米一聲不吭。他聞得到自己身上的味道，囚禁期間的穢物沾滿全身，恐懼與憤怒的汗水異常刺鼻，加上背後那禽獸般的男性軀體傳來的一陣陣惡臭，以及它所掩蓋著的淡淡薰衣草香水味。

「毯子……」傑米雙眼緊閉，月光映照著他糾結的臉孔。

「我的臉壓著粗糙的毛毯，眼前只有牆上的一塊塊石頭。沒有任何東西可以讓我轉移注意力……眼前什麼都沒有，什麼都看不到。我只好閉上眼睛，想著臉頰下的毯子。我當時全靠那張毯子，否則就只能感受疼痛還有……他的身體，所以再怎麼樣都要緊緊挨著。」

「傑米，讓我抱著你吧！」我輕聲說道，努力想安撫他逼近崩潰的情緒。然而，我的手臂被他緊緊箍住不能動彈，幾乎快要麻痺，他既需要我的陪伴，卻又不願讓我靠近。我們兩人就這麼僵持著。

突然，他放開了我，轉身面向月光滿盈的窗戶。他站在那裡，全身緊繃發抖，宛如甫射出箭的弓弦，但聲音卻異常平靜。

「不了，我不想這麼利用妳，我的小姑娘，妳不必承受這些。」

我向他走近一步，但他迅速作勢阻止我靠近，然後又別過臉面對窗子。這時他已經開始冷靜下來，面無表情地朝窗外望去。

「快去睡吧！讓我一人靜一靜。我等等就沒事了，妳不用擔心。」

他雙手抓著窗沿，身體遮住了月光，肩膀的肌肉因為出力而隆起，消耗全身無處渲洩的悲憤。

「剛才只是場噩夢而已。喬納森·藍鐸已經死了。」

—

我最後還是睡著了，傑米則待在窗旁，凝視著月亮。我清晨醒來時，他正熟睡著，蜷曲在窗邊的座位，身上裹著他的披肩，腿上蓋著我的長袍取暖。

他被我的聲音吵醒，看起來似乎沒事了，恢復平日的模樣，開朗得讓人懊惱。但昨晚發生那樣的事也不可能不作處置，於是早餐過後，我便取來醫藥箱。

讓我困擾的是，我少了幾種重要草藥，無法製作安眠藥方。但我想起瑪格麗特提過瓦黑恩街的藥草商雷蒙。據她所說，雷蒙是名大法師，所以那家藥草店值得一去。既然如此，反正傑米會在倉庫待一個早上，我又有馬車和隨從可以使喚，不妨就去瞧瞧。

店內兩旁是乾淨的木櫺子，後方的櫃子聳立著，有兩個人那麼高。部分櫃子覆著摺疊玻璃門，應該是為了保護珍稀藥材。櫃上好幾尊胖嘟嘟的鍍金丘比特，有的懶洋洋趴著，有的吹著號角又揮著布幔，他們一臉醉醺醺的模樣，彷彿偷喝了店裡的藥酒。

「雷蒙先生在嗎？」我禮貌問著櫃檯後的年輕女子。

「是雷蒙大師。」她立即糾正，然後不計形象地用袖子猛擦著紅鼻子，示意我們往裡頭走。我望向開著的上半門，裡面正飄出一團團詭譎的褐色煙霧。

姑且不論雷蒙是不是貨真價實的魔法師，店內營造的氛圍都恰恰到位。煙霧從石板爐飄升，旋繞在屋頂低懸的橫梁下。爐火上方，一張布滿坑洞的石桌上擺著玻璃蒸餾器，以及銅製的「鵜鶘嘴壺」——一種有著長嘴的金屬壺，可以把各種液體由此滴入杯中——還有看似堪用的小型濾酒器。我小心嗅了嗅，店內充滿各種強烈味道，爐火的方向更飄來濃濃的酒味，而一排沿著邊櫃整齊擺放的乾淨瓶子，則加深了我原先的懷疑：姑且不論雷蒙大師葫蘆裡賣什麼藥，他八成同時在從事上等櫻桃白蘭地的生意，還經營得有聲有色。

雷蒙大師正窩在爐火邊，把散落的碎木炭戳回爐內。聽到我走進來，他便站直身子，轉頭微笑歡迎我。

「您好嗎？」我禮貌問候道，剛好對著他的頭頂。好像有種不小心踏入巫師巢穴的感覺，以至於此時若對方發出蟈蟈的叫聲來回應，我應該也不會感到意外。

我會這麼想像，是因為雷蒙大師實在長得像隻慈眉善目的大蟾蜍：身高不到一百五十公分，有著圓桶胸、羅圈腿，粗厚的皮膚黏呼呼，宛如沼澤生物。一雙黑眼則微凸，露出和藹目光。雖然皮膚還不夠綠，但只要臉上再長些肉疣，簡直幾可亂真。

「這位夫人！有什麼需要我為妳效勞呢？」他露出開朗的笑容說道。他的一口牙齒全都掉光了，再度強化蟾蜍的形象，我就這麼直盯著他忘我地想像著。

「夫人？」他向上望著我，一臉疑惑。

我這才驚覺自己猛盯著人家實在太過失禮，竟漲紅臉脫口說出：「我只是好奇，你有沒有被美麗的少女親過？」❷

他大笑出聲，我的臉更紅了。他咧嘴笑著說：「我被親過可多次了，夫人，但可惜啊！如妳所見，結果沒什麼幫助，蟈蟈。」

我們兩個都忍不住大笑，招來外頭櫃檯女孩的注意，她從那半的門探出頭來，看看究竟發生了什麼事。雷蒙大師揮手要她退下，邊咳嗽邊撫著腰，左搖右擺走到窗戶旁，打開鉛框窗，好讓屋裡的煙霧散去，同時讓帶著春寒的新鮮空氣灌入房內。

「呼，這下好多了！」他深吸了口氣，把一頭及肩白髮向後梳了梳，才轉向我。「那麼夫人，既然我們是朋友了，可以請妳稍候片刻，待我處理一件事嗎？」

我立即答應，雙頰依然為剛才的失禮而泛紅。他再度面向爐火，一邊咯咯笑著，一邊在蒸餾器中注滿液體。我趁著此時趕緊恢復應有的儀態，便在工作室裡閒晃，瞧著眼前這堆令人眼花撩亂的雜物。

一隻體型碩大的鱷魚標本從天花板垂下，裡頭想必塞滿填料。我往上凝視著鱷魚的黃肚甲，它們又硬又亮，宛如打過了蠟。

「這是真的鱷魚做的嗎？」我坐在滿目瘡痍的橡木桌前問道。

雷蒙大師抬頭瞧了一眼，笑了笑。「我的鱷魚嗎？這當然啦，夫人。這樣客人才會更信賴我。」

他的下巴一指，示意我看那貼著整面牆的櫃子。其中略高於視線的那一格，上頭排列著手燒的白瓷瓶，瓶身都裝飾著鍍金圖樣、彩繪花卉與走獸，並貼上繁複黑色花體字所寫的標籤。離我最近的三個罐子標著拉丁文，我很努力才勉強翻譯出它們的意思——上面分別寫著鱷魚血、鱷魚肝和膽汁，想必來自頭上那隻目露凶光的傢伙。

我拾起一個瓶子，打開蓋子，輕嗅兩下。「裡頭有芥末和百里香，泡在核桃油裡，對吧？但你還加了什麼東西，搞得這麼難聞？」我皺起鼻子，傾斜瓶身，仔細瞧著裡頭黏稠的黑色液體。

「唉呦，看樣子妳的小鼻子不是裝飾用的，夫人！」蟾蜍般的臉孔咧嘴而笑，露出堅硬的藍色牙齦。

「黑黑的東西是腐爛的葫蘆果肉。」他靠過來低聲說道：「至於氣味嘛……其實真的是血。」

「但絕對不是鱷魚血。」我抬頭又瞧了一眼。

「年紀輕輕就這麼多疑喔！」雷蒙哀嘆道：「幸好宮廷那些王公貴族比較信任我，雖然話說回來，平時提到貴族，誰會聯想到信任呢？不是鱷魚血，是豬血啦，夫人，畢竟豬比鱷魚容易買到呀！」

「是啊！上頭那隻鱷魚一定花了你不少錢吧？」我說。

「我運氣好，鱷魚和店裡大部分的東西，全都是之前的老闆留給我的。」他說這話時，眼底似乎閃過一絲不安，但或許我是多心了。近來我對人的表情有點過度敏感，畢竟每晚宴會上我都忙著觀察賓客表情中的細微變化，好幫助傑米布局運作。

雷蒙這會兒靠得更近了，一手放在我的手上，神祕兮兮。「這位夫人想必是同道中人嘍？恕我直言，夫

❷雷蒙大師的外形，讓克萊兒聯想到童話〈青蛙王子〉的故事。

人還真讓人看不出來。」

我直覺的反應是想把手移開，但說也奇怪，當下感覺卻十分舒服。他的觸碰有點冷淡，卻出奇地溫暖療癒。我瞧著窗面周圍所結冰霜，才恍然大悟這種奇異感覺的原因：在這樣的季節，他的雙手沒戴著手套卻能保持溫暖，的確是異於常人。

「那就得看你怎麼定義『同道』嘍！我不過懂些醫術罷了。」我語帶保留地回答。

「喔？醫術啊！」他往後靠著椅背，很感興趣地打量著我。

「難怪，我早猜到了。還有其他的嗎？會不會算命或調製催情藥咧？」

我忽覺良心揪了一下，想起那段尋找傑米的日子，我與穆塔夫穿越蘇格蘭高地，一路靠著算命與賣唱討口飯吃，活像一對吉普賽人。

「那些我可不會。」我話一說完，便感覺自己的臉微微紅了。

「看來再怎麼講，妳都不是個說謊高手，真是可惜。有什麼需要在下效勞的，夫人？」他說道，十分逗趣地看著我。

我便向他說明所需，他一臉正經邊聽邊點頭，銀髮甩到胸前蓋過了肩膀。他在自己店裡不戴假髮，頭髮也沒有抹粉裝飾，只簡單把頭髮向後梳，露出高闊的額頭，而髮梢生硬地垂至肩膀，彷彿被一把鈍剪給切平了。

雷蒙相當健談，且十分熟悉草藥和植物的功效。他取下許多小型瓶瓶罐罐，把些許草藥搖了出來，再用掌心壓碎葉片，供我或聞或嘗。

店裡忽然傳來吼叫聲，打斷了我們的談話。一名衣著講究的隨從，傾身壓在櫃檯上，似乎想對櫃檯女孩說些什麼，但卻百般不得要領，反而被回敬一連串惡狠狠的普羅旺斯方言。那串話裡引用了不少俚俗，所以我也沒辦法聽懂太多，但大概可以了解她的意思，那些話裡提到包心菜和香腸，反正絕非恭維的字眼。

我正揣想著法國人為什麼老愛把各類食物帶入對話中，此時店門忽然砰地一聲打開。那位隨從的靠山蠻橫地闖了進來，她濃妝豔抹、禮服上綴著層層繁複花邊，一看就知道應該頗具身分地位。

「啊，是藍波子爵夫人。」雷蒙目光越過我的胳臂喃喃說道，興味十足地準備欣賞店內的好戲。

「你認識她嗎？」櫃檯女孩想必認識，因為她不再對隨從大吼大叫，反而畏縮了起來，緊緊倚著擺放瀉藥的櫃子。

「是的，夫人。子爵夫人可貴得很，會害我損失不少錢。」

我沒多久就明白了他的意思。子爵夫人瞧見兩人原先是在為了裝醃漬植物的小瓶子爭論，二話不說便拿起瓶子，瞄準後方櫃面玻璃丟了出去，精準命中目標。

哐噹碎裂的巨響瞬間平息了騷動。子爵夫人朝女孩舉起一隻細長的手指。

「妳給我去拿黑藥水來。馬上。」她說道，聲音如金屬片般尖銳。

女孩張嘴貌似要反對，但一見子爵夫人準備拾起別的武器，馬上閉嘴衝到後面的工作室來。

雷蒙早料到她會進來，無奈地伸手取來一個瓶子，她一進門便塞到她手中。

「快拿去給她，不然她又要摔東西了。」他聳聳肩說。

女孩怯懦地回去覆命，雷蒙轉過身，臉上盡是苦笑。

「她來買毒藥對付死對頭——或者這麼說好了，她來買她以為是毒藥的東西。」他說。

「喔？所以那到底是什麼？苦鼠李？」我問道。

他驚喜地看著我。「妳懂得真多，是無師自通嗎？還是學來的？」他問道，隨後揮了揮手，不以為意地說：「不管怎樣都好啦！那是鼠李沒錯。她的眼中釘明天就會臥病在床了，樣子萬分痛苦，子爵夫人便會認為報復成功，也覺得這錢花得很值得。不過，這並不會對那個人造成永久傷害。那個人會慢慢恢復健康，但到那個時候，子爵夫人會以為這是對方請牧師祈福或法師施咒的緣故。」

「呃，那你店裡的損壞怎麼辦？」我問。午後的陽光射入店裡，照在櫃檯微微閃爍的玻璃碎片上，也照在子爵夫人臨走前扔下的那枚銀幣上。

雷蒙攤開手掌做出左右掂量的手勢，自古以來男人不置可否時，都是這副德性。

「終究可以打平的。等她下個月來買墮胎藥，我勢必要狠狠敲她一筆，除了彌補這回的維修費用，還可以再訂做三個新櫃子，她到時也會付得心甘情願。」他平靜地淺淺一笑，但語氣已不若先前調侃。「總會等到她。」

而我也很清楚他那對黑眼珠正打量著我的腹部，似乎已看出一些端倪。我不動聲色，但相當確信彼此是心照不宣。

「那你下個月給子爵夫人的墮胎藥會有效嗎？」我問道。

「也取決於時機嘍！」他又這麼回答，腦袋偏向一側，然後說：「早點服用的話，就不會有事，但拖越久就越危險。」

他的語氣明顯有警告意味，我便朝他笑了笑。

「不是我要吃啦！只是參考參考。」我說道。

他放鬆了下來。「啊，我也覺得妳應該不會那樣做。」

外頭街上傳來隆隆聲，原來是子爵夫人的銀藍馬車橫衝直撞地駛過，隨從在後方張牙舞爪地趕人。路人紛紛倉皇走避，被迫鑽進店家或巷弄，以免被馬車輾個正著。

「在燈柱上吊死他們！」❸我低聲說道。我難得會因為自己預知這個時代的後續歷史發展，而感到欣慰，像現在就有這樣的感覺。

「勿問死囚車在召喚誰，召喚的人正是你❹。」我脫口議論著，然後轉向雷蒙。

他的神情略顯疑惑。「喔？先別管這個了，妳剛才說妳拿黑水蘇當作瀉藥，我自己習慣用白水蘇。」

「真的嗎？為什麼？」

於是我們不再提及子爵夫人，開始坐下來談起眼前的生意。

---

❸原文「À la lantern!」是法國大革命初期，平民們在巴黎大街上處決貴族時喊的口號。

❹這句改自十七世紀英國詩人約翰．多恩（John Donne）的名詩句：「別問喪鐘為誰敲，它正為你而響。」（Ask not for whom the bell tolls, it tolls for thee）克萊兒用的 tumbril 一字原指「農車、施肥用的糞車」，但法國大革命時以此作為處決貴族的死囚車。

第九章

富麗凡爾賽

如果讓我發現妳在任何一間凹室裡，英國姑娘，
那位跟妳同處一室的男人
休想活命。
至於妳……

我輕輕關上客廳的門，靜靜站著片刻，設法鼓起勇氣，並嘗試深呼吸來穩定情緒。但鯨骨胸衣緊裹著我，讓我聽來反而像是快被勒死的喘息。

傑米忙著處理出貨訂單，聽到我的聲音便抬起頭來，一看到我頓時便目瞪口呆，說不出話來。

「好看嗎？」我小心翼翼地拉動裙襬，慢慢走進房間，並照著女裁縫師的指示輕輕擺動身子，展現身體兩側上端半透明的絲質側翼。

傑米這才閉起嘴巴，眼睛眨了好幾下。

「這……呃，顏色好紅喔？」他說。

「紅得不得了。」嚴格來說，這個顏色又名「耶穌之血」，據說是當季最時髦的顏色。

「這可不是每個女人都適合穿呦，夫人。但您看看您的膚色，我的天哪！肯定整晚都有男人要拜倒在您的石榴裙下！」當時女裁縫師如此說道。儘管她滿嘴別針，卻一點也不妨礙她說話。

「誰敢這樣，我就踩他的手指。」我說，畢竟這目的並不是為了我個人享樂。但我確實得吸引眾人目光，傑米希望我的打扮可以驚豔全場。儘管先前晨起接見時法國路易王還沒醒透，但陛下顯然對傑米印象深刻，特地邀請我們兩人參加凡爾賽宮舉辦的一場舞會。

傑米先前與我商量計畫時說：「我得跟手上有錢的那些貴族說上話。但我既無身分地位，手上又無權力，只能想別的法子讓他們主動找我。」他嘆了口氣，看著我身穿羊毛睡衣，毫無姿色可言。

「而且既然我們人在巴黎，恐怕得常出席社交場合，甚至要想辦法進入宮廷。他們知道我是蘇格蘭人，一定會問我有關查理王子以及蘇格蘭是否期待斯圖亞特王朝再起等等的事情。這樣的話，我就能低調地向他們證實，蘇格蘭人大多不希望斯圖亞特家族回來。雖然這麼放話有違我們所受的託付。」

「沒錯，還是低調謹慎點好，否則下回你去拜訪美王子，他可能會關門放狗。」我說道。傑米為了掌握查理王子的動向，如今每週都會固定拜訪查理王子在蒙馬特的小屋。

傑米淺淺一笑，說：「欸，不管是殿下還是詹姆斯黨成員，都以為我忠心支持斯圖亞特家族的復興計畫。只要法王接見的人是我而非查理王子，查理王子就不大可能知道我在宮廷裡的說詞。畢竟巴黎的詹姆斯黨成員都只跟自己人來往，也沒有財力混入上流社會。多虧了賈爾德，讓我們有這方面的資金。」

雖然賈爾德的理由跟我們截然不同，但他贊同傑米的提議，拓展平日的應酬排場。如果我們端出萊茵河的好酒交際，歡欣的娛樂消遣，以及飲之不盡的蘇格蘭威士忌（這些威士忌可是過去兩星期由穆塔夫負責監督運來的高級品，大老遠穿越英吉利海峽，一路送進我們的酒窖），就能引來眾多法國王公貴族與銀行世家大老登門拜訪。

「只要有樂子能吸引這些貴客就好。達官貴人只注重表象，所以首要之務，就是吸引他們的目光。」當時傑米這樣告訴我，並在一份對開大報背後擬定計畫。那期的報上還刊了首詩，繪聲繪影描寫塞維尼伯爵與農業大臣夫人間的緋聞。

如今，傑米見了我的新裝一副驚為天人的模樣，想必我已經成功達到首要目的。我滑步走著，蓬鬆的外裙宛如鈴鐺般晃動。

「不難看吧？」我問道：「反正夠搶眼，算達成我們的目的了。」

他終於回神開口。

「搶眼？老天，根本一覽無遺！我都可以看到妳的第三根肋骨了。」他聲音聽起來有點沙啞。

我低頭瞧了一眼。

「看不到吧！束帶下的不是我的皮膚，是白絲綢的襯裡。」

「可是看起來像啊！」他靠了過來，彎身檢查禮服上身，瞧著我的乳溝。

「都看到妳的肚臍了！妳該不會要穿這樣見人吧？」

聽到這話，我不禁有點惱怒。雖然裁縫師設計的禮服相當時髦，我也有些擔心是否太過暴露，但傑米的反應倒讓我倔強了起來，偏想跟他唱反調。

「要我搶眼一點的人是你呢！況且，和最流行的宮廷時裝比起來，這根本不算什麼。相信我，在培里儂夫人或魯昂公爵夫人面前，我絕對樸素到不行。」我雙手扠腰，冷眼看著他，又說：「難不成要我穿那件綠天鵝絨洋裝進宮？」

傑米眼神瞥向一旁，不再盯著我的乳溝，緊閉著雙唇。

「嗯……」他拗著蘇格蘭脾氣。

為了主動釋出善意，我走近他的身旁，一手搭在他的胳臂上。

「你進過王宮，一定看過那裡的仕女穿得有多華麗時髦，這件禮服真的沒那麼誇張。」

他向下瞄了我一眼，露出淡淡的微笑，帶著些許難為情。

「欸，話雖如此，可是……妳是我的妻子，英國姑娘，我不希望別的男人也用我看那些仕女的眼光來打量妳。」

我放聲大笑，雙手勾住他的後頸，拉他過來吻我。他扶著我的腰際，拇指不自覺輕按著收束上半身的柔軟紅絲綢。他的一隻手逐漸向上移動，滑過光滑的衣料，一路溜到我的頸背，另一手則覆住我柔軟的胸部，乳房被胸衣高高托起，性感的曲線僅隔一層薄紗。他突然把手放開，站直身子，搖了搖頭，滿懷疑慮。

「那妳也只好這樣穿了，英國姑娘，但拜託妳，務必小心。」

「小心？小心什麼？」

他露出哀怨的笑容。

「我親愛的夫人，妳究竟曉不曉得自己現在的模樣？我簡直忍不住想現在就要了妳。你認為那些該死的法國佬會像我這麼自制嗎？」他微微蹙眉，然後說：「妳不能……稍微遮一下這裡嗎？像是……褶邊之類的？或者絲巾？」他張開他的大手掌，在自己胸前亂揮了兩下，他胸前的滾邊胸飾用紅寶石領夾固定著。

「男人果真對時尚毫無概念。不過，你別擔心，裁縫師要我帶著這把摺扇就夠了。」我展開搭配禮服的蕾絲摺扇，做出花了十五分鐘才練好的手勢，姿態撩人地在胸前揮起扇子。

傑米眨了眨眼，若有所思地看著我的動作，然後轉身到衣櫃替我取來外衣。

「幫個忙，英國姑娘……」他邊說邊把那絲絨長外套披在我肩上：「找把大一點的扇子吧！」

若單就吸引眾人目光而言，這套禮服無疑相當成功，至於對傑米血壓的影響，可就難說了。

舞會上他緊跟在我身旁，勾著我的手肘，確保我的安全，凡有男子目光飄來，便一路怒瞪回去，一直到瑪里亞克家族的安娜莉絲出現，情況才稍加好轉。安娜莉絲腳步輕快，直直朝我們走來，她擁有精巧的五官，臉上堆滿歡迎的笑容，我卻發現自己的微笑僵硬不自然。傑米說，安娜莉絲是他在巴黎念書時的「普通朋友」，兩人算是鄰居。她也極為美麗動人，風采迷人，嬌小纖瘦。

「我的小搗蛋！有個人你一定得認識，應該說有好幾個人。」她招呼著傑米，頭歪向一群男士的方向，姿態像極了瓷娃娃。那群紳士圍著角落的西洋棋桌，似乎正在激烈爭論。我認得其中的奧爾良公爵和知名銀行家傑拉德．戈布蘭，看樣子是個頗具權勢的圈子。

「來幫他們下盤棋吧！」安娜莉絲催促著，纖細的手像隻輕飄飄的蛾降落在傑米的胳臂上，然後說：「待在那邊，待會比較有機會讓陛下再見到你。」

國王預計於晚餐後駕到，應該還要一、兩個小時才會到場。於此同時，賓客來來往往，相互攀談，或欣賞牆上畫作，或在摺扇後打情罵俏，或享用著醃肉、點心塔與美酒，不時隱身於簾後的凹室空間卿卿我我。由於凹室都巧妙嵌入房間牆板之中，幾乎不會引人注意，只有走近才會聽到裡頭的聲響。

傑米有些猶豫，安娜莉絲稍稍用力拉著他。

「來嘛，不用擔心你的夫人。」她催促著，同時也看了我的禮服一眼，頗為讚賞地說：「她不會落單太久的。」

「我就是擔心這件事……」傑米喃喃自語，然後說：「好吧，請等我一下。」他抽身走來，彎腰在我耳畔低語。

「如果讓我發現妳在任何一間凹室裡，英國姑娘，那位跟妳同處一室的男人休想活命。至於妳……」他的雙手不自主地朝劍帶的方向晃了兩下。

「你休想，傑米！你向你的短劍發過誓，再也不會對我動手，你立的誓就這麼廉價嗎？」

他這時勉強擠出笑容。

「我才不會動手，再怎麼想我都會忍耐。」

「很好。你以為你能怎麼處罰我？」我繼續逗著他問道。

「我自有法子。雖然還沒想到，但不會讓妳好受的。」他嚴肅地回答。

他最後用目光掃射一圈，然後宣示主權似的輕捏了我的肩膀，才讓安娜莉絲帶去棋桌，兩個人看上去，彷彿一艘小拖船正熱切拉著不甘願的大郵輪。

讓安娜莉絲說中了。少了傑米的怒目嚇阻，宮廷內的仕紳紛紛簇擁而上，好似一群鸚鵡撲向一顆熟成的百香果。

我的手不斷有人落下親吻，甚至不捨放開。天花亂墜的讚美洶湧而來，香料酒更是一杯接著一杯。半小時後，我的雙腳開始發疼，臉都笑僵了，手則因為不停揮著摺扇而抽痛。

我必須承認，幸好傑米當初對於摺扇的事毫不妥協。為了安撫他的敏感神經，我挑了把最大的摺扇帶在身上，大概超過三十公分了，上頭彩繪著蘇格蘭駿馬飛越石南花叢的風景。傑米雖不甚滿意扇面的畫風，但尚可接受扇子尺寸。於是我揮著這把大扇子，禮貌打發了一位過度殷勤、穿著紫衣的年輕男子，後來小口吃著鮭魚吐司時，便自然地把扇子擱在下巴，以防碎屑落到禮服上。

這扇子不只可以擋掉吐司碎屑，還有其他別的玩意。傑米因為足足高出我一個頭，才說可以看得到我的肚臍，不過這些法國朝臣多半比我矮小，所以我的肚臍可說安全得很。但另一方面……

我向來喜歡依偎著傑米，讓我的鼻子恰好埋在他的胸膛裡，而眼前的仰慕者矮小歸矮小，膽子卻很大，似乎也喜歡往胸膛擠。於是，我便得忙著大力搧起摺扇，搧亂他們垂在臉上的鬈髮，若他們仍不識相，我就會啪地收起扇子，敲敲他們的頭教訓教訓。

這時，門口隨侍忽然肅立，大聲宣告：「路易國王陛下駕到！」使我大大鬆了口氣。

路易王雖然黎明即起，但夜晚仍顯得神采奕奕。他身高約一百七十公分左右，僅比我高一點點，但進場的姿態與氣勢，卻讓人有種高壯的錯覺。只見他環顧四周，逐一向行禮的臣子頷首致意。

我仔細打量著他，心想這才是我的認知中國王應該有的模樣。儘管路易的外表並不特別英俊，舉手投足卻散發渾然天成的自信，當然，不僅他華麗的衣著彰顯了這點，周圍眾臣對他的恭敬態度也大為加分。他戴著時下流行的後梳假髮，外套是立絨呢的精緻毛料所裁製，繡滿數百隻飛舞的絲蝶，並於中間裁開，露出牛奶色的絲質背心，上頭有排鑽石鈕釦，好搭配鞋面上呈蝴蝶形狀的寬扣環。

他的一雙黑眼珠在低垂的眼皮下來回掃視眾人，一邊仰起波旁王室血統特有的寬大鷹勾鼻，似乎想嗅出現場誰最令他感興趣。

傑米外罩著蘇格蘭裙與披肩，內搭著硬絲綢黃外套與背心，加上長度及肩的熾烈紅髮，一條髮辮懸垂一側，頗有蘇格蘭傳統古風。他這身行頭絕對出眾，至少我一開始真以為是傑米吸引了路易王的注意，所以陛下才會刻意轉向，朝我們這裡大步走來。凡是國王行經之處，眾人自動退居兩側，有如紅海一分為二。我瞧見之前來過家中宴會的圖赫勒奈絲夫人緊緊跟在國王的後方，猶如大船激流後的小艇。

會這麼猜測的我，完全忘記了自己身上那襲鮮紅禮服。國王陛下在我面前停下了腳步，手置腰際彎身致意，動作十分誇張。

「*Chère Madame*！親愛的夫人，所有人都被妳迷倒了！」他說道。

傑米先深吸了口氣，才上前向國王行禮。

「陛下，容我向您介紹我的妻子，圖瓦拉赫堡夫人。」傑米起身往後退。他的手指朝我快速揮動，我一頭霧水地盯著他片刻，才恍然大悟他是要我行屈膝禮。

我行禮如儀，眼睛死命盯著地板，思考著抬頭後該看哪裡。盛傳為路易王現任新寵的圖赫勒奈絲夫人，站在路易王後方看著面前的介紹，表情顯得有些無聊。她全身上下的裝扮相當時髦，禮服已不只是低胸，而是「完全低於胸部」，僅以薄紗覆蓋，但顯然是為了流行需求，絲毫不具保暖或遮掩的功能。

我最為驚異的並非她的露乳禮服，而是她的「裝飾」。奈絲夫人的乳房大小適中，比例勻稱，有著褐色的大乳暈，乳頭則是綴以珠寶，使得其他的裝扮因而相形失色。那是對鑲著鑽石的天鵝，各有著紅寶石鑲成的眼睛，朝彼此伸展頸子，搖搖欲墜般棲於金環內，巧奪天工又光采鑑人。然而，一看到她那穿過乳頭的金環，我才真的驚駭不已。她的一對乳頭早已嚴重內縮，但因裝飾著大粒珍珠而看不出來，珍珠懸墜於一條細長金鏈上，串起兩邊的金環。

我站直身子，雙頰發紅，以咳嗽作掩飾暫離現場，退下時禮貌地以手帕遮掩口鼻，直到感覺後面有人才趕緊停下，差點直接撞到傑米，而傑米目不轉睛望著國王的情婦，完全不客氣的直盯著瞧。

「她跟瑪麗．阿班維爾說，是雷蒙大師幫她穿的乳環。」我低聲說道，而傑米依舊看得出神。

「我要不要也預約一下呢？我只要以我的葛縷子藥方交換，雷蒙大師應該會很樂意幫忙。」我說道。

傑米這時總算低頭瞄了我一眼，勾起我的手肘，領我朝點心間走去。

「如果妳敢再去找雷蒙大師，我就自己用嘴巴幫妳穿。」他抽動嘴角說道。

路易王如今朝著阿波羅廳走去，原本眾人讓出的空間，不久便擠滿了用完餐的賓客。傑米正在和一名船運公司的熱內先生交談，我偷偷地左顧右盼，想找個地方暫時脫下鞋子，休息休息。

附近剛好有個凹室，聽起來似乎沒人在裡頭。一位前來搭訕的男士糾纏不放，我便請他幫我再去拿杯酒，然後掃視四周，趁他離開的空檔溜進凹室。

凹室裡頭的裝潢似乎別有用心：一張沙發、一張小桌，還有一對椅子。這椅子分明就不適合坐，而是放脫下來的衣服用的。但我還是坐了下來，使勁扯下鞋子，雙腳翹在另一張椅子上，這才鬆了口氣。

我背後拉簾的吊鈴發出微微聲響，看樣子我趁機溜走還是給人注意到了。

「夫人！我們終於可以獨處了！」

「是啊，真是不幸。」我嘆口氣說道。我以為進來的是位伯爵，但眼下這位是個子爵，先前聽人介紹，正是矮個子的昂波子爵。我還記得他當時抬著頭，小眼珠閃閃發亮，透過我摺扇邊緣充滿愛慕地望著我。

他絲毫不浪費時間，矯捷地坐到另一張椅上，順手把我的雙腳抬到他大腿上，隔著絲襪抓起我的腳趾，熱切地磨蹭他的兩腿之間。

「啊，我的小美人！嬌嫩欲滴！妳美到讓我移不開眼睛！」

我想他大概真的精神錯亂，才會覺得我的腳特別嬌小，還竟然把我其中一腳抬至唇邊，就著腳趾輕輕啃了起來。

「妳這隻住在城裡的小豬豬……」

我連忙把腳從他手中抽開，站起身子，可是卻差點被厚重的襯裙絆倒，

「說到城裡的小豬……我先生要是發現你在這裡，應該會不大高興呦！」我緊張地說道。

「你先生？呸！」他手在半空揚了一下，不屑地說道：「他還得忙一陣子，我跟妳保證。既然凶巴巴的貓咪不在……就來我身邊吧！我的小老鼠，我想聽妳吱吱叫！」

這位子爵大概是想作好打架的準備，從口袋中取出琺瑯鼻煙盒，沿著手背熟練灑上一條黑線，再輕輕抹在鼻孔上。

他深吸口氣，雙眼發亮，似乎滿心期盼，卻忽地被扯開的簾子、啷噹作響的簾上銅鈴給嚇著。子爵被不速之客分了神，一個大噴嚏直接打在我的胸口上。

我放聲尖叫……

「你這個噁心的男人！」我怒罵道，用收起的摺扇甩了他耳光。

子爵踉蹌後退，淚眼汪汪，隨即被我那雙脫在地上的九號鞋給絆倒，一頭栽進站在走廊的傑米懷裡。

——

「你這下徹底引人側目了。」我終於開口說。

「我沒有把那混球的腦袋扭下來再教他吞下去，已經算是手下留情了。」他說。

「那樣的話，場面可就精采了。不過，把他丟到噴泉裡也不遑多讓了。」我冷冷地說道。

他抬頭望著我，深鎖的眉頭轉為勉強的笑容。

「欸，我可沒有淹死他。」

「子爵想必極為感激你的自制力。」

傑米哼了一聲。他站在凡爾賽宮內一間小套房的客廳中央，這是國王欽賜的房間，路易王因為子爵被丟進噴泉一事笑得樂不可支，堅持要我們留宿一晚，隔天再返回巴黎。

那時在露臺上，國王望著傑米濕透的高大身軀，然後說：「我的騎士，我們不希望你就這麼走了，這樣宮廷裡就會少了許多樂趣，我的夫人也絕不會原諒我。對不對，寶貝？」他伸出手，調皮地輕捏奈絲夫人一邊的乳頭。

這位情婦看起來似乎有點惱怒，但仍順從地露出微笑。不過，我倒發現只要國王一不留心時，她的目光便在傑米身上游移。我不得不承認，那時在火光映照下，傑米濕透的衣服緊貼著身體站在那裡，身上的水滴緩緩落下的一幕，確實氣宇非凡，但這不表示我喜歡她這般打量著他。

此時傑米脫下了濕襯衫，任它攤在地板上。他不穿衣服的樣子更是好看。

「至於妳，我不是告訴過妳，離凹室遠一點嗎？」他陰森森地盯著我。

「是啊！但除此之外，林肯夫人，戲好看嗎❶？」我客氣地問。

「什麼？」他直瞪著我，以為我在瘋言瘋語。

---

❶這句典故來自美國史上著名總統林肯一八六五年遇刺身亡的事件。由於林肯是在看戲過程中遇刺，因此這句便用來反諷一個人只注重雞毛蒜皮的小事而忽略大局。

「別管了，你不曉得這個典故。我意思是，你衝過來捍衛婚姻主權之前，有認識任何有力人士嗎？」

他從洗臉架上扯來一條毛巾，用力擦乾頭髮，然後說：「有，我和杜維內先生下了盤棋，最後還贏了，惹得他不怎麼高興。」

「聽起來是個好開始，但杜維內先生是誰？」

他笑著把毛巾丟給我：「法國財政大臣，英國姑娘。」

「你都惹他生氣了，怎麼還這麼開心？」

「他是氣自己輸了棋，英國姑娘，他得贏過我才會罷休。他禮拜天要來找我再戰一盤。」傑米說道。

「真有你的！那麼下棋的時候，你就讓他相信斯圖亞特家族重新掌權的機會微乎其微，然後再設法說服他，要路易王不必為斯圖亞特家族出資幫忙。」

傑米點點頭，雙手扒梳著濕漉漉的頭髮，爐火尚未燃起，讓他微微發抖。

「你怎麼學會下棋的？我還不知道你有這項才藝。」我好奇問道。

「柯倫．麥肯錫教我的。我十六歲時在里歐赫堡住了一年，每天都有家教教我法文、德文和數學等等知識。每天傍晚還會去柯倫房間花一個小時跟他下棋。不過，他通常沒多久就贏了。」他聽起來有些哀怨。

「難怪你下棋這麼高明。」我說。傑米的舅舅柯倫雖然身體因病殘缺，行動極為不便，但智識淵博，若馬基維利❷在世，想必也自嘆弗如。

傑米站起身，解開他的劍帶，瞇眼瞧著我說：「別以為我不曉得妳在打什麼鬼主意，英國姑娘，別想轉移話題灌我迷湯。我說過不能進凹室吧？」

「你說過不動手的。」我連忙提醒，同時防備地微微向後坐。

他又悶哼一聲，把劍帶拋到五斗櫃上，蘇格蘭裙則已脫下丟在濕透的襯衫旁。

「我看起來像是會對孕婦動手的人嗎？」他嚴肅問道。

我狐疑望著他。此刻他全身赤裸，濕漉漉的紅髮團團糾結，背上白疤清晰可見，宛如剛下船的維京海盜，一心只想姦淫擄掠。

「其實，你現在看起來，什麼事都幹得出來。至於凹室，你是說過不能進去。回想起來，我其實走到外面脫下鞋子歇腳也行，但我怎麼會料到竟有個傻瓜尾隨我，還來啃我的腳趾頭呢？如果你不打算動手，那你想怎麼樣？」我說道，牢牢抓著椅子的扶手。

他躺到床上，朝我露齒而笑。「快脫掉那身放蕩的禮服，英國姑娘，上床睡覺吧！」

「為什麼？」

「我不能揍妳，也不能把妳丟到噴泉裡。」他無奈地聳聳肩：「我很想徹徹底底地痛罵妳一頓，但還沒罵完我的眼睛可能就會閉起來了。」他打了個大呵欠，笑著朝我眨眨眼說：「明早記得提醒我啊！」

「好多了吧？」傑米深邃的藍眼裡滿滿的憂慮：「害喜這麼嚴重到底要不要緊，英國姑娘？」

我撥開因為汗水而黏覆在太陽穴的髮絲，並拿了塊濕毛巾輕擦臉部。

「我也不知道要不要緊，」我虛弱地說：「但至少我相信這很正常，有些孕婦在懷孕過程就是害喜這麼

---

❷十五世紀末義大利政治哲學家，為文藝復興時期重要人物，知名著作《君主論》提出以現實主義為基礎的政治理論，重視君王的統治權術與計謀。

嚴重。」聽起來不太舒服。

傑米掃視了一眼，不是桌上色彩斑斕的時鐘，而是平常窗外太陽的位置。

「妳還能下樓吃早餐嗎，英國姑娘？還是讓我叫女僕用托盤端上來？」

「不用，我現在好多了，讓我先漱漱口。」我確實好多了。說也奇怪，害喜發作時，反胃的感覺排山倒海而來，但吐完之後沒過多久，不適感竟完全消失。

我彎身面向洗臉盆，在臉上拍了些清水。此時外頭傳來敲門聲，我心想，應該是我們派回巴黎的僕人送新衣服來了。

沒想到，這時站在門口的是位侍臣，他捎來了一封午宴邀請函。

「陛下今天將與一位初抵巴黎的英格蘭公爵用餐。陛下順道召見幾位在巴黎的英格蘭大賈，好讓公爵大人有同鄉陪伴。由於有人向陛下提到您的夫人也出身英格蘭，因此一起邀請參加。」那位侍臣說明。

「好的，請回報陛下，這是我們的榮幸。」傑米瞄了我一眼後說道。

過沒多久，穆塔夫來了，依舊一臉陰沉。他帶了一大捆新衣服，以及我託他一併送來的醫藥箱。傑米帶穆塔夫到房內客廳交辦當日事務，我則忙著把自己塞進新禮服，一邊暗自懊悔當初拒絕僱用貼身侍女。我那一頭鬈髮亂得不像話，晚上又睡在一個蘇格蘭大塊頭濕熱的懷中，更顯得邋遢，糾結的髮絲四處亂翹，再怎麼梳都沒用。

我忙了半天才出來，滿臉漲紅，惱火不已，但頭髮還算整齊。傑米盯著我，嘴巴念念有詞，似乎說看起來活像刺蝟，但一收到我惡狠狠的目光，便十分識相地閉上了嘴。

在王宮的庭園漫步時，經過一座座花圃與噴泉，我的心情才逐漸恢復平靜。此時樹梢多半仍光禿禿的，但時節不過三月底，天氣卻異常溫暖，枝上嫩芽散發著生澀刺鼻的味道，步道兩旁是高聳的栗樹與白楊木，庇蔭著數百尊白色大理石雕像，群樹環繞之下，似乎可感受到其源源不絕的生命力。

我在一座雕像旁停下腳步。那是半裸的男子雕像，頭髮裡有結實纍纍的葡萄，口中吹著笛子，身上布巾的褶縫間也有葡萄垂落而出，而一隻毛茸茸的大山羊則在他足邊輕嚙享用。

「他是誰？牧神潘❸嗎？」我問道。

傑米笑著搖搖頭。他穿著原來那件蘇格蘭裙，外罩著舒適的破外套，這時一群群絮聒不休的朝臣行經，雖然身著華服，看起來卻沒傑米來得稱頭。

「不是，附近的確有座牧神的雕像，但這座不是，它是人的四大性情之一。」

「他的心情看起來不錯啊！」我抬頭看著這位山羊的好友，臉上堆滿笑容。

傑米大笑出聲。

「真虧妳是行醫人，英國姑娘！是性情不是心情。妳不曉得人體是由四種體液所組成嗎？它們代表不同的性情，面前這座是血液的化身，代表『朝氣』。」他指著眼前的吹笛手。接著，他指著步道前頭另一尊雕像說：「那座是黑膽汁的化身，象徵『憂鬱』。」那尊雕像身穿羅馬式長袍，手上攤著打開的書本。

傑米又指著步道另一邊說：「那座是黃膽汁的化身，代表『暴戾』。」只見一名肌肉發達的裸男，表情凶神惡煞，無視一旁石獅張開血盆大口、準備咬他的腿。然後傑米說：「最後那座則是痰液的化身，象徵『冷靜』。」

「是嗎？」最後那尊雕像留有鬍髭，戴著三角帽，雙手無動於衷地抱著胸，腳邊有隻烏龜。

---

❸希臘神話中半人半羊的神祇，主管畜牧與狩獵。

「唔……」我說。

「你們那個時代的醫者沒有學這些嗎？」傑米好奇問道。

「沒有，我們學的是『病菌』。」我說道。

「真的？菌……」他自言自語，反覆唸了幾回，發出呼嚕嚕的蘇格蘭捲舌腔，讓那個字聽起來更加來者不善，然後說：「那病菌長什麼樣子？」

我抬頭看著象徵「美利堅」的雕像：一名待嫁少女，穿著羽毛裙、戴著頭飾，腳邊爬了隻鱷魚。

「反正不會是這麼美麗的雕像嘍！」我說道。

一看到那隻鱷魚，我便想起雷蒙大師的店。

「你真的不讓我去找雷蒙大師，還是因為不想讓我穿乳環？」

「我當然不希望妳去穿乳環。」他堅決說道，勾著我的手肘催我繼續往前走，深怕美利堅的裸胸影響我，接著說：「但我也不希望妳去找雷蒙大師，外頭關於那個男人的謠言還不少。」

「巴黎的謠言本來就多不勝數，而且我敢打賭，雷蒙大師全都曉得。」我說道。

傑米點點頭，頭髮在春日陽光下微微發亮。

「我也這麼認為。然而，我光在酒館和客廳就能打聽到夠多的消息，不必求助於他。聽說雷蒙大師是某個圈子的重要人物，但絕對不是詹姆斯黨的人。」

「真的嗎？那是什麼圈子？」

「密教團體，可能是巫師。」

「傑米，你該不會真的擔心這種怪力亂神的事吧？」

我們抵達了花園裡人稱「綠毯」的區域。早春時分，廣闊的草地僅微染綠意，但依然有不少人漫步躺臥其上，絲毫不浪費難得和煦的天氣。

「我擔心的不是巫師，而是聖日耳曼伯爵。」他終於開口，並在連翹樹籬附近找塊草皮坐了下來。

儘管有著陽光與羊毛披肩的溫暖，當我一想起在阿弗赫時，聖日耳曼伯爵那雙黑色眼珠裡透露的神情，還是不禁打了冷顫。

「你覺得雷蒙大師和他有瓜葛？」

傑米聳聳肩：「我不知道，但妳不是說過關於他的謠言嗎？如果雷蒙大師是那個圈子的一員，我認為妳應該離他遠一點，英國姑娘。」他露出苦笑說：「妳如果又被判了火刑，我就得再救妳一次了。」

樹下的陰影搖晃，喚起了我在克蘭斯穆村的記憶，那陰暗濕冷的賊坑，讓我又打起冷顫，於是把身體挪向傑米，並接觸更多的陽光。

「我也不希望再經歷一次。」

我們身旁那處已開花的連翹樹叢下，許多鴿子正在草地上追逐求愛，宮廷的男男女女也在雕像間的步道上打情罵俏，但最大的差別在於鴿子安靜得多了。

一個身穿水綠色雲紋絲綢的人影經過我們的後方，興高采烈地嚷嚷前晚的那齣戲多麼出神入化；他旁邊三名服裝較樸素的女伴，則順從地附和。

「厲害了！古艾勒的聲音演技實在厲害！」

「簡直棒透了！」

「過癮、實在過癮！只能用厲害來形容！」

「對啊，非常厲害！」

四人的聲音尖銳如釘。相較之下，離我幾公尺之外的雄鴿，則發出低沉悅耳的咕咕聲，並鼓起胸部、不斷點頭，牠的求偶聲音先是渾厚，再轉為高昂，向心儀的對象獻上真心，只是雌鴿尚未領情。

我的目光越過鴿子，專注於穿著水綠綢緞的侍臣。他忽然衝回原路，拾起一只蕾絲手帕，顯然是其中一名女伴先前刻意拋下的誘餌。

「為什麼那些宮女都叫他『L'Andouille』？」我問道。

傑米咕噥的兩聲頗具睡意，然後睜開一眼，望著侍臣離去的背影。「那是『香腸』的意思，代表他管不住褲子裡的老二。如果傳言屬實，那些宮女、隨從、嬪妃、侍者等等，他全都來者不拒，甚至連貴族們養的那些狗兒也不例外。」傑米瞇起眼睛望著那名侍臣消失的方向，有位宮女正從同一個方向緩緩走來，豐滿的胸前趴著一頭毛茸茸的小白狗，他接著說：「還真是亂來，我可不會隨便讓汪汪叫的小狗靠近我的羅傑。」

「你的『羅傑』？」我說道，跟著聊了起來：「我時常聽到有人把自己那話兒叫作『彼得』，美國人不知為何老愛叫它『迪克』。曾經有個病人很喜歡戲弄我，我就說他是個『聰明的迪克』❹，他笑到連縫線都差點綳開了。」

傑米也大笑不已。然後，他伸著懶腰，享受溫暖春日的照拂，眨了眨眼、翻過身，滿臉笑容地看著我。

「妳也把我逗樂了，英國姑娘。」他說。我把他額上頭髮撥開，吻了他的眉間。

「為什麼男人要幫老二取『約翰湯馬士』或『羅傑』這些名字？女人才不會做這種事。」我問道。

「不會嗎？」傑米興味盎然地提出疑問。

「當然不會，就像我也不會把自己的鼻子叫作『珍』。」

這可讓他笑到上氣不接下氣。這時我翻到他身上，享受那胸膛厚實的起伏。我用力將臀部向下壓，但隔著層層襯裙，起不了挑逗的作用。

「但女人不會像男人的老二不聽話，老是自顧自地舉起或垂下。至少就我所知是如此，對吧？」傑米合理推斷，但揚起一邊眉毛，半是向我證實他的推測。

「確實不會，真得感謝老天。只不過，我很好奇法國人該不會把那話兒叫作『皮耶』❺吧！」我邊說邊把目光瞥向一旁路過、身著綠色絨面雲紋衫的貴族公子。

傑米克制不住地狂笑起來。鴿群受到驚嚇，紛紛飛出連翹樹叢，忿忿地拍打翅膀，灰色羽毛四處飄散。那隻毛茸茸的白色哈巴狗，原本還像一團破布，懶洋洋窩在主人懷中，如今也醒了過來，發現自己有責任在身，遂從溫暖的懷抱縱身躍下，宛如一顆彈跳的乒乓球，衝進鴿群裡追逐，不由分說地亂吠一通，而主人也在牠後方高聲狂喊。

「我也不清楚，英國姑娘。我只聽過有個法國人叫老二為『喬治』。」他說道，好不容易恢復鎮定，擦拭眼角泛出的淚水。

「喬治！」我驚聲叫了出來，吸引一群路過侍臣的注意。其中一位侍臣身材矮小但朝氣十足，一襲黑衫戲劇性地綴以白緞披帶，停在我身旁深深鞠躬，脫帽時帽沿掃過我的腳邊。他一眼因腫脹而緊閉，鼻梁留有瘀青傷口，但是無損他的儀態。

「隨時為您效勞，夫人。」他說。

---

❹ 詞意為「自以為是的討厭鬼」，但字面上有「聰明的老二」的雙關，所以被指涉的病人被克萊兒幽默的反擊逗得哭笑不得。

❺ Pierre（皮耶）是常見法國男子名，這裡是針對前述英美兩國以其常見的男子名 Peter、Roger、Dick 作為生殖器代稱而來的。

要不是那些該死的夜鶯，我本來不會有事的。宴會廳悶熱難耐，擠滿宮中朝臣與觀眾，而我的禮服裡有根支架不慎鬆脫，只要我一吸氣就會無情戳著我的左臀。此外，我還飽受懷孕之苦，每隔幾分鐘就想上廁所。儘管如此，我本來還是可以撐下去的，畢竟比國王先行離席，可是犯下大不韙，儘管與凡爾賽宮的正式晚宴比起來，午宴的場合較為隨興，至少就我所知是如此。不過，「隨興」也只是相對而言罷了。

果然，現場只有三種調味醃菜，而不是正規晚宴的八種；一道清湯，而非濃湯；鹿肉僅僅烤過，而非做成串燒；魚肉則以紅酒煮過，香味四溢地切片盛盤，而非整隻魚跟蝦子鋪在一大片肉凍上方。

但或許是擔心菜色過於單調樸素，一位廚師端出一道別開生面的前菜：鳥巢。那個鳥巢巧妙地由一條條派皮組成，飾以幾條開花的蘋果枝枒，邊緣則擺著兩隻剝了皮的烤夜鶯，裡頭塞滿了蘋果與肉桂，外頭再飾以原先的羽毛；巢內則是一整窩雛鳥，迷你翅膀未發育完全，烤得棕黃香脆，光禿的嫩皮裹著蜂蜜的糖衣，焦黑的鳥喙張得老開，裡頭塞的杏仁膏依稀可見。

這道別致的前菜先在桌上繞了一圈，眾人莫不低聲驚嘆，然後才置於路易王的面前。他原本還在與奈絲夫人說話，這下轉過頭來，順手取出一隻雛鳥丟到嘴裡。

路易王的嘴中傳來咔滋咔滋的聲音。我看得出神，只見他喉嚨肌肉抖動，我彷彿可感受到碎骨滑進了我自己的食道。路易王又伸出棕色的手指，打算再取一隻雛鳥來吃。

此刻我也決定，雖然提前離席冒犯陛下，但就此孕吐的下場可能更慘，於是我二話不說便向外衝去。

過了一陣子，我才從灌木叢中站直身子，然後聽到後頭傳來腳步聲。原以為轉身之後會與怒氣沖沖的園丁四目相望，在我慚愧地回頭後，眼神交接的對象卻是怒不可遏的丈夫。

「可惡，克萊兒，妳非得動不動就吐嗎？」他厲聲問道。

「你說對了。」我說，疲累地癱坐在外觀華麗的噴泉邊，濕濡的雙手在裙子上擦了擦，接著說：「你以為這很好玩嗎？」我突然覺得輕飄飄的，於是閉上雙眼想恢復平衡感，以免整個人往後栽進噴泉。

傑米一隻手及時扶住我的腰，我的身子半倚著他，然後滑進他懷中，他於是坐到我身旁摟著。

「天哪！對不起，我的美人，妳還好嗎？」

我稍微挪開身子，抬起頭看他，露出笑容。

「我沒事，只是有點頭暈而已。」我伸出手，想抹去他額上憂心的抬頭紋。他也擠出微笑，但棕色濃眉間那道直痕依舊深刻。他把手伸進噴泉，掬了清水輕拭我的臉頰。我看起來肯定蒼白得不得了。

「對不起，傑米，我真的是忍不住。」我說道。

他濕濡的手溫柔捏著我的頸背，既厚實又沉穩，噴泉內一隻大眼海豚噴灑著薄霧似的水花，在我的頭髮上覆了層細細的水珠。

「不必理會我剛剛的話，英國姑娘。我不是故意要凶妳的。只是……」他一手無奈地揮動，然後說：「只是我覺得自己既笨又派不上用場，見妳這麼難受，明知道是我害的卻無能為力。我只好怪妳，把氣出在妳身上……妳為什麼不叫我下地獄算了，英國姑娘？」他脫口而出。

我岔氣大笑，直到肚子被束腹給勒疼了才止住，一邊扶著他的胳臂以保持平衡。

「下地獄吧！傑米。」我終於開口，拭著泛出的淚水，然後說：「直接去，不准轉彎、沿途逗留，不用等了。這樣總行了吧？」

「行！」他眼神亮了起來，接著說：「妳只要開始說傻話，我就知道你沒事了。妳覺得好多了吧，英國姑娘？」

「好多了。」我坐直身子，開始注意起周遭環境。由於凡爾賽宮園區對外開放，因此可見一群群商人、工人與身穿華服的貴族身影交錯，一起享受好天氣的奇觀。

突然，附近通往露臺的那扇門砰地打開，國王的賓客湧入庭園，閒聊聲此起彼落。午宴人潮才剛出籠，另一批代表團就加入陣仗，他們想必是乘著那兩輛大型馬車而來，眼下馬車正繼續沿著庭園邊緣，駛往遠處的馬廄。

相較於四周朝臣五顏六色的服飾，這群初來乍到的客人無論男女，穿著都相當樸素。吸引我注意的並非他們的外表，而是其說話的音調。遠處一些朝臣操著法語，像極了鴨鵝間的嘎嘎鳴叫，帶著那個語言特有的鼻音腔調。然而，這群初到的人說的則是英語，語調悠閒許多，不見太多抑揚頓挫，但也因距離有點遠，難以分辨每個人的聲音，聽起來宛如一群牧羊犬向人示好低吠。而當這兩群說著不同語言的人一起朝我們的方向走來，聽起來就頗像一群狗兒正趕著一批野鵝上市集。

這群英國人來得有些晚，隨從先巧妙引領他們入園，讓廚房的人匆忙準備另一頓午餐，替他們重新擺設桌宴。

我好奇地打量這群人。我認得森丁罕公爵，先前曾在蘇格蘭的里歐赫堡打過照面，他那虎背熊腰的身材相當好認，如今他走在路易王旁邊，禮貌地傾聽陛下說話，時髦的假髮微微翹著。

其他人我大都不認識，不過剛進門的中年貴婦想必是克雷摩公爵夫人，之前我聽說她會出席。今日的場合就連難得亮相的王后也現身了，不然通常她只能待在鄉間別墅自己找樂子。眼下她正與訪客談天，神情甜美又熱切，難得出席這類場合，她興奮得雙頰泛紅。

公爵夫人背後的女孩吸引了我的目光。她的衣著簡單，外貌卻姣好出眾，身材嬌小但不失豐腴，有一頭無抹粉的烏黑秀髮，以及極為白皙的肌膚，雙頰則透著深粉色，看起來宛如花瓣。

她身上的色澤不禁讓我想起，在我自己的時代，我曾經有件輕柔的棉質連身裙，上面點綴著紅罌粟花的圖案。不知為何，一陣思鄉之情忽然湧上，我抓著大理石長椅邊緣，眼皮微微刺痛，漾著回家的渴望。我心想，應該是聽到有人說英語的緣故。幾個月來，我周遭盡是輕柔悠揚的蘇格蘭語與鼻音濃厚的法語，這群意外的訪客口中樸實的英語，倒帶來了家鄉的親切感。

然後，我看到了他……

我感覺自己的臉頰瞬間失了血色，不敢置信地盯著眼前那顆腦袋，優雅自若，一頭黑髮，在眾多抹粉假髮之中尤其顯眼。我的腦中嗡嗡迴盪著警報聲，眼前浮現熟悉的人影，情感上不知該接受或是抗拒。我看到那鼻梁的線條，看著那熟悉的嘴角微微上揚，下意識想著：「是法蘭克！」就想轉身準備飛奔過去迎接他時，理智卻警告我那絕非我所想的那個人。腦海中響起「妳知道那不是法蘭克」的警告，讓我停下腳步，雙腿就這麼僵在原地。

這時我的理性思緒開始取代直覺反應，我拳頭緊握、胃部糾結，開始陷入一種恐慌，再看到他的高眉與歪頭透露出的傲慢，我越發確信，這人不可能是法蘭克，而若不是法蘭克，唯一的可能就是……

「黑傑克。」說話的是傑米，聲音出奇的平靜與漠然。他因為注意到我古怪的舉止，朝我眼神的方向望去，而看到了同樣的畫面。

傑米動也不動，而在內心慌亂越發強烈的當下，我發現他甚至連呼吸都停止了。附近似乎有僕人好奇抬頭望著他，打量我身旁這名文風不動、有如一尊戰神雕像的蘇格蘭高個子，但我眼中只擔心著傑米。

他的身體全然靜止，宛如一頭與原野合而為一、伺機而動的獅子。他的雙眼燃燒的怒焰、一眨也不眨，彷彿曬焦非洲大陸的烈日。我在他深邃的眼眸中，看到蠢蠢欲動的閃光，這頭獅子正緊緊跟蹤獵物，尾巴尖端微微抽動，準備大開殺戒。

若在國王面前動武，便是死罪一條。穆塔夫此刻正在庭園的另一頭，也派不上用場。只要再往前走兩步，就能聽清楚藍鐸的聲音，同時也是揮劍可及的距離。我一手放在傑米的手臂上，發現他的肌肉一如他手下的金屬劍柄，堅韌而強硬。耳邊的熱血一時湧上，我眼前一陣發黑。

「傑米……」我輕喊著：「傑米！」便暈了過去。

第十章

一頭褐色鬈髮的女子

但那不是袖珍畫，那是面鏡子。
我滿臉漲紅，嘴唇顫抖，
看著法蘭克的手指沿著我的下顎，
滑過我的脖子。

我奮力向上泅泳，終於脫離了揉合陽光、灰塵與記憶碎片的熠熠薄霧，只覺得頭暈目眩。

法蘭克傾身看著我，深鎖的眉頭寫滿憂心。他握著我的手，不對，這人不是法蘭克，法蘭克的手沒這麼大，同時我的手指正觸碰到眼前男人腕上粗硬的毛髮，不像法蘭克的雙手如女子般光滑。

「妳還好嗎？」是法蘭克的聲音，低沉而斯文。

「克萊兒！」這個聲音更為低啞，絕非出自法蘭克之口，不僅毫不斯文，語氣中還充滿了恐懼和煎熬。

「傑米。」我終於想起倒下前腦海中的那個人。「傑米！不要去……」我猛然坐起身子，瘋狂掃視著眼前的一張張臉孔，發現我身邊正環繞一圈充滿好奇的貴族與侍臣，他們還留了中間一小塊空地給國王陛下。路易王正傾身凝視著我，一臉同情又覺得有趣。

兩名男子單腳跪在我身旁，右邊是傑米，雙眼大瞠，臉色蒼白，背後是一叢盛開的山楂花。而在我左邊的是……

「還好嗎，夫人？」褐色的雙眼帶著出於禮貌的關心，整齊的濃眉好奇地揚起。他當然不是法蘭克，但也不是黑傑克，這個男人比黑傑克至少年輕十多歲，說不定年齡還與我相仿。他的面容缺乏黑傑克風吹日曬的痕跡，白皙而平滑，唇形雖同樣俊秀，但少了黑傑克特有的凶殘。

「你……」我失聲問道，同時也忍不住想躲開他：「你是……」

「在下是準騎士亞歷山大．藍鐸，夫人。」他答得迅速，一手作勢朝頭伸去又縮回，似乎原想脫帽致意，卻發現自己無帽可脫，又帶著遲疑問道：「我們應該是初次見面吧？」

「我……呃，是啊！初次見面。」我說完，往後癱在傑米的臂彎內。他的胳臂穩如鐵柱，但握著我的那隻手卻顫抖著，我把我倆交握的手藏在裙縫裡。

「這樣介紹挺不正式的，夫人，呃……應該說圖瓦拉赫堡夫人，對吧？」一聽到這個高亢的聲音，我的目光回到正上方，發現雙頰泛紅、臉形圓潤的森丁罕公爵站在塞維尼伯爵和奧爾良公爵的背後，一臉有趣地看著我，接著他笨拙地往前擠，然後伸手扶我起身，並向一臉困惑的亞歷山大．藍鐸點點頭。

「藍鐸先生是我聘請的助理，圖瓦拉赫堡夫人。雖然擔任聖職是莫大的光榮，但是再怎麼光榮還是賺不了什麼錢，對吧？」面對公爵的揶揄，那位年輕人微微臉紅，但仍禮貌地朝我點頭，對這番介紹不表異議。我這時才注意到，他一身肅穆的黑外套，搭配高挺的領飾，儼然是名初出茅廬的教士。

「公爵閣下說的沒錯，夫人。儘管如此，對於公爵閣下的知遇之恩，在下銘感五內。」雖然他說得冠冕堂皇，但雙唇微微繃緊，看起來似乎有些詞溢乎情。我瞄了公爵一眼，那雙藍眼睛面對太陽，正瞇成了一條直線，表情淡定得難以參透。

路易王忽然拍拍手，一小撮人紛紛退開，兩名隨從上前，左右各攙著我一隻手臂，強行把我架到轎椅上，無視我的抗拒，以及最後放棄掙扎後的致謝。

「區區小事無足掛齒，夫人。回家好好休息，我們可不希望明天妳身體不適，這樣就無法參加舞會了。」路易王說道，褐色大眼對我眨呀眨，提起我的手吻了一下。他稍稍向傑米頷首致意，但目光仍停留在我身上，傑米則努力保持鎮靜，連忙答謝陛下的厚愛。路易王接著說：「既然這位大人想表達謝忱，不妨答應讓我向你美麗的妻子邀一支舞吧！」

聽到這項請求，傑米不禁嘴唇緊閉，但也躬身回禮，然後說：「如此獲得陛下垂愛，內人與我都備感榮幸。」他朝我瞥了一眼，繼續說：「倘若她身體恢復得差不多，明晚可以出席舞會，想必會樂意與陛下共舞。」話一說完，傑米未待路易王揮手免禮，便轉過身子，頭朝著抬轎的人示意。

「回家。」他說。

我坐在轎內，既顛簸又悶熱，穿越一條條混雜花香與水溝味的街道，終於回到住所。我脫下厚重的禮服和讓我備受折騰的支架，換上了一件絲質睡袍。

傑米閉著雙眼坐在空空的壁爐旁，手放在膝上，似乎在思考。但他的臉色白得就像身上那件亞麻襯衫，在爐臺陰影中微微發亮，恍如鬼魅。

「我的老天。」他喃喃低語，搖頭說道：「謝天謝地，真是好險。我差一丁點就殺了他。克萊兒，要不是妳……天哪，當時我腦袋只剩一個念頭，就是殺了他。」他說得斷斷續續，因為湧上心頭的強烈情緒，再度激動顫抖起來。

「來，你把腳翹高會好一些。」我催促著他，拉來一張笨重的腳凳。

「不，我沒事了。」他揮手作罷，然後說：「所以他是……喬納森．藍鐸的兄弟嘍？」

「我覺得機率極高，畢竟也不太可能是其他人。」我苦笑。

「妳本來就知道他替森丁罕公爵工作嗎？」

我搖搖頭說：「不知道。我只認得他的名字，知道他是位助理牧師。法……法蘭克沒特別研究與他相關的事，因為他不屬於直系祖先。」我一提到法蘭克，聲音就微微顫抖，洩漏了心思。

傑米放下皮酒袋朝我走來，然後彎身把我抱起，緊緊摟在他的胸前。他的襯衫裡散發出凡爾賽花園的氣味，芬芳又清新。他親暱地吻了我的頭髮，然後轉身向床走去。

「來躺著吧！克萊兒，」他平靜地說：「真是漫長的一天，我們都累了。」

我本來擔心，此回遇見亞歷山大．藍鐸，傑米又會開始做噩夢。雖然這一類噩夢並不常發生，但是我還是偶爾會發現他在半夜醒來，身體僵硬處於備戰狀態。他往往會踉蹌下床，整晚待在窗邊，彷彿只有靠在出口旁才得以安心，也拒絕旁人的安慰或打擾。到了早晨，傑米便會憑藉著鋼鐵般的意志力，把黑傑克一干蟄伏於暗夜的心魔強壓回籠，一切又安然無恙。

但這次傑米很快便沉沉睡去，我吹熄蠟燭時，他的表情平靜自若，白天的緊張已消失無蹤。可以這樣躺著不動，實在是件幸福的事。冰冷的四肢逐漸暖了起來，隨著睡意慢慢來襲，背部、頸部與膝蓋的痠痛也跟著散去。由於不再像白天那樣戒慎恐懼，我的腦海開始不斷重播王宮外的情景：在那一瞬間，那頭黑髮、高額、貼近的雙耳與稜角分明的下顎，讓我一眼就誤認，喜悅與煎熬像是一記重拳捶上心頭，直教我喘不過氣。「他是法蘭克，」當時的我心想：「一定是法蘭克。」在我慢慢進入夢鄉時，腦中浮現的已是法蘭克的臉。

這間倫敦大學的講堂與其他教室並無二致：天花板是古老木材所搭建，地板則鋪著具現代感的油氈，任憑眾人不耐煩的雙腳踐踏磨損。這裡的座位清一色是老舊長椅，新桌子則留給科學課程使用，若是輪到歷史課，六十年傷痕累累的木桌便可湊和——畢竟主題固定不變，教學空間又何必改變呢？

「有些東西可當古董欣賞，有些東西著重實用價值。」那是法蘭克的聲音。他修長的手指撫觸銀燭臺的邊緣，陽光從窗外灑落，照得燭臺閃爍銀光，彷彿他的手指有電流通過。

這些全是大英博物館借來的古物，沿著桌邊排成一列，近到前排學生可瞧見許多細節，比如泛黃的象牙製法式棋盒的表面裂縫，以及陶製菸斗邊緣的棕色菸漬。他背後的其他玩意兒包括一只英式鑲金香水瓶；一鑵鍍銅墨水瓶，瓶蓋刻有緣飾；裂痕斑斑的牛角匙；大理石製的小鐘，上頭有兩隻天鵝喝著水。這些物品後方則是另一排迷你彩繪肖像，平攤在桌上，臉部細節因反光而顯得模糊。

一頭黑髮的法蘭克正彎身端詳這些物品，神情專注。午後陽光映照下，他的髮絲微微泛著紅光。他拿起陶製菸斗，單手捧握著像蛋殼一般。

「有些歷史我們可以仰賴古人的記錄去了解；有些歷史我們只能靠著遺留的物品去拼湊。」他說道。

他把菸斗移至嘴角，噘嘴鼓頰，眉頭挑高，模樣逗趣。臺下傳來眾人的悶笑聲，他笑了笑放下菸斗。

「藝術和古董……」他指著面前陳列的物品，接著說：「這些都是相當常見、用來妝點社會的裝飾品。有何不可呢？」他對著一位相貌聰穎的棕髮男孩說。這是一流講師慣用的伎倆，從觀眾中挑出一位出來對話，彷彿在場只剩你們兩人，過一會兒再換另一位，眾人的焦點就會放在你的演講上。

「這些東西都很漂亮，值得保存。」手指輕碰，時鐘上頭的天鵝便開始轉圈，彎曲的頸項優雅地交互移動。「但誰會費心去收藏破舊的茶壺保溫罩，或是磨損的輪胎呢？」這回成為他目光焦點的是位戴著眼鏡的金髮美女，她面帶笑容，嘻笑回應著。

「至於實用的物品史料並不會記載，通常它們用完或損壞了，就會立刻被丟棄，但事實上唯有這些東西才能讓我們了解普通人的生活。比方說，這些菸斗的數量就能告訴我們，社會各階層所使用的菸草種類和頻率，從上到下。」他的手指敲了一下釉色鼻煙壺的蓋子，象徵社會的上流階層，然後撫觸著直挺的菸斗柄一路往下，他的動作充滿愛憐，充滿熟稔的感覺。

一位中年婦人奮力逐字抄寫，後來才察覺法蘭克正瞧著她。她笑咪咪的棕色眼睛旁，擠出好幾道皺紋。

「不必記下每個字，史密斯夫人，這堂課有一小時，到時妳的鉛筆就不夠用了。」他笑著告誡。

婦人漲紅了臉，放下了鉛筆，害羞笑著，以回應法蘭克修長的臉上親切的笑容。他已然征服全場，大家都感受到話語的幽默、聆聽著言詞的機鋒。如今，他們精神抖擻、毫無怨尤，願意跟著他爬梳邏輯的脈絡，進而展開深入的討論。他漸漸察覺到學生全神貫注地聽課，背頸原先的緊繃也隨之消失。

「歷史最佳的見證人，應該是活過那個時代的人們，不分男女……」他對那名金髮美女點點頭。「只要親身經歷過就是見證人，是吧？」他笑了笑，拾起桌上的牛角匙，然後說：「但畢竟人性嘛，如果知道有人將來會讀你的東西，難免會想呈現最好的一面，所以只會專注描寫自認為重要的事情，而且多半會稍微刪修，好符合大眾口味。寫歷史的人很少會真的像那位著名作家裴皮斯❶的日記一樣，大至王室的遊行陣仗，小至每天晚上自己使用幾回夜壺，都鉅細靡遺地描寫。」

臺下眾人聽了哄堂大笑，法蘭克放鬆下來，向後倚著桌子，拿著那支匙子比畫。

「同樣地，好看的藝術品最常流傳下來。然而，那些不被重視的夜壺、湯匙或是不值錢的菸斗，如果我們認真研究，也可以藉此了解當時的人，甚至懂得更多。」

「那麼，過去的人又是什麼樣子呢？凡是想到歷史人物，我們很容易以為他們跟我們大不相同，有時還把古人當作神話看待。但是過去曾經有人用這組棋來做消遣。」他用修長的食指摸著棋盒，「有位女子曾經打開這個瓶子，」他輕推香水瓶，「蘸點香氛抹在耳朵後方或手腕上頭……還有哪些地方呢？」他忽然抬頭對著前排一位豐腴的金髮女孩微笑，只見女孩一臉羞赧咯咯笑了，靦腆地輕碰上衣的領口作為回答。

「沒錯，還有那裡。這罐香水瓶的主人想必也會如此。」他依舊對女孩笑著，一邊打開瓶蓋，輕輕在鼻

---

❶ Samuel Pepys：十七世紀英國文官，他於一六六〇年至一六六九年那十年間，寫下了鉅細靡遺的日記，描述當時英國發生的多場災難，與社會上的人生百態，不僅在文學史上占有一席之地，同時也是後世研究當時生活的重要史料。

下晃了晃。

「什麼味道呢教授？浪凡的琶音香水？」另一位學生毫不害臊地開口發問，她有跟法蘭克一樣的黑髮，灰色的眼眸透露挑逗的意圖。

他闔上眼深吸口氣，湊在瓶口的鼻孔張大。「不，是嬌蘭的藍調時光才對。我的最愛。」

他轉身面向桌子，神情專注，劉海遮住眉毛，一隻手在那排袖珍肖像畫的上方徘徊。「然後還有一類物品相當特別——肖像畫。除了是藝術外，我們也可窺見古人的樣貌。但它們的真實度究竟有多高呢？」

他拿起一幀迷你的橢圓肖像，翻過來讓全班觀看，然後朗讀黏在背面的小標籤：「仕女圖，畫家為納桑尼爾・普利莫，簽有名字縮寫，繪於一七八六年。她的褐色鬈髮高高盤起，身穿一襲粉紅禮服與荷葉邊襯裙，並以雲朵與天空作為背景。」他又拾起一個方形肖像與之並列：「紳士圖，畫家為霍勒斯・宏恩，簽有花體姓名字母，繪於一七八〇年。他的頭上垂著綁成一束的塗粉假髮，身穿棕外套、藍背心，戴著長條胸飾與巴斯勳章。」畫中是位圓臉男子，嘴唇紅潤，微微噘起，典型十八世紀肖像畫的姿態。

「我們知道，」他邊說邊把肖像放下，接著說：「畫家會在作品上簽名，或是利用特定手法或主題等蛛絲馬跡，供後人辨認作者的身分。但他們畫筆下的角色呢？我們雖然看得見這些人物的樣貌，卻對他們一無所知。無論是奇特的髮型、古怪的服飾，都不像我們熟知的人，對吧？而許多畫家都把人物的臉孔畫得很像，除了圓胖蒼白，你多半說不太出其他特色。不過，偶爾會有與眾不同的作品……」他的手在那排袖珍肖像上游移，挑了另一幅橢圓的作品。

「再來看這位先生……」他拿起那幅袖珍畫作，傑米湛藍的眼眸從畫面上直直凝望前方，襯托著他一頭難得梳理整齊、編成髮辮的火紅長髮，模樣正經八百，讓人不大習慣。領飾上方那只削尖的鼻梁相當突出，而長長的嘴似乎欲開口說話，嘴角半彎。

「他們都是有血有肉的人。」法蘭克的語氣堅定，然後說：「他們平時做的事和各位差不多，當然一些小地方除外，像是看電影或開車。」臺下傳來陣陣竊笑。「但他們也關心自己的孩子，愛著自己的另一半……呃，有時候是真的愛啊！」全班笑得更大聲了。

「這位女士……」他溫柔說道，掌中有最後一幅袖珍畫，他稍稍將其遮住。「褐色鬈髮濃密及肩，戴有珍珠項鍊，年代不明，畫家不詳。」但那不是袖珍畫，那是面鏡子。我滿臉漲紅，嘴唇顫抖，看著法蘭克的手指沿著我的下顎，滑過我的脖子。我的淚水滿盈，緩緩自雙頰流下，聽著他繼續講課的聲音，他隨後放下了那幅袖珍畫，我只能抬頭仰望著木造天花板。「年代不明，畫家不詳，但也是……有血有肉的人。」

我就快要無法呼吸，原以為是被袖珍畫上的玻璃悶得喘不過氣，但壓在鼻頭上的物體既濕又軟，我撇過頭，隨即醒來，感受到臉頰下的亞麻枕頭已被眼淚浸濕。傑米溫暖的大手放在我的肩上，輕輕搖著我。

「噓，小姑娘，別怕！只是夢而已，我在這兒。」

我轉頭倚著他溫暖赤裸的肩膀，淚水在臉頰和皮膚間沾染開來。我緊貼著他厚實的肩窩，夜晚屋內的窸窣聲緩緩入耳，強拉我回到現實的巴黎。

「對不起，我夢到、夢到……」我輕聲說。

他拍拍我的背，從枕下拿出一條手帕。「我知道，妳喊著他的名字。」他無奈地說著。

我把頭靠回他的肩上，聞起來熱烘烘的，他身上那睡夢初醒的氣息，揉合了羽絨被和乾淨床單的味道。

「對不起。」我又說道。

他哼著鼻子，半帶苦笑。「說我不嫉妒他，那是騙人的。」他沮喪地說：「因為我就是嫉妒，但是我總不能連妳作夢掉淚都要吃他的醋。」他的手指溫柔畫過我臉上的淚痕，用手帕輕輕擦乾。

「真的嗎？」

他的笑容在昏暗之中，顯得有些苦澀。「真的，妳曾經愛過他。我不能因為妳思念他，就埋怨妳或責怪他。而且換個角度想，我也就寬慰不少……」他猶豫了一下，我伸手順了順他臉上四散的髮絲。

「換什麼角度？」

「如果有一天我離開了，妳可能也會這樣思念著我。」他輕聲說道。

我使勁把臉埋在他的胸膛用力說著，聲音聽起來有些模糊。「我才不會思念你，因為沒有必要，我不會失去你，絕對不會！」我忽然念頭一轉，抬頭望著他，他臉上微刺的鬍碴形成一道陰影。「你難不成擔心我會回去？你該不會以為我因為想念法蘭克……」

「不。」他回應得輕快又溫柔，雙臂同時緊緊摟著我。

「我們是一體的，」他這次的語氣更輕柔：「就妳跟我，世界上沒有人能把我們分開。」一隻大手揉了揉我的頭髮。「妳還記得我們結婚之日立下的血誓嗎？」

「我血中之血，骨中之骨……」

「我將身體交託予妳，讓妳我合而為一。」他把誓詞說完。「我遵守了誓言，英國姑娘，妳也是啊！」他微微轉向我，一手輕蓋著我那稍稍隆起的腹部。「我血中之血，骨中之骨。妳身體裡有著我的一部分，克萊兒，無論發生什麼事，妳現在離不開我了，永遠都屬於我，不管妳願不願意、喜不喜歡。妳是我的，我不會讓妳走。」他低聲輕喃。

我把手覆於他的大手上方，輕輕壓著。「當然，你也不能離開我。」我低聲說。

「不會的。」他微微一笑，「我也一直遵守著最後一段誓言。」他摟著我，雙手交握在我背後，頭靠在我的肩上，朝著黑暗一字一句地說著，而我的耳邊則傳來溫暖氣息。

「我將靈魂交付予妳，直至生命終了。」

第十一章

天生我材必有用

我的腦海浮現許多可能，
是要將象牙拆信刀狠狠插入他的肋骨間，
還是把整棟屋子連他一起燒了？
但無論如何，我是絕對不可能讓步的。

「那個奇怪的矮個子是誰呀？」我好奇地問傑米。羅翰宅第大廳內，那名男子正緩慢穿越一群群的賓客，每經過一群人，他的目光便嚴厲地掃視成員，之後不是聳聳瘦削的肩膀，就是忽然向其中的男女靠近一步，手上拿著東西湊到他們的面前，並下達某種指令。無論所為何來，他的行為舉止顯然相當滑稽。

傑米還沒回答，那名矮小乾癟的男子便注意到我們，身穿灰色斜紋嗶嘰布的他，眼神為之一亮，迅速來到傑米身旁，宛如一隻小型猛禽忽然俯衝而下，欲攫取受驚的大兔子。

「唱兩句。」他的口吻專橫。

「什麼？」傑米眨眨眼，往下瞧著這個矮個子，一臉不解。

「我說：『唱兩句！』」那名男子耐心地再說一遍，並戳戳傑米的胸膛，讚嘆道：「有這麼好的胸腔作共鳴，你的歌聲應該非常響亮。」

「可真夠響亮。」我打趣地說：「他早上被吵醒的怒吼，聲音根本就直穿市區三座廣場哩！」

傑米一臉微慍，阻止我再說下去。但那位矮小的男子還是繞著他，一面測量他背部的寬度，一面左拍右彈，彷若啄木鳥試啄著一棵上等的樹幹。

「我不會唱歌。」他反駁道。

「少胡說八道了，你當然會唱，絕對是渾厚悅耳的男中音。」那名男子喃喃地說，語帶肯定。「太好了，我們正需要你這種人才。來來來，我來幫你起個音，跟著這個音哼一下。」

他從口袋俐落抽出一把小音叉，快速敲擊一支柱子，再放在傑米的左耳旁。

傑米翻了個白眼，但只能聳聳肩，乖乖哼了一個音。男子猛然退彈兩步，彷彿被槍射到一樣。

「不會吧！」他難以置信地說。

「很遺憾，就是這樣。」我同情地說：「他說的是事實，你也聽到了，他真的沒本事唱歌。」

矮個子瞇眼盯著傑米，顯然還抱持懷疑，於是又敲了一次音叉，拿到傑米面前。

「再試一次。」他輕聲哄著：「仔細聽清楚後，再發出同樣的音調。」傑米耐著性子聽完音叉嗡嗡的A大調，然後跟著哼出聲，音調卻始終卡在降E大調和升D大調之間。

「怎麼可能！」男子說道，看起來大失所望：「就算再怎麼故意，音準也不會差這麼多。」

「我就是差這麼多。」傑米爽朗說道，然後禮貌地向男子行個禮。我們的舉動已吸引了群眾圍觀。羅翰家的露易絲是主辦人，凡是她舉行的社交聚會，往往有許多巴黎上流社會的人士慕名而來。

「真的，他完全是個音痴。」我打包票地說。

「我的確見識到了。」矮個子說，似乎極度洩氣，接著開始打量起我。

「可別找我！」我笑著說。

「妳應該就不是音痴了吧，夫人？」他雙眼發亮緊盯著我，然後朝我走來，宛如一條蛇滑向嚇癱的鳥兒，音叉則像蛇信般振動。

「等一下，」我說道，舉起一手阻止：「你究竟是何方神聖？」

「這位是約翰尼斯．葛斯曼先生，英國姑娘。」在一旁看好戲的傑米朝矮個子傾身致意。「他是路易王的歌唱老師。葛斯曼先生，容我向您介紹我的妻子，圖瓦拉赫堡夫人。」不虧是傑米，宮廷內的大小人物都認識。

約翰尼斯．葛斯曼。難怪我老覺得，他雖然說著漂亮的宮廷法語，卻似乎帶著淡淡的口音，想來應該是德國或奧地利人吧？

「我在籌組一個小型即興合唱團，聲音不需要受過訓練，但是必須響亮不造作。」葛斯曼先生說明著，失望地瞄了傑米一眼。傑米露齒而笑，然後從他手中接過音叉，朝我的方向舉著，頗有試探的味道。

「好吧！」語畢，我便唱了起來。

葛斯曼先生聽了顯然為之振奮，他收起音叉，十分感興趣地瞧著我。他的假髮顯然有點過大，點頭時容易向前滑下，害他忙著把假髮向後推，然後說：「唱得太棒了，夫人！真的非常好聽、非常好聽。妳熟悉〈蝴蝶〉這首歌嗎？」他立刻哼了幾個小節。

「我是聽過。」我回答得謹慎：「呃，我意思是旋律，但不知道歌詞。」

「啊！一點都不難，夫人。副歌很容易的，就像這樣……」他牢牢握住我的胳臂，把我整個人牽著，朝向傳來大鍵琴樂音的房間移動，葛斯曼先生在我耳邊哼著曲子，宛如一隻失心瘋的大黃蜂。

我無助地看向傑米，他只笑著拿起手中裝著冰沙的杯子，一副向我舉杯道別的樣子，便轉身與財政大臣杜維內先生的兒子攀談。

羅翰家的大宅（「大宅」算是保守的說法）燈火通明，整排燈籠延伸至後花園，點綴著露臺邊緣。葛斯曼先生拉著我通過走廊，眾僕人在宴會廳忙進忙出，擺放晚宴所需的餐巾與銀器。這類社交聚會一般而言規模不大，屬於好朋友的場子，但露易絲公主向來作風豪邁。

一週前，我已在另一場晚宴上見過露易絲公主，她的樣貌有些出乎我的意料。除了身材豐腴、外表平凡，她還有張圓臉和圓下巴、一雙幾乎看不見睫毛的淡藍色眼眸，以及一顆星形的假美人痣，卻沒有為她的姿色增添多少。難道就是這位女子讓查理王子著迷不已，甚至還私下幽會、罔顧禮教約束嗎？我一邊想著，一邊跟著一排迎接的人行屈膝禮。

儘管如此，露易絲公主個性既活潑又熱情，怪不得會成為眾人目光的焦點，而她那可愛的粉嫩小嘴，倒是為她增添了動人風采。

「太讓我驚豔了！」她當時驚呼，一邊拉起我的手，一邊聽著旁人介紹我的身分。「太好了，終於見到妳了！我的丈夫和父親對於圖瓦拉赫堡主讚譽有加，卻對他美麗的夫人隻字未提，妳能出席我實在高興極了。親愛的，一定要用圖瓦拉赫堡堡主夫人這個稱呼嗎？我可不可以只說圖瓦拉赫夫人？我可能記不得那麼長的名字，但簡稱就沒問題了，雖然唸起來很拗口。這是蘇格蘭語嗎？真是太好聽了！」

其實，圖瓦拉赫堡的原意為「面向北方的塔」，但若她想稱我為「面北夫人」，我倒也不會介意。無論如何，她沒多久就放棄「圖瓦拉赫」，直接喊著：「我親愛的克萊兒！」

露易絲眼下和一群要唱歌的夥伴待在音樂廳，她腳步笨拙地在眾人間穿梭，談笑風生。她一看到我就飛奔過來，還得小心不絆到裙襬，樸素的臉孔霎時神采飛揚。

「我親愛的克萊兒！」她大喊，毫不客氣把我從葛斯曼先生身旁拽開。「妳來得正是時候！來來來，妳一定要勸勸這個英國來的傻小孩。」

那名「英國來的傻小孩」年紀還真小，是名看起來頂多十五歲的少女，有著一圈圈亮黑的髮鬈，雙頰羞紅，好似鮮豔的罌粟花，而正是那對紅通通的臉頰讓我想起，她就是我在凡爾賽庭園瞥見的女孩，但後來亞歷山大．藍鐸就出現了，完全打亂我的心情。

「弗雷瑟夫人也是英國人。」露易絲向女孩說：「跟她相處妳會覺得比較自在……」露易絲突然轉身接著對我說話，絲毫沒有換氣。「這孩子很害羞，陪她聊聊天，勸她跟我們一塊唱歌。我敢說她的歌聲一定很好聽。好啦！女孩們，好好培養感情吧！」她拍了我一下當作鼓勵，就朝音樂廳另一頭走去，一會兒對人大聲嚷嚷、開著玩笑，一會兒又盛讚某位初來乍到女士的禮服，還停下來逗弄坐在大鍵琴前微胖的少年，一邊用手指勾纏他的髮鬈，一邊與卡斯特洛帝公爵閒聊。

「她這樣子光看就夠累了，對吧？」我用英語說著，朝女孩笑了笑。她微微露出笑容，然後稍微點了點頭，但仍然不發一語。我心想，眼前一切想必令她不知所措。露易絲舉行的宴會常搞得我暈頭轉向，這位羞赧的小女孩可能才脫離學生身分沒多久。

「我是克萊兒．弗雷瑟，可是露易絲忘了說妳的名字了。」我稍待片刻，但她並未回話，臉越發泛紅，雙唇緊閉，兩邊的拳頭也緊握著。看到她這個模樣，我覺得有些緊張，直到她深吸一口氣，抬起下巴，開口顯得無比艱難，彷彿即將挑戰攀爬大樓鷹架之類的艱鉅任務。

「我、我的名字叫瑪、瑪……」她結結巴巴地說，我當下就了解她保持沉默和害羞的理由。她閉上雙眼，緊咬下唇，再張開眼睛，勇敢再試一遍：「瑪、瑪莉．霍金斯。」她終於說出完整的句子，又倔強地說：「我不……不唱歌的。」

我先前只是覺得她挺有意思，如今興致全都上來了。原來這位就是席拉斯．霍金斯先生的姪女、准爵的女兒，也就是即將許配給馬里尼子爵的未婚妻！這位小姑娘年紀輕輕，就要背負著父執輩的期待，實在相當沉重。我四處張望，想確認子爵的蹤影，幸好他不在場。

「別擔心，」我說道，向前站到她身旁，擋住背後湧入音樂廳的人潮：「妳不想說話就不要說，不過妳或許可以唱唱看。」我忽然想起一件事：「我過去認識一位醫生，專門治療口吃。他說口吃的人唱歌時，結巴的毛病就不見了。」

瑪莉驚訝不已，雙眼睜得老大。我張望了一下，看到附近有間凹室，窗簾後方有張舒適的長椅。

「來，」我邊說邊拉著她的手：「妳坐在這裡，就不必和人說話了。如果妳想唱歌，就等我們開始唱的時候再出來，不然就待在這裡等宴會結束。」她凝視著我半晌，忽然露出燦爛的笑容，對我表達感謝，便一頭躲進凹室之中。

我就在她的凹室外頭走動，避免多管閒事的僕人打擾她，一邊也和經過的賓客聊天。

「親愛的，妳今天看起來真迷人！」赫瑪吉夫人說道。她是時常陪在王后身邊的幾位夫人之一，年紀稍長、舉止端莊，曾來特穆蘭街用餐過一、兩次。她熱情擁抱我，然後向四周瞄了一眼，好確定沒人注意到我們。

「我一直盼望能在這裡見到妳，親愛的。」她低聲說，微微靠近。「我是要給妳個忠告，務必小心聖日耳曼伯爵。」

我微微轉向她目光的方向，看到阿弗赫碼頭區當初那名臉型瘦削的男子。他走進音樂廳，身邊有位穿著優雅的年輕女士攬著他的胳臂。他顯然沒瞧見我，我也匆忙轉身，面對著赫瑪吉夫人。

「他有怎麼……我是說……」我感到滿臉漲紅，伯爵的出現讓我備感不安。

「聽說他常提到妳，」赫瑪吉夫人說，好心解開我的疑惑：「敢情是在阿弗赫港發生什麼不愉快吧？」

「大概吧！我只不過是幫忙確認一個天花的病例，結果讓他整艘船被銷毀，所以他不大高興。」我有些心虛地說著。

「原來如此。」赫瑪吉夫人看起來很開心。我可以想像，如今有了這些內幕消息，她便可以拿來與其他夫人交換八卦；這些訊息交流堪稱巴黎社交聚會的商業活動。

「伯爵到處跟人說，他覺得妳是女巫。」她一邊說著，一邊笑著向音樂廳另一頭的朋友揮手。「真會編故事！不過沒人相信，大家都曉得，真要說起來，最有可能牽扯怪力亂神的人，根本是伯爵自己。」此話似乎是要我放心。

「真的嗎？」我想問清楚她的意思，卻被葛斯曼的喧嘩給打斷，他拍起手來，彷彿在趕一群母雞。

「來來來，夫人小姐們！人都到齊了，開始唱歌嘍！」他說。

一行人匆匆在大鍵琴旁集合，我回頭望向瑪莉．霍金斯躲藏的凹室，總覺得窗簾似乎在抖動，但不大確定。隨著音樂揚起，眾人合聲而唱，我彷彿聽見凹室的方向傳來女高音的聲音，高亢清亮，但我仍無法確定是否為瑪莉。

——

「唱得好，英國姑娘。」傑米說道。跟著眾人唱完後，我滿臉通紅、氣喘吁吁地走回他身旁，他朝我笑了笑，還拍拍我的肩膀。

「你真的知道？」我說道，一名僕人經過，遞給我一杯潘趣酒。「你根本就不會分辨音色啊！」

「反正妳很大聲，」他泰然自若地說道：「每個字我都聽得清清楚楚。」這時我發覺他身體僵了一下，便轉身瞧瞧他在看什麼。

剛走入廳內的女子身材嬌小，頂多只到傑米最下面的肋骨，四肢像洋娃娃般精巧，眉毛有如中國花窗般細緻，雙眼則如同黑刺李般烏黑深邃。她往前走著，步伐輕盈得過頭，看起來彷彿是在離地舞動。

「那位是瑪里亞克家族的安娜莉絲小姐。你不覺得她很可愛嗎？」我說道，欣賞著她的姿態。

「喔……是啊！」他回答的語氣不大自然，我隨即瞄了他一眼，只見他耳尖染著一抹暈紅。

「我還以為你當初是在法國忙著打仗，原來是在征戰情場啊！」我酸溜溜地說。

出乎意料的是，他竟笑了起來。安娜莉絲一聽到笑聲，便轉身面對我們的方向，她很快就在人群中看到傑米，臉上隨之露出燦爛的笑容，準備朝我們走來。但不巧這時一位男士走到她跟前，讓她分了心，他頭戴假髮，身穿光亮的薰衣草色綢緞，一手放在她纖細的胳臂上，似乎有所央求。她向傑米輕揮扇子，姿態動人，嬌媚中帶有無奈，便回頭搭理那位前來攀談的男士。

「什麼事這麼好笑？」我問道，瞧見傑米仍笑得合不攏嘴。

他這時才注意到我的存在，低頭對我微笑。「沒什麼，英國姑娘。只是妳說到打仗，我就想到十八歲的時候，為了安娜莉絲，第一次——其實也就那麼一次——跟別人比武。」

他語氣迷濛，望著安娜莉絲逐漸走遠，看她一頭烏亮黑髮在人群中浮沉，四周圍繞著一叢叢塗粉假髮，不時點綴著時下流行的淡粉色長假髮。

「比武？跟誰？」我問道，小心地四處張望，視線搜尋纏著安娜莉絲的男士們，看看哪位可能接下傑米當時的戰帖，擔心他們會來尋釁報復。

「他不在這裡。」傑米說，一下就讀懂我的眼神。「他已經死了。」

「你殺了他？」我語帶焦急，不自覺提高了音量，附近幾個人好奇地轉過頭來，傑米趕緊拉著我的手肘，匆匆帶我到最近的玻璃門旁。

「小聲點，英國姑娘。」他語氣和緩，但有些懊悔地說：「雖然很想，但我並沒有殺了他。他兩年前才死的，因為得了喉疾。賈爾德跟我說的。」

他領我走到一條花園小徑，兩旁站著提燈的僕人，好似一座座燈柱，兩兩間隔約五公尺，從露臺延伸至小徑底端的噴泉，在清澈的大池子中，四隻海豚噴著大片水花，澆淋著中央怒目而視的海神，祂的三叉戟朝著海豚揮舞，但顯然毫無作用。

「不要吊我胃口啊！」我催促著，此時我們的聲音已傳不到露臺。「當時發生什麼事了？」

「好吧，我就說了。妳應該注意到安娜莉絲很美吧？」

「有嗎？你都這麼說了，我想大概是吧！」我甜美的回答，惹來傑米一瞪，然後他半帶著苦笑。

「當時巴黎眾多年輕紳士也都這麼認為，我也不是唯一被迷得神魂顛倒的人。走路恍神、被自己絆倒都不稀奇，還曾經在街上枯等著，只為了目睹她走出屋子、登上馬車的那一刻，甚至會忘了吃飯。賈爾德說過，當時我簡直像披著外套的稻草人，頭髮亂糟糟的樣子更是不在話下。」他的手在頭上比畫，接著輕拍他此刻緊貼著脖子的長辮，上頭綁著藍緞帶。

「忘了吃飯？天哪，你那時根本走火入魔了。」我說。

他咯咯笑了兩聲，然後說：「更糟的還在後頭，她開始和查爾斯・高盧玩起曖昧的遊戲。其實，她的曖昧對象可多了，這倒不打緊，但她竟然選他共進晚餐，宴會上也常常找他當舞伴，然後……總而言之，英國姑娘，有天晚上，我發現他們兩人在露臺上接吻，就向他下了戰帖。」

此時，我們已漫步至噴泉處。傑米停了下來，我倆坐在噴泉邊，位於海豚尖嘴水花的上風處。傑米一手伸入黑壓壓的水中撥了兩下，然後再移出水面，滴滴答答，心不在焉地看著銀色水滴流下指頭。

「當時的巴黎跟現在一樣明文禁止比武，但私下仍不愁找不到地方。那時他在布洛涅森林挑了個地點，靠近七聖徒大道，但隱藏於一片橡樹林之中。對決的武器也由他決定。我以為會是手槍，但他選擇比劍。」

「為什麼選擇比劍術？你手一伸就多他十五公分的優勢，說不定還不止。」我雖然對劍術沒有研究，但比劍的招數尚略知一二，這全是因為傑米和穆塔夫每隔兩三天就會找對方切磋劍術，庭院中刀鋒錚錚、左刺右擊，僕人不分男女都湧至陽臺上觀戰，莫不看得津津有味。

「而他為什麼選短劍呢？因為他拿手得很。就我推測，他應該覺得如果用手槍，可能會被我給誤殺，而他自己也曉得，若是比劍術，我只要見血就會罷休了。畢竟，我並不打算殺了他，只是想羞辱他。查爾斯是個聰明人，自然清楚這點。」他說道，懊悔地搖搖頭。

噴泉散發的水氣使我的髮鬈鬆垂在臉頰邊。我把頭髮向後撥，接著問道：「那你有羞辱到他嗎？」

「唔，起碼我傷到他了。」我發現他語氣中竟有一絲滿足，於是詫異地望著他。「他的老師可是法國首屈一指的劍術大師勒瓊，跟他對決簡直活像跟一隻該死的跳蚤纏鬥一樣，難纏極了，我還得用右手對付他。」他也撥了撥頭髮，彷彿是確認自己的髮帶有綁牢。

「比畫到一半，我繫著頭髮的皮繩斷掉，鬆脫的髮絲被風吹到眼睛裡，所以我只看得到查爾斯的白色身形，像隻小魚般左閃右躲。終於，我擊中他了，就像用匕首戳魚那樣快狠準。」他說道，鼻子哼了一聲。

「他大聲嚎叫，好像我把他給刺穿了，但我不過是讓他手臂流了點血罷了。等我終於可以撥開臉上的頭髮，便看到安娜莉絲站在空地邊，睜大的雙眼深邃如潭。」傑米伸手揮向旁邊那銀黑色的池面。

「所以，我把劍插回鞘中，順了順頭髮，站著等待，心想她大概會奔向我的懷抱。」

「看來她沒有吧？」我慢條斯理地問道。

「沒辦法，我太不了解女人了。」他說：「不但沒有，她反而還焦急地衝向他。」他的喉頭發出蘇格蘭特有的低沉嗓音，既帶著幽默的自嘲，也透露著不滿。「聽說一個月後，她就嫁給他了。」

「然後……」他忽地聳聳肩，露出哀怨的微笑。「我的心就碎了。回到蘇格蘭的家中，難過了好幾個禮拜，連父親也看不下去。」他笑了笑。「我甚至打算就此隱居，於是找了一個晚上向父親提起這件事，想著隔年春天就要去修道院見習。」

我聞言大笑：「持守清貧的誓言對你而言並不難，但是貞潔和順從可就難了。你父親怎麼說？」

傑米笑了笑，在黝黑的臉龐襯托下，他的牙齒顯得格外潔白。「他那時在喝一碗濃湯，放下湯匙，看了我一眼，然後嘆口氣搖搖頭說：『今天我實在累壞了，傑米。』然後他拿起湯匙繼續舀湯喝，我就再也沒提起這件事了。」

他抬起頭，沿著斜坡望向露臺，只見那裡沒在跳舞的賓客來回漫步，在每支舞結束後休息片刻，一面品酒，一面在摺扇後調情。他憶起往事，不禁嘆了口氣。

「安娜莉絲真是個漂亮的姑娘，優雅如風，身材嬌小，教人真想把她拽在懷裡，當作貓咪帶著走。」

我默不作聲，聆聽著上方傳來的模糊樂音，低頭看著自己正穿著九號絲質拖鞋的大腳。

過了半晌，傑米才注意到我沒吭聲。

「怎麼了，英國姑娘？」他問道，一手擺在我胳臂上。

「沒什麼。」我嘆了口氣，然後說：「只是覺得，應該不會有人用『優雅如風』來形容我罷了。」

「欸……」他微微轉過頭，背後那只燈籠照亮了他直挺的鼻梁與結實的下巴，他面對著我，一邊嘴角帥氣地上揚。

「我說英國姑娘，我想到妳的時候，『優雅』可能不是第一個跳進腦海的字眼。」他一隻手臂移到我背後，溫暖的大手隔著絲質禮服攬著我的肩膀。

「但和妳說話的時候，就像是跟自己的靈魂傾訴。」他一邊說著，一邊把我的臉緩緩轉向他，然後輕輕托著我的臉頰，指頭慢慢揉著我的太陽穴。

「英國姑娘，妳的臉龐就是我的心。」他專注地看著我輕聲說道。

此時風向突然轉變，不久之後，一道細細的噴泉水柱濺灑而來，我們這才被迫分開，匆匆起身。忽然被灑了一道冷水，讓我們兩人都笑了出來。傑米斜著頭示意我們往露臺方向走，我勾著他的胳臂，點了點頭。

「所以，」我說道，此時我倆拾級而上，慢慢走回舞廳：「你現在比較懂女人了。」

他放聲大笑，笑聲渾厚低沉，摟著我腰際的手抓得更緊。

「英國姑娘，我學會最重要的事，就是挑選女人的眼光。」他後退一步，朝我行鞠躬禮，攤手朝著敞開的大門，裡頭的場面百般華麗。「夫人，在下有此榮幸邀妳共舞嗎？」

⸻

翌日下午，我待在阿班維爾家，再度遇上了國王的歌唱老師，這回我們有時間多聊了一會，晚餐過後，我便將談天的內容轉述給傑米聽。

「妳說什麼？」傑米斜著眼看我，似乎懷疑我在開玩笑。

「我說，葛斯曼先生提到，我該見見他的朋友，就是昂吉醫院的負責人希德嘉修女。你曉得昂吉醫院吧？大教堂附近的那家慈善醫院。」

「我當然知道。」他的回答聽起來對這個話題不怎麼感興趣。

「葛斯曼先生喉嚨痛，所以我就告訴他該怎麼保養喉嚨，還聊了一些醫藥的事情，以及我對疾病治療的興趣，總之最後我就答應了。」

「很像妳的作風。」他語氣有點冷漠，我刻意忽略並接著說下去。

「所以，我明天就要去醫院幫忙了。」我踮起腳尖，伸手從櫃上取來醫藥箱。「第一次拜訪應該不用帶著吧？」我說道，若有所思地瞧著箱內的東西。「不然對方或許會覺得我太急躁了。你覺得呢？」

「太急躁？」他突然詫異地說：「妳意思是要去參觀參觀，還是要搬過去？」

「呃，」我深吸一口氣，接著說：「我在想，或許可以定期在那裡工作。葛斯曼先生說，大夫們是志願撥出一些時間去幫忙，多半不會每天出現，既然我很有空，倒不如——」

「很有空？」

「不要一直重複我的話。對，我很有空。我知道聚會和晚宴這些活動很重要，但這不會花上一整天，起碼沒有這個必要。我可以——」

「英國姑娘，妳可是有孕在身！妳該不會就這樣過去照顧乞丐和罪犯吧？」他的語氣感覺無奈萬分，似乎在想該怎麼應付面前這個瘋婆子。

「我當然曉得。」我安撫著他，雙手放在肚子上，瞇眼往下瞧。

「肚子還不太明顯，只要穿件寬鬆的袍子，暫時不會有人注意到。而且我除了早上有些反胃以外，並沒有其他的症狀，工作幾個月應該無妨。」

「無妨？我才不會讓妳去！」傑米今晚並無訪客，回家後就脫了襪子、敞開衣領。我看見他的喉頭正由下往上漲成紫紅色。

「傑米，你明知道我的身分。」我努力講理給他聽。

「妳是我的妻子啊！」

「是沒錯。」我心不在焉地彈了彈手指，然後說：「但我也是護士，是個醫者，你也曉得的啊！」

他漲紅著臉：「我曉得。但只因為妳把我的傷治好了，我就要讓妳去照顧乞丐和妓女嗎？英國姑娘，妳知道昂吉醫院都收什麼樣的病人嗎？」他說著，帶著懇求的目光，彷彿盼望我立即能回心轉意。

「有什麼差別嗎？」

他失控地環視四周，彷彿爐臺上方的肖像畫正和他一同指證我的無理取鬧。

「妳可能會染上惡疾啊，我的老天爺！妳就算不替我想，也該為自己的孩子著想吧？」

就當下情況而言，講理似乎不大有用了。

「我當然有為孩子想啊！你真的認為我這麼粗心大意、不負責任嗎？」

「我還認為妳背棄丈夫，就為了跟陰溝裡的人渣瞎攪和！」他厲聲道：「這可是妳自己要問的。」他用一隻大手撥弄頭髮，一副怒髮衝冠的樣子。

「背棄你？與其到阿班維爾家參加無聊到死的聚會、看著露易絲公主大啖糕餅、聽著差勁的詩作或爛透的音樂，不如做些真正的事，這樣怎麼算是背棄你？我只是想幫忙！」

「照顧自己的丈夫跟家庭難道不算嗎？嫁給我難道不算嗎？」他頭髮的束帶繃斷了，一條條髮束散落開來，宛如火紅色的光暈。他低頭朝我怒目而視，就像個復仇的天使。

「這只有我單方面的付出，你呢？」我語帶冷淡，反駁道：「娶了我之後，你把全副心力放在我身上了嗎？你也沒有成天待在家裡只為了取悅我。至於說什麼照顧家庭，根本就胡扯。」

「胡扯？什麼是胡扯？」他沒好氣地問道。

「胡扯就是胡說八道、一派胡言、鬼話連篇。換句話說，就是別說笑了，屋裡的家事雜務都是薇歐奈太太在打理，而且做得比我好上幾十倍。」

這是顯而易見的事實。傑米回不了嘴，只能瞪著我，下顎氣得不停顫動。

「是嗎？如果我就是不准妳去呢？」

這話著實地讓我愣住了。我站直身子，目光上上下下地打量著他。他的眼睛深如陰雨的暗藍色，一張大嘴繃緊成直線，肩膀寬闊、背部直挺，雙臂緊緊交疊在胸前，就像一尊鐵鑄雕像，以「凜然」來形容，實在極為貼切。

「哦？你這是在命令我嗎？」我倆對峙的戰火一觸即發。我想眨眨乾澀的眼睛，卻又不願意讓他躲開我銳利的眼神。若他真下令禁止了，我該怎麼辦？我的腦海浮現許多可能，是要將象牙拆信刀狠狠插入他的肋骨間，還是把整棟屋子連他一起燒了？但無論如何，我是絕對不可能讓步的。

傑米突然停住，深吸一口氣鬆開了手臂，在身體兩側握緊了拳頭，最後又再放開。

「沒有，我不會不准妳去。」他的聲音微微顫抖，聽得出來他努力控制著激動的情緒：「但如果我請妳別去呢？」

光滑的桌面映出他的倒影，我低下頭凝視著。起初，我只是單純想去昂吉醫院拜訪一下，至少好過巴黎社交圈內的蜚短流長和心機算計。可是現在……我感受到自己雙手握拳，雙臂肌肉隨之脹起：我不只是想要工作而已，而是需要再度工作。

「我不知道。」我終於回答了他。

他深吸口氣，再緩緩吐出。

「妳會考慮看看嗎，克萊兒？」我感覺他正凝視著我。彷彿過了好久，我才點了點頭。

「我會考慮看看。」

「那就好。」他的神情不再緊繃，但焦躁地轉過身，在客廳晃了兩圈，隨意拾起或放下小玩意，最後走到書櫃旁倚著，雙眼空洞地盯著那排皮面裝幀的書籍。我試探地靠近他，伸手放在他的手臂上。

「傑米，我不是有意要惹你生氣的。」

他低頭望著我，側著臉對我微笑。

「我也不是故意要跟妳爭執，英國姑娘。我性子急又易怒。」他拍拍我的手表示歉意，隨即挪開身子，站著俯視他的書桌。

「你一直都好辛苦。」我安撫著他，跟著他退讓一步。

「不，不辛苦。」他搖搖頭，伸手翻開書桌中央那一大本厚重的帳冊。

「葡萄酒的買賣倒還好，雖然要處理的工作很多，我也不覺得是負擔。讓我煩心的是另一件事。」他指向一疊信件，上頭壓著一只雪花石膏紙鎮。這紙鎮是賈爾德的東西，刻成白玫瑰的形狀，代表斯圖亞特的家徽。寄件人有亞歷山大院長、馬爾伯爵與其他知名的詹姆斯黨人，信中充斥著拐彎抹角的問題、語焉不詳的承諾與自相矛盾的期待。

「我好像在跟空氣對打！」傑米激動說著：「如果是真正的戰鬥，我至少可以動手，不會有什麼問題，但現在這些……」他從桌上抓起一把信函，扔到半空中，由於房間十分通風，紙張於是胡亂飛散，有些滑到家具下，有些落到地毯上。

「我什麼都掌握不了。我就算找到上千人聊聊、寫出去上百封信，每天和查理王子喝個爛醉，還是無法得知進展。」他無力地說道。

我任憑信件散落一地，晚點會有女僕來收拾。

「傑米，我們只能盡力試試啊！」我輕聲地說。

他雙手撐著書桌，露出淺淺的微笑說：「真高興聽到妳說『我們』，英國姑娘，我有時候真的覺得自己在孤軍奮戰。」

我環住他的腰，把臉靠在他的背上。

「你知道我不會丟下你一個人面對這些，況且，一開始把你拉進來的人也是我。」我說道。

他笑了笑，我感覺臉頰下方傳來微微的震動。

「的確。但我不會怪妳，英國姑娘。」他轉過頭，彎身在我額頭輕輕吻了一下，然後說：「妳看起來很累，我的美人，快上床睡覺吧！我還有些工作沒做完，等等就去陪妳。」

「好吧！」我今晚確實疲倦，不過懷孕初期的嗜睡症狀已逐漸消退，精神反倒充沛起來，這段時間白天我開始覺得清醒，亟欲到處走動。

我離開前在門邊停了下來，傑米仍站在書桌旁，直盯著帳冊攤開的頁面。

「傑米？」我說。

「嗯？」

「醫院的事，我說我會考慮，你也會嗎？」

他轉過頭，揚起一邊眉毛，接著微笑點了點頭。

「我很快就去陪妳，英國姑娘。」他說。

——

天空依然下著雨雪，細碎的冰雨拍打著窗戶，在晚風吹拂之下，一些碎冰落入了煙囪，在爐火裡滋滋作響。風勢頗大，外頭不斷傳來隆隆呼嘯聲，相較之下，我們暖和的臥室顯得更加宜人。床鋪溫暖舒適，是供人休憩的綠洲，上頭有一床床的羽絨被、蓬鬆的大枕頭，以及宛如電熱器的傑米，他的身體持續散發高溫，大手輕撫著我的肚子，暖意穿透絲質睡衣而來。

「是這裡才對，你得再按用力一點。」我拉著他的手，把手指壓著恥骨上方，胎兒在此開始成形，一個圓圓的隆起，只比葡萄柚大一點。

「摸到了，真的有！」他低聲輕喃，嘴角揚起幸福的微笑，他抬頭望著我，眼睛發亮地說：「妳感覺得到他在動嗎？」

我搖搖頭。「還不行，你姊姊說可能要再一個月吧！」

他親了一下我那微微隆起的肚子，然後說：「妳覺得『達爾豪斯』如何，英國姑娘？」

「什麼達爾豪斯？」我一臉疑惑。

「名字啊！他得有個名字吧？」他說，拍拍我的肚皮。

「話是這樣說沒錯，但你怎麼確定寶寶會是男生？也可能是女生啊！」我說。

「也對。」他彷彿這會兒才想起有這樣的可能。「不過，還是可以先想想男孩的名字吧？我們可以用撫養妳長大的叔叔的名字。」

「嗯……」我皺起眉頭，看著自己的肚子。雖然我很敬愛朗柏叔叔，卻不大想把「朗柏」或「昆汀」這類的名字強加給這個未出世的嬰兒。「不了，我想還是不要吧！畢竟我也不會想用你那些叔叔們的名字。」

傑米心不在焉地摸著我的肚子，若有所思。

「妳父親叫什麼名字，英國姑娘？」他問。

我想了一會兒才記起來。

「我父親叫亨利，全名是亨利·蒙摩蘭西·博尚。傑米，我不要把孩子取作『蒙摩蘭西·弗雷瑟』，我也不大喜歡『亨利』這個名字，雖然比朗柏好聽一點。叫威廉如何？你哥哥的名字。」我提議道。

傑米的哥哥威廉尚未成年就死了，但那段童年回憶已足夠喚起傑米的仰慕之情。

他的眉頭深鎖，思考半晌後說：「唔……也可以。或者我們可以叫他……」

「詹姆士。」一個鬼魅般的聲音自煙囪飄了過來。

「什麼？」我說，立即在床上坐直身子。

「詹姆士、詹姆士、詹姆士！」壁爐不耐地說。

「我的老天哪！」傑米驚呼，直盯著爐內跳躍的火舌。他前臂的寒毛直豎，硬如鐵絲，全身僵住了好一陣子，然後彷彿忽然想到了什麼，整個人跳了起來，跑到凸出閣樓斜面屋頂的老虎窗邊，身上只有件襯衫，外套也沒披上。

他推開窗框，一股寒風立即灌入，他隨即探出頭去，望向外邊的黑夜。我聽見模糊的呼喊聲，屋頂瓦片砰砰作響。傑米努力把身子往外傾，踮著腳尖像是想搆著什麼，再慢慢退回屋內，身上沾滿雨水，費力喘著大氣，拉進一位身穿黑衣的俊秀青年。青年雙臂勾著他的脖子，全身早已濕透，一手裹著沾血的手帕。

青年的一隻腳絆到窗臺，踉蹌兩下後趴在了地板上，隨即匆忙起身，摘下寬邊軟帽，朝我頷首致意。

「夫人，還請您原諒。我如此冒昧前來，實在有失禮數。打擾了，但我真的是有要緊的事，才會挑這時候來拜訪老友詹姆士。」他說得一口帶濃厚腔調的法語。

這名青年身體結實、相貌俊俏，一頭淡棕色的粗鬈髮垂在肩膀上。他的皮膚很白，雙頰由於外頭寒冷加上費了氣力，顯得紅通通的。他用包紮好的手背擦拭流出的鼻水，痛得縮了一下。

傑米的雙眉挑起，禮貌地向這名訪客行禮。

「寒舍很榮幸能為您服務，殿下。」他說道，瞄向訪客凌亂的衣衫：領結已鬆開，垂掛在脖上，衣服的鈕釦有一半扣歪了，連褲子都沒穿好，褲襠若隱若現。見此情景，傑米微微皺眉，不動聲色地走到他前面，刻意遮蔽我的視線。

「請容我向您介紹我的妻子，殿下。她是克萊兒，圖瓦拉赫堡夫人。克萊兒，這位是查理王子殿下，蘇格蘭詹姆斯國王之子。」他說道。

「我猜也是。晚安，殿下。」我頷首致意，拉起床單罩在身上，眼前情況看來，我應該無需行屈膝禮。

查理王子趁傑米忙著介紹時，慌忙整理好褲子，這才對我點點頭，恢復了王子的風範。

「榮幸之至，夫人。」他再度致意，這回動作優雅多了。他站直身軀，轉轉手中的帽子，顯然在想接下來的話題。只穿了件長衫、雙腿光溜溜的傑米站在一旁，眼神在我和查理王子間游移，似乎也跟著語塞。

「呃……」我打破沉默。「殿下，您出了什麼意外嗎？」我朝他裹著布的手點點頭，他低頭查看，彷彿現在才發現自己受了傷。

「是啊！呃，也不是啦！我是說……不礙事的，夫人。」他臉更紅了，直盯著自己的手。他的神色有些奇怪，似乎有些尷尬，又有些憤怒。不過，我察覺布上的血漬正在擴大，因此立即雙腳一蹬下床，伸手取來睡袍。

「您讓我來檢查一下傷勢比較好。」我說。

縱然有些不情願，查理王子還是露出了傷口，傷勢看起來並不嚴重，但傷口的模樣卻不太尋常。

「這好像是動物咬傷的。」我驚奇地說，一邊擦拭著呈現半圓形、位於拇指和食指間的指蹼穿刺傷，我擠著周圍的皮膚，打算逼出汙血後再行包紮，查理王子不禁抽痛了一下。

「妳說得對，是猴子咬的，實在有夠噁心，長滿跳蚤的野獸！」他忽然咒罵起來：「早叫她把牠丟掉了。那猴子一定有病！」

我找到了醫藥箱，在他的傷口上塗了薄薄一層龍膽膏。「您不用太過擔心，只要不是狂犬病就好。」我專心地處理傷口。

「狂犬病？」這位王子面色蒼白。「妳覺得可能嗎？」他顯然不懂狂犬病，但絲毫不想有所瓜葛。

「沒什麼不可能的事。」我爽朗地說。他的造訪讓人始料未及，我不禁要想，倘若這位年輕人染上致命疾病，不久後撒手人寰，許多麻煩事也就不會發生了。儘管如此，我並不希望他得到壞疽或狂犬病，仍然用乾淨的亞麻繃帶替他包紮。

他笑了笑，再度頷首致意，並用法語與義大利語致謝，接著就是連番道歉，說自己來訪得不是時候，但話未說完，就被穿好蘇格蘭裙的傑米拉去樓下小酌了。

房間的寒意逐漸滲入衣內，我爬回床上，把棉被拉至下巴。原來他就是查理王子！外表確實賞心悅目。查理王子看起來十分年輕，雖然傑米只虛長一、兩歲，但相較之下查理王子的外表卻稚氣許多。不過，即使衣衫邋遢，他確實仍具有相當的魅力，散發著尊貴的傲氣，只是這樣真的足以率領軍隊前往蘇格蘭，遂行復辟大業嗎？隨著睡意襲來，我仍在思考，這位蘇格蘭王位繼承人怎會半夜在巴黎屋頂閒晃，手上還有被猴子咬的傷口。

我直到睡著前仍在想著這個問題。不久，傑米溜上床把冷冰冰的大腳貼在我膝蓋後方柔嫩的凹口取暖，將我硬生生驚醒。

「噓，妳的尖叫聲會吵醒僕人的。」他說。

「查理王子怎麼搞的這麼晚跑上屋頂跟猴子玩啊？」我沒好氣地問道，想躲避他冰冷的碰觸。「拿開你的冰凍腳！」

「夜訪情婦嘍！」傑米給了個簡單的答案。「好了，別踢我啦！」他移開雙腳摟我入懷，全身冷得發抖。我轉過身子面對他。

「他有情婦？是誰？」先受到寒意刺激，如今又嗅到醜聞，我現在清醒得不得了。

「羅翰家的露易絲公主。」在我的逼供下，傑米才勉強說出來。他挺拔的鼻子看起來相當不以為然，上頭的濃眉皺在一塊兒。查理王子身為蘇格蘭天主教徒，勾搭情婦已屬大忌，儘管王室在這方面總是享有特權，然而露易絲公主已婚，查理王子固然貴為王儲，把他人髮妻收作情婦肯定有違倫常。但話說回來，賈爾德也與有夫之婦有染。

「哈，我就知道。」我自滿地說。

「他說他戀愛了。」他簡短地說，拉過被子蓋住肩膀，然後說：「還堅稱對方也愛著他，說什麼過去三個月只忠於他一人。」

「所以他們兩人剛才在幽會嘍？他怎麼跑到屋頂上的？他有跟你說嗎？」我整個興致都來了。

「呃，是這樣的……」

那天夜裡，傑米在樓下招待查理王子喝了幾杯賈爾德的上等陳年波特酒之後，就打開了話匣子。據查理王子所言，當晚他對露易絲的真愛面臨重大考驗，因為女方百般呵護家中那隻潑猴，而這猴子脾氣欠佳，不但對殿下沒什麼好感，還會以具體行動表達不滿。查理王子才在猴子的鼻子前輕蔑地彈了下手指，就馬上被狠狠咬了一口，接著又遭受露易絲的毒舌責難。小兩口吵得越發激烈，露易絲甚至不准他再出現，而查理王子則逞強說自己求之不得，更撂下狠話，發誓絕不回頭。

豈料，露易絲公主那出門賭博的丈夫竟提早回來，正舒服地待在前廳享用白蘭地。查理王子若要順利脫身，還真有難度。

「所以呢……」傑米想著那幅情景，不禁笑了出來：「他既不願與那姑娘同處一室，又沒辦法直接走出門去，便心一橫，打開窗戶、爬上屋頂。他沿著排水管向下攀，眼看就快回到街上，但正巧市區守衛巡邏經過，他慌得只管往上爬，以免被發現。他說那真是難以忘懷的經驗，穿梭在煙囪之間，不時踩到濕屋瓦而打滑；那時他忽然發覺再過三棟屋子就是我們家了，屋頂之間的距離不大，可以像跳荷葉那樣輕鬆跨越。」

我感覺腳趾又暖和了起來。「你是派了馬車送他回去嗎？」

「沒有，是他自己去馬廄騎了匹馬。」

「他喝了那麼多賈爾德的波特酒，真懷疑能不能順利回到蒙馬特，畢竟可有好一段距離。」

「反正，一路上想必又濕又冷吧！」傑米有些幸災樂禍地說道，一邊安心著自己窩在溫暖的被窩中，身旁是正大光明娶進門的妻子。他吹熄了蠟燭，將我緊摟入懷，兩人背胸相貼地依偎著。

「他活該。」傑米喃喃道：「男人就該結婚才對。」

天光未亮，僕人們就已起床，忙著清潔打掃，好準備晚上的私人小餐會，招待來訪的杜維內先生。

「我真不懂他們何必這麼麻煩。」我對傑米說著，整個人還賴在床上，連眼睛都沒睜開，一邊聽著樓下嘈雜的聲響。「他們只要清一清棋盒，擺瓶白蘭地，其他的事他根本不會注意到。」

傑米放聲大笑，彎身向我吻別。「沒關係，我也得先吃飽，才有力氣贏他。」他輕拍我的肩說：「我要去倉庫一趟，英國姑娘，但我會趕回來換衣服的。」

我閒來無事，又不想妨礙僕人工作，便決定讓隨從陪我去羅翰家。露易絲前晚與查理王子大吵一架，或許正需要人安慰。我心想，此行絕非為了滿足我窺探的慾望。

—

傍晚我回到房間，只見傑米懶散地坐在窗旁的椅子上，雙腳翹在桌上，衣領敞開，頭髮蓬亂，研讀著一捆紙張，上頭滿是潦草字跡。他一聽到關門聲，就抬起頭來，專注的神情轉為笑容。

「英國姑娘，妳回來啦！」他放下修長的腿，上前擁抱我，臉埋在我髮中磨蹭，忽然猛一抬頭，連打兩個噴嚏，雙手鬆開，在衣袖中摸找手帕。他維持著過去從軍時的習慣，一直把手帕藏在那裡。

「妳身上是什麼味道，英國姑娘？」他沒好氣問道，方巾緊摀著鼻子，適時遮住另一個大噴嚏。

我把手伸入衣襟中，從胸間掏出一只小香包。

「裡頭有茉莉花、玫瑰、風信子、鈴蘭……顯然也放了會讓人過敏的豚草。」見到傑米拿著手帕，奮力擤著鼻子，我問道：「你還好吧？」我東張西望，想找個東西擺這香包，最後相中房間另一頭的書桌，上頭有個文具盒頗為相稱。

「我沒事的。是風……風信……哈啾！」

「我的天！」我匆忙打開窗戶，朝他比了個手勢，他乖乖地把肩膀與頭伸出窗外，接受霧雨的洗滌，大口呼吸沒有風信子的新鮮空氣。

「噢，好多了。」他鬆了口氣，幾分鐘後頭縮回室內，雙眼睜得老開：「妳在做什麼，英國姑娘？」

「洗掉，應該說準備要洗掉。我全身都是風信子油。」我一邊說著，一邊忙著解開禮服背部束帶，看見他正用力眨眼。「如果不趕緊洗掉的話，等下你的噴嚏可能會停不了。」

他若有所思地摸摸鼻子，點了點頭。

「妳說的有道理，英國姑娘，要不要我叫人拿些熱水上來？」

「不用麻煩，沖一下應該就可以洗掉味道。」我要他放心，盡快解開了釦子和束帶。我舉起雙臂，把頭髮盤成圓髻。忽然間，傑米靠了過來，抓住我的手腕，把我的手臂拉到半空中。

「你要做什麼？」我嚇了一跳。

「妳做了什麼，英國姑娘？」他問道，直盯著我的腋下。

「刮掉了。」我得意地說：「應該說是蜜蠟除毛，今天早上露易絲的專屬美容師剛好也在，她就順便幫我打理一下了。」

「蜜蠟除毛？妳把蠟塗在妳的腋下？」傑米不可置信地瞅著水壺旁燭臺上的蠟燭，再轉過頭來看我。

「不是那種蠟，是芳香蜂蠟，美容師先把蠟加熱過後再抹上皮膚，等蠟冷卻後撕下來，就大功告成了！」我憶起除毛的過程，身體不禁微微瑟縮。

「真是見鬼了，妳為什麼要除毛啊？」他端詳我的腋下，仍握著我的手腕。「難道不、不……哈啾！」

他放下我的手，旋即向後退。

「難道不會痛嗎？」他問道，再度用手帕遮住鼻子。

「是有點。」我坦承地說。「但滿值得的，你不覺得嗎？」我舉起雙臂，學起芭蕾舞者左右搖曳。「好幾個月沒這麼乾淨了。」

「值得？」他被弄迷糊了：「把腋下的毛拔光跟乾淨有什麼關係？」

我這才恍然大悟，我遇過的蘇格蘭女人都沒有習慣除毛。此外，傑米認識的巴黎名媛並不多，也不曉得她們有此習慣。忽然間，我完全能理解人類學家經常面臨的困境，對該如何解釋原始部落的奇特習俗傷透腦筋。「這樣味道比較淡。」我給了個答案。

「妳的味道有很奇怪嗎？妳本來聞起來至少還像女人，現在卻香到薰死人，妳把我當成什麼了？蜜蜂嗎？請妳趕快去洗掉，英國姑娘，不然我真的無法靠近妳。」

我撿起一條毛巾，開始擦洗身體。露易絲的美容師拉瑟爾夫人，她把薰香油塗滿我全身，我如今只希望不會很難擦洗乾淨。傑米待在外頭踱步，好與我這一身香氣保持距離，但他一邊怒瞪著我，像隻惡狼伺機要撲向獵物。

我轉過身，把毛巾浸入臉盆，回頭順口說道：「呃，我腿上也做了保養。」

我向後迅速瞄了一眼，傑米的表情由震驚轉為疑惑。

「妳的腿哪有什麼味道？除非妳去牛欄裡走上一整天。」他說。

我轉身把裙襬拉至膝蓋，一腳向前抬，展示姣好的小腿曲線。

「可是這樣好看多了，光滑細緻，不然好像毛髮濃密的猩猩。」我說。

他眼神往下移至自己毛茸茸的膝蓋，這句話可惹到他了。

「所以我是猩猩嘍？」

「不是你，我在說我！」我越發氣急敗壞。

「我的腿毛再怎麼樣都比妳多呢！」

「本來就該如此，你是男人耶！」

他吸了口氣似乎作勢要回應，卻又把氣吐了出來搖了搖頭，嘴裡繼續喃喃說著一大串蓋爾語。他彈回椅子上身子向後靠，瞇著眼觀察我，接著又自言自語起來。我心想還是別問他在說什麼好了。於是，我就在僵持不下的氣氛中匆匆梳洗完畢，同時決定先釋出善意。

「其實沒那麼糟。」我邊說邊用海綿擦拭大腿內側。「露易絲是除全身的毛耶！」

這句話顯然把他震驚得從蓋爾語的自言自語中打回英語頻道。

「什麼？她連『那邊的毛』都除了？」他這時是嚇到魂不附體了。

「嗯哼。」我答道，暗自慶幸他腦中景象至少暫時讓他分了神，無暇注意眼前也除過毛的妻子。「一根不剩。細細的雜毛還是拉瑟爾夫人親自拔的。」

「我的老天爺啊！」他緊閉雙眼，不曉得是不忍卒睹面前的我，還是在想像我剛描述的駭人畫面。

他顯然是在想像那個畫面，因為不久後他便睜開眼睛，目露凶光，厲聲問道：「那她現在就跟小姑娘一樣光溜溜嗎？」

「她說，男人覺得這樣很撩人。」我回答得很小心。

他的眉毛用力揚起，簡直快碰到髮線了，這對於額頭高的人來說，還真有兩把刷子。

「傑米，拜託你不要再碎唸了，我半個字都聽不懂。」我說道，順手把毛巾掛在椅背上晾乾。

「英國姑娘，我只能說，妳不懂也好。」他答道。

第十二章

昂吉醫院

希德嘉修女對人性果真瞭若指掌。

其中三人參觀了第一間病房，

目睹淋巴結結核、疥瘡、濕疹、脫毛、惡臭的膿血症等疾病之後，

便迅速決定以捐款來滿足善心……

「好吧！」傑米就著早餐，無奈說道。他用湯匙指著我警告說：「就讓妳去吧！但是除了僕人之外，妳還要讓穆塔夫護送，畢竟大教堂那一帶是貧民區。」

「護送？」我坐起身子，推開我興致缺缺盯著的那碗粥。「傑米！你不介意我去昂吉醫院看看？」

「我也不曉得我是不是這個意思。」他邊說邊正經八百地舀起自己的粥。「但我想如果妳不去，我可能會更介意。再說如果妳在醫院工作，就不會整天和露易絲混在一塊。我想還有比跟乞丐和罪犯為伍更糟的事。」他陰沉地說。「至少妳從醫院回來，我不會擔心你跟露易絲一樣拔光全身的毛。」

「我會盡量避免。」我向他保證。

我見過許多不錯的護士長，其中少數幾個相當優秀，她們將工作視為使命。希德嘉修女則是完全相反，成果卻也相當不錯。

由希德嘉修女來掌管昂吉醫院，真是再適合不過了。她身高將近一百八十公分，枯槁瘦削的身體裹著黑毛衣，聳立在看護修女當中，彷彿掃帚製的稻草人守著一田南瓜。無論是門房、病患、修女、醫務工、見習修女、訪客、藥師，都被她在場那股氣勢橫掃，只要她一聲令下，全都整齊站好。

這樣的身高，加上那張奇醜無比、帶著詭異美感的臉，難怪她會擁抱宗教人生——耶穌大概是唯一一個她可以指望會回應她擁抱的男人。

她的聲音低沉洪亮，帶有加斯科涅地區的鼻音，迴盪在醫院的長廊裡，有如隔壁教堂鐘聲的回音。她人未到聲先到，從大廳走向辦公室，音量也越來越大聲，我與六名同行的女士在葛斯曼先生的後方縮成一團，宛如一群島嶼居民，躲在脆弱的屏障後無助地等待颶風來襲。

她帶著蝙蝠翅膀般咻地一聲飛奔到葛斯曼先生身旁，喜出望外呼喊著，並用力吻了吻他的雙頰。

「我親愛的朋友！真是意想不到的喜悅啊！什麼風把你給吹來啦？」

她站直身子，朝我們露出大大的笑容。葛斯曼先生說明來意之後，她的笑容依舊不減，但就算是像我這種不懂得察言觀色的人，都看得出她臉部肌肉緊繃，不再出自禮貌而笑，而是不得不笑。

「各位女士的心意和慷慨，我們感激不盡。」洪鐘般的低沉嗓音親切道謝。此時，我看見深埋在她那突出的眉脊底下一雙機靈的小眼正來回掃視，盤算如何趕快解決這件麻煩事，同時用為了靈魂著想的理由，勸誘這些虔誠女士掏錢捐獻。

打定主意後，她響亮地拍了拍手，一名小如知更鳥的修女彷彿從魔術箱跳出來般，突然出現在門口。

「安琪莉可修女，麻煩帶這些女士到診間，」她命令道：「給她們合適的衣服，然後帶她們去病房。如果她們願意的話，可以幫忙送餐給病患。」希德嘉修女的寬闊薄唇微微抽動，顯然不認為看完病房之後，這些女士虔誠的好意還剩得了多少。

希德嘉修女對人性果真瞭若指掌。其中三人參觀了第一間病房，目睹淋巴結結核、疥瘡、濕疹、脫毛、惡臭的膿血症等疾病之後，便迅速決定以捐款來滿足善心，轉身逃回診間，換下修女提供的粗布修道服。

在下一間病房的中央，一名穿著黑大衣的高瘦男子似乎正在進行高難度的腿部截肢手術，尤其驚人的是病人看來並未麻醉，而是被兩名健壯的醫務工奮力壓著，一名結實的修女則坐在病人胸膛上，從這邊看去，垂下的衣服剛好遮住男子的臉。

我背後一位女士微微作嘔。我轉過身，只見兩位湊熱鬧想當善心人的女士的寬闊背影，已經臂並著臂卡在通往診間與自由的狹窄門口。急切地拉扯著衣服之後，才得以衝出門口。她們倉皇逃進幽暗的走廊前，差點撞倒一名匆匆前來的醫務工，那時他正端著一個手術盤，上頭堆滿紗巾與手術用具。

我瞥向一旁，發現瑪莉．霍金斯還待在原地。她的臉色比手術紗巾還蒼白——其實那些紗巾灰撲撲的——腮幫子雖然有些慘綠，但還待在原地。

「快點！別杵在那裡！」外科醫生凶悍地吼道，顯然是衝著驚魂甫定的醫務工而來。醫務工匆忙整理盤上的東西，三步併作兩步地跑向身著黑大衣的外科醫生身邊，他手上正拿著骨鋸，準備截斷病人露出的大腿骨。醫務工彎腰，在手術部位上方綁上另一條止血帶，骨鋸在大腿骨上開始動作，發出難以形容的割鋸聲。我十分同情瑪莉，便把她轉向另一邊。她的手臂在我手中顫抖，牡丹花瓣似的雙唇失去了血色，宛如凍傷的花朵般縮著。

「妳想離開嗎？」我禮貌地問。「我相信希德嘉修女可以幫妳叫輛馬車。」我越過肩膀看著空蕩漆黑的走廊。「伯爵夫人和朗柏夫人恐怕已經先走了。」

瑪莉用力吞了吞口水，她收緊早已僵硬的下巴，以示決心。

「不、不用。妳若留下，我就留下。」她說道。

我當然打算留下，強烈的好奇心和潛入昂吉醫院窺探的渴望，讓我顧不得同情瑪莉的多愁善感。安琪莉可修女走了一段距離，才發覺我們早已停下腳步。她轉過身，耐心等候，圓滾的臉上掛著淡淡微笑，似乎料想我們也會拔腿逃離。我彎身察看地板邊邊一張簡陋小床，一名無精打采的瘦弱婦人裹著單人毯子躺在上面，兩眼無神地在我們身上游移，對我們絲毫不感興趣。真正引起我注意的並非這名婦人，而是床邊那只奇形怪狀的玻璃容器。

容器盛滿黃色液體，想必是尿液。我有些訝異；既無化學檢測，又無石蕊試紙，尿液樣本又有何用？不過，仔細揣想驗尿的各種目的後，我有了想法。

我小心端起容器，無視安琪莉可修女的驚喊警告。我仔細聞了聞。果然，雖然有點被帶著酸氣的阿摩尼亞味道蓋過，但尿液聞起來仍帶有噁心的甜味，就像酸掉的蜂蜜。我有些猶豫，只有一種方法可以確定，我厭惡地噘嘴，小心翼翼地用指尖沾了液體，輕輕點在舌上。

瑪莉在我身旁瞪大雙眼，微微嗆了一聲，但安琪莉可修女忽然饒富興味地看著。我把手放在婦人的額頭上，額頭頗為冰涼，並非發燒引起的虛弱。

「夫人，妳口渴嗎？」我問道，看到擺在她枕邊的玻璃水瓶空空如也，她不必開口我就已經明白。

「渴個不停，夫人，」她回答：「也餓個不停，但是不管吃再多，我還是沒長肉。」她舉起一隻瘦削的手臂，露出皮包骨的手腕，又無力垂了下來，彷彿渾身氣力都已用盡。

我輕拍她細弱的手，低聲向她道別。想到在這個年代，糖尿病仍無藥可醫，原本確診的興奮之情也就消減大半。眼前這名婦人時日無多了。

我意志消沉，起身跟著安琪莉可修女，她放慢了行色匆匆的腳步，與我並肩而行。

「夫人，妳曉得她得了什麼病嗎？」她好奇問道：「光靠尿液就可以嗎？」

「不是光靠尿液。但我的確曉得，她得了……」該死，這個年代糖尿病叫什麼名字？「她得了……呃，糖過多的病，既無法從食物獲得營養，又渴得要命，結果就是排出大量尿液。」

安琪莉可修女點點頭，圓胖的臉上露出無比好奇的神色。

「那妳看她會不會康復，夫人？」

「不，不會了。」我直言道：「她已病入膏肓，可能撐不過一個月。」

她姣好的雙眉揚起，好奇的表情轉為尊敬。「帕內爾先生也這麼說。」

「他本身是做什麼行業？」我無禮地問。

安琪莉可修女困惑地皺起眉頭。「唔，我想他是製作疝氣托帶的，也是個珠寶商。不過他在這裡多半是當驗尿員。」

我不禁挑起眉頭。「驗尿員？」我不可置信地說。「真有這種事？」

「是的，夫人。關於那位瘦弱的可憐女士，他說的跟妳一模一樣。我沒看過哪個女人懂得驗尿這門學問。」安琪莉可修女說道，興致勃勃地盯著我瞧。

「這世間還有許多事情，不是妳的人生觀所能想像的，修女。」我親切地說道，但瞧她認真點著頭，讓我為剛剛自以為是的嘲解感到羞愧。

「確實如此，夫人。可以請妳看看躺在最後那張床上的先生嗎？他好像肝有問題。」

我們一床床巡視，繞完整整一大圈房間。我們看到許多課本上才有的病例，也見識到各式各樣的外傷，有酒後鬧事打傷頭的，還有車伕被酒桶壓傷胸部。

我偶爾停下腳步，向還能應答的病患問些問題。我聽到背後的瑪莉用嘴呼吸，但沒回頭察看她是否摀住鼻子。

巡視結束後，安琪莉可修女帶著挖苦的笑容轉向我：「夫人還想幫助這些可憐人，以侍奉主嗎？」

我已經捲起衣袖。「幫我拿盆熱水，修女，」我說道：「還有肥皂。」

—

「今天還好嗎，英國姑娘？」傑米問道。

「糟透了！」我邊回答邊露出燦爛笑容。

他挑起一邊眉毛，低頭微笑，看著我張開四肢，躺在長椅上。

「妳挺樂在其中的嘛？」

「傑米，當個有用的人感覺真好！我拖地、餵病人喝粥，還趁安琪莉可修女不注意時，幫病人更換髒繃帶或割開膿包。」

「很好。妳忙著亂來之餘，有沒有記得吃東西？」他問道。

「呃，我忘記吃了。」我心虛地說。「不過，我也忘了孕吐。」彷彿想起罪行似的，胃部忽然一陣緊縮，我把一隻拳頭抵在胸骨下方。

「也許我該吃點東西。」

「妳是該吃點東西。」傑米這時口氣嚴厲，伸手去拿搖鈴。

他一邊看著我乖乖吃下肉餅與起司，一邊聽我邊吃邊興高采烈地細述昂吉醫院與病患的情況。

「有些病房很擠，有時兩、三個人共用一張床，有夠糟糕……但是，你不吃一點嗎？很好吃呢！」我話說一半問道。

他盯著我手中那塊糕餅。

「如果妳可以讓我把東西好好吞下肚，暫時不要講腳趾甲長壞疽的事，那我就吃。」

這時我才注意到他雙頰有些蒼白，鼻頭微微皺起。我倒了一杯酒給他，再拿起自己的餐盤。

「那你今天過得如何，親愛的？」我一本正經地回問。

—

昂吉醫院成了我的避風港。修女與病患單純耿直的坦率作風，讓我從宮廷女侍和紳士們叨絮不休地密謀詭計中好好喘了一口氣。若不能在醫院放鬆臉部肌肉，回復正常表情，我這張臉一定很快就會僵化，從此變成皮笑肉不笑的人。

見我一副有條不紊、除了繃帶與紗巾之外沒有其他要求的樣子，修女們很快接受我的存在，而一開始被我的口音與頭銜嚇到的病患，也跟著接受我了。社會偏見的威力強大，但抵擋不了對醫術的供不敷求。

希德嘉修女儘管忙碌，卻花了更多時間評估我。她起初幾乎不跟我攀談，頂多順道說句：「日安，夫人。」但我常感覺那雙精明的小眼從背後緊盯著我，看著我彎腰檢查患帶狀疱疹的老翁，幫被經常肆虐貧民區的大火燒傷的孩子擦蘆薈膏。

她總是一副不疾不徐的樣子，白天卻是踏遍整個院區。她邁著大大步伐踏在病房的灰石地板上，她的小白狗「鈕釦」，總是在一旁緊跟著。

鈕釦跟宮廷裡的女士們流行養的毛茸茸袖珍犬長得天差地別。牠有點介於貴賓狗和臘腸狗之間，粗捲皮毛的邊毛沿著寬肚與短腿飄揚；牠的雙腳外八、趾甲漆黑，喀答喀答地踏在石地板上，踩著碎步緊跟希德嘉修女，尖尖的鼻口幾乎碰到她的黑色長袍衣襬。

我第一次看見鈕釦跟著牠的女主人穿越醫院時，驚奇地問一名醫務工：「那是狗嗎？」

醫務工放下打掃的工作，瞧著那鬈毛尾巴竄進下一個病房。

「呃，希德嘉修女說牠是。」他含糊地說。「我可不想跟她唱反調。」

跟昂吉醫院的修女、醫務工與出診醫生逐漸熟稔之後，我又耳聞其他人對於鈕釦的不同看法，有的容忍寬恕，有的充滿迷信。沒人知道希德嘉修女從哪帶回鈕釦，原因又是什麼。多年下來，鈕釦已成為昂吉醫院的員工之一，希德嘉修女認為——只有她的認定才算數——鈕釦的地位高於看護修女，甚至跟大多出診醫生和藥師平起平坐。

有些醫生和藥師對鈕釦懷著猜疑反感，有些帶著親切開牠玩笑。有位醫生常趁希德嘉修女不在，叫牠「噁心的鼠輩」，另一位叫牠「臭兔子」，還有一個矮胖的疝帶製造商公開叫牠「抹布先生」。修女們認為牠是介於吉祥物和圖騰之間的東西。隔壁大教堂的年輕神父曾經來為病患發放聖餐，卻被鈕釦咬了小腿一口。他告訴我他認為鈕釦是小惡魔偽裝成狗，在人間圖謀不軌。

他這番話雖不中聽，我倒覺得最貼近事實。因為觀察這一人一狗數週之後，我認為鈕釦其實是希德嘉修女的魔物。

希德嘉修女經常跟牠說話，不是一般對狗說話的語氣，而是跟同輩商討要事的語氣。她在病床邊停下腳步時，鈕釦會跳上床墊，用鼻子邊蹭邊嗅著受驚的病人。牠常坐在病患腿上吠叫個一聲，接著詢問似的抬頭看著希德嘉修女，一邊搖著柔順多毛的尾巴，好像在問她對自己的診斷有何看法——而她總會提出看法。

儘管我對這種行為感到十分好奇，卻一直到了三月某個陰雨濛濛的早晨，才有機會近距離觀察這詭異的一人一狗。我站在一名中年車伕的病床旁，一邊跟他閒聊，一邊試著找出他的身體到底出了什麼鬼毛病。

這名車伕一週前入院。他沒注意到馬車尚未停妥就貿然下車，小腿因而被車輪夾傷。這是開放性骨折，傷勢並不複雜。我已接回斷骨，而傷口癒合狀況看似良好，組織呈現健康的粉紅色，肉芽長得很好，沒有異味，沒有透露病徵的紅紋，沒有劇烈壓痛，但也沒有任何原因解釋為何他仍高燒不退，他所排出深色惡臭的尿液，代表仍有感染。

「日安，夫人。」頭上傳來希德嘉修女低沉渾厚的聲音，我抬頭仰望她聳立的身軀。有個東西咻地一聲掃過我的手肘，鈕釦落在床墊上，震得病人輕輕呻吟。

「有何看法？」希德嘉修女問道。我不大確定她是問我還是鈕釦，但姑且當作是我，並說明我的觀察。

「所以一定有第二感染原，但我找不到。我想他的體內是不是有跟腿傷無關的感染，像是輕微的闌尾炎或膀胱感染等，但他也沒腹痛症狀。」

希德嘉修女點點頭：「確實有這個可能。鈕釦！」狗兒抬頭看著女主人，她有稜有角的下巴往病患的方向一跩。「瞧瞧嘴巴，鈕釦。」她命令道。狗兒碎步向前，將那可能讓牠因此得名的圓圓黑鼻往車伕臉上一頂。男子原本因高燒而眼皮沉重，被這麼驚擾，便用力睜開雙眼，但一見到希德嘉修女的威嚴模樣，剛到嘴邊的抱怨也就全吞了回去。

「嘴巴張開。」希德嘉修女指示，她的氣勢讓他乖乖照做，但鈕釦的嘴靠近時，他雙唇顫抖，並不打算跟狗玩親親。

「不對。」希德嘉修女若有所思地邊說邊看鈕釦。「不是嘴巴。鈕釦，瞧瞧其他地方，但小心點，別忘記他的腿斷了。」

彷彿聽得懂每句話般，這隻狗開始在病人身上四處聞嗅，鼻子湊到他的腋下、短腿踩在他胸口以便檢查，輕戳鼠蹊部周圍，檢查傷腿的時候，牠小心地從上方跨過，將鼻子貼到包紮繃帶的表面。

牠回頭聞鼠蹊部——「沒別招了嗎？」我不耐煩地想，畢竟牠是條狗——牠輕戳大腿上緣，隨後坐下吠叫一聲，得意洋洋地搖著尾巴。

「找到了。」希德嘉修女說道，指著鼠蹊部附近一小塊褐色結痂。

「但那已經快癒合了，」我反駁道：「沒有感染。」

「沒有嗎？」修女把手放在車伕腿上用力一按。結實的指頭壓凹蒼白濕冷的肌肉，痛得他呼天搶地。

「啊，」她滿意說道，觀察她按壓後留下的深深凹痕：「一個膿袋。」

確實如此。痂皮的一邊脫開，底下滲出濃濃的黃色膿汁。希德嘉修女握住男子的腿部和肩膀，稍微檢查之後，發現問題所在。一條長長的木頭碎片從斷裂的車輪飛出，往上深深刺入大腿。放著沒管是因為插入傷口不大明顯，就連車伕自己也沒注意，只知整條腿疼痛不已。儘管微小的插入傷口癒合良好，但是深層傷口已經潰爛，碎片周圍形成膿袋，深陷肌肉組織之中，看不出任何表面病徵——至少人類看不出來。

我用手術刀劃開那不顯眼的傷口，用長鑷子迅速夾住碎片，順勢用力一拉，抽出一條七、八公分的木片，上頭沾滿血跡與膿汁。「幹得不錯，鈕釦。」我點頭予以認可。牠開心地伸出長長的粉色舌頭，一對黑鼻孔朝我嗅了嗅。

「對，她很厲害。」希德嘉修女說道，這次不用猜測就知道她在和誰對話，鈕釦是公的。牠湊上前來，禮貌地聞了聞我的手，然後舔了舔我的指關節，回報我這位同行的認可。我克制把手往袍子上擦的衝動。

「真了不起。」我由衷說道。

「是的，」希德嘉修女若無其事地說，但語氣中明顯帶著自豪：「他也很會找出皮膚下的腫瘤。有時我也無法分辨牠從呼吸和尿液的臭味發現什麼，但牠的叫聲有種特別音調，精準指出胃出了毛病。」

在這種情況下，我沒什麼好質疑的。我向鈕釦鞠躬，拾起一瓶金絲桃粉，準備敷在感染處。

「很高興有你幫忙，鈕釦。你隨時都可跟我合作。」

「妳很明智，」希德嘉修女說道，露出一口強壯的牙齒：「很多在這裡看診或開刀的醫生，都不大願意借助牠的能力。」

「呃……」我無意詆毀他人名譽，但眼神飄向大廳那頭的伏勒胥先生，意思已經相當明顯。

希德嘉修女笑著說：「上帝派誰給我們，我們就接受誰，不過有時我會覺得，祂派這些人來此，是為免他們在別處捅出更大的婁子。即便如此，這群醫生有總比沒有好，儘管只有好一點點。」她再度露出牙齒，讓我想起溫馴的輓馬。「而妳，妳可就好太多了，夫人。」

「謝了。」

「不過，我想不透……」希德嘉修女一邊說，一邊看著我幫傷口貼上敷料：「為什麼妳只看外傷和骨折病患？妳不看長斑、咳嗽或發燒的病人，畢竟無照治療師常處理這種病患。我還沒見過女性的外科醫師。」

無照治療師多半來自鄉下，鑽研藥草、膏藥和符咒，助產士則是在治療者中地位最為崇高。許多治療師比有照的執業醫師更受尊敬，也較受低階病患青睞，因為他們可能既有效，收費也較為低廉。

希德嘉修女觀察到我的傾向，我並不感到意外，畢竟我早就知道昂吉醫院的大小事情都難逃她的法眼。

「並不是我沒有興趣。」我向她保證：「只是我有身孕，為了孩子，我不能讓自己暴露在瘟疫中。骨折不會傳染。」

「有時我在想……」希德嘉修女一邊說，一邊瞥向另一個抬進來的擔架。「這週病患真多。不，不用過去。」她示意要我回來。「瑟西爾修女會處理，如果需要幫忙，她會叫妳。」

修女的灰色小眼好奇地盯著我，同時帶有打量的意味。

「所以妳不只是夫人，還有身孕，但妳丈夫卻不反對妳來這裡？他一定不是普通人。」

「他是蘇格蘭人。」我解釋道，不想談到丈夫反對的事。

「喔，蘇格蘭人。」希德嘉修女理解地點點頭。「原來如此。」

我大腿旁的床鋪震動一下，鈕釦跳下床，奔向門口。

「牠聞到陌生人。」希德嘉修女說道：「鈕釦幫忙看診也幫忙看門，只是沒幾個人感激牠的努力。」

入口的大門傳來驚恐的高聲尖叫，以及鈕釦凶悍的吠叫。

「又是包曼神父！真是該死，他怎麼都學不會乖乖站好，讓鈕釦仔細聞一聞呢？」希德嘉修女連忙轉身去救她的同伴，臨走前回頭對我投以迷人微笑。「夫人，我安撫神父的時候，也許會派他來幫妳的忙。神父雖然是位聖潔的人，卻不懂得欣賞大師的工作。」

她從容大步走向門口，我對病床上的車伕交代幾句，便轉身去找瑟西爾修女和剛才抬進來的病患。

我回到家時，看到傑米躺在起居室的地毯上，一名小男孩盤腿坐在一旁。傑米一手握著劍玉，一手蓋住一隻眼睛。

「我當然會，」傑米說道：「隨時都行，你看。」他一手遮著眼睛，另一隻眼睛緊盯劍玉，把象牙杯一甩，繫著繩子的小球從托座躍起，畫出弧形，好似有雷達指引般落下，咚地一聲回到杯上。

「看到沒？」他邊說邊把手從眼前移開。他坐直身子，將劍玉遞給男孩。「拿去，換你試試。」他對我露出笑容，一手親暱地伸進我裙子下襬，握住我套著綠色絲襪的腳踝作為問候。

「玩得開心嗎？」我問道。

「還沒呢！」他回答，捏了一下我的腳踝。「我在等妳，英國姑娘。」纏繞腳踝的溫暖修長手指向上滑動，逗弄地輕撫我的小腿曲線，一雙澄澈的藍眼仰望著我，卻天真無邪。他臉上有條乾掉的泥痕，襯衫和蘇格蘭裙也有幾處汙漬。

「是嗎？」我默默地想把腿從他的手中抽離。「我早該料到有小玩伴陪你就夠了。」

男孩聽不懂我們用英文交談，沒有搭理我們，還在試著閉起一隻眼玩劍玉。試了兩次都失敗後，他張開眼睛看著玩具，好像質疑它不管用。那隻眼睛再次閉上，但這回留下一絲縫隙，眼神在濃密的睫毛下機靈地閃動。

傑米不以為然地彈了彈舌頭，男孩連忙閉緊眼睛。

「嘖嘖，佛戈斯，不可以作弊，」他說道：「這樣才公平。」雖然聽不懂字句，但男孩想必了解意思，他羞怯地咧嘴而笑，露出一對亮白完美的方正門牙，宛如松鼠的牙齒。

傑米的手輕拉一下，我不得不靠近他一點，免得從腳踩的摩洛哥高跟鞋上摔下來。

「佛戈斯多才多藝，適合陪人打發時間，」他說道：「因為有個被妻子拋下的丈夫在這邪惡城市想找點事做。」修長手指纏繞在我膝蓋後方凹口挑逗著。「但佛戈斯不適合陪我做我心中屬意的那種消遣。」

「佛戈斯？」我邊說邊看著男孩，試著不去理會底下的動作。男孩看起來不出十歲，但身材比年齡來得嬌小，骨架纖細如雪貂。他身上穿著乾淨、大了幾號的舊衣，模樣長得很法國人，皮膚蒼白帶著蠟黃，有雙巴黎街童的深黑大眼。

「他的本名是克勞岱，但我們覺得聽起來沒什麼男子氣概，所以改叫他佛戈斯。這才是適合戰士的名字。」男孩聽到自己的名字，抬起頭來，靦腆地對我笑著。

「這位是我的妻子。」傑米向男孩說明，用空出來那隻手比向我。「你可以叫她『夫人』。」然後對我說：「他大概沒辦法唸出圖瓦拉赫堡，或是弗雷瑟這些名字。」

「『夫人』就可以了，」我微笑說道，同時更用力地扭動我的腿，努力想要掙脫他巴著不放的手，「可以請問為什麼嗎？」

「什麼為什麼？喔，妳是問為什麼是佛戈斯嗎？」

「我就是這個意思！」我不確定他的手臂能伸多長，但他已緩緩摸到大腿後側。「傑米，把手拿開！」指頭彈到另一側，熟練地扯鬆褲襪的吊襪緞帶，褲襪就這麼滑了下來，攤皺在腳踝邊。

「你這野獸！」我踹了他一腳，但他隨即閃開，笑了出來。

「野獸？哪種野獸？」

「野狗！」我怒著說道，彎腰想拉起褲襪，同時小心不讓自己跌倒。佛戈斯這孩子漠然地瞥了我們一眼，繼續和手上的劍玉奮鬥。

「至於這個小傢伙，」他快活地繼續說道：「佛戈斯是我僱來的。」

「僱來做什麼？」我問道：「我們已經有負責洗刀擦靴的男孩了，馬廄也有另一個小傢伙打理。」

傑米點點頭。「是沒錯，但我們還沒有扒手。應該說本來沒有，現在有了。」

我深吸一口氣，再慢慢吐出。「原來如此。我想如果問你為什麼家裡需要扒手，應該顯得我很笨吧？」

「去偷信，英國姑娘。」傑米平靜地說道。

「喔！」我恍然大悟。

「我無法從殿下口中套出有用的消息。他和我在一起時，只會哀嘆露易絲公主的事，不然就是咬牙切齒地咒罵，因為兩人又吵架了。反正他只想快點灌醉自己。他時而傲慢時而惱怒，馬爾伯爵已經對他失去耐性，至於謝爾登那裡，我也探不到口風。」

流亡到巴黎的蘇格蘭詹姆斯黨人中，當屬馬爾伯爵最受敬重。他度過漫長輝煌的盛年，如今不過初顯老態。在一七一五年那場未能竟功的起事中，他是詹姆斯國王的主要支持者。薛瑞夫穆爾一役戰敗後，他跟隨國王流亡在外。我見過馬爾伯爵，也很喜歡他，他是一位溫文儒雅的長者，為人非常耿直。他盡力輔佐主公的兒子，不過似乎徒勞無功。我也見過謝爾登，他是查理王子的家教老師，負責處理殿下的書信，把所有語氣不耐、語法不通的行文，譯成文雅的英文與法文。

我坐下來，重新拉上褲襪。佛戈斯顯然對女性坦露的四肢已經見怪不怪，完全無視我的舉動，全神貫注在劍玉上。

「信啊！英國姑娘，」他說道：「我需要那些信。不管是來自羅馬、印有斯圖亞特紋章的信，還是法國來的信、英國來的信、西班牙來的信，我都需要。我們可以從王子宅邸拿到，佛戈斯可以當我的侍童同行——又或許從教宗信差那裡拿到，這樣比較好，可以搶先獲得消息。」

「所以，我們商量好了，」傑米朝著他的新僕人點頭說道：「佛戈斯會盡力拿到我需要的東西，我則提供他衣物和食宿，還有一年三十個艾居幣❶的工資。如果他在過程中被逮到，我會用盡方法把他贖回。如果贖不回，害他被跺手或割耳，再也無法找到工作，我會負責照顧他後半輩子。如果他被吊死，我保證舉行一年彌撒，為他的靈魂祝禱。這樣公平吧？」

我感覺背脊泛起一陣涼意。「老天爺啊，傑米。」我只擠得出這句話。

他搖搖頭，伸手去拿劍玉。「不是老天爺，英國姑娘。如果要求神就求聖狄思瑪斯，祂是盜賊與叛徒的守護神。」

傑米從男孩手中拿回劍玉。他猛力甩了一下手腕，象牙球畫出完美的拋物線，咚一聲落在杯上。

我興味盎然地盯著這個新雇工，他接過傑米遞給他的劍玉，打算再度嘗試，黑色眼眸閃著專注的光芒。

「你上哪兒找到他的？」我好奇問道。

「在一家妓院發現他的。」

「想當然耳，毫無疑問，」我瞧了瞧他衣服上的灰塵和汗漬：「你會跑去妓院想必有充分的理由吧？」

「是啊！」他說道。他身子向後坐，雙臂抱著膝蓋，露齒笑著看我綁好吊襪綴帶。「我想妳應該寧願我去這種地方，也不希望我在暗巷給人打得頭破血流吧！」

我看見佛戈斯的雙眼緊盯劍玉後方，那兒有一盤放在牆邊桌上裹著糖霜的蛋糕，接著小小的粉色尖舌舔了舔下唇。

「我想你的小傢伙餓了，」我說道：「何不給他吃點東西，然後告訴我今天下午到底發生了什麼事？」

「我本來要去港區，」他邊說邊乖乖站起身子：「經過艾蘭丹街時，我的頸背突然發涼。」

傑米．弗雷瑟曾在法國軍隊待過兩年，和一群蘇格蘭狐群狗黨打架行竊，後來遭到追捕，成了亡命之徒，流竄於故土的山野荒地。這些經歷讓他對於被人跟蹤變得敏感異常。

他說不上來是因為背後的腳步聲跟得太近，還是瞥見不該出現的地方有個人影，或是難以名狀的東西——大概像是空氣中瀰漫的惡意——總之，他學到脖上的寒毛漾起警告般的刺痛感時，置之不理勢必大禍臨頭。

傑米立即依照頸椎的指令，在下個轉角改轉左邊，低身繞過賣蛾螺的攤子，穿越蒸甜糕推車和新鮮櫛瓜推車中間的小路，最後溜進一家熟食店。

他緊貼門口旁的牆壁，眼神透過一隻隻吊著的全鴨向外窺視。不一會兒，兩名男子現身街頭，並肩而行，快速地左顧右盼。

巴黎的工人身上都有各自行業的特徵，這兩名男子明顯散發海鹽的味道。其中的矮個兒耳朵戴的小金環早已暴露他們的身分，再不然看兩人紅棕色的臉孔，也知道他們是遠洋船員。

船員早已習慣船上或碼頭酒吧的狹小空間，走路往往左彎右拐。這兩個人在擁擠的巷弄間穿梭，宛如鰻魚在岩石中鑽動，他們眼神掃過乞丐、女僕、主婦和商賈，彷彿海狼打量潛在獵物。

「我等他們經過店門口，」傑米解釋道：「剛要出來走另一邊時，但卻看到巷口有另一個同夥。」

他穿著跟剛才兩人相同的制服，兩側髮辮滿是油漬，一邊插著魚刀，腰帶繫著長如前臂的穿索針。熙來攘往、交易熱絡的人潮一波波進出窄巷，這名身材粗矮的男子依然動也不動地站在巷尾。顯然他留下來把風，同伴則往前搜索。

---

❶ Écu 艾居幣是當時的法國銀幣，幣值大約是三至六個法鎊。

「我思索怎麼做最好，」傑米揉著鼻子說道：「我在店裡很安全，但店裡沒有後門，而且我只要一出門，就會立刻被發現。」他沉思地低頭凝視蘇格蘭裙，撫平腿上的棗紅布面。無論人潮再怎麼多，身材高大又一身火紅的外國人勢必引人注目。

「那你怎麼辦？」我問道。佛戈斯絲毫不理會我們，有條不紊地把蛋糕塞進口袋，不時匆匆啃個幾口。傑米瞧我注視著男孩，便聳了聳肩。

「他不習慣每餐都有得吃，隨他去吧！」他說道。

「好吧，」我說道：「繼續說啊，你怎麼辦？」

「買條香腸。」他乾脆地說。

正確來說是但尼丁臘腸。用添加香料的鴨肉、火腿和鹿肉製成，煮沸後灌入腸衣，然後風乾，每條長度近五十公分，硬如乾燥的橡木。

「我不能拔劍走出去，」傑米解釋道：「但也不想沒有後援，就兩手空空經過巷裡那些傢伙。」

傑米把但尼丁臘腸舉在胸前，警覺地看著經過的人群，大膽朝巷子那端把風的船員走去。男子與傑米眼神交會，目光不帶任何敵意。正當傑米以為原先的預感是自己的誤判時，他瞧見男子的眼神短暫飄向自己的背後。他順從著至今仍讓他保住性命的本能，往前撲了過去，把男子撲倒在地，自己的臉則滑過地上骯髒的鵝卵石。

人群四處逃竄、尖叫不斷，傑米翻身站起，只見一把飛刀擦身而過，射中賣緞帶的攤位木柱劇烈抖動。

「要是我還在懷疑他們是不是衝著我來，我早就沒命了。」他正色說道。

原本握在手中的臘腸派上用場，他靈巧地往一名攻擊者臉上甩去。

「他的鼻子應該被我打斷了，」他沉思地說道：「反正，他向後跌，我推開他後拔腿狂奔，跑到佩勒提耶街上。」

佩勒提耶街的居民宛如一群鵝般紛紛走避，錯愕看著這個蘇格蘭男子飛奔，裙子在擺動的膝間飄動。他沒停下轉頭查看，只需聽聽憤怒路人的叫喊聲，就可知刺客仍在緊追不捨。

國王親衛隊鮮少來此巡邏，人群也保護不了他，充其量只能稍微拖延追兵。沒人會為了外國人插手暴力事件。

「佩勒提耶街沒有小巷可鑽。我至少得找個有面牆壁倚靠的地方，好讓我拔劍。」傑米解釋：「所以我見門就推，終於推開一扇門。」

傑米衝進陰暗的門廊，跑過一名滿臉驚訝的門房，穿越垂掛的帷幔，來到一間燈火通明的偌大房間，腳步戛然而止，停在埃利絲夫人的妓院中央，濃郁的香水味撲鼻而來。

「我想，」我咬著下唇說道：「你應該沒在那裡拔劍吧？」

傑米瞇起眼睛望著我，但沒打算直接回話。

「妳想呢？」他正色說道：「想像一下意外衝進妓院，手裡還拿著臘腸，會是什麼心情。」

我想到這個畫面，不禁放聲大笑。

「天哪，真希望我有看到！」我說道。

「謝天謝地，還好妳當時不在！」他激動說道，雙頰漲得紅紅的。

傑米無視看得入迷的煙花女子，彆扭地穿過——他厭惡地形容——交雜錯綜的赤身裸體，瞥見佛戈斯貼著牆壁，睜大眼睛驚愕地望著這名入侵者。

傑米沒想到會看到男性的存在，立即抓緊小傢伙的肩膀，懇請他馬上帶他到最近的出口。

「我聽到門廊傳來吵鬧聲，我知道他們追進來了。我可不想在裸女堆中跟人拚這條命。」

「想起來確實叫人怯步，」我同意道，一邊摸了摸上唇：「看樣子他帶你逃走了。」

「是啊！這好小子沒半點遲疑地說：『先生，走這裡！』我們上了樓梯、穿過房間，從窗戶爬到屋頂，兩人一起溜走。」傑米對這名新雇工投以溫柔一瞥。

「你知道，」我評論道：「有些妻子可不會相信這個故事裡的任何一句話。」

傑米驚訝地瞪大眼睛。「她們不相信？為什麼？」

「可能因為，」我正色說道：「她們不是嫁給你。幸好你保住貞操全身而退，但現在我比較在意追你的那群傢伙。」

「當時我沒空想這麼多，」傑米回答：「現在想想，我還是不確定他們的身分，也不曉得他們為什麼想抓我。」

「你覺得是搶劫嗎？」賣酒生意的帳款都裝在保險箱中，從弗雷瑟倉庫、特穆蘭街送到賈爾德的銀行裡，全程重重警戒。儘管如此，傑米在港區一帶仍十分顯目，眾人皆知他是富有的外國商人——相較該區大多外籍居民來得富有。

他搖搖頭，彈掉襯衫前面乾掉的泥塊。「或許吧！但他們並不打算靠近我，而是想直接把我殺了。」

他雖然輕描淡寫，但我雙膝發軟，整個人癱在沙發上。我舔了舔突然發乾的嘴唇。

「那、那你覺得會是誰？」

他聳了聳肩，皺起眉頭，手指從盤中挖起一些糖霜舔掉。「唯一威脅過我的人就是聖日耳曼伯爵，但我想不通我死了對他有什麼好處。」

「你說他是賈爾德在商場上的對手。」

「是啊！但是伯爵對德國酒不感興趣，我不認為他會大費周章派人殺我，只為了讓賈爾德回到巴黎，毀掉他剛起步的生意。這未免有些過頭了，」他正色說道：「他脾氣再差，也不至如此。」
「那你覺得……」這個想法讓我略感噁心，嚥了嚥口水才能繼續說。「可能是報復嗎？報復巴塔哥尼亞號被燒毀的事？」
傑米不解地搖頭。「雖然有可能，但這筆帳也等太久了。而且為什麼找上我？」他補充道：「惹毛他的人是妳，英國姑娘。要殺也該殺妳才對吧？」他說道。
噁心感微微加劇。「你非得這麼該死地有邏輯嗎？」我說道。
他看到我的表情，忽然展露微笑，手臂摟著我，安撫我的情緒。「不，我的褐髮美人。伯爵脾氣火爆，但我不覺得他會為了報仇，就費工夫追殺我們任何一個。再多花錢雇三名刺客，也換不回他的船。」
他拍了拍我的肩膀，站起身子。「我想只是搶劫罷了。妳就別操心了，以後我去港區，會叫穆塔夫同行，以防萬一。」
他伸了個懶腰，拍掉蘇格蘭裙上最後一片碎泥。「我可以這樣去吃晚餐嗎？」他邊問邊挑剔地望著胸膛。「應該快準備好了。」
「什麼準備好了？」
他打開門，濃濃的辛辣味自樓下飯廳襲來。
「當然是臘腸嘍！」他轉頭笑道：「妳以為我會浪費食物嗎？」

第十三章

詭計

「我的老天！真的成功了！」

我轉身瞧見佛戈斯，

他蜷在爐火前的板凳上，

認真地把糕餅塞到嘴裡。

「將三把伏牛花葉放入煎藥浸泡整晚，倒在半把黑藜蘆上。」我把藥方放在鑲嵌裝飾的桌上，彷彿紙張有些黏手。「這藥方是胡勒夫人給的。她是引產婆裡最厲害的，但就連她都認為危險。露易絲，妳確定要這麼做嗎？」

她的粉色圓臉長了斑點，豐厚下唇微顫。

「我還有其他選擇嗎？」她拾起墮胎藥方，厭惡卻又出神地盯著。

「黑藜蘆。」她打起冷顫。「聽起來就很邪門！」

「這東西毒得很，」我直言道：「它會讓妳覺得五臟六腑都快翻了出來，胎兒可能也就這麼流掉。不是每回都能成功。」我記得雷蒙大師的警告——拖越久越危險——心裡納悶她懷孕多久，應該不出六個禮拜，她一察覺異狀就跟我說了。

她看著我，一臉驚愕，眼眶泛紅。

「妳試過嗎？」

「天哪，沒有！」我被自己激動的回應嚇到，於是深吸一口氣。

「沒有，不過我在昂吉醫院看過一些婦人做過。」引產婆多讓孕婦在自己或孕婦家中進行。我在醫院沒看過哪個墮胎成功。我一隻手輕放在肚子上，好似在保護裡頭無助的生命。露易絲看到我的舉動，她往沙發一坐，雙手摀臉。

「喔，我好想死！」她嗚咽地說。「為什麼我無法跟妳一樣好命，可以懷著自己愛的丈夫的孩子？」她雙手抓住圓肚，緊緊盯著，好像希望孩子從指縫探出頭來。

這個問題有很多答案，但我想她完全聽不進去。我深吸口氣，坐在她身旁，拍拍她披著華美錦緞、用力起伏的肩膀。

「露易絲，」我說道：「妳想要這個孩子嗎？」

她抬起頭來，驚訝地瞪著我。

「當然想要！」她大喊：「這是他的，這是查理的孩子！這是……」她的臉一垮，再度低下頭，雙手緊抓著肚子，「這是我的孩子。」她低喃道。過了好一會兒，她抬起淚流滿面的臉，可憐兮兮地試圖振作，用長長的袖子擦鼻子。

「但這樣不好。」她說道：「如果我不……」她瞥一眼桌上的藥方，用力吞了吞口水。「那麼朱勒會把我趕出去。這會成了天大的醜聞，我可能會被驅逐出教會！就連神父都保護不了我。」

「沒錯，」我說道：「但是……」我語帶猶豫，然後決定豁了出去，說：「有沒有可能讓朱勒以為孩子是他的？」

她突然呆住，一動也不動，讓我想伸手搖她。

「怎麼可能，除非……喔！」她恍然大悟，驚恐地看著我。

「妳是說和朱勒上床？但查理會氣瘋的！」

「懷孕的又不是查理！」我咬牙說道。

「但他是……我不能！」但她臉上的驚恐已漸消退，慢慢了解這不失為一種可能。我不想逼她，但也不想見她為了查理的尊嚴，而拿自己的生命冒險。

「妳覺得查理會要妳冒險嗎？他知道孩子的事嗎？」我問道。

露易絲點點頭，嘴巴微張想著這事，雙手仍緊抓肚子。

「知道。我們上次就是為了這事吵架。」她吸著鼻子。「他很生氣，說都是我的錯，說我應該等他奪回他父親的王位。等他登基以後，就可以帶我離開朱勒，再請教宗宣告我的婚姻無效，他的孩子就可以繼承英格蘭和蘇格……」她再度失控，頭埋在裙裡，哭得一把鼻涕一把眼淚。

我不耐煩地翻了個白眼。

「給我安靜一點，露易絲！」我厲聲說道。她嚇得停止啜泣，我利用這段空檔加緊遊說。

「妳想想，」我極力說服：「無論是不是私生子，查理應該都不希望妳犧牲掉他兒子，對吧？」事實上，我覺得查理會不擇手段剷除妨礙他的事物，才不會管露易絲或可能是他的骨肉的死活。話說回來，他確實也有浪漫的一面，若經勸說，或許認為流亡在外，一時的不順遂不算什麼。我顯然需要傑米的協助，但一想到他可能有的反應，我不禁做了個鬼臉。

「唔……」露易絲有些動搖，極度想被說服。我突然有點同情朱勒這位羅翰家王子，但在昂吉醫院的石廊裡，年輕女僕躺在簡陋病床上，滿身是血、飽受痛苦地拖著等死，這個畫面歷歷在目。

我拖著沉重腳步離開羅翰家時，太陽已快下山。緊張發抖的露易絲待在樓上房裡，待女侍幫她盤起頭髮、穿上最性感的禮服後，便下樓與丈夫共進晚餐。我覺得筋疲力竭，希望傑米沒帶客人回家晚餐，我需要靜一靜。

他沒帶客人回家。我走進書房時，他正坐在書桌前，研讀著三、四張寫得密密麻麻的紙。

「妳覺得『毛皮商人』最有可能是路易王，還是他的大臣杜維內？」他頭也不抬地問道。

「很好，謝謝，親愛的，那你今天好嗎？」我說道。

「很好。」他心不在焉地回答。他前額的亂髮直直翹起，我看著他使勁揉著頭皮，一邊對著紙張皺眉。

「我確定『凡登來的裁縫師』一定是蓋爾先生。」他邊說邊用手指畫著信中的文字。「還有『我們的共同朋友』可能是馬爾伯爵或教宗特使。從其他內容判斷，我覺得是馬爾伯爵，但是……」

「這到底是什麼啊？」我從他肩後探頭一看，瞄見信尾的署名，立即倒抽一口氣：承蒙天恩／英格蘭暨蘇格蘭國王／詹姆斯．斯圖亞特。

「我的老天！真的成功了！」我轉身瞧見佛戈斯，他蜷在爐火前的板凳上，認真地把糕餅塞到嘴裡。

「好小子。」我微笑對他說道。他回以微笑，雙頰塞滿栗子塔，像極了花栗鼠。

「我們從教宗信差那兒偷來的。」傑米解釋，終於注意到我的存在。「佛戈斯趁他在酒館吃晚餐時，從他袋裡拿來。他會在那過夜，所以我們得在明早前把信放回去。沒問題吧，佛戈斯？」

男孩吞下口中食物，點點頭。「沒問題，老爺。他一個人睡，因為怕同房的人會偷他袋裡的東西。」他露出嘲諷的笑容。「馬廄上方左邊第二扇窗，」他揮舞輕快的手，伸出弄髒的手指再拿一塊派：「小事一件，老爺。」

我腦海突然浮現那纖細的手被按在石上抖動，劊子手的利刃高舉在他瘦弱的手腕上方。我嚥下口水，強壓反胃的不適。佛戈斯脖上戴著一條青綠銅章鍊子，我暗自希望銅章上頭是聖狄思瑪斯的肖像。

「那麼……」我深吸口氣，設法穩定情緒。「皮毛商人是怎麼回事？」

—

我沒有時間慢慢閱讀。最後，我迅速把信謄寫一遍，小心翼翼重新摺好原本那封，藉助燭火燒熱的短刃，重新印上封蠟。

佛戈斯在一旁觀察，對著傑米搖頭：「這件事您一定很在行，老爺，只可惜那隻手廢了。」

傑米平靜地望著自己的右手。那隻手也沒那麼糟，兩根手指微微彎曲，中指有條又長又寬的疤。受傷最嚴重的是無名指，那指僵硬地翹起，第二關節完全碎裂，因此復原後兩節指骨連在一起。這隻手是不到四個月前，他被關在溫特沃斯監獄時，黑傑克所毀掉的。

「沒關係。」他微笑說道。他屈起右手，對著佛戈斯戲鬧地揮舞手指。「反正我天生一雙大手，本來就沒法當扒手維生。」我心想，他的手指竟然恢復得這麼快。他依然隨身攜著我替他縫製的軟布球，每天邊做事邊悄悄地捏個上百次。即使骨頭復原過程疼痛，他也從來不曾抱怨。

「你快去吧！」他對佛戈斯說道，「平安之後就過來找我，我才知道你沒被警察或酒館老闆逮到。」

佛戈斯聽到這話不屑地皺起鼻子，但依然點頭，小心地把信件塞入罩衫，隨後溜下後梯，消失在夜色的保護之中。

傑米目送他離開，一會兒後才轉身面向我。這時他才好好看我，眉毛向上揚起。

「天哪，英國姑娘！」他說道：「妳臉色白得跟襯衫一樣！妳沒事吧？」

「我只是肚子餓了。」我說道。

他立刻搖鈴叫人送來晚餐。我們在爐火前吃飯，我向他提起露易絲的事。出乎我意料之外的是，雖然他邊聽邊皺眉，用蓋爾語說露易絲和查理的壞話，但是卻同意我提出的辦法。

「我以為你會不高興。」我邊說邊舀起一口多汁的什錦燉肉，再配些麵包。溫熱的豆子佐培根撫慰了我，讓我滿心平靜幸福。外頭寒冷漆黑，風聲瑟瑟，但屋裡的爐火旁邊溫暖又安靜。

「妳剛剛說露易絲要把私生子當成是她丈夫的孩子？」傑米皺眉瞧著自己盤中食物，一隻手指畫過盤緣，抹起最後一點肉汁。

「我其實不太贊成這麼做，英國姑娘。這種要男人的手段很卑劣，但這可憐的女人還能怎麼辦？」他搖搖頭，視線飄到房間另一頭的書桌，露出歪斜的笑容。

「況且，輪不到我拿道德高標評論別人的行為。我偷信、監視，還要反叛自家人擁護的國王？我也不希望有人批評我做的事，英國姑娘。」

「你做的事有該死的正當理由啊！」我反駁道。

他聳聳肩，火光在他臉上熠熠閃動，照著他凹陷的雙頰，陰影落在眼窩。這讓他看起來比實際年紀蒼老；我總忘記他也還沒二十四歲。

「是啊！露易絲也有她的理由，」他說道：「她想救一條人命，而我想救上萬條人命。這就能原諒我拿小佛戈斯、賈爾德的事業和妳去冒險嗎？」他轉頭對我微笑，高挺的鼻梁閃爍微光，轉向爐火的那眼宛如藍寶石般發亮。

「不，我不會因為偷拆人家的信就晚上睡不著，」他說道：「事情結束之前，還有更卑劣的事要做。克萊兒，我現在還不敢說我的良心能撐到什麼地步，但最好別太早測試底線。」

無需贅言，他說的都是事實。我伸手撫觸他的臉龐，他也把手放在我的手上，握著好一會兒，然後轉頭輕吻我的掌心。

「飯吃完了，」他邊說邊深吸口氣，開始辦正事。「飯吃完了，我們可以看信了嗎？」

這封信明顯是以暗號寫成，傑米說這是為免遭人攔截。

「誰會想要攔截陛下的信？」我問道：「我是說除了我們以外。」

傑米哼著鼻子，取笑我的天真。

「可多了，英國姑娘。路易王的間諜、杜維內先生的間諜、西班牙國王菲利浦的間諜，或是詹姆斯黨的貴族跟想要趁機推翻詹姆斯黨的人，還有那些不管別人死活的情報販子。教宗本身也有可能，畢竟教廷五十年來都支持流亡的斯圖亞特家族，應該會緊盯他們的動向。」他敲了敲我謄寫的那封詹姆斯寫給兒子的信。

「我開信之前，信上的封蠟大概已被拆過三次。」他說道。

「我懂了。難怪詹姆斯要用暗號，你看得懂他的意思嗎？」我問道。

傑米拿起信件，皺著眉頭。

「我不確定，有些看得懂，有些毫無頭緒。如果看到其他詹姆斯國王送出的信，或許可以解開。我再看看佛戈斯能幫什麼忙。」他摺妥副本，小心收到抽屜鎖上。

「別相信任何人，英國姑娘。」他看著我瞪大雙眼。

「間諜也許就在僕人當中。」他把小鑰匙放到外套口袋中，朝我伸出手臂。

我一手拿著蠟燭，一手挽著他的手臂，我倆走向樓梯。屋內其他地方陰暗無光，除了佛戈斯以外，其他僕人正睡得香甜。想到樓上樓下睡著的這些人可能表裡不一，我不禁感到毛骨悚然。

「你不覺得有點緊張嗎？」上樓時我對傑米問道：「永遠不能相信任何人？」

他輕聲笑著說：「當然不是所有人，英國姑娘。還有妳、穆塔夫、我姊傑妮跟姊夫伊恩。我會把命託付給你們四個人，其實也不只一次了。」

我微微發抖，他拉開大床的簾幔。夜裡，爐火已被封住，房間越發寒冷。

「只能信任四個人好像少了點。」我邊說邊解開長袍。

他把襯衫向上一脫，甩到椅子上。外頭夜空灑進微光，映著他背上道道疤痕，銀銀閃耀。

「是啊！再怎麼樣，」他說得倒也實在：「還是比查理王子多四個可以信任的人。」

—

距離破曉時分尚早，外頭已傳來鳥兒啁啾鳴唱。一隻仿聲鳥練習著顫音，一遍又一遍，佇足於附近陰暗的簷槽上。

傑米睡眼惺忪地移動著身子，臉頰磨蹭我除過毛的柔順腋下，轉頭在我溫暖的肩窩落下淡淡一吻，我的半邊身子舒服地發顫。

「嗯，我喜歡妳的雞皮疙瘩，英國姑娘。」他低喃著，一手輕撫著我的肋骨。

「像這樣嗎？」我答道，右手指甲輕輕滑過他背部的肌膚，在這戲弄的撫摸之下，他的肌膚順從地漾起陣陣疙瘩。

「啊！」

「你也有了。」我輕聲回答，又滑了幾下。

「嗯……」他舒服地呻吟一聲，翻向一側，雙臂環抱著我，我跟上他的動作，享受彼此裸體忽然接觸的快感，從頭到腳貼合。他的身子好暖，宛如悶燒的火焰封了一夜的熱度，再度於黎明的寒冷時分熊熊燃起。

他的雙唇溫柔地含住我雙峰最敏感的尖端，我發出呻吟，微微弓起身，讓他深深含入溫暖的口中。我的乳房日益脹大、敏感，有時在緊箍著的禮服束帶下，乳頭又刺又癢，渴望愛人深吮。

「以後我還可以這樣嗎？」他喃喃自語，輕嚙著我敏感的乳尖。「等孩子出生，妳胸部滿滿都是母乳時，妳也願意讓我靠在妳心口，這樣餵我嗎？」

我托著他的頭，手指沒入柔軟髮絲之中。

「永遠願意。」我低語道。

第十四章

皮肉之苦

如果我要動手，妳就得看著！

傑米焦急地來回看著即將挨打的受害者和準備好的刑具，他又躊躇一會兒，終究不再抗拒。

佛戈斯的本事實在了得，幾乎每天都帶回殿下新的信件，有時我還得趕在他下回出發之前，加緊腳步謄寫所有內容，好讓他原封不動把東西放回去，再伺機偷新信回來。

其中有些信是流亡羅馬的詹姆斯國王用暗號寫成；傑米會把這類信件放一旁，閒暇之餘再好好思索。陛下絕大多數的信件都無關緊要，像是義大利朋友捎來的字條、當地商賈寄來的眾多帳單（查理愛穿華服良靴，嗜飲白蘭地），偶爾還有露易絲寫的信。露易絲的信很容易辨別，除了字體工整細小，宛如小鳥踩過的足跡之外，她還會把信紙噴上濃郁的風信子香氛，傑米堅持不讀這些信。

「我才不要讀查理的情書，」他堅決說道：「就算陰謀策畫也是要講原則的。」他打個噴嚏，把最新一封信丟回佛戈斯的口袋。「再說，」他務實地補了一句：「露易絲什麼事都跟妳說。」

此言不假，我成了露易絲的閨中密友，她待在我家客廳的時間，跟待在自己家的差不多。她一會兒為了查理百般糾結，一會兒又忘了查理，熱切談起懷孕的種種新鮮事……而她完全沒有害喜症狀，真是可惡！雖然她老是沒頭沒腦的樣子，但我仍算是相當喜歡她。儘管如此，每天下午能到昂吉醫院，暫時逃離她的身邊，對我還是一大解脫。

雖然露易絲壓根不會來到昂吉醫院，但我到那兒還是不乏有人陪伴。瑪莉·霍金斯無懼上回的醫院初體驗，鼓起勇氣再次與我同行。而且一再跟來。雖然她還是無法直視病患傷口，倒是可以餵病人吃粥，也可以掃掃地。想必她也想藉機換個環境，不用一直待在宮廷參加聚會，或者成天待在叔叔家。

雖然瑪莉常被她在宮中看到的行逕嚇到——並非她見識過什麼，只是她容易大驚小怪——但見到馬里尼子爵時，她神情未有一絲厭惡或懼怕。我斷定她卑劣的家族仍在商談聯姻條件，所以尚未告知她此事。

四月底，我的判斷得到證實，當時我們正在前往昂吉醫院的路上，瑪莉羞怯地向我吐露自己墜入愛河。

「他非常英俊！」她語帶興奮，完全忘了口吃。「而且也好……唔，好有靈性。」

「靈性？」我說道：「對，這很好啊！」心中暗想，我絕對不會把這點擺在愛人應有特質的第一順位，不過人各有所好。

「那麼是哪位幸運男士呢？」我逗著她玩：「我認識嗎？」她的臉更紅了。「不，妳應該不認識。」她又抬起頭，雙眼閃閃發光。「但是——唉呦，我不該跟妳說的，但我就是忍不住。他寫信給我的父親，下週就要回來巴黎了！」

「真的嗎？」這可有趣了。「我聽說帕爾伯爵一行人下週要來宮中，妳的心上人也在裡面嗎？」我說道。

聽到此話，瑪莉滿臉驚愕。

「法國人！喔不，克萊兒。真是的，我怎麼可能嫁給法國人？」

「法國人有什麼不對嗎？」我問道，沒料到她反應會如此激烈。「畢竟妳會說法語。」這可能就是問題所在，瑪莉的法語固然流利，但由於生性害羞，口吃的情況比說英語還要嚴重。我遇過兩個廚房打雜的男孩，惡劣地模仿「口拙的英國妞」來取笑作樂。

「妳不知道法國人的事嗎？」她壓低音量，瞪大的雙眼驚恐不已。「這是當然的了，妳不會知道。妳丈夫這麼溫柔體貼，他不……我是說，他不……不會那樣對妳……」她的臉染上鮮紅的牡丹色澤，從下巴一路延伸至髮際，而且口吃到快要斷氣了。

「妳是說……」我設法委婉地化解她的尷尬，又得避免胡亂猜測法國男人的習性。然而，一想到霍金斯先生提及瑪莉父親的事，以及他對她婚事的盤算，我覺得應該好好導正她從聚會和更衣間聽來的八卦。哪天她若真的嫁給法國人，我可不希望她被嚇個半死。

「他們在……在床上……做的事啦！」她粗啞著嗓子低聲說道。

「妳跟男人在床上能做的不過就那些事。巴黎市區到處都可見到許多小孩，所以我想法國人的行為相當合乎傳統。」我就事論事地說。

「小孩……沒錯，當然。」她含糊說道，彷彿不清楚其中關聯。「但……但是大家都說……」她垂下眼神，窘迫不已，聲音更加低沉。「都……都說他……法國男人的東西，妳知道的……」

「是啊，我知道，」我努力耐著性子回答道：「就我所知，他們跟其他男人差不多。英格蘭和蘇格蘭男人都很類似。」

「對，但是他們，他們把……把那個放到女生兩腿……兩腿中間！我是說，進到女生裡面！」這個天大的消息總算脫口而出，她深呼吸，情緒似乎稍稍穩定，一臉濃烈的緋紅稍稍消退。「英格蘭男人，就連蘇格蘭……喔，我不是那個意思……」她的手迅速捂著嘴，深感不好意思。「但是像妳丈夫這麼正派的人，絕……絕對不會強迫妻子忍受那……那種事！」

我一手放在微凸的腹上，若有所思地望著瑪莉。開始了解為何瑪莉．霍金斯會把靈性擺在男性品德分類的前幾名。

「瑪莉，我覺得我們得聊一聊。」我說道。

—

我走到昂吉醫院大廳時仍暗自微笑，我的衣服外面罩著耐穿的灰色見習修女服。

許多外科醫生、驗尿員、接骨師、內科醫生和治療師在這裡奉獻自己的時間和服務，有些則是前來見習或精進醫術。運氣欠佳的昂吉醫院病患，沒有抗議自己成為各種醫療實驗對象的餘地。

除了修女之外，醫療人員幾乎每天都換不同的人，端看誰哪天沒有付費病患，或是誰需要測試新的技術。即便如此，大多自由醫療人員都算常來，讓我很快記得其中幾個熟面孔。

其中最有趣的是一名高瘦男子，我第一次來昂吉醫院那天，看到他在動截肢手術。經過詢問後，我得知他叫福黑先生。他平時負責接骨，偶爾嘗試較困難的截肢手術，尤其是切除整肢而非關節的手術。修女和醫務工似乎有些害怕福黑先生，不會像對多數醫療志工人員那樣，開他玩笑或互相說些不雅的笑話。

福黑先生今天正好當班。我靜靜地湊上前去，想看他在做什麼。病患是名年輕工人，他臉色蒼白，躺在病床上喘氣。他從大教堂的鷹架摔落地面——那座教堂老在整修——摔斷了一隻手臂和一條腿。在我看來，處理那隻手臂對專業接骨師來說應該不難，只是簡單的橈骨骨折。那條斷腿可就另當別論了，那是雙重開放性骨折，中股骨與脛骨都摔斷。部分骨頭刺出大腿和小腿脛的皮膚，肌肉撕裂處的創傷性瘀青遍布整支腿的上半部。

我無意讓福黑先生分心，但他似乎陷入沉思，慢慢地在病人身邊繞圈，側著身子走來走去，宛如以腐肉為食的烏鴉，唯恐病患尚存一息。福黑先生外表真的頗似烏鴉，有著鳥喙般的高挺鼻梁，一頭未塗粉的滑順黑髮向後梳理，在頸背結成髮束。衣服也是暗黑色的，想必是高級布料裁製，顯然他在外收入優渥。

福黑先生終於決定怎麼處置，他抬起原本靠著手的下巴，四處張望尋求協助。他的視線落到我身上，示意要我上前幫忙。我身穿見習修女的粗布制服，他專心過頭，沒注意到我未戴修女的頭巾和面紗。

「這裡，修女小姐。」他指示道，手握病人的腳踝。「緊緊抓好腳後跟，我說用力再用力，一聽到我的指令，就把腳往妳的方向拉。拉的時候慢慢來，但要用力——這會很花力氣，懂嗎？」

「我懂。」我按照吩咐抓住腳，福黑先生則緩慢笨拙地移到另一頭，若有所思地看著骨折的腿。

「我這裡有藥劑可以派上用場。」他邊說邊從外套口袋拿出一只小瓶子，放在病人的頭旁。「這能收縮表面皮膚的血管，促使血液向體內流，對這個小夥子比較好。」語畢，他抓著病人的頭髮，將小瓶子塞入年輕人嘴裡，俐落地把藥劑倒入喉嚨，一滴不漏。

「啊，這藥會讓人舒服點。至於疼痛的部分——沒錯，能把腿麻痺最好，這樣我們拉的時候，他才不容易亂動。」他滿意地說，男子嚥下藥劑、深吸口氣。

他又伸手進大口袋，這回拿出小銅針，約五、六公分長，針頭寬扁。他伸出嶙峋的手，輕柔地摸索病患大腿內側靠近鼠蹊的地方，順著皮下一條細長的藍色大靜脈摸著。摸索的手指躊躇、停下、畫圈，然後停在一個點上。福黑先生把尖銳的食指向下戳，彷彿是在做記號般，再用銅針的針尖抵住。接著從百寶口袋抽出一只小銅槌，旋即一敲，銅針就這麼沒入腿中。

大腿先是劇烈抖動，然後癱軟下來；先前的血管收縮劑似乎也已奏效，傷口流出的血液明顯少了許多。

「太神奇了！」我驚呼出聲。「你是怎麼辦到的？」

福黑先生靦腆地笑了笑，陰暗的雙頰因為我的讚美，喜悅地染上淡淡瑰紅。

「唔，也不是每次都有效。」他答得謙虛。「這次算我運氣好罷了。」他指著銅針解釋：「那是神經末梢聚集的地方，修女，解剖專家稱為神經叢。如果運氣夠好，可以直接刺入，就能麻痺下肢大部分的感覺。」他忽然直起身子，發覺自己顧著說話不做正事。

「過來，修女小姐，」他命令道：「回到剛才的位置！收縮劑的效用持續不了太久，我們得趁出血不多的時候治療。」

病患腿部幾乎完全放鬆，輕易就被拉直，裂開的骨頭末端也縮回皮膚。我依照福黑先生的指示緊抓男子軀幹，他則拉動腳和小腿，持續施加拉力，以完成最後的微調。

「這樣就行了，修女小姐。現在請妳握穩他的腳。」福黑先生呼喊一聲，醫務工送上兩根堅固的木棍與包紮用的布料，不一會兒我們已把骨折的腿部固定，傷口也以壓力綳帶包紮完畢。

我和福黑先生站在病患旁邊，相視而笑、聊表祝賀。

「真是了不起！」我讚嘆道，把剛才用力時鬆脫的頭髮向後撥去。我發現福黑先生的臉色丕變，這才察覺我沒戴面紗，而就在此刻，一旁教堂傳來晚鐘的隆隆聲響。我張著嘴，抬頭望著病房盡頭高高的窗戶，上頭並無玻璃，好讓室內的穢氣流出去。果然，矩形窗戶外的天空已抹上傍晚的深靛色。

「不好意思，」我邊說邊脫起修道服：「我必須走了，如果太晚回去，我丈夫會擔心的。很高興有機會幫你，福黑先生。」這位瘦高的接骨師看著我脫去外衣，表情明顯驚愕。

「但妳……呃，不對，妳當然不是修女。我早該料到……但妳是誰？」他好奇問道。

「我叫弗雷瑟，」我簡單回答道：「我必須走了，不然我丈夫……」

他挺直高大笨拙的身軀，無比嚴肅地彎身行禮。

「若妳允許我送妳回家，這將是我的榮幸，弗雷瑟夫人。」

「謝謝你。」我說道，如此體貼真讓人感動：「但我有人護送。」我邊說邊茫然地四處張望，搜尋佛戈斯的身影。若當天沒有偷東西的任務，他就會代替穆塔夫來護送我，這時我發現佛戈斯正倚著門邊，不耐煩地動來動去。我納悶他待在那兒多久了，顯然修女們不准他進大廳或病房，堅持要他在門邊等候。

福黑先生狐疑地看著佛戈斯，接著牢牢挽起我的手肘。

「我送妳回家，夫人。」他斷然說道：「晚上在這一帶走動，只派個孩子保護，實在太危險了。」

聽到自己被喚作「孩子」，佛戈斯氣憤極了，立刻前來抗議，直說自己是稱職的護衛，每次都帶我走最安全的街道。福黑先生不理會我們兩人，朝著安琪莉可修女肅穆地點點頭，就帶我穿越昂吉醫院的大門。

佛戈斯緊跟在我的背後，拉著我的袖子。「夫人！」他急切地低聲說道：「夫人！我答應老爺每天護送妳回家，不讓妳和討厭的……」

「我們到了，夫人。妳坐這裡，妳的小隨從可以坐另一個位子。」福黑先生無視佛戈斯的吼叫，一把將他舉起，隨手甩進等候的馬車裡。

這是輛敞篷小馬車，但配備雅致，鋪有深藍絨坐墊，還有小型伸縮簷篷替乘客遮風避雨，或阻擋上方落下的汙水。不過，馬車門上沒有紋章或裝飾。可見福黑先生並非貴族，想必是有錢的中產階級。

回家路上，我們客套地交談，聊些醫療相關的話題，佛戈斯則坐在角落生悶氣，蓬亂的頭髮底下迸射憤怒目光。馬車一在特穆蘭街停下，佛戈斯不等車伕開門，就從旁邊一躍而下，隨即飛奔屋內。我盯著他的背影，納悶他在生什麼氣，然後轉身向福黑先生道別。

我連聲道謝，他親切地向我說道：「這沒什麼，反正我回家會經過府上這條路。況且在這個時間，我也不放心讓這樣一位優雅的女士走在巴黎街頭。」他扶我走下車，正要開口說些什麼時，我們背後的大門砰地打開。

我轉頭看到傑米，他的表情透露些許不悅，但瞬間轉為驚訝。

「晚安，先生。」他向福黑先生行禮。福黑先生也莊嚴地回禮：「尊夫人允許我有此榮幸護送她回家，大人。至於她晚歸這件事，請將過錯怪到我的身上，她好心幫我處理昂吉醫院的一些事情。」

「我想也是。畢竟，」傑米帶著無奈挑眉看我，用英語接著說道：「區區一個丈夫，哪裡比得上發炎的腸子或長膽斑的病患，對吧？」他的嘴角微微抽動，我曉得他並非真的生氣，只是擔心我太晚回家，不禁覺得有些慚愧。

他又向福黑先生行了禮，然後拉著我的上臂，催促我進門。

「佛戈斯跑哪兒去了？」門一關，我就這麼問道。傑米哼了一聲。

「他在廚房，我猜他在等著受罰。」

「受罰？你這什麼意思？」我質問道，沒想到他笑了起來。

「我本來坐在書房，」他說道，「納悶妳是跑到哪個鬼地方去了，正準備親自去醫院一趟時，門就突然打開，佛戈斯這小子衝進房來，跪在我的腳邊，求我當場殺了他。」

「殺了他？為什麼？」

「我也問他相同的問題，英國姑娘。我以為你們半路被打劫，妳也知道，附近街上有不少危險的流氓。我以為妳遭遇不測，他才會做出這種舉動。但他說妳在門口，我連忙去看妳怎麼了，佛戈斯跪在我腳邊，胡亂地說他辜負我對他的信任、沒資格叫我主子，還求我把他打死。突然發生這種事，我只覺得腦袋有點混亂，所以告訴他我晚點再來處理他，叫他先去廚房待著。」

「該死！」我說道：「我不過晚點回來，他就以為自己辜負你的信任？」

傑米斜睨著我。

「是啊，他真這麼想。這麼說也沒錯，他讓妳和陌生人共乘馬車。他還跟我發誓，說他本來要在妳上車前擋到馬匹前面，只不過妳……」他這時語氣轉變，嚴厲地說：「好像和那男的處得很好。」

「當然處得好，」我說得忿怒：「我幫他接了一條斷腿啊！」

「唔……」這個理由顯然讓他難以信服。

「好吧！」我不甘願地同意：「這樣或許不太明智。但是他真的看起來很正派，而且我也的確趕著回家，我知道你會擔心。」儘管如此，我真希望當初多留意佛戈斯急切的嘟囔，和拉我衣角的舉動。當時我一心只想快點回家。

「你不會真的動手，對不對？」我有些擔心地問。「這件事完全不是他的錯，是我堅持要坐福黑先生的車。真該受處罰的人是我才對。」

傑米轉向廚房，帶著冷笑朝我挑了個眉。「也對，」他同意道：「不過我發過誓不對妳動手，只能找佛戈斯開刀了。」

「傑米！你不可以！」我站住腳步，嚇得焦急而使勁地拉著他的手臂哀求。「傑米，拜託你，不要！」然後我看到他的嘴角留著藏不住的笑容，才大大鬆了一口氣。

「不會啦！」他邊說邊笑了開來。「我沒打算殺他，也不想為此打他。不過，可能得賞他一、兩個耳光，幫他留點面子，」他補充道：「沒能按照我的命令護送妳，讓他覺得自己犯下滔天大罪，如果我不作勢懲罰一下，很難了結這件事。」

他在廚房外的毛氈門前停下腳步，繫好袖口，調整頸飾。

「我看起來還得體嗎？」他打趣地問道，一邊把雜亂的粗髮向後撫順。「也許我該去拿外套，我不確定處罰人時怎麼穿才適當。」

「你看起來很好，」我忍著笑意說道：「樣子非常嚴厲。」

「那就好。」他說道，挺直肩膀，扁起嘴來。「希望我不會笑出來，不然就破功了。」他喃喃自語，推開通往廚房樓梯的那扇門。

然而，廚房裡絲毫沒有歡樂的氣氛。我倆一進門，平時七嘴八舌的閒談戛然而止，員工匆忙站到一旁。大家動也不動，兩名廚房女僕之間一陣騷動，佛戈斯站了出來，走到我們面前。

他的臉色蒼白，淚痕斑斑，但已經不再哭泣。他莊重地先後向我和傑米彎腰行禮。

「老爺、夫人，我很慚愧，」他說道，聲音雖低卻字字清晰：「我不配替你們做事，但我求你們不要趕我走。」說到這裡，他緊張的音調微微顫抖，讓我咬起嘴唇。佛戈斯瞥向排排站的眾位僕人，似乎在尋求精神支持，車伕費南向他點了點頭。佛戈斯深深吸氣，鼓起勇氣，他挺直身子，直接對著傑米說話。

「我準備好接受懲罰了，老爺。」他說道。此話有如暗號，一名僕人從僵站著的人群當中走出來，領著佛戈斯到一張刷洗過的木桌前，再繞到另一邊抓住佛戈斯的雙手，把他拉上半個桌面，將他的手伸展開來。

「可是……」傑米被這一連串的發展嚇了一跳。他還沒走到老管家馬努斯面前，馬努斯就嚴肅地上前，端上一個肉盤，上頭整齊擺著一條專門用來磨利廚刀的皮帶。

「呃……」傑米無助地望著我。

「嗯……」我往後退一步，想逃避這一幕，傑米瞇起雙眼，抓住我的手緊緊捏著。

「妳不能離開，英國姑娘，」他用英語咕噥道：「如果我要動手，妳就得看著！」

傑米焦急地來回看著即將挨打的受害者和準備好的刑具，他又躊躇一會兒，終究不再抗拒。

「他媽的該死。」他用英語低聲咕噥，一把將皮帶從馬努斯那裡抓來。他狐疑地用雙手拉扯寬闊的帶面，約七、八公分寬，超過半公分厚，是可怕的武器。他百般希望自己不在場，但仍走向俯臥著的佛戈斯。

「好，」他說道，凶狠地環顧廚房：「就鞭十下，我不想再聽誰囉嗦。」幾個女僕嚇得面色發白，緊挨著彼此尋求扶持，而傑米充滿威嚴地舉起皮帶那一刻，一片鴉雀無聲。

皮帶落下的啪噠聲響讓我心驚肉跳，廚房女僕忍不住發出害怕的尖叫，但佛戈斯卻悶不吭聲。小小的身軀抖動著，傑米暫時閉上眼睛，緊閉雙唇，繼續抽完剩餘的幾下，每鞭下手的節奏一致。我覺得有些反胃，偷偷地在裙上擦了擦汗濕的手掌。此時，眼前這場鬧劇卻又讓我有股失控大笑的衝動。

佛戈斯默默地承受處罰，當傑米抽完退開時，男孩沒了血色、渾身冒汗的瘦小身體動也不動，我害怕他就算沒被打死，也可能驚嚇而死。但嬌小的軀體深深抖動一下，男孩向後滑下桌面，僵硬地撐離桌子。

傑米跳上前去抓著他的手臂，焦急地撥去他額前汗濕的髮絲。

「你還好嗎，小子？」他問道：「老天，佛戈斯，說話啊！」

男孩雙唇慘白，雙眼睜開一條縫隙，但看到主子釋出這番善意，便眉開眼笑，暴牙在燈光下閃著亮光。

「沒事，老爺，你原諒我了嗎？」他喘著氣說。

「我的老天，」傑米低喃，將男孩緊緊抱在胸前：「當然了，傻孩子。」傑米伸直雙臂抓住他，輕輕搖晃，說：「我不想再這樣做了，聽見沒？」

佛戈斯點點頭，雙眼發光，然後轉而在我面前跪下。

「夫人，妳也原諒我嗎？」他問道，雙手合十在胸前，誠懇地抬頭看我，宛如哀求堅果的花栗鼠。

我以為自己會當場愧疚而死，但我努力穩住自己，彎腰扶起男孩。

「沒什麼好原諒的。」我語氣堅定地說，雙頰發熱。「你非常勇敢，佛戈斯。你何不……呃，何不去吃點晚餐呢？」

此話一出，廚房的氣氛輕鬆起來，彷彿所有人大大鬆了一口氣。其他僕人紛紛上前，七嘴八舌地關心，佛戈斯猶如英雄般被眾人簇擁而去，我和傑米則匆匆回到樓上房間。

傑米癱在椅子上，一副筋疲力盡的模樣：「我的耶穌，眾聖眾賢，上帝啊！我得喝一杯。不要拉鈴！」他緊張大喊，只是我根本還沒去扯鈴繩。「我現在沒辦法面對任何僕人。」

他起身翻找櫥櫃，說：「我記得這裡有一瓶酒。」

他確實藏有一瓶陳年蘇格蘭威士忌。他隨便用牙齒拔開軟木塞，仰頭狂飲，再把酒瓶遞給我。我也毫不猶豫地灌了幾口。

「我的老天。」我說道，好不容易恢復鎮靜。

「是啊！」傑米把酒拿回去大喝一口。他放下瓶子，雙手抱頭，指頭撥弄頭髮，直到髮絲橫七豎八地亂翹。他無力地笑了笑。

「我這輩子沒覺得這麼蠢過，像個白痴一樣。」

「我也是，」我一手接過酒瓶說道：「簡直比你還蠢。畢竟這事都是我的錯。傑米，真的很對不起。我沒想到……」

「妳就別懊惱了。」剛才半個小時的壓力終於釋放，他疼惜地捏著我的肩膀。「別說妳怎麼想得到，就連我也不知道會這樣啊！」他想了想，接著說：「我猜他以為我會把他趕走，他就又得流落街頭……可憐的小鬼，難怪他覺得挨打算是運氣好了。」

我抖了一下，想起福黑先生的馬車經過的街道。乞丐穿得破破爛爛，滿身膿瘡，堅守自己的地盤，即便是天寒地凍的夜晚，他們也只能睡在地上，深怕被其他人占走較好討錢的角落。許多年紀比佛戈斯還小的兒童，穿梭在市集人潮之中，宛如飢餓的老鼠，聚精會神地留意任何散落的食物碎屑，或是可以下手的口袋。對那些身體太差無法行乞、其貌不揚無法賣到妓院，或是純粹運氣不好的人，生命是既短暫又艱苦不堪。怪不得佛戈斯想到得回到汙穢不已的街頭，每天不再有三餐和乾淨衣物，就足以引發他無謂的愧疚感。

「我想也是。」我說道，這時我從牛飲轉為小啜。我優雅地啜飲，再把酒瓶遞給傑米，這才茫然地注意到酒已空了一大半。「不過，我希望你沒傷到他。」

「他費痛個一陣子啦！」傑米的蘇格蘭口音平時聽不大出來，但酒過三巡後，就越發明顯。他搖搖頭，瞇眼判斷瓶中剩餘的酒。「英國姑娘，妳知道嗎？我到今晚才曉得，以前我父親處罰我時有多難受。我以前一直覺得我才是受傷最深的。」他再次仰頭喝酒，然後放下瓶子，醉眼朦朧地盯著爐火。「當父親可能比我想像得複雜多了。我得好好想想。」

「可別想太起勁，」我說道：「不然你可有得喝了。」

「別擔心，」他爽朗地說道：「櫃子裡還有一瓶。」

第十五章

一切盡在音符中

她揚起粗獷的眉頭，幾乎快要碰到頭巾邊緣，
接著堅定地敲了敲我抄寫的那張紙。
如果這就是妳丈夫參與的事，
隨便信任別人可是很危險的。

我們熬夜喝了第二瓶酒，反覆閱讀聖喬治騎士——也就是詹姆斯三世國王陛下——最近寫的隱晦信件，以及詹姆斯黨支持者寫給查理王子的信件。

「佛戈斯拿回一大疊寄給殿下的信，」傑米解釋道：「內容太多了，來不及全部謄下來，所以我把一些留下來，下回再歸還。」

「妳看，」他邊說邊抽出一封信，擺在我膝蓋上：「大多信件都用密語寫成，譬如這封提到：『聽說今年薩雷諾北邊山丘一帶的松雞獵況最好，那裡的獵人想必收穫滿滿。』這個倒簡單，指的是義大利銀行家曼澤第，他是薩雷諾人，我發現查理王子常找他吃飯，還向他借了一萬五千法鎊，可見詹姆斯王的建議不錯。但是這裡……」他翻了翻那一大疊信，抽出另外一封。

「妳看這封。」傑米邊說邊把信遞給我，上頭寫滿他潦草的字跡。

我眯眼研究內容，從中辨出單一字母，字母之間由許多箭頭和問號串連起來。

「這是什麼語言啊？」我問道，瞧著那封信。「波蘭文嗎？」畢竟查理王子已故的母親克萊門蒂娜・索比斯基是波蘭人。

「不，這是英文，」傑米笑著說道：「妳看不懂嗎？」

「你看得懂？」

「是啊！」他得意地說：「這是一種密碼，英國姑娘，而且不算複雜。妳瞧，首先要把字母打散，分成五個一組，但Q或X不算。X是用來斷句，Q則是隨意安插，用來混淆視聽。」

「你說了算。」我說道，看著無比混亂的信件，第一句是「Mrti ocruti dlopro qahstmin」，然後視線移到傑米手中那封，一連串五個字母一組的字串寫成一行，上頭仔細寫著單一字母。

「所以，一個字母代替另一個字母，但是順序相同，」傑米解釋道：「如果信件內容很多，多少可以猜測出一些單字，最後只要將某個字母翻譯成別的字母。懂嗎？」他在我面前揮了揮一張長紙條，兩組字母上下並排，但未完全對齊。

「大概懂吧！」我說道：「但我想你懂比較重要。信上說些什麼？」

傑米臉上解謎時的勃勃興致逐漸消退，任由信紙落到膝上。他看著我，咬著下唇，陷入思考。

「怪就怪在這裡。」他說道：「但我應該不會搞錯，整體來說，詹姆斯王信裡的語氣都很一致。這封加密的信已經清楚說明他的意思。」

紅潤寬額下的湛藍眼眸，與我的目光交會。

「詹姆斯王希望查理能贏得路易王的青睞，」他緩緩道來：「卻又不打算尋求奧援反攻蘇格蘭。詹姆斯對奪回王位似乎毫無興趣。」

「什麼？」我從他手中搶來那捆信，急著掃視信中凌亂的字。

傑米說得沒錯。雖然支持者在信中認為復辟指日可待，但詹姆斯王寫給兒子的信件卻隻字未提，一味地要查理給路易王留下好印象。連向薩雷諾市的曼澤第借錢，都是為了能讓查理在巴黎像個紳士般地生活，而非用做軍事用途。

「我認為詹姆斯是精明的人。」傑米說道，手指敲著其中一封信。「妳瞧，英國姑娘，他自己沒什麼錢，但妻子非常富有；可是亞歷山大叔叔說，她死後把錢都留給教會。教宗則一直維護詹姆斯的勢力，畢竟他是信奉天主教的君王，教宗絕對會維護詹姆斯的利益，以對抗漢諾威選侯。」

他雙手抱著單邊膝蓋，凝視著放在我倆之間沙發上的那疊信沉思。

「三十年前，西班牙國王菲利浦和路易王——我是指前任國王——給他一小支軍隊與艦隊，讓他奪回王座。然而，事情出了差錯，惡劣天候讓部分船隻沉入大海，其他船隻失去了引領，在錯誤的地方登陸，諸事不順，最後法軍揚帆離去，詹姆斯連蘇格蘭的土地都沒踏上。或許那次過後，他就打消重掌大位的念頭。更別說他還有兩個兒子即將成年，卻無法好好安頓他們的生活。」

「所以，英國姑娘，我捫心自問，」他身子往後一搖：「如果碰到同樣情況，我會怎麼辦？答案是，我可能會找我的好表親路易，畢竟他是法國國王，看他能否給我兒子一官半職，也許讓他擔任軍職，帶領軍隊。當個法國將軍也是不錯的。」

我點頭沉思，接著說道：「是啊，但如果我夠聰明，可能不會像個窮親戚般乞求路易。我會送兒子到巴黎，讓路易感到羞愧，最後只好接他進宮。同時維持積極策畫復辟的假象。」

「詹姆斯終於公開承認，斯圖亞特家族永遠無法再統治蘇格蘭了。」傑米淡淡說道：「那麼他對路易王來說，也就失去了價值。」

一旦詹姆斯黨人攻占英格蘭的可能性不復存在，路易王就沒有意願幫助查理，頂多是在情面和輿論壓力之下，給他丁點好處。

事情尚無定論。傑米分批偷來的信件最早可以回溯到去年一月，當時查理才剛抵達法國。還有，信中多半充斥暗號、密碼和晦澀文句，情勢不甚明朗。但綜合研判，所有證據皆指向這個推論。

倘若傑米猜對詹姆斯國王的動機，那麼我們的任務就已大功告成，或者該說根本不存在所謂的任務。

前晚的大小事情縈繞心頭，因此我隔天心不在焉，無論參加瑪麗．阿班維爾的晨間聚會，聆聽匈牙利詩人朗誦詩，去附近藥草店買纈草和鳶尾根，或是下午到昂吉醫院巡房至今，我整天都是恍恍惚惚。

最後，我放下手邊工作，免得發呆時傷了別人。穆塔夫和佛戈斯都還沒抵達醫院接我，我便換下罩衫，走到醫院前廳，坐在希德嘉修女空無一人的辦公室等著。

我大概待在那兒半個小時，百無聊賴地用手指摺弄衣服，然後聽到外頭傳來狗叫。門房常常不在。想必他是去買食物，或幫修女跑腿了。他不在的時候，守護醫院門戶的責任就落到鈕釦能幹的爪與牙上。

鈕釦先是發出尖叫警告，接著自喉嚨發出低沉怒吼，提醒入侵者別再前進，否則立刻讓他五馬分屍。我起身探出辦公室門外，看看包曼神父是否再次冒險面對鈕釦這隻惡魔，好替病人施行聖禮。然而，門廳偌大彩繪玻璃窗上勾勒出的身形，並非年輕神父瘦弱的身影。那個身形高大，當他後退離開腳邊齜牙咧嘴的小畜牲時，蘇格蘭裙的剪影優雅地在腿邊飄著。

傑米眨了眨眼，因這攻擊而頓時卻步。他伸手遮住窗戶耀眼的光線，往陰影處看去。

「哈囉，小狗狗。」他禮貌地說，向前一步，伸出手來。鈕釦的叫聲更加高亢，他又退了回去。

「愛跟我玩是吧？」傑米說道，瞇眼瞧著狗兒。

「考慮清楚喔，小狗狗，」他叮囑道，眼神順著筆直的長鼻睨視著鈕釦：「我可是比你大得多喔！要是我的話，就不會輕舉妄動。」

鈕釦似乎有所動搖，但仍呼嚕低吼，宛如遠方嗡嗡的福克飛機。

「我也比你快。」傑米說，往一邊做個假動作。鈕釦啪地一聲上前咬撲了空，距離傑米的小腿只有數公分之遙，傑米連忙後退。他靠著牆壁，雙臂交叉，低頭看著狗兒。

「不過，我承認你說得沒錯。你的牙齒比我利，這絕對錯不了。」鈕釦聽到這番親切的稱許，懷疑地翹起一邊耳朵，旋即再度低吼。

傑米一腳勾著另一腳，打算跟鈕釦耗下去的樣子。玻璃窗反射著絢麗多彩的光芒，在他俊俏的臉龐刷上藍光，讓他看來好比隔壁教堂陰森的大理石雕像。

「你應該有別的事好做，不需要一直騷擾無辜訪客吧？」他開始跟牠聊了起來：「我聽過你的大名，你就是那個用鼻子就能聞出病灶的靈犬，對吧？這樣的話，他們為什麼浪費你的才華，叫你做看門這種蠢事？你應該去聞誰有痛風，或誰屁股長膿才對吧？回答我啊！」

鈕釦只是衝著他站直的雙腳發出尖銳吠叫，毫無其他回應。

我背後傳來袍子的窸窣聲，希德嘉修女從裡頭的辦公室走了出來。

「怎麼了？」她問道，瞧我在轉角窺探外頭。「有訪客嗎？」

「鈕釦好像跟我丈夫不大對盤。」我說道。

「我大可不必受你的氣。」傑米語帶威脅，一手偷偷伸向繫著披肩的胸針。「只要我把披肩快速一甩，就會把你綁成……」他一見到希德嘉修女，馬上改以法語問候：「日安，夫人！」

「日安，弗雷瑟先生。」她優雅地頷首致意，與其說是問候，不如說是想遮住臉上大大的微笑。「看來，你已見過鈕釦了。你是不是在找尊夫人呢？」

這似乎是在暗示要我出來，於是我從修女後方的辦公室側身而出。我摯愛的丈夫從鈕釦看向辦公室大門的動作中，顯然得到結論。

「妳站在那兒多久啦，英國姑娘？」他冷冷地說。

「夠久了。」我說道，對於目睹鈕釦喜歡我的新發現感到得意。「你打算把他包在披肩後做什麼？」

「把他丟出窗戶，然後就拔腿就跑。」他回答，帶著敬畏地瞥了瞥希德嘉修女威嚴的樣子。「她不會說英語吧？」

「不會，算你運氣好，」我回答，再用法語向希德嘉修女介紹：「修女，容我向您介紹，這位是我的丈夫，圖瓦拉赫堡的領主。」

「這位大爺。」希德嘉修女克制她的幽默，用她一貫嚇人的親切方式問候。「尊夫人如果離開，我們一定會想念她，但如果你要帶她回去，我們當然也……」

「我不是來找我妻子的，」傑米插話說道：「我是來見妳的，修女。」

傑米坐在希德嘉修女的辦公室中，把帶來的一捆紙放在閃亮的木桌上。鈕釦趴在女主人腳邊，警戒地看著這名入侵者。他鼻子靠在腳上，但耳朵翹得老高，唇下露出犬齒，只要一聲令下，隨時可以衝上前去，把訪客碎屍萬段。

傑米瞇眼盯著鈕釦，乾脆把腳離牠那抽動的黑色狗鼻遠一點。「葛斯曼先生建議我向妳請教這些文件的內容，修女。」他邊說邊打開那捆紙，並用手掌壓平。

希德嘉修女打量傑米，好奇地揚起單眉，然後將視線移向那疊文件。身為醫院管理人，她可以看似專心處理手邊事情，卻又隨時注意醫院的任何風吹草動。

「是嗎？」她說道，生硬的指頭輕輕滑過潦草音符，一個接著一個，彷彿只憑觸摸就可聽到旋律。她輕彈手指，紙張滑到一旁，半露出下一張紙。

「你想知道什麼呢，弗雷瑟先生？」她問道。

「我也不曉得，希德嘉修女。」傑米身子前傾，神情專注。他摸著一行行黑線，輕叩上頭的汙漬，那是五線譜的墨水還沒風乾時，作曲人不小心弄髒留下的汙漬。

「這音樂有些怪怪的，修女。」

修女寬闊的嘴巴動了一下，貌似微笑。「是嗎，弗雷瑟先生？但我明白——相信你不會介意——音樂對你來說就好像一把鎖，只是你沒鑰匙，對吧？」

傑米大笑，一名行經走廊的修女轉過頭，被醫院裡傳出這般笑聲嚇了一跳，醫院固然吵雜，但鮮少傳出笑聲。

「如此形容我的無能，真是非常委婉，修女。妳說的沒錯，如果妳用唱的，」他用較為細長，但與希德嘉修女大小相當的手指敲了敲羊皮紙，發出細微沙沙聲：「除非有歌詞，否則我根本分不出《垂憐曲》或《催眠曲》的差別。」他笑著說道。

這會兒換希德嘉修女笑了出來。

「確實如此，弗雷瑟先生，」她說道：「至少你還懂歌詞！」她拿起那捆紙張，從上面開始翻閱。我發現她讀譜時，露出修女頭巾之外的喉頭隱約鼓動，似乎正在默唱，一隻腳還微微振動、打著拍子。

傑米靜靜坐在凳子上，完好的那隻手握著變形的那隻並擱在膝上，雙眼凝視著她。斜睨的藍眼十分專注，毫不理會後方院內深處不斷傳來的喧鬧聲。病患哭天喊地，醫務工和修女來回吼叫，家屬放聲悲鳴，金屬器具碰撞的哐噹聲迴盪在建築物古老石磚中。然而，傑米和希德嘉修女都不為所動。

終於，她將紙張微微下拉，從紙張上方凝視著他。她的雙眼閃閃發光，忽然宛如一名少女。

「我想你說得沒錯！」她說道：「我現在沒時間仔細思考。」她瞄向門廊，一名醫務工捧著一堆紗巾匆匆跑過，接著說：「但裡頭確有奇怪之處。」她拍拍桌上的紙張，再整齊地擺成一疊。

「太不尋常了。」她說道。

「即便如此，修女，可以請妳依天生的音感，判斷這是哪首曲子嗎？這可能很難，我有理由相信這是密碼，它的訊息是英語，歌詞卻是德語。」

希德嘉修女微微驚呼。

「英語？你確定？」

傑米搖搖頭。「不確定，但我認為如此。原因之一是來源地，這些歌曲是從英格蘭寄來的。」

「弗雷瑟先生，」她揚起眉毛：「尊夫人會說英語，是不？我想你應願意把她借給我，一起幫你解決這個任務吧？」

傑米盯著她，兩人臉上都半露微笑。他低頭看看腳邊，鈕釦發出細微嗥叫，鬍鬚不斷抖動。

「跟妳打個商量，修女，」他說道：「如果妳的狗兒不會趁我走出去時咬我屁股，我就把妻子借妳。」

因此，當天傍晚我沒有回到賈爾德在特穆蘭街上的家，而是和昂吉修道院的修女們一起，在長長的食堂餐桌上用餐，然後離席來到希德嘉修女的私人房間，開始晚上的工作。

修道院長的套房裡共有三個房間。外面那間裝潢成會客室，頗為華麗，畢竟她得常常在這兒接待重要賓客。第二個房間讓我大感詫異，完全出乎我的意料。起初，我以為裡面只有一架大鍵琴，由拋光的胡桃木製成，上頭手繪著纏繞藤蔓，小花從中竄出，一同妝點微微發亮的黑鍵上方的共鳴板。

仔細一瞧，我才看到房內其他家具，包括一整面牆的書櫃，上頭塞滿音樂學書籍與手稿，好比希德嘉修女放在大鍵琴架上的那份稿子。

她招手要我過去牆邊小型寫字桌的椅子。

「這裡有白紙和墨水，夫人。我們就來看看這些音樂暗藏什麼玄機吧！」

音樂是抄寫在厚重的羊皮紙上，上頭的五線譜整齊畫一。音部記號、休止符和臨時記號等也畫得一絲不荀。顯然這是定稿，絕非草稿或匆匆速記的曲調。頁首寫著曲名〈Lied des Landes〉，意思是鄉村之歌。

「妳看，標題都很簡單，像是〈民歌〉。」希德嘉修女說道，伸出細瘦的食指觸碰頁面。「但是樂曲的形式卻很不一樣。妳會讀譜嗎？」她那雙關節粗大、指甲短小的右手落在琴鍵上，動作輕得不可思議。

我從希德嘉修女的後方探頭，唱起前三行樂曲，並盡量用德語發音。然後她停了下來，轉頭看我。

「這是基本旋律。接著會以不同變奏重複出現，但這種變奏太怪了！我跟妳說，我看過類似的旋律，是個叫「巴哈」的德國佬寫的，他不時會寄東西給我……」她漫不經心地朝滿書櫃手稿揮了揮手。「他說這叫『創作』，真的相當巧妙，同時彈奏兩、三行旋律的變奏曲。而這個呢……」她噘嘴看著眼前的〈鄉村之歌〉，說：「像是巴哈作品的拙劣模仿品，我發誓……」她嘴裡念念有詞，將胡桃木椅推回原位，走向書櫃，一隻指頭快速滑過一排排手稿。

她找到要找的東西，拿著三捆樂譜坐回椅上。

「這些是巴哈的樂譜，滿老舊的，我好多年沒看了。但我幾乎可以確定……」她沉默下來，迅速翻著放在膝上的巴哈手稿，一張一張翻閱，不時回頭看著架上的〈鄉村之歌〉。

「哈！」希德嘉修女發出勝利的呼聲，把其中一份巴哈樂譜遞給我。「看到了嗎？」

這份手稿標題為「郭德堡變奏曲」，字跡潦草髒汙。我帶著些許敬意摸著手稿，用力嚥下口水，再轉頭看著〈鄉村之歌〉。稍微比較一會兒後，便了解她的意思。

「沒錯，是同一首曲子！」我說道：「雖然音符略有不同，但基本上和巴哈原版的主旋律完全一樣。實在太奇怪了！」

「對吧？」她語帶滿意地說：「那麼，這位無名作曲家為什麼要偷別人的旋律，再用這麼怪異的方式來呈現？」

她顯然知道答案，所以我也省得回答，改而提出另一個問題。

「修女，巴哈的音樂流行嗎？」我參加過的音樂聚會中，從未出現巴哈的作品。

「沒有，」她搖頭說道，同時盯著樂譜：「巴哈先生在法國並不出名，我想十五、二十年前他在德國和奧地利應該小有名氣，但也很少有人公開演奏他的音樂。恐怕他的音樂不合一般人胃口，巧妙但少了情感。妳看到這個了嗎？」她生硬的手指敲著幾個地方，迅速翻頁。

「他幾乎重複相同的旋律，但每次都會變換音調。我想妳丈夫就是注意到這點，就算不懂樂譜也不難發現，因為調號變了。」

確實如此，調號改變之處都標記著雙直線，後面寫上新的高音譜號與升降號。

「短短一首曲子，就換了五次調號。」她說道，手指再次強調地敲了敲最後一個調號。「這些換調完全不符音樂常理。妳看，基線完全一樣，但是這裡從有兩個降號的調號，也就是降B大調，變成有三個升號的A大調。更奇怪的是，這邊是有兩個升號的調號，卻用升G調臨時記號！」

「真的好奇怪。」我說道。在D大調的段落加上升G調臨時記號，音樂會跟A大調的段落一樣。換句話說，根本沒有必要變換調號。

「我不懂德語，」我說道：「可以請妳唸歌詞嗎，修女？」

她點點頭，移動時黑面紗的皺摺發出沙沙聲，一雙小眼專注盯著手稿。

「歌詞實在拙劣！」她自言自語地說：「雖然本來就不期待德國人寫出高明的詩詞，但這實在……」她的面紗輕晃。「我們必須假設妳丈夫猜的沒錯，這歌詞確實是種密碼，裡頭暗藏某種訊息。那麼歌詞本身就不重要了。」

「歌詞在說什麼？」我問道。

「『我的女牧童和羊群在翠綠山丘上嬉戲。』」她唸道：「文法一塌糊塗，不過作詞人堅持押韻的話，通常不太去管文法，情歌更是如此。」

「妳聽過很多情歌嗎？」我好奇再問，今晚的希德嘉修女真是讓我大開眼界。

「任何好音樂基本上都是情歌。」她答得理所當然。「至於妳的意思，沒錯，我年輕時聽過不少情歌。」她笑了笑，露出白皙大齒，曉得旁人很難想像她孩提時的模樣。「妳知道，我當時非常有天分。光憑記憶就能演奏聽過的歌曲，七歲時就能作曲。」她朝著大鍵琴揮了揮手，繁複的琴面閃著光澤。

「我的家境優渥，如果我是男人，絕對會成為音樂家。」她語帶輕鬆，不帶一絲遺憾。

「就算結婚，妳一定還是可以作曲，對吧？」我追問。

希德嘉修女攤開雙手，在桌燈下顯得古怪。我看過這雙手扳鬆插入骨頭的匕首、把脫臼的關節推回原位、托著剛從母親兩腿之間滑出還沾著血的嬰兒頭部。現在卻看到她的手指在黑鍵上逗留，宛如飛蛾觸腳般輕盈。

她思考半晌說：「這就要怪聖安森了。」

「是嗎？」

她看著我的表情，咧嘴笑了，醜陋的臉卸下平時嚴厲的外表。

「是啊！我的教父是太陽王路易十四，」她若無其事地說：「他在我八歲生日時，送我一本《聖徒的生活》，那是一本美麗的書。」她懷念地說：「裡頭每頁鑲金，封面鑲有珠寶，與其當做文學讀本，不如說是藝術品。但我還是讀了，我喜歡裡面所有故事，特別是殉教者的故事。不過，唯有聖安森故事中的一句話，觸動我的靈魂。」

她閉上雙眼，頭向後傾，回憶書中內容。

「聖安森富涵智慧、學養深厚，是教會的聖師。他也是一位主教，關心教區內的子民，照料他們日常需求，提供心靈慰藉。故事細數他所有作為，最後以一句話總結：『於是他與世長辭，結束澤披眾人的一生，故獲天堂榮冠。』」語畢，她輕輕握起膝上雙手。

「『澤披眾人的一生』這句話帶有某種力量，讓我特別有共鳴。」她對我微笑。「墓誌銘要寫得好不容易啊，夫人。」她忽然攤開手，聳了聳肩，動作古怪卻又優雅。

「我那時希望澤披眾人。」她說道。接著不再閒聊，忽地談起架上的音樂。

「所以，」她說道：「顯然奇怪之處就是變換調號的『note tonique』字眼，接下來呢？」

我張著嘴，微微驚呼。我倆都說法語，所以我沒注意到。但聽希德嘉修女講自己的故事時，我腦中是用英語思考。我回頭看著音樂，恍然大悟。

「怎麼啦？」修女問道：「妳想到什麼了嗎？」

「重點就在key！」我說道，半露笑容。「key的意思如果是音調，法語就叫note tonique，但是如果是指用來開鎖的物體……」我指著希德嘉修女放在書櫃上的一大串鑰匙，她通常把鑰匙串掛在腰帶上，「這在法文中叫passe-partout，對吧？」

「是的，」她說道，滿臉疑惑地看著我，手裡摸著萬能鑰匙：「這支叫Une passe-partout，不過那個……」她指著刻有齒凹的鑰匙說：「這支通常叫clef。」

「clef！」我高興大叫：「太好了！」我手指敲著面前的樂譜，然後說：「修女，妳看，在英語裡，這是同一個字，key既可以指音樂的基調，也可以指開鎖的鑰匙。法語的clef是鑰匙，但在英語是指調號。所以，音樂調號就是解謎的關鍵。傑米說過，他覺得這是英語密碼，而作者應該是個深具幽默感的英格蘭人。」我補充道。

發現這點之後，解開密碼就容易了。如果作者來自英格蘭，訊息也可能是英語，那麼德語就只是提供字母的線索。我先前看過傑米重組字母，這回只試了幾次，就推敲出密碼的規則。

「兩個降號代表從段落開頭往後，抓出每個字的第二個字母，」我邊說邊快速抄下結果：「三個升號代表從段落結尾向前，抓出每個字的第三個字母。我猜之所以用德語，是因為不只能隱藏訊息，贅字也該死的多；如果要描述相同的事，德語的字數將近是英語的兩倍。」

「妳鼻頭沾到墨水了。」希德嘉修女從我背後探出頭說道：「意思通嗎？」

「對，」我說道，此時興奮地口乾舌燥：「說得通！」

破解密碼之後，訊息簡單明瞭，卻也讓人憂心萬分。

「陛下在英格蘭的忠臣殷盼您重掌大位，現已備妥五萬英鎊供您使用。為表誠信，殿下須親抵英格蘭，方可獲得款項。」我唸道。「還多了字母『S』，不曉得這是某種署名，還是作者為了牽就德語所加。」

希德嘉修女好奇地瞄了一眼潦草的訊息，然後直視著我的眼睛，說：「雖然妳已知道我不會說出去，」她邊點頭邊說：「但還是請跟妳丈夫保證，這件事我會守口如瓶。」

「如果他不相信妳，當初就不會找妳幫忙了。」我力陳道。

她揚起粗獷的眉頭，幾乎快要碰到頭巾邊緣，接著堅定地敲了敲我抄寫的那張紙。

「若這就是妳丈夫參與的事，隨便信任別人是很危險的。還是請他放心，我絕對守信。」她正色說道。

「我會的。」我投以微笑。

「怎麼了？親愛的夫人，」她注意到我的臉色：「妳的臉好蒼白啊！我自己工作的時候，經常熬到三更半夜，所以容易忘了時間，但對妳來說一定很晚了。」她瞥向門邊小桌上計時的蠟燭。

「天哪！真的好晚了。我叫瑪德蓮修女帶妳回寢室吧？」先前傑米雖然很不情願，但還是同意希德嘉修女的建議，讓我在昂吉修道院待一晚，不必晚上穿越陰暗的街道回家。

我搖搖頭。我固然疲累，背部也因久坐凳子而痠痛，但還不想上床睡覺。這份樂譜隱藏的訊息實在讓人不安，我無論如何都不能立刻睡著。

「這樣的話，我們吃些點心，慶祝妳今晚的發現。」希德嘉修女站起身，走到外頭的房間，隨即傳來鈴聲。沒過多久，一位修女便端來餐盤，上頭擺著熱牛奶和裹著糖霜的小蛋糕，鈕釦尾隨而至。修女把一塊蛋糕放到小瓷盤上，理所當然地放在鈕釦面前的地板上，旁邊再放一碗牛奶。

我啜飲著熱牛奶，希德嘉修女拿開剛才處理的文件，把它擺到寫字桌上，拿了張樂譜手稿，放在大鍵琴的架上。

「我來為妳彈奏一曲，」她表示：「可以沉澱心情，幫助入眠。」

琴音柔和舒緩，旋律高低音交錯，甚是悅耳，不像巴哈的曲子富含力道。

「那是妳寫的嗎？」我趁她演奏結束，抬起手來的空檔問道。

她並未轉身，僅搖了搖頭。

「不是，是一位朋友的作品，他叫尚恩・菲利普・拉穆。十足的理論派，但創作缺少熱情。」

音樂舒緩我的感官，我想必打起了瞌睡，直到耳邊傳來瑪德蓮修女的低語才忽地醒來，她溫暖的手牢牢握著我的手臂，扶我站起身，帶我離開房間。

我回過頭，看見希德嘉修女包著黑衣的寬闊背部，結實的肩膀隨著演奏在面紗下起伏，渾然不覺房外的一切。

鈕釦趴在她的腳邊，鼻子放在爪上，小小的軀幹挺直，好像羅盤的指針。

「所以，信中除了閒聊可能還有其他訊息。」傑米說道。

「可能？」我重複道：「五萬英鎊應該夠明確了吧！」

若就現代的標準，五萬英鎊等於是一個大型公國一年的歲入。

他懷疑地揚起一邊眉毛，盯著我從修道院帶回的樂譜。

「是啊！這個提議相當安全，前提是查理或詹姆斯必須前往英格蘭。首先，如果查理人在英格蘭，代表他在其他地方獲得足夠支持，可以讓他前往蘇格蘭。不過，」他若有所思地揉著下巴：「真正耐人尋味的是，這是我們第一次在信中發現確切證據，指出斯圖亞特家族，或是至少其中一名成員，正在努力推動復辟一事。」

「其中一名成員？」我注意到他的這段話。「你的意思是，詹姆斯並未參與其中？」我看著加密的手稿，有些激動。

「這封信是寄給查理的，」傑米提醒我道：「而且來自英格蘭，沒有經過羅馬。佛戈斯從一名普通信差那邊，拿來整疊印有英格蘭徽章的信，不是從教宗信差那邊拿來。而且我從詹姆斯信中看到的每個訊息……」他搖搖頭，眉頭深鎖。他還沒刮鬍子，茶褐色的鬍碴在晨光映照下，閃著點點紅銅微光。

「這疊信被拆過了，查理看過這份手稿。上頭沒有日期，所以不曉得他何時收到信的。當然，我們也沒有查理寄給他父親的信。但是，詹姆斯的信件中，沒有提到可能寫這份手稿的人，更甭提什麼來自英格蘭的具體承諾了。」

我大概知道他想表達什麼。

「而且露易絲一直叨唸，說查理打算讓她的婚姻無效，待他登基為王，就娶她為妻。所以，你覺得查理不只是說大話來討她歡心？」

「可能不是。」他說道，拿著臥室的水壺，倒了些水到盆中，再把臉潑濕，準備刮鬍子。

「所以查理可能自己採取行動？」我說道，對這可能性感到既害怕又好奇。「詹姆斯打算讓他演一場戲，假裝要發動復辟，讓路易覺得斯圖亞特家族還有價值，但是……」

「但是查理想要來真的？」傑米打斷我的話。「看來如此。有毛巾嗎，英國姑娘？」他雙眼緊閉，臉上滴著水，手掌拍打桌面。我移開手稿，找到掛在床腳的毛巾。

他檢查著剃刀，覺得還堪用後，傾身倚著我的梳妝臺，一邊照著鏡子，一邊把刮鬍皂抹到臉上。

「為什麼我刮腿毛和腋毛很野蠻，你刮鬍子就不野蠻？」我問道，瞧他用牙齒壓著上唇，輕輕地刮起鼻下的髭鬚。

「當然野蠻。」他答道，瞇眼瞧著鏡中的自己。「但我不刮的話，會癢到受不了。」

「你有留過鬍子嗎？」我好奇追問。

「沒有刻意去留。」他答道，刮著臉頰，半露微笑。「我是不得已的時候才會留鬍子，就是在蘇格蘭逃亡那段日子。要我每天早上冒著凍傷的危險，用鈍掉的剃刀刮鬍子，那我寧願癢死。」

我笑了笑，看著他把剃刀沿著下顎邊緣長長一刮。

「我無法想像你大鬍子的樣子，只看過你留鬍碴。」

他依舊掛著半邊微笑，刮著另一側高寬顴骨下方的鬍碴。

「下次我們受邀到凡爾賽宮的時候，英國姑娘，我會問問能不能參觀皇家動物園。路易王養了一隻很特別的動物，是一位船長從婆羅洲帶回來的，叫做紅毛猩猩。妳看過嗎？」

「看過，」我說道：「戰前倫敦的動物園就有一對。」

「那妳就知道我留鬍子的樣子了。」他笑著對我說道，小心沿著下巴弧線刮去，終於刮完所有鬍子。「鬍鬚蔓生凌亂，活像是馬里尼子爵。」他加了一句：「只是毛髮變成紅色。」

提起馬里尼的名字似乎讓他回過神，他再度討論正事，並拿毛巾抹去臉上剩餘的肥皂泡泡。

「所以，英國姑娘，現在我們必須做的，」他說道：「是緊盯巴黎的英格蘭人。」他拾起床上的手稿，若有所思地翻閱。「如果有人願意這麼大手筆出資，就可能派遣特使去見查理。如果要我撒下五萬英鎊，總會想看看錢是否花得值得，對吧？」

「對，我也會，」我答道：「說到英格蘭人——殿下是很愛國地跟你和賈爾德買白蘭地酒，還是跟席拉斯．霍金斯先生買呢？」

「妳是指那個老想探聽蘇格蘭高地政情的席拉斯．霍金斯先生？」傑米搖搖頭，佩服不已。「我還以為，我娶妳是因為妳長得美、屁股翹，沒想到妳的腦袋也這麼好！」他敏捷地閃過我的一記耳光，朝我露齒而笑。

「我不知道，英國姑娘，但今天就會知道了。」

第十六章

是魔法，還是本質？

沒錯，夫人。妳可能還有危險。

雷蒙的蛙臉有些陰沉。

我不確定，也不曉得危險從何而來，因為我毫無頭緒。

查理王子確實是跟霍金斯先生買酒。但除了這項發現之外，接下來四個星期，我們幾乎毫無進展。一如往常，路易王繼續漠視查理王子，傑米繼續賣酒生意，佛戈斯繼續偷信，羅翰家的露易絲在公開場合挽著丈夫現身，雖愁容滿面，但依舊容光煥發；我則繼續在晨間孕吐，下午到昂吉醫院幫忙，晚上優雅微笑宴客。

不過，倒是發生兩件事，讓我們離目標稍近一些。查理受不了成天悶在家裡，開始邀請傑米晚上到酒館喝兩杯，他的家教謝爾登自稱已過飲酒作樂的年紀，因此通常不會同行，查理可以說是無拘無束了。

「老天，那傢伙真能喝！」傑米驚呼，他剛喝完一攤攤劣酒回到家，正挑剔著襯衫前襟的大片汙漬。「我得訂做一件新襯衫了。」他說道。

「如果他喝酒時透露情報，那當然值得。他說了什麼嗎？」我問道。

「打獵和女人。」傑米回答得很扼要，堅決不想多談細節。若非政治對查理不如露易絲來得重要，就是他行事萬般謹慎，即便謝爾登不在場也一樣。

第二件事就是法國財政大臣杜維內先生下棋輸給傑米，而且屢戰屢敗。如同傑米所料，這讓杜維內先生越是決心要贏，我們因而經常受邀到凡爾賽宮。我在宮中四處周旋，蒐集流言，同時忙著避開凹室，傑米則下著西洋棋，吸引崇拜的人群圍觀，雖然我不認為這有什麼值得觀賞之處。

杜維內先生身材矮小圓胖且駝背，他和傑米俯身盯著棋盤，兩人專注下棋，即便背後傳來耳語的窸窣聲和玻璃杯的哐噹聲，依然不為所動。

「我沒看過有什麼比下棋更累人的事。」一位女士向身旁友人碎唸道：「他們竟然說是娛樂！我覺得家中僕人互抓跳蚤還比較有趣，至少他們會唉唉叫、咯咯笑。」

「我倒不介意把那紅髮小子弄得唉唉叫、咯咯笑。」她的友人說道，朝傑米露出迷人微笑。傑米抬起頭，雙眼無神地望向杜維內先生的後方。她的友人瞧見了我，輕戳那位性感金髮女士的肋骨。

我親切地對她微笑，壞心地欣賞一抹深紅從她的低胸向上擴散，使膚色呈現斑駁的玫瑰紅。至於傑米，她大可把胖手指纏進他的髮中，看能從他身上引起多少注意，畢竟他現在如此心不在焉。

我納悶他到底心繫何事，但肯定不是面前的棋局，杜維內先生步步為營、下得謹慎，但老是用相同的策略。傑米右手的食指和中指微微摩擦大腿，透露他正按捺著不耐煩。我知道他掛心的絕對不是棋局，這盤棋大概還要半小時才會下完，但杜維內先生的國王已逃不出他的手掌心。

奈維公爵站在我身旁。我看到他的一雙黑色小眼盯著傑米的指頭，然後移開視線。他思考了一下，再觀察過棋盤後，默默溜到一旁加注。

一名僕人在我身旁停下，奉承地屈膝行禮，遞給我另一杯酒。我揮手要他離開，我當晚喝得夠多了，覺得頭有些輕飄飄，雙腳開始不聽使喚。

我轉身想找地方坐下，瞥見聖日耳曼伯爵在房間另一頭，或許他就是傑米緊盯不放的人。伯爵也看著我，應該說瞪著我，但面露笑容。這不像他平時的表情，而且也不適合他。其實我一點也不在意，仍然盡可能優雅地朝他行禮，然後加入宮廷仕女的行列，七嘴八舌、天南地北地閒聊，盡量把話題帶向蘇格蘭和流亡的詹姆斯國王。

大體而言，法國貴族並不在意斯圖亞特家族能否奪回王位。當我不時提起查理王子時，眾人不是白眼，就是不以為然地聳肩。儘管馬爾伯爵和旅居巴黎的詹姆斯黨人居中牽線，路易王仍堅持不願在宮中接見查理。不受國王青睞的窮酸流亡者，自然不會獲邀出席聚會結識財力雄厚的銀行家。

「國王有些不悅，他的表親沒有徵求他的許可，就擅自來到法國。」聽我提起這個話題，布哈朋伯爵夫人如此說道：「聽說路易王甚至曾講過『英格蘭繼續信奉新教也好』這種話。唉，要是英格蘭人和喬治國王一起下地獄去，豈不更好？」她噘起嘴唇，心地善良地深表對蘇格蘭的同情。她接著說：「不好意思，」她說道：「我知道妳和丈夫一定很失望，但真的……」她聳聳肩。

這種失望不算什麼，我繼續積極探聽，然而今晚卻毫無斬獲，才發現大家對詹姆斯黨人不感興趣。當晚我們再度受邀住在宮內。棋賽結束後早已過了半夜，杜維內先生不願我們這個時候趕回巴黎，因此安排我們住在宮內一間小套房中。我發現這個套房比上回住的高級，房裡有羽絨床，窗戶還俯瞰花圃南面。

「城堡移到王后的第五卒位。」晚上我們準備就寢時，傑米自言自語。

「什麼城堡？」我鑽進被窩伸展四肢，發出一聲呻吟。「難不成你要在夢中下棋？」

傑米點點頭，打了好大一個呵欠，雙眼充滿淚水。「絕對會的。希望我在夢中下棋時說話不會吵醒妳，英國姑娘。」

我雙腳蜷曲，享受毫無束縛的舒適，以及擺脫與日俱增的體重的暢快，脊椎下半部因仰躺而痛得厲害，卻又帶來些許快感。

「你想倒立睡覺也沒問題，」我邊說邊打呵欠：「今晚什麼都吵不醒我。」

這話真是大錯特錯。

我夢到寶寶。隨著分娩之日接近，寶寶在我腫脹的肚裡又踢又踹。我把手放在肚子上，揉著撐開的皮膚，試著安撫肚子裡的躁動。但是蠕動依舊持續，夢中的我鎮靜地發現，肚子裡的不是寶寶，而是一條扭動的蛇。我彎著身子，弓起雙膝與蛇奮戰，我的雙手摸索捶打，找尋這隻在我體內橫衝直撞的野獸的頭。我的全身灼熱，腸子絞成一團化成一窩蛇，在我肚子裡亂咬翻騰交纏。

「克萊兒！醒醒，英國姑娘！妳怎麼了？」一連串的搖晃呼喊終於把我叫醒，我才恍惚意識到周遭的狀況。我躺在床上，傑米的手放在我肩上，被子蓋在我身上。但蛇仍持續在我肚裡翻攪，我大聲呻吟，不僅嚇壞傑米，也嚇到自己。

他翻開被子，把我翻過身，設法把我的膝蓋往下壓。我仍固執地蜷成球狀，抱緊胃部，努力想止住撕裂身體的劇痛。他將被子拉回我的身上，順手抓了凳上的蘇格蘭裙，衝出房間。我整副心神都集中在體內翻騰的痛楚，耳朵嗚嗚，臉冒冷汗。

「夫人？夫人！」

我微微張開雙眼，看到負責打理我們套房的女僕，她眼神急切、頭髮亂散，彎腰看我。傑米半裸著身子，站在她的背後，神情更加慌亂。我閉眼呻吟，但在闔眼前一刻，看到他抓著女僕的肩膀，力道之大，讓她的髮鬟從睡帽中脫落。

「她快失去孩子了嗎？是嗎？」

看來如此。我在床上扭著身子，哀聲連連，緊緊蜷成一團，彷彿在保護體內疼痛的負擔。

房內人聲漸多，聽起來多半是女人，還有人或按或戳著我的身體。我聽到一個男人的聲音，不是傑米，是某個法國人。順著那個聲音的指示，幾隻手扣住我的腳踝和肩膀，把我整個人攤平在床上。

一隻手伸到我的睡衣底下，檢查我的肚子。我張開雙眼，大口喘氣，看見國王的御醫佛萊契先生跪在床邊，眉頭深鎖。國王如此關照，我理應深感榮幸，但實在無暇思考。痛楚的感覺似乎在轉變，雖然伴隨痙攣更加疼痛，但已漸漸穩定，只是疼痛的位置似乎在移動，從上腹部緩緩往下移。

「不是流產。」佛萊契先生請傑米放心，傑米在他背後焦急地張望。「沒有出血。」我看到一名侍女盯著傑米赤裸背部的傷疤，表情驚恐萬分，還抓著另一名侍女的衣袖，要她瞧瞧他的傷疤。

「可能是膽囊發炎，」佛萊契先生說道：「或是肝臟受寒。」

「蠢蛋。」我咬牙切齒地說。

佛萊契先生的眼神傲慢地順著長長鼻子往下看我，慢慢戴上金邊夾鼻眼鏡，假裝不為所動以維持自己的形象。他一手放在我濕黏的額頭，順便遮住我的雙眼，擋住我憤怒的目光。

「可能是肝。」他向傑米說道：「因為膽囊阻塞，造成膽汁在血液囤積，引發身體疼痛，以及暫時的精神錯亂。」他武斷地說道，見我翻來覆去，更加使勁地壓住我的額頭。「她得立刻放血。普拉圖，盆子！」

我掙脫出一隻手，死命想把他的手拍離額頭。

「給我滾開，你這該死的庸醫！傑米！不要讓他們碰我！」佛萊契先生的助手普拉圖拿著採血針和盆子靠近，圍觀的侍女倒抽一口氣，忙著彼此搧風，免得無法承受眼前即將上演的激烈場面。

傑米面無血色，眼神在我和佛萊契先生之間游移，終於做出決定，抓住無辜的普拉圖，把他拉開床邊、往門外推去，採血針還在半空揮舞。女僕和侍女一面後退、一面尖叫。

「先生！騎士先生！」佛萊契先生大聲抗議。他被召來看診時，只來得及戴上假髮，卻來不及穿好衣服，他跟著傑米穿過房間，睡衣衣袖好像翅膀般拍打著，雙臂揮舞的姿態宛如發瘋的稻草人。

痛楚再度加劇，五臟六腑像是給老虎鉗夾住一般，我大口喘氣，再度弓起身子。等疼痛稍微緩和，我張開雙眼，看見一名侍女機靈地盯著我的臉。她的臉上出現恍然大悟的表情，但依舊注視著我，側身向身旁同伴耳語。房內人聲雜沓，但我可清楚讀出她的唇語。

「中毒。」她說道。

疼痛位置瞬間下移，體內開始發出不祥的咕嚕聲，我終於曉得原因了。不是流產、不是闌尾炎，更不是肝受寒。這也不是中毒，而是苦鼠李。

「你！」我邊說邊威嚇地逼近雷蒙大師，他在工作檯後面，在那隻鱷魚標本庇祐之下防衛地蜷成一團。

「你這個該死的蛙臉小人！」

「我？夫人，我沒對妳怎麼樣啊！」

「你害我在三十幾個人面前狂拉肚子，讓我以為我流產了，又把我丈夫嚇個半死，還說沒有怎樣！」

「妳丈夫當時在場？」雷蒙大師一臉不安。

「他在。」我向他說道。事實上，我費了好大一番工夫，才阻止了傑米來藥草店，用強硬手段逼雷蒙大師吐露實情。我好不容易才說服他和馬車在外頭等候，由我來和這個雙重人格的商人理論。

「但妳沒死啊，夫人。」這個矮小的藥草師說道。他雖然沒有眉毛，但寬闊厚重的額頭一側往上皺起。

「妳本來可能連命都丟了的。」

那晚的壓力，加上伴隨而來的顫抖，讓我完全忽略這件事。

「所以這不只是惡作劇？」我略帶虛弱地說：「有人想要毒死我，我沒死是因為你還算有良心？」

「妳能活著不全然和我的良心有關，夫人，可能真的是惡作劇——我相信一定有其他商人也賣苦鼠李。但過去一個月來，我只賣給兩位客人，他們本來想買的，可都不是只讓人拉拉肚子的苦鼠李。」

「我明白了。」我深呼吸，用手套擦拭額頭的汗水。所以有兩名嫌犯逍遙法外，我需要這樣的情報。

「可以告訴我是誰嗎？」我直截了當地問。「他們下回可能會去其他地方買，難保別的商人會跟你一樣有良心。」

他點點頭，寬大的蛙嘴微微抽動，思考半天。「確實有可能，夫人。至於來買的人是誰，我覺得對妳幫助不大。他們都是僕人，純粹是聽令行事。一位是昂波子爵夫人的女僕，另一位是我不認識的男子。」

我的手指敲著櫃檯。唯一威脅過我的人就是聖日耳曼伯爵。是他僱用某個僕人來買他以為是毒藥的東西，再偷偷摻到我的杯裡嗎？我回想凡爾賽宮的聚會，覺得極有可能。高腳酒杯都是放在盤上，由僕人端給賓客，雖然伯爵本人並未接近我，買通僕人給我特定的酒杯絕非難事。

雷蒙好奇地盯著我，說：「夫人，我想問妳，妳做過什麼事情，惹怒子爵夫人嗎？她生性好妒，這已經不是她第一次請我幫忙解決情敵了，幸好她的嫉妒來得快、去得也快。妳也知道，子爵貪戀女色，總是會有新的情敵，讓她無暇顧及前一個。」

我逕自坐了下來。「昂波？」我努力回想這人的臉孔。記憶逐漸清晰，浮現一個穿著時髦的身影，以及一張相貌普通的圓臉，全身鼻煙繚繞。

「昂波！」我驚呼道：「對，我見過他，因為他咬我的腳趾，所以我曾用扇子甩了他一個耳光。」

「對子爵夫人來說，這就足以激怒她了。」雷蒙大師評論道：「如果只是這樣，我想妳應該不會再成為下手目標。」

「謝謝你。」我正色說道：「如果不是子爵夫人呢？」

矮小的藥草師猶豫了片刻，刺眼的晨光從我背後的菱形窗戶射入，讓他瞇起眼睛。接著他打定主意，轉身面對石桌，上頭的蒸餾器熬著液體，他點頭示意要我跟上。

「跟我來，夫人，我有東西要給妳。」

出乎意料的是，他鑽進桌下後就消失無蹤。他沒再回來，我就彎身向桌下張望。一床木炭在爐上發著紅光，但兩邊都還有空間，而在桌子下方牆面、藏於黑影之中，有個更加陰暗的開口。

我稍稍猶豫一下，就撩起裙子，左搖右擺地尾隨著他。

牆壁另一頭的房間雖小，但足以讓人站立。從建築外觀來看，完全不會發現還有這個房間。

蜂窩般的櫃子占滿密室的兩面牆，每個格子一塵不染，展示著野獸的頭骨。整面牆帶來的衝擊感，讓我不禁倒退兩步，野獸空洞的眼神緊盯不放，齜牙咧嘴地歡迎著我。

我眨了好幾下眼睛才找到雷蒙，他小心地蹲伏在藏骨櫃下方，宛如常駐於此的老僧。他緊張地舉起手臂，一副以為我要放聲尖叫，或往他身上狂吐那般看著我。但我看過許多比一排排拋光頭骨更加驚駭的場景，因此冷靜地走向前，近距離觀察它們。

他的收藏琳瑯滿目。有蝙蝠、老鼠和樹鼩的迷你頭骨，骨頭呈現透明，突刺的小齒顯露肉食動物的凶猛。大型馬如法國佩爾什馬的頭骨，巨大的下顎簡直像似可以掃平敵軍的彎刀，小至驢子的頭骨，其細部輪廓鮮明，也不輸大型馬。

這些頭骨散發某種魔力，靜謐又美麗，彷彿保留了野獸的精髓，好似血肉與皮毛仍與骨骼同在。

我伸手觸摸其中一個頭骨，不若想像中冰冷，反而有點微溫，彷彿早該消逝的體溫，仍在周遭流連。

我看過許多人類遺骸，都沒受到如此敬重的對待，許多地下墓穴，早期基督教殉道者的頭骨雜亂地塞成堆，底下疊著亂丟的大腿骨。

「這是熊嗎？」我輕聲說道，眼前的頭骨巨大，彎曲的犬齒便於撕咬，臼齒卻出奇地平坦。

「是的，夫人。」雷蒙見我並不害怕，便鬆了口氣。他的手在半空游移，輕觸厚實頭骨的曲線。「看到這牙齒沒？用來吃魚吃肉的。」他細小的指頭撫著長長的銳利犬齒與平坦的鋸狀臼齒。「但是也吃莓果和幼蟲。牠們很少餓肚子，因為什麼都吃。」

我慢慢地轉身瀏覽，讚嘆之餘，也禁不住動手把玩。

「真是漂亮。」我說道。我倆小聲交談，深怕大聲喧嘩會驚醒這些沉睡的野獸。

「是啊！」雷蒙也觸摸起來，描著長長的額骨，撫過精緻的鱗骨弧線。「它們反映動物的特性，從遺留的骸骨，就能推斷生前是什麼東西。」

他把一只小型動物頭骨翻過來，指著底部的顆顆凸起，頗像薄薄的小氣泡。

「妳瞧這裡，耳道通往這些凸起，聲音才會在頭部產生共鳴，所以老鼠的耳朵才這麼尖，夫人。」

「鼓泡。」我點頭說道。

「啊？我只懂一點拉丁文。這些東西的名字都是……我自己取的。」

「那些很特別，對吧？」我把手向上比畫。

「對啊，夫人。那些是狼，很古老的狼。」他取下其中一個頭骨，滿懷敬意地拿著。長長的鼻骨近似犬科，擁有沉甸的犬齒、寬大的裂齒。矢狀脊從後腦勺聳然突起，可見原本的頸部肌肉發達。這個頭骨不像其他那樣乳白，而是呈現棕色的漬痕，又因勤加擦拭而表面光亮。

「這種野獸都沒了，夫人。」

「沒了？你是說絕種了嗎？」我再次伸手撫摸，深深著迷。「你到底是在哪裡找到這些的？」

「到了底也找不到，夫人。它們來自一個沼澤，埋在好幾公尺之下。」

我仔細觀察，發現這些頭骨和對面牆壁那些較新白骨的不同之處。這些狼體型出奇得大，下顎足以咬斷奔跑中的麋鹿腿，或是撕裂摔落的鹿喉嚨。

我微微顫抖，想起將近六個月前，我在溫特沃斯監獄外殺死的那匹狼，以及寒冷暮光中跟蹤我的狼群。

「妳討厭狼嗎，夫人？」雷蒙說道：「那怎麼不討厭熊和狐狸？牠們也以獵食為生，專門吃肉。」

「是啊！但不是吃我的肉。」我苦笑，然後將古老的頭骨交還給他。「我還比較同情這隻麋鹿。」我愛憐地拍了拍突出的鼻骨。

「同情？」他那對溫和的黑眼好奇地望著我。「同情骨頭倒是稀奇，夫人。」

「但這些感覺不單是骨頭而已。」我有點尷尬：「我是說，你可以從中看出牠們的特性，感覺牠們原本的樣子。牠們不只是冷冰冰的物體。」

雷蒙咧開沒半顆牙的嘴，好像我不經意說了讓他開心的話，但他一句話也沒說。

「你為什麼要收藏這些骨頭？」我冷不防地問道，頓時想到這一排排動物頭骨，不太像一般藥草店會有的陳設，鱷魚標本也就罷了，但這些東西實在難以想像。

他親切地聳了聳肩。「我工作的時候，牠們就像在陪伴我一樣。」他指著角落凌亂的工作桌。「牠們會透露許多事情，但不會吵鬧引來鄰居注意。過來，」他忽然轉變話題：「我有東西要給妳。」

我跟著他走向房間盡頭的高櫃，心裡納悶著。

雷蒙大師既非博物學家，也不是我所認知的科學家，他沒寫筆記，沒畫圖畫，沒有記下任何供人學習的資料。但說也奇怪，我十分肯定他亟欲傾囊相授——或許是那份對獸骨的同情吧？

高櫃畫著許多奇怪符號，有的帶著尾巴，有的呈現螺紋，當中有五角形與圓形，是猶太神祕學卡巴拉的符號，我曾在朗柏叔叔的歷史文獻上看過，因而認得其中一、兩個。

「你對卡巴拉有興趣？」我問道，興致盎然地看著那些符號。難怪這個工作室如此隱祕，雖然法國有些文人和貴族對神祕學深感興趣，但通常隱而不宣，深怕觸怒教廷。

出乎我意料的是，雷蒙笑了出來。他粗短的手指在櫃子正面按來按去，一下摸著某個符號的中心，一下碰著另一個的尾巴。

「不，夫人。卡巴拉信徒多半窮苦，所以我不常和他們往來。但這些符號可以讓閒雜人等卻步。只是畫些符號，就有這樣強大的作用，或許卡巴拉信徒說的沒錯，這些符號也許真的藏有力量。」

他露出調皮的笑容，櫃子的門旋即打開。這其實是個雙層櫃，若有人多管閒事，無視符號的警告直接打開，只會看到藥草店平凡無奇的物品，但若依序按對機關，內櫃就會打開，露出後方的空間。

他拉出內櫃一個小抽屜，倒出裡頭的東西。他翻找了一會兒，揀出一個碩大的白水晶石，然後遞給我。

「這個送妳，」他說道：「就當作護身用。」

「什麼？魔法嗎？」我懷疑地說，手中把玩著晶石。

雷蒙笑了笑，伸手至桌子上方，讓手上的五彩小石自指間流洩，落在染色的吸墨紙上。

「或許是，夫人，這麼說當然可以多收點錢。」他用指尖從那堆彩色石頭當中，推出一顆淡綠色晶石。

「這些石頭的魔力和頭骨不相上下，不妨叫它們大地的骨頭。它們蘊藏生長之地的精華，無論那些地方隱藏何種魔力，都能在這些晶石中找到。」他把一粒淡黃石子向我彈來。

「這是硫磺，加些其他小東西一起磨碎，再用火柴點燃，就會爆炸，也就是火藥。這算魔法嗎？還是硫磺本身的特性呢？」

「這就得看你說話的對象了。」我說道，他咧嘴露出爽朗的笑容。

「如果哪天妳離開丈夫，夫人，妳絕對不會餓死。我就說妳是內行人吧？」他咯咯笑道。

「我丈夫！」我驚呼道，頓時一臉血色盡失，也馬上意識到外面為何傳來吵雜聲，先是大聲的重擊，感覺是拳頭大力落在檯面，然後是低沉咕噥，語氣不容妥協，摻雜著其他細碎聲響。「該死！我忘了傑米！」

「妳丈夫在這裡？」雷蒙的雙眼比平時張得更大，若非他的臉色本就蒼白，這時也該失去血色。

「我要他在外頭等，他一定等到不耐煩了。」我邊說邊彎身穿越祕密入口。

「等一下，夫人！」雷蒙一手抓住我的手肘要我留步，另一手覆在我手上，把白水晶石塞了過來。

「水晶，夫人，我說要給妳護身用的。」

「對、對，這有什麼作用？」我語帶不耐，因為聽到外頭呼喊著我的名字，聲音越來越大。

「這對毒物很敏感，夫人，有害物質靠近，晶石就會變色。」

我停下腳步，挺直身子盯著他。「毒？那麼……」這下讓我錯愕得說不出話來。

「沒錯，夫人。妳可能還有危險。」雷蒙的蛙臉有些陰沉。「我不確定，也不曉得危險從何而來，因為我毫無頭緒。我一旦知道，就會讓妳知道，也請妳丈夫放心，夫人。」他的眼神閃爍不安地飄向壁爐入口，外牆傳來砰砰的撞擊聲。

「別擔心，傑米不會咬人……或許吧！」我說道，一邊低身經過門梁。

「我不是怕他的牙齒，夫人。」他的聲音從我背後傳來，我的腳呈外八，踩著爐火的灰燼前進。

傑米舉起劍鞘，打算再敲打壁板，正好看見我從壁爐現身，頓時放下手臂。

「妳終於出來了。」他口氣變得溫和，再把頭歪向一邊，看著我撣著衣服下襬的煤灰，瞥見雷蒙從暖桌底下探頭偷看，表情立即轉為惱怒。

「我們的蟾蜍先生也出來了，他是不是該解釋一下，英國姑娘，還是要我把他和他同伴一起釘在牆上？」他盯著雷蒙，朝著外邊工作室那面牆點點頭，上頭掛著一條長毛氈，許多乾掉的蟾蜍和青蛙釘在上面。

「不，不要，他什麼都跟我說了，幫了很大的忙。」我連忙說道，不然雷蒙差點嚇得溜回密室。

傑米不情願地收起短劍，我伸手把雷蒙從藏身之處拉了出來，他一見到傑米，微微向後瑟縮。

「這位就是妳的丈夫，夫人？」他問道，但聽起來很希望我予以否認。

「對，這位是我丈夫，傑米．弗雷瑟，圖瓦拉赫堡領主。」我邊說邊比向傑米，雖然在場也沒有其他人。我再比向另一邊說道：「這位是雷蒙大師。」

「我猜也是。」傑米冷冷地說。他彎腰鞠躬，朝雷蒙伸出一隻手，雷蒙只比傑米的腰際高沒多少。他稍稍碰到傑米伸出的手，就把手給縮了回來，忍不住微微發抖。我驚奇地盯著他瞧。

傑米揚起眉頭，向後靠著桌緣，雙臂在胸前交叉。

「好吧！這是怎麼回事？」他說道。

我負責說明來龍去脈，雷蒙僅偶爾答腔。整間藥草店好像少了他平時的風趣狡黠，他蜷坐在爐火旁的凳上，警戒地聳起肩膀，一直到我說完白水晶石的事，以及它的用途之後，他才動了一下，恢復些許生氣。

「句句屬實，大人。」他向傑米保證。「我不清楚是你妻子或你自已會碰到危險，也有可能同時發生。我沒聽到確切內容，只聽到『弗雷瑟』。在那種地方傳出這話的人，通常絕非善類。」

傑米銳利的眼光落在他身上。「哦？你常去那種地方嗎，雷蒙大師？說這話的該不會是你同夥吧？」

雷蒙露出虛弱的微笑。「我應該會叫他們商場上的對手，大人。」

傑米哼聲：「任何人敢輕舉妄動，可會吃不完兜著走。」他摸著皮帶上的短劍，站直身子。

「不過，還是謝謝你的警告，雷蒙大師。」他行禮致意，但沒再伸手。「至於這位……」他挑眉看我。

「如果我妻子願意原諒你的行為，那我也不好再說什麼。」他補充道：「不過，下回子爵夫人來店裡時，你最好躲回那個小洞去。走吧！英國姑娘。」

馬車噠噠駛向特穆蘭街，傑米悶不吭聲，只是望著窗外，右手僵直的指頭拍打著大腿。

「通常絕非善類的那種地方，我在想那會是什麼地方？」正當他自言自語時，馬車轉進甘保街。

我想起雷蒙櫃子上的卡巴拉符號，不禁毛骨悚然地打起寒顫，讓我聯想起瑪格麗特所說關於聖日耳曼伯爵的傳聞，以及赫瑪吉夫人的警告。我把這些事和雷蒙所言，全部告訴傑米。

「他可能只把那些符號當成圖案和裝飾，但他顯然知道有人不這麼認為，他這舉動是在提防誰呢？」

傑米點點頭，說：「我在宮廷的時候是有聽過這類傳言，但只有一些。我當時也沒放在心上，只覺得愚蠢至極，現在我會多打聽些。」忽然，他把我拉到身旁笑道：「我會讓穆塔夫去跟蹤聖日耳曼伯爵，讓伯爵見識見識真正的惡魔。」

第十七章

占有慾

如果我真的和妓女上床，妳會怎樣，英國姑娘？

賞我耳光嗎？把我趕出房間嗎？叫我一個人睡嗎？

我轉頭看他。

我會殺了你。

穆塔夫奉派監督聖日耳曼伯爵家的送往迎來，但除了知道伯爵家中賓客眾多，不分性別與階級之外，並無發現特別詭祕之處。不過，伯爵確實有位值得注意的訪客，查理王子。他於某個下午前去拜訪，只待一個小時就離去。

倒是查理越來越常找傑米陪他上酒館，或光顧市內其他聲色場所。我個人認為主要是跟羅翰家的朱勒設宴慶祝妻子懷孕有關，倒不是伯爵的不良影響所造成。

有時他們喝到深夜，我也逐漸習慣獨自入眠，並在傑米爬上床時醒來，他的身體因在夜霧中行走而變得冰涼，髮梢和皮膚沾滿菸味和酒氣。

「他為她心煩意亂，我都懷疑他忘了自己是蘇格蘭和英格蘭的王儲。」傑米有次回家這麼說道。

「老天，他一定苦惱極了，希望他繼續這樣下去。」我諷刺地說。

但一個星期後的某天，我在寒冷昏暗的晨光中醒來，身旁空空如也，床罩依然平整，未曾翻過。

「圖瓦拉赫堡老爺在書房嗎？」我穿著睡衣，從欄杆探出頭，嚇到剛好經過樓下走廊的馬努斯。傑米大概怕吵到我，選擇睡在書房的沙發上。

「沒有，夫人，我剛來開前門，發現門根本沒拴上，老爺昨晚沒回來。」他答道，抬頭看著我。

我重重坐到第一層臺階上，臉色想必很差，因為馬努斯三步併作二步地衝上樓。

「夫人，夫人，您沒事吧？」他說道，焦急地揉著我的手。

「我還好，但先別管我。馬努斯，快派人到查理王子在蒙馬特的住處，看看我丈夫是不是在那裡。」

「我這就去辦，夫人。我順便叫瑪格麗特過來照顧您。」他匆匆轉身下樓，那雙穿來打理晨間家務的毛氈拖鞋，在光滑的木板上發出輕柔的沙沙聲。

「還有穆塔夫！」我向馬努斯離去的背影喊道：「帶他來見我，拜託！」我第一個念頭是傑米可能在查理王子的別墅過夜，第二個念頭則是他出事了，可能發生意外或被人所害。

「他人咧？」穆塔夫沙啞的聲音自樓下傳來，顯然才剛醒來。他臉上有著壓痕，破爛的襯衫皺摺插著幾根稻草。

「我怎麼知道？」我回得也不客氣。穆塔夫老是一副懷疑他人的模樣，這下子突然給人吵醒，臉色也跟平時一樣難看。儘管如此，他的出現還是讓我安心一點，倘若發生什麼壞事，穆塔夫總能應付。

「他昨晚跟查理王子出去後，就沒有回來了，我只知道這些。」我扶著欄杆撐起身子，撫平絲質睡衣的摺痕。爐火已然點起，但還來不及暖屋，我於是發起抖來。

穆塔夫用手揉了揉臉，好釐清思緒。

「有人去蒙馬特看看了嗎？」

「派人去了。」

「那我就等他們帶消息回來。如果傑米在那裡，那很好，如果他不在，或許他們會知道他跟殿下離開的時間和地點。」

「如果他們兩人都不見了呢？如果查理王子也沒回家呢？」我問道。巴黎既有詹姆斯黨人，就也會有反對斯圖亞特家族復辟的一派。雖然暗殺查理王子不能保證能夠阻止蘇格蘭人的起事，畢竟他還有個弟弟亨利，但仍能挫敗詹姆斯對復辟一事的熱忱，前提是他要有此打算，我心煩意亂地想著。

我還清楚記得傑米說過，曾經有人想要他的命，他就是在那時遇到佛戈斯。街頭行刺屢見不鮮，而且入夜之後，常有許多地痞流氓盤據巴黎街頭。

「妳最好快穿些衣服，姑娘，我從這邊都看得到妳的雞皮疙瘩。」穆塔夫說道。

「呃，好。」我低頭望著手臂，剛才胡思亂想時，雙手一直抱著身體，不過也沒有用，我冷得牙齒都開始打顫了。

「夫人！這樣會著涼的！」瑪格麗特腳步笨重地衝上樓，我讓她趕我進房間。我回頭看看樓下的穆塔夫，他正仔細檢查短劍劍尖，再把它塞回劍鞘。

「妳應該回床上的，夫人！」瑪格麗特責備道：「妳這樣讓自己受寒，對孩子不好。我現在就去拿暖床的盤爐來，妳的睡袍呢？快點穿上，對，這樣才對……」我把厚重的羊毛睡袍罩在薄絲睡衣上，但並未理會瑪格麗特的嘮叨，走到窗邊打開百葉窗。

旭日東升，光芒照在特穆蘭街兩旁石頭屋舍的上面，街道逐漸亮了起來。儘管時間尚早，街上已經相當熱鬧。女僕與僕人忙著刷洗臺階或擦亮銅製門鉸，小販沿途叫賣蔬果和海鮮，大宅的廚師聽到小販的叫聲，紛紛從地下室探出門外，活像自神燈現身的精靈。一輛載運煤礦的馬車在街上緩慢地噠噠前進，一匹年邁的馬兒在前頭拉著，神情看來很想待在馬廄休憩。唯獨不見傑米人影。

我終於讓焦急的瑪格麗特給說服，乖乖躺上溫暖的床鋪，但就是無法再度入睡。樓下的一聲一響都讓我提高警覺，暗自希望外頭街道傳來的腳步聲，會伴隨傑米進門的聲音。半睡半醒之間，聖日耳曼伯爵的臉孔在腦海浮現。他是法國貴族之中，唯一與查理王子有些關係的人。他有可能是先前想取傑米性命……還有我性命的主謀。眾人皆知他身邊不少狐群狗黨。會不會是他找人一併除掉查理和傑米？無論是出於政治動機或私人恩怨，也都不重要了。

樓下終於傳來腳步聲時，我腦中盡是傑米躺在水溝中、喉嚨被割斷的景象，渾然不覺他已返家，直到房門打開。

「傑米！」我在床上坐起，終於放心地喚著。

他對我微笑，大大打個呵欠，完全沒想遮住嘴巴。我看著他深深的喉嚨，鬆了一口氣，好險沒被割破。

不過，他的疲態表露無遺。他躺在我旁邊，伸展了好一會兒，才滿足地呻吟躺好。

「你發生什麼事了？」我質問道。

他睜開一隻紅紅的眼睛。「我要洗澡。」話說完，他又闔上眼。

我靠近他，仔細一聞，聞到密閉房間慣有的菸味，以及濕羊毛味道，當中混雜著各種酒臭——麥酒、紅酒、威士忌、白蘭地——在襯衫留下各種酒漬。在這股混雜氣味中最明顯的，是難聞的廉價古龍水味道，那個味道特別刺鼻難受。

「你是該洗個澡。」我同意道，隨即匆匆下床，探頭到走廊呼喚瑪格麗特，請她準備浴盆和足夠的水。安博思修士送我幾塊玫瑰精油手工硬皂當做餞別禮，我也請她一併拿來了。

這名女僕忙著搬來巨大的銅製浴盆，我則回頭去看床上的壯漢。

我脫下他的鞋襪，鬆開皮帶，把蘇格蘭裙拉開。他的雙手反射地護著鼠蹊，但我的視線停在別處。

「你到底發生什麼事了？」我又說道。

他的大腿上有數條長長抓痕，鮮紅的顏色襯著白皙的皮膚。一隻腿的內側高處明顯有個咬痕，齒痕清晰可見。

女僕倒著熱水，好奇地瞥著這些痕跡，自以為是在這個節骨眼上多嘴。

「一隻小貓？」她問道，想必這個字眼另有其他意思。雖然我對時下諺語並不熟悉，至少知道她是指街上那些用兩條腿走路，濃妝豔抹的女子。

「出去！」我簡潔地用法語說道，充滿女主人的氣勢。女僕拾起瓶罐離開房間，嘴巴微微噘起。我轉身面對傑米，他睜開一眼，瞄一下我的臉，再次閉眼。

「所以呢？」我問道。

他沒有回答，身體發抖。過了一會兒，他坐起身子，雙手揉了揉臉，鬍髭沙沙作響。他挑起一邊發紅的眉毛，語帶質問地說：「像妳這麼有教養的姑娘，應該不曉得『69』這個數字的其他意思吧？」

「我聽過。可以請問你在哪裡遇到這個有趣的數字嗎？」我雙臂在胸前交叉，質問著他。

「我昨晚遇到一個女人，她硬是向我提議玩這個遊戲。」

「你的大腿該不會就是那個女人咬的吧？」

他低頭查看，若有所思地揉著咬痕。

「不是，不是她咬的。那女人似乎滿腦子這種下流的數字遊戲，她還說願意當六，沒人當九就算了。」

「傑米，你整晚到底在哪裡了？」我說道，刻意用腳拍打地板。

他雙手從盆中舀起水，潑灑在臉上，任由水滴逕自流下深紅色的胸毛。

「讓我想想。」他眨了眨眼，水珠從濃濃睫毛飛落。「我們先在一家酒館吃晚餐，在那裡碰到格倫加立和米爾弗勒。」米爾弗勒先生是巴黎銀行家，格倫加立則是年輕一代的詹姆斯黨人，麥唐內爾氏族支派的首領。據傑米所言，格倫加立並非定居巴黎，只是暫時來訪，最近經常陪伴查理王子。「晚餐過後，我們去卡斯特洛帝公爵家打牌。」

「然後呢？」我問道。

想當然耳，他們又去酒館。接下來又去另一家，然後是一家類似酒館的場所，只不過多了幾位外表與眾不同的女子，有著與眾不同的才藝。

「才藝是吧？」我說道，眼神瞄向他腿上的痕跡。

「天哪，他們在大庭廣眾之下做了起來。」他邊說邊回憶當時情景，不禁抖了起來。「他們兩個躺在桌上，就在羊腰肉和煮馬鈴薯之間，旁邊還有果凍。」

「我的老天！」回到房裡的女僕說道，她放下剛裝水的浴罐，在胸前比畫著十字。

「妳閉嘴！」我怒斥著她，又轉頭看向丈夫，問道：「然後呢？」

然後，這個動作變得較為普通，只是仍在眾目睽睽之下進行。傑米顧及瑪格麗特的感受，一直等到她再度去取水，才繼續描述細節。

「後來，卡斯特洛帝公爵帶著紅髮胖女人和嬌小的金髮妞，往一個角落走去，然後……」

「這段時間你又在做什麼？」我打斷他趣味橫生的描述。

「旁觀。」他說道，略感意外。「雖然不太禮貌，但當時也別無選擇。」

我在他解釋的同時，搜著他的毛皮袋，不但掏出小錢包，還有一只寬大的金屬戒指，上頭雕有紋章。我好奇地試戴，戒指大得不尋常，垂掛在我指頭上，簡直像是套圈圈遊戲。

「這是誰的？」我邊問邊拿出戒指。「看起來是卡斯特洛帝公爵的紋章，但無論是誰，這人的指頭想必跟香腸一樣粗。」卡斯特洛帝公爵是蒼白乾癟的義大利人，面色憔悴，彷彿長期消化不良似的——從傑米說的故事來看，難怪他會消化不良。

我抬起頭，發現傑米一路從肚臍紅到髮際。

「呃，那個……」他說道，眼神刻意看著膝蓋一處汙漬。「不是戴在手指上的。」

「那不然……」我重新看著這個圓形物體。「老天，我曾經聽過……」

「妳聽過？」傑米大感震驚。

「但我從來沒看過。這你戴得上去嗎？」我伸手想試試看，他的雙手本能地護著私處。

瑪格麗特提來更多水，見傑米這個動作，便說道：「別緊張，先生，我早看過了。」

他怒眼瞪著我和女僕，拉著被子蓋在大腿上。

「整晚忙著捍衛我的貞操，已經夠慘的了，洗個澡還要被人指指點點。」他粗暴地說。

「捍衛你的貞操？這是別人送的還是借的？」我問道，一邊隨意地拋著金屬環，用另一手食指接住。

「送的。別玩了，英國姑娘，這會勾起回憶。」他說道，臉上抽搐著。

「對啊！現在就來說說是什麼回憶……」我邊說邊看著他。

「不是我的啦！妳該不會以為我會做這種事吧？我可是結婚了耶！」他反駁道。

「米爾弗勒先生就沒結婚嗎？」

「豈止結婚了，還有兩個情婦，但他是法國人——不一樣！」傑米說道。

「卡斯特洛帝公爵不是法國人，他是義大利人。」

「但他是公爵，所以也不一樣。」

「是這樣嗎？我很好奇公爵夫人會不會這樣想。」

「既然公爵聲稱他從夫人身上學到一招半式，我想她是會這樣想。洗澡水好了吧？」

他抓緊身上圍著的被單，笨拙地從床上走到冒著蒸氣的浴盆，伸腳踏入浴盆。他解開被單，旋即蹲下身子，但動作仍不夠快。

「好大！」瑪格麗特說道，胸前比畫十字。

「沒妳的事了，」我嚴厲地說道：「謝謝。」她低下頭，漲紅著臉，匆匆離開。

房門關上後，傑米全然放鬆，坐入浴盆，高高的盆背可供倚靠。既然都已大費周章裝滿水了，那就好好享受吧！他的身子逐漸沉入氤氳的水中，鬍碴滿布的臉上洋溢幸福，熱氣抹紅他白皙的肌膚。他雙眼輕閉，一層薄霧罩著高寬的顴骨，在眼窩下方熠熠生輝。

「有肥皂嗎？」他睜開眼睛，滿懷希望地問。

「當然有。」我拿來一塊肥皂遞給他，然後坐在浴盆旁的凳子上。我靜靜看著他認真刷洗身體，拿給他一塊布和滑石，他費力地刮起腳掌和手肘。

「傑米？」我終於開口。

「什麼事？」

「我不是抱怨你的作法，我們也都同意你有時不得不用非常手段，但是你真的非得……」我說道。

「非得怎樣，英國姑娘？」他停下刷洗，專心注視著我，頭倚向一側。

「就、就……」我的臉跟他一樣紅，但沒有熱水當藉口，實在教人氣憤。

一隻大手滴滴答答地伸出水面，放在我的手臂上。濕熱之感穿透我薄薄的衣袖。

「英國姑娘。」他說道：「妳以為我這陣子都在做什麼？」

「呃……」我試著不去看他腿上的抓痕，但終究還是沒用。他笑了，不過聽起來不怎麼高興。

「妳也太不信任我了！」他挖苦地說。

我抽開身子，不讓他碰到。

「丈夫帶著滿身抓痕、咬痕和香水味回家，坦承自己昨晚待在聲色場所，而且……」我說道。

「而且向妳坦承自己整晚只是看著，什麼也沒做？」

「如果只是看著，怎麼腿上會有那些抓痕？」我突然氣急敗壞說道，然後緊閉雙唇。我覺得自己像個愛吃醋的老女人，我不喜歡這樣。我已發誓要像個成熟女性，冷靜地接受一切。我告訴自己我完全信任傑米——即便難免要有犧牲，才能有所獲得。就算真的發生了什麼事情……

我順了順濡濕的袖子，感受穿透絲料的寒風，奮力想要恢復原本輕鬆的語調。

「還是那是為了捍衛貞操，奮力抵抗留下的傷疤？」不知何故，我的語氣依舊不像先前那樣自在。我聽著自己說的話，坦承語氣有點尖酸，但我顧不了這麼多了。

傑米就是特別懂得分辨語氣，他瞇起雙眼盯著我，似乎準備回答。他深吸口氣，好像想到更好的表達方式，然後再次開口。

「你說得沒錯。」他平靜地說，手在盆裡的雙腿間東摸西找，然後拿起黏滑的球狀白色肥皂，擺在掌心伸出來。

「妳可以幫我洗頭嗎？坐馬車回家的路上，殿下吐在我身上，現在還有點臭。」

我猶豫了一會兒，暫時接受他的和解。

我摸到他沾著肥皂的粗髮下硬實的頭顱弧線，以及後腦勺癒合的傷疤。我的拇指推揉著他頸部肌肉，我感受到他在我的按摩下漸漸放鬆。

肥皂泡泡滑下他濕滑發亮的肩膀曲線，我的雙手順著泡泡往下，將滑溜的泡泡抹開，指頭有如在他的皮膚上飄浮。

他的塊頭真大，我心想。我總在他身邊，很容易忘了他有多高大，直到突然從遠處看到他鶴立雞群，站在比他矮小的男人之中，才再次驚覺他的體態是如此地優雅而雄偉。現在他坐在這裡，膝蓋都快碰到下巴，肩膀與浴盆同寬。他稍稍往前傾身，好方便我侍候他，露出背部醜陋的疤痕。這是黑傑克送的耶誕禮物——一條條粗大的紅色鞭痕——蓋著以前鞭笞留下的細長白痕。

我輕輕撫摸著他的傷疤，內心全都揪在一塊。我看過傷口癒合之前的模樣，看過他飽受折磨和虐待，瀕臨崩潰邊緣。我治好了他，他也憑藉英勇的力量奮鬥，再度恢復心智，回到我的身邊。這一刻，我忍不住內心激動的感受，撥開了他的髮梢，彎身親吻他的頸背。

忽然間，我挺直了身子，而他察覺到我突來的動作，微微轉過頭來。

「怎麼了，英國姑娘？」他問道，聲音緩慢慵懶。

「沒什麼。」我邊說邊盯著他頸側的深紅印記，想起以前彭布羅克醫院的護士前晚若和附近基地的士兵約會，隔天早上都會圍著時髦的圍巾好遮掩脖子上的印記，我原以為圍巾是用來炫耀，不曉得是這個用處。

「沒事，沒什麼。」我又說一遍，接著伸手去拿水壺，水壺放在窗邊，摸起來冰冰涼涼。然後我站在傑米背後，把水一股腦猛倒在他頭上。

我提起睡衣裙襬，以免多餘的水漫出浴盆。他被一頭冷水凍得氣急敗壞，但是一時間錯愕得說不出半句話，嘴唇只是抖個不停。我搶先開口。

「只是看著？我想你一點都不享受吧，可憐蟲？」我冷冷地問。

他使勁將身體沒入盆內，力道大得讓水花濺出，灑在石頭地板上，他扭頭望著我。

「妳要我說什麼？我有沒有邪念？有！光看不做，搞得我那裡都痛了。但一想到要碰那些蕩婦，我就反胃。」他氣著說道。

然後他撥開垂落眼前的一束頭髮，怒瞪著我。

「這就是妳想知道的嗎？現在滿意了嗎？」

「不太滿意。」我說道，我的臉頰發燙，於是將臉靠著冰冷的窗戶，雙手緊握窗臺。

「男人心懷慾念看著女人就是出軌。妳是這麼想的嗎？」

「那你是這麼想的嗎？」

「不是。」他立即否認。「我不這麼想，如果我真的和妓女上床，妳會怎樣，英國姑娘？賞我耳光嗎？把我趕出房間嗎？叫我一個人睡嗎？」

我轉頭看他。

「我會殺了你。」我咬牙切齒地說。

傑米雙眉揚起，嘴巴微張，一副不可置信的模樣。

「殺了我？老天，如果我發現妳跟別的男人上床，我會殺了那個傢伙。」他話說一半，嘴角斜斜抽動。「聽好，我一樣會很氣妳，但我只會殺了那個傢伙。」他說道。

「男人就是這德性，永遠搞不清楚重點。」我說道。

他諷刺地哼著鼻子。

「所以妳不相信我嘍？要我證明給妳看嗎，英國姑娘，證明我過去幾個小時沒有和人睡過？」他站起身子，水花順著他修長的雙腿流洩而下，窗外的天光照亮他金紅的體毛，蒸氣自他身上裊裊升起。他就像剛用熔化的純金打造而成的人像，我低頭一瞧。

「哼！」我一臉輕蔑。

「水很燙，不用擔心，不會很久。」他簡單回答，踏出浴盆。

「話都隨你說。」我說得一針見血。

他的臉更加漲紅，雙手不自覺地握拳。「妳講不講道理？天哪，我整個晚上過得是難受極了，被那夥人笑我不像男人，回到家還要面對妳的懷疑！天殺的王八蛋！」

他發狂似的四處張望，瞥見扔在床邊的衣物，一個箭步衝了過去。

「拿去！」他邊說邊胡亂摸著劍帶。「如果有慾念就是出軌，妳要因為這樣殺我，那就殺吧！」他掏出短劍，那是一把二十來公分的深色鐵器，劍柄遞向我。他挺起肩膀，露出寬闊的胸膛，朝我怒目而視。「動手吧！」他語氣堅決。「妳不是說說而已吧？妳不是很在乎身為妻子的名譽嗎？」

這個建議十分誘人。我緊握的拳頭在身子兩側顫抖，非常想一把抓起眼前的利刃，使勁往他的肋骨間插去。但我心裡明白，雖然他做出這樣誇張的舉動，但是絕對不會讓我傷到他，所以也就放棄這個念頭。我覺得這個場面簡直荒唐透了，為了不想繼續羞辱自己，我掉頭就走，睡衣在半空飄舞。

過了片刻，我聽見短劍落地的聲音。我站著不動，凝望窗外下方的庭院。後方傳來窸窣聲響，我瞥了瞥窗上淡淡的倒影。玻璃上的我帶著一張模糊的鵝蛋臉，棕髮睡得橫七豎八。傑米的裸體在矇矓中移動，正在翻找毛巾，彷彿水中人影。

「毛巾在放水壺櫃子的最下層。」我轉身說道。

「謝謝。」他丟下本來拿來擦身體的髒襯衫，伸手去拿毛巾，看都不看我一眼。

他擦了擦臉，似乎下了決定，放下毛巾，直視著我。我看著他五味雜陳的表情，好像還在看著他在窗戶上的倒影一樣。最後，我倆的理智戰勝一切。

「對不起！」我們異口同聲地說了同一句話，惹得彼此都笑了出來。

我們緊緊相擁，他的皮膚濕透了我的薄絲睡衣，但我毫不介意。不久，他在我髮間咕噥著。

「什麼？」

「真是好險，真他媽的好險，英國姑娘，我好害怕。」他又說一次，身子微微向後退。

我低頭看著丟在地上的短劍。「害怕？我沒看過比你更無所畏懼的人。你明知道我不會動手。」

「喔，妳說那個。」他笑了笑。「不，就算妳真的想，我也不覺得妳會殺了我。」他清醒得很快。

「不，我是說那些女人。我是說我對她們的感覺，我不想要她們，真的不想……」

「對，我知道。」我說道，朝他伸手，但他沒有住嘴。他躲開我，看來相當煩躁。

「但是那種所謂的慾望，跟我對妳的感覺很像，我……我覺得很怪。」

他轉過身，用毛巾擦揉著頭髮，聲音因而顯得模糊。

「我一直以為，跟女人上床是很容易的事，」他輕聲地說：「但是……我只想趴在妳腳邊，崇拜妳的一切。」他丟下毛巾，伸手攬住我的肩膀，「但我也想命妳跪在我面前，讓我把手埋入妳的長髮，讓妳的嘴好好服侍我……我同時想要這兩件事，英國姑娘。」他的雙手已經陷進我的髮中，用力捧住我的臉龐。

「我搞不懂我自己，英國姑娘！又或者我懂。」他放開我，轉過身去。他的臉早已擦乾，卻又撿起地上的毛巾，一遍遍擦著下顎。鬍髭在布料的摩擦下，發出細小的沙沙聲；他的聲音依舊不清，只隔幾步卻難以聽見。

「這些想法——我是說，我的這些念頭——都是從溫特沃斯監獄逃出來後開始的。」溫特沃斯監獄，他在那裡為了救我，付出自己的靈魂，忍受萬般折磨才找回靈魂。

「我起初以為是黑傑克偷走我的靈魂，後來發現真相更糟。這些念頭源自我的內心，一直都存在，他只是展現給我看，讓我發現自己的醜陋。我無法原諒他的作為，我詛咒他的靈魂萬劫不復！」

他放下毛巾，凝視著我，臉上露出折騰一夜的疲憊，但眼神仍顯迫切。

「克萊兒。我想用手感受妳脖子的細骨，還有妳細緻柔嫩的乳房和手臂……天哪，妳是我的妻子，我用生命珍惜妳、愛著妳，但我好想用力親吻妳，吸瘀妳柔軟的嘴唇，也想看到妳的肌膚留下我的指痕。」

他把毛巾丟在地上，雙手舉到自己面前，在半空中不斷顫抖，然後緩緩把手放在我的頭上，彷彿是在祝禱一般。

「我想把妳像貓咪一樣抱在懷裡，我的褐髮美人，可是我也好想扳開妳的雙腿，像發情的公牛一樣狠狠要妳。」他的手指緊抓我的頭髮。「我搞不懂我自己！」

我的頭向後掙脫，往後退了半步。全身血液似乎全部湧到皮膚的最表面，在這短暫分離的片刻，一股寒意襲上身體。

「難道我就不是嗎？難道我就沒有這樣的感受？我就不想狠狠咬破你的皮膚，抓得你放聲大叫嗎？」我說道。

我慢慢伸手撫摸他。他的胸膛濕潤溫暖。我只用食指指甲滑過他乳尖的下方。輕輕地，若即若離地上下移動、畫著圈圈，看著那小小的凸起逐漸堅硬，挺立於鬈曲的紅色胸毛之中。

我的指甲微微按壓，往下滑去，在他胸口留下淡淡的紅痕。此刻我已渾身發抖，但並未就此收手。

「有時候，我很想騎著你這匹野馬，好好把你馴服，你知道嗎？我辦得到的，你知道我辦得到。我可以把你推到極限，把你榨乾。我可以把你逼到崩潰邊緣，有時候還樂在其中，傑米，我說真的！但我更想……」我忽然語塞，用力嚥下口水才能繼續：「我想……讓你靠在我的胸前，把你當成孩子般摟著，哄你入睡。」

我雙眼噙滿了淚水，完全看不清他的臉，渾然不知他是否也含著淚。他用雙臂緊抱著我，身上潮濕的熱氣也環著我，宛如不斷吹拂的溫暖季風。

「克萊兒，無論有沒有刀，我這條命都是妳的了。」他喃喃低語，臉埋在我的頭髮中。他彎下腰抱起我，把我抱到床上，然後跪了下來，將我放在被子上。

「妳給我躺著，」他壓抑地說：「我要盡情地榨乾妳的身體。如果妳要報仇，儘管來吧！因為我的靈魂完全屬於妳，好的壞的都是妳的。」

他的雙肩因泡澡而暖熱，但當我的雙手游移至他的頸後，他忍不住打了哆嗦。我把他拉向了我。

我終究激烈地報了仇，毫無保留地摟他入懷，向後撫順他半乾的粗硬髮絡。

「有時候，我希望是你在我身體裡。我希望把你放進我的身體，永遠保護你。」我對他耳語。

他的手掌又大又暖，緩緩自床上舉起，托起我肚子的小圓丘，親暱地愛撫。

「妳有的，吾愛，」他說道：「妳有。」

—

隔日清晨，我躺在床上看傑米穿衣服時，第一次有了那種感覺。那種細微的顫震感覺既熟悉又陌生。傑米背對著我，扭著身子穿上及膝襯衫，伸直雙臂，拉平肩部皺摺。

我靜靜躺著，等待那種感覺再次出現。它出現了，這回是一連串微小的快速動作，宛如碳酸液體的泡泡浮到表面破裂。

我忽然想起可口可樂，那種奇特、冒著泡泡的深色美國飲料。我喝過一次，當時我和一位美國上校吃飯，他把可樂當作珍貴飲品——戰時的確如此。可樂裝在厚實的綠瓶中，瓶身刻紋滑順，向上逐漸變細，有著高腰的玻璃瓶口，略像女人的身材，瓶頸有一圓狀凸起，往下擴大，下半身有更為寬廣的隆起。

我記得打開瓶子時，百萬顆泡泡衝上狹窄的瓶頸，比香檳更細小綿密的泡沫，在空氣中歡樂迸開。我輕輕把一隻手放在肚上，剛好在子宮正上方。

就在這裡。跟我想的不同的是，我感覺不出性別——但確實有生命在裡面的感覺。我納悶地想，撇開生理特徵，或許寶寶沒有性別，直到出生那一刻，接觸到外面的世界，才會確定是男是女。

「傑米。」我喚著他。他正把頭髮向後綁，粗厚的髮束圈在頸部，再纏上一條皮帶。他低頭專注手邊動作，視線往上瞧我，一邊衝著我微笑。

「妳醒啦？還早呀，我的褐髮美人。再睡一會兒吧！」

我本想告訴他，但打消了念頭。當然，他還不會有此感覺，這並不是說我認為他不關心，只是這種初次察覺的感覺突然變得如此私密，這是我和寶寶共享的第二個祕密。第一個祕密是認知到體內的新生命，我是有意識的認知，胎兒只是單純地存在，這層共享的認知就像流經我們的血液一樣，讓我們緊緊相連。

「要我幫你編髮辮嗎？」我問道。他去港區的時候，有時會要我幫他把紅髮編成緊密的辮子，以防碼頭的陣陣強風把頭髮吹得亂七八糟，像個野人。他老愛拿這開玩笑，說要像船員一樣，把髮辮沾滿瀝青，從此一勞永逸。

他搖了搖頭，伸手拿蘇格蘭裙。

「不用，我今天要去拜訪查理王子殿下。他家雖然十分透風，但是應該不至於把頭髮吹到我眼睛裡。」他對我笑了笑，站到床邊，見到我把手放在肚子上，也將一手輕覆在我手上。

「感覺還好嗎，英國姑娘？害喜的症狀好些了嗎？」

「好多了。」晨間的害喜其實已經趨緩，只是作嘔的感覺仍不時襲來。我發現自己無法忍受洋蔥炒牛肚的味道，不得不禁止這道頗受僕人喜愛的料理，因為那道菜的味道宛如鬼魅，從地下廚房飄上後方樓梯，在我打開起居室的門時，冷不防地向我襲來。

「那就好。」他舉起我的手，彎腰吻了一下，向我道別：「再睡一會兒吧，我的褐髮美人。」他又說了一次。

他輕輕把門帶上，彷彿我已入睡，臥室徒留清晨的寂靜，屋內所有細瑣的忙碌聲響，都被安全地隔絕於橡木門板外。

淡淡的陽光自平窗射入，方形的光芒映在對面牆上。我心想，今天是個晴朗的日子。春日氣息富含溫暖，凡爾賽宮的花園內，梅花綻放著粉色與白色，吸引蜜蜂群聚。朝臣們今天將到花園，和沿街推車叫賣的小販一樣，享受這等好天氣。

我的心情愉悅起來，孤單卻不寂寞，怡然自得於眼前平靜溫暖的小天地。

「哈囉！」我溫柔說道，一手輕撫肚內的胎動。

第十八章

惡夜巴黎

瑪莉的雙腳死命亂踢，
銀釦環鞋險些踢到我的鼻子，
抓著她的歹徒強硬地把她的裙子往上拉。
我聽見綢緞撕裂的聲音……

近五月時，巴黎皇家軍械庫發生爆炸。我後來聽說，是某個粗心大意的門房將火把放錯地方，不久便引爆了這座巴黎最大最齊備的槍砲彈藥庫，爆炸聲響嚇得聖母院的鴿子四處飛竄。

當時人在昂吉醫院工作的我並沒聽到爆炸，但確實注意到陣陣回音。雖然昂吉醫院位於巴黎市區另一端，但受到爆炸波及的傷患眾多，被送往各家醫院和我們這裡，他們被炸傷燒傷，躺在馬車後面呻吟，或讓朋友用墊貨箱的棧板一路扛來。

等照料完最後一名傷患，將他全身包紮後的身體，跟院內其他渾身骯髒的無名氏病人輕放在一起時，已是夜幕低垂。

眼見這麼多工作等著昂吉醫院的修女們處理，我就先派佛戈斯回家轉達我會晚歸的消息。現在佛戈斯和穆塔夫一道過來醫院，兩人坐在外頭臺階上，等著護送我們回家。

我和瑪莉拖著疲累的步伐走出大門，發現穆塔夫正向佛戈斯示範射飛刀的技巧。

「繼續，」他背對著我們說道：「盡量扔直一點，數到三，一、二、三！」一聽到「三」，佛戈斯將手中碩大的白洋蔥投擲出去，洋蔥在凸凹不平的地面彈跳。

穆塔夫一派輕鬆地站著，手臂往後隨意舉起，兩指捏著一把短劍。洋蔥旋轉飛過時，他的手腕輕輕一甩，動作迅速又俐落，全場頓時靜止，他的蘇格蘭裙也文風不動，但洋蔥已中刀落地，被短劍刺穿彈向一旁，無力地滾到他腳邊。

「好、厲、害，穆塔夫先生！」瑪莉歡欣地大喊。穆塔夫嚇了一跳，轉過身子，透過背後大門溢出的光線，我看到他瘦削的雙頰染上紅暈。

「唔……」他有點不知所措。

「抱歉拖這麼久。花了好些時間才處理完每個傷患。」我一邊道歉。

「喔，」這位矮小的族人簡單答腔，然後轉向佛戈斯說：「我們去找輛馬車吧，老弟。這麼晚了，要兩位女士走路不太好。」

「這裡一輛馬車都沒有。」佛戈斯說道，聳了聳肩。「我剛才在附近街上繞了一個小時，巴黎市中心的西堤島每輛備用馬車都調去軍械庫了。不過，聖多諾黑街那邊可能會有。」他指向街上兩棟建築間幽暗狹窄的缺口，那裡有條通往隔街的通道，「走那裡比較快。」他說。

穆塔夫皺眉想了一下，便點頭同意：「好，我們走吧！」

巷裡十分寒冷，雖然今晚沒有半點月光，我仍可以看得見自己吐出小團白霧。無論夜有多深，巴黎總有地方透著亮光，油燈和蠟燭光線從木構建築的牆縫或百葉窗流瀉而出，路邊攤位周圍繞著光暈，馬車及載貨拖車尾端搖曳的金屬吊燈，也撒下光芒。

隔壁是商店街，各家商店門上或入口掛了金屬鏤刻的提燈。由於不放心只靠警方保護他們的產業，通常會由幾個店家共同請來守衛，負責夜間巡守街頭巷尾。我看到帆纜店前陰影處有名守衛，弓著身體坐在一疊摺好的帆布上，他粗啞著聲音說：「晚安，先生、小姐。」我點頭回應。

但當我們走過帆纜店時，我就聽到後頭的守衛忽然大聲驚呼：「先生，小姐！」

穆塔夫立刻轉身迎擊，劍已嗖嗖出鞘。我反應較慢，還沒來得及轉身，穆塔夫已經上前，我瞄到他背後的門邊閃現動靜，還沒來得及出聲警告，他背後就中了一記，臉部朝下倒在地上，四肢癱軟無力，刀劍從手中飛落，哐噹一聲砸上石頭。

短劍滑過我的腳邊，我趕緊彎腰去撿，但一雙手從後方把我架住。「把這個男的解決掉。」我背後的聲音命令道：「快點！」

我扭動想掙脫歹徒的掌控，但那雙手向下握住我的手腕並用力一擰，我痛得大叫。陰暗的街道上，有個鬼魅般的白色物體飄動，那名「守衛」彎腰朝向穆塔夫倒臥的身體，一條白布從他雙手垂落。

「救命！」我放聲尖叫。「別碰他！救命！搶劫啊！殺人啊！救命啊！」

「給我閉嘴！」我啪地被掌了一記耳光，頓時天旋地轉、眼冒金星。等到雙眼不再泛淚，我才認出水溝裡有條白色香腸狀的東西是穆塔夫，他被牢牢捆在帆布袋裡。那名假守衛蹲在他身旁，然後站起身子，咧嘴笑著，我發現他蒙著面，一條黑布從額頭遮到上唇。

他起身時，旁邊雜貨店的一道細微光線落在他身上。儘管夜涼如水，他只穿著一件在閃光下透出翠綠的單薄襯衫，下身穿著馬褲，膝蓋別著釦環，而且叫我訝異的是，他似乎穿著絲質長襪和皮鞋，不是我所以為的打赤腳或穿木鞋，看來這傢伙並不是尋常的歹徒。

我瞄了一眼一旁的瑪莉，一名蒙面歹徒從後面牢牢抓住她，一隻手扣住她的上腹部，另一隻在她裙下翻攪，彷彿動物在挖穴一般。

我面前的歹徒則一手放在我頭後，佯裝討好地將我拉近。他的面罩從額頭遮到上唇，只留下嘴巴，原因再明顯不過。他硬是把舌頭強塞進我嘴裡，混著濃濃酒味和洋蔥味。我忍不住作嘔，便往他的舌頭咬了下去，他痛得縮回舌頭，我轉頭吐掉口中的口水。他於是狠狠地給了我一拳，把我打得跌進溝裡。

瑪莉的雙腳死命亂踢，銀釦環鞋險些踢到我的鼻子，抓著她的歹徒強硬地把她的裙子往上拉。我聽見綢緞撕裂的聲音，歹徒的手指戳入她的大腿之間，她放聲尖叫。

「是處女！我抓到處女！」他得意地歡呼。這時，他的同夥調侃地朝瑪莉彎腰致意。

「恭喜小姐了！到了新婚之夜，妳的夫君就會感謝我們，因為他可以暢行無阻地享樂了。不過，我們既是慷慨無私，做事更不求回報。我們簡直是樂善好施啊！」

除了絲質長襪之外，這番不帶髒字的譏諷——加上陣陣狂笑——讓我更加確信，這幫襲擊我們的歹徒絕非街頭混混。只是他們蒙著面，指明身分可就是件難事了。

抓住我的手臂，將我拖行在地的那雙手，指甲修剪得整齊，虎口上方有顆小痣。我憤恨地決心記住這個特徵，如果我們有幸逃脫，可能就會派上用場。

這時，有人從後方抓住我的手臂，使勁向後拉，我哀嚎出聲。這個姿勢讓低胸內衣下的乳房挺立，簡直是任君享受的模樣。

一名看似首領的歹徒身穿淡色寬鬆花襯衫，上頭裝飾著深色斑點，可能是刺繡。他的輪廓在陰影中顯得模糊，教人難以仔細觀看。不過當他傾身向前，一根指頭鑑定般地滑過我的乳房上緣時，我看到他油亮的黑髮平貼著頭，散發濃濃的髮油味。他有對招風耳，因此面罩繩線更易扣住。

「兩位女士，不用擔心，」花襯衫歹徒說道：「我們無意傷害妳們，只是想讓妳們稍微運動一下——不必告訴丈夫或未婚夫——然後就會放了妳們的。」

「首先，妳們可以貢獻自己甜美的嘴巴，兩位女士。」他宣布道，然後退後一步，扯開馬褲的褲帶。

「那個不要，」綠衣歹徒手指著我警告：「她會咬人。」

「除非她不要牙齒了，」同夥回道：「夫人，麻煩妳跪下了。」他用力下壓我的肩膀，我猛然向後扭，差點絆倒。他一把抓住我，不讓我逃跑，我的斗篷帽子向後掀開，整個頭露了出來。髮簪在掙扎中鬆脫，頭髮散落到肩上，在晚風中如旗幟般飛舞，拍拂著我的臉，模糊了我的視線。

我踉蹌後退與歹徒拉開距離，把眼前的髮絲甩開。街道昏暗，但從商店窗戶滲出的燈籠微光，或是灑落街上的微微星光，周遭事物依稀可見。

微光下，我看到瑪莉鞋子上的銀釦環，她的雙腳拚命亂踢。她躺在地上，奮力掙扎，一名歹徒趴在她身上，他邊罵髒話，邊忙著脫馬褲並將她牢牢壓制住。我聽見衣物撕裂聲，旁邊庭院大門透出光束，映著他白晃晃的臀部。

有人箝住我的腰，一個勁地往後拉，將我懸空抱起。我用腳跟沿著他的小腿脛踩下去，他痛得大叫，怒不可遏。

「抓住她！」花襯衫歹徒一聲令下，自暗處走了出來。

「你來抓！」擒住我的那人粗魯地把我推到同夥懷中，庭院光線射入我的雙眼，眼前頓時白花花一片。

「我的天哪！」原本緊攫著我的那雙手瞬間無力，我趕緊掙脫開來，只見花襯衫歹徒面罩下的嘴巴驚恐地張開。他退離開我，一邊用手在胸前畫著十字。

「是白夫人！」他念念有詞，手不停畫著十字：「以聖父、聖子、聖靈之名……」

「白夫人！」我背後的男子同樣驚呼，語氣充滿恐懼。

花襯衫歹徒持續後退，不斷在半空比畫某種符號，看起來不大像基督教的十字符號，但用意應該相同。他把食指和小指指向我，做出驅逐惡靈的古老手勢，逐一把各種神祇全都請了出來。他誦著拉丁文，速度快到音節含糊不清。

我神情恍惚、驚魂未定地站在街上，直到腳邊傳來慘叫才回過神來。壓住瑪莉的歹徒忙於他的惡行，對周遭的事渾然不覺。他從喉嚨發出滿足的聲音，開始規律地扭動臀部，同時伴隨著瑪莉淒厲的尖叫聲。

我本能地朝他們奔去，腳往後一抽，然後使勁向歹徒的肋骨一踢，他肺部像岔了氣發出「噢嗚」的叫聲，整個人滾向一邊。

一名同夥狂奔向前，抓著他的手臂，慌忙地說：「起來！起來！是白夫人！快逃啊！」

這名男子依然沉浸在強暴的快感裡，兩眼呆滯，想要爬回瑪莉身上。瑪莉發瘋似的扭動身軀，努力想扯出被他壓著的裙子。花襯衫和綠襯衫歹徒都來拉他的手臂，終於扶他站了起來。他的馬褲已被撕破，半掛在大腿上，胯下勃起處沾著血，在垂落的襯衫下襬之間，晃動著空洞的慾望。

陣陣疾行的腳步聲逐漸接近，他似乎才恍然大悟。兩名同夥聽到有人來了，立即甩開他的手臂，逕自飛速逃離現場，留他一人自生自滅。他低聲咒罵，左跳右晃地把馬褲拉到腰際，竄進最近的一條小巷。

「來人吶！來人哪！警察！」巷子傳來某人上氣不接下氣的求救聲，那人摸黑朝著我們接近，腳下踩著垃圾踉蹌前進。地痞流氓想必不會一邊腳步散亂、一邊呼喊警察。不過，我已經驚嚇過度，再發生任何事情都不會讓我感到詫異了。

但出乎我意料的是，奔出巷口的黑影竟是亞歷山大．藍鐸。他裹著黑斗篷、頭戴寬邊軟帽，急忙掃視眼前狀況。穆塔夫被裝在袋中，活像一包垃圾，我僵在原地，倚著牆壁喘氣，還有瑪莉蜷曲在陰影中幾乎難以察覺的身影。他不知所措地杵了一會兒，旋即轉身攀上路旁的鐵門，剛才歹徒便是由此突襲。他爬上鐵門後，只搆到從上方梁子垂下的燈籠。

燈光讓人格外安心，儘管照亮的景象不堪入目，至少驅散蟄伏的暗影，以免轉眼又有危險襲來。

瑪莉跪在地上，縮成一團，頭埋在手臂裡，渾身發抖，半聲不吭。一隻鞋子倒在石頭地上，銀釦環在燈籠搖晃的燈光下閃爍。

亞歷山大迅速蹲在她身旁，宛如預報凶兆的鳥禽。

「霍金斯小姐！瑪莉！霍金斯小姐！妳還好嗎？」

「這是什麼蠢問題！」我惱怒大吼，瑪莉則嗚咽退縮躲開了他。「她剛被強暴，怎麼可能好！」我吃力地撐起身子，離開支撐我的牆壁，朝他們走去。突然間，我發現自己雙膝搖搖晃晃。

下一刻，我的雙腳一軟，前方一呎躍下一個蝙蝠般的巨大身影，雙腳砰地一聲落在石頭地上。

「唉呀，看看是誰來了！」我歇斯底里地放聲大笑。一雙大手抓著我的肩膀，用力搖了幾下。

「小聲點，英國姑娘。」傑米說道，一對藍眼在燈籠光線中閃爍，既深邃又危險。他站直身子，雙臂伸向他剛才跳下的屋頂，藍絨斗篷順著肩膀向後滑下。即便踮起腳尖，他也只能勉強抓到屋簷。

「好，下來吧！」他百般不耐，抬頭向上望，說：「把腳跨過邊緣放到我肩上，就能沿著我的背下來。」鬆動的屋瓦發出摩擦聲，只見有個小黑影謹慎地向後蠕動，爬下傑米高大的身軀，頗像樹上的猴子。

「好小子，佛戈斯。」傑米隨意拍拍男孩的肩膀。即使光線昏暗，我仍可見到他臉上洋溢喜悅。傑米謹慎地勘察四周，然後低聲吩咐佛戈斯去巷中，留意是否有警察前來。待他交代完要事，才又蹲到我面前。

「妳還好嗎，英國姑娘？」他問道。

「有勞你關心。」我失神地回覆。「還好，謝謝。她就不怎麼好了。」我茫然地朝瑪莉指了指，她仍舊縮成一團，身體像果凍般發抖哆嗦，亞歷山大笨拙地想伸手安撫，她就是不讓他碰。

傑米只瞄了她一眼。「我明白了，該死的穆塔夫到哪兒去了？」

「他在那裡，」我回答：「扶我起來。」

我歪歪倒倒地走向水溝，裝著穆塔夫的袋子蠕動著，像一條焦躁的毛毛蟲，裡頭傳出悶聲的粗話，混雜著三種語言。

傑米拔出短劍，也不管袋裡裝了活人，一刀就把袋子從頭到尾割開。穆塔夫宛如魔術盒裡的玩偶，啪地從開口彈出。尖刺黑髮有一半沾到溝內的惡臭液體，也黏到了臉上。其餘頭髮高高翹起，讓他那張額頭腫個青紫大包，眼神越發陰沉的凶狠臉孔更顯粗暴。

「是誰攻擊我？」他怒吼道。

「總之，不是我。」傑米揚起一邊眉毛回答道：「該走了，我們可沒時間在這耗上整晚。」

「這樣下去不是辦法。」我念念有詞，心不在焉地把綴著寶石的髮夾插入髮中。「她要接受醫療照護，得幫她找個醫生才行！」

「她有，」傑米說道，抬起下巴，視線沿著鼻梁移至鏡中，一邊忙著綁上頸巾：「就是妳啊！」他綁好頸巾後，抓了把梳子，草草地梳理粗硬的紅鬈髮。

「沒時間編頭髮了。」他自言自語，一手握著頭後的粗髮尾，一手在抽屜中翻找。「有沒有緞帶，英國姑娘？」

「讓我來。」我迅速移到他背後，把髮尾向下摺，再用綠色緞帶綁好。「什麼日子不好選，偏偏挑今天辦晚宴！」

而且還不是普通的晚宴。貴賓是森丁罕公爵，恭迎他的是一小群精心挑選過的客人。杜維內先生會與知名的銀行家長子一同前來，露易絲和朱勒也將聯袂出席，阿班維爾夫婦也會參加。更精采的是，聖日耳曼伯爵也在受邀名單之中。

傑米前一週通知我這項消息時，我大吃一驚：「聖日耳曼！為什麼要邀他？」

「我和他有生意往來，」傑米說道：「他以前也來過這裡，跟賈爾德一起晚餐。但是這次，我想趁機在晚餐時觀察他。就我看他作生意的樣子，他不是藏得住心思的人。」他拾起雷蒙大師送我的白水晶石，若有所思地在掌中掂著。

「這玩意兒真是漂亮，」他說道：「我找人把它鑲個金座，妳就可以當成項鍊戴了。到時在晚宴上，妳就玩著項鍊，英國姑娘。有人問起的話，妳就告訴他們項鍊的用途，然後仔細觀察聖日耳曼的表情。如果在凡爾賽宮毒害你的是他，我想他一定會露餡。」

不久前的暴行還歷歷在目，此刻的我只想一個人靜一靜，像小白兔一樣躲起來發抖。然而，我卻得參加這場晚宴，而出席的那位公爵也不知是詹姆斯黨人還是英國派來的間諜，還有一個可能想要毒害我的伯爵，加上一名剛遭受強暴侵害的被害人瑪莉仍躲在樓上。我的雙手忍不住顫抖，一直無法繫上水晶項鍊，這時傑米走到我背後，拇指一彈，掛鉤就咔嗒地打開。

「你難道沒有神經嗎？」我問道，他在鏡中對我做了個苦臉，然後把手放在肚子上。

「我有。但我緊張時是胃痛，手倒不會發抖。有沒有胃藥？」

「在那裡。」我朝桌上的藥箱揮了揮手，我剛才拿藥給瑪莉，所以蓋子還開著。「綠色的小瓶子，喝一湯匙。」

他無視一旁的湯匙，直接傾倒瓶子，就口喝了快半瓶。他放下瓶子，瞇眼睨著裡頭的液體。

「噁，好難喝！妳準備好了吧，英國姑娘？客人快來了。」

我們暫時把瑪莉藏在二樓的空房。我仔細檢查過她的傷勢，她只有幾處瘀青，但是受到嚴重的驚嚇，於是我餵她適當劑量的罌粟糖漿。

傑米屢次要亞歷山大．藍鐸先行回家，都被他給拒絕，於是我們留他守著瑪莉，並特別交代他要是瑪莉醒了，就立刻找我過來。

「那個傻瓜怎會剛好在那裡？」我邊問邊找抽屜裡的粉盒。

「我也這麼問他，」傑米答道：「這個可憐的傻小子好像愛上了瑪莉。他繞著她團團轉，但也曉得她已許配給馬里尼子爵，所以垂頭喪氣，好像枯萎的花朵一樣。」

粉盒從我手中滑落。

「他、他愛上她了？」我喘氣說道，揮手搧去滿天漫飛的粉塵。

「這是他自己透露的，我也沒理由懷疑。」傑米一邊說著，一邊俐落地拍掉我禮服胸口的蜜粉。「他說起這件事的時候，感覺有點煩悶。」

「想當然。」我對亞歷山大・藍鐸的感覺原本就五味雜陳，如今又多了同情。他當然不可能高攀瑪莉，僅憑區區一名窮書記的愛慕之情，哪能比得上加斯科涅家族的財富與地位？如今看到他心儀的女孩遭此暴行，還發生在自己眼皮底下，他能做何感想？

「他怎麼不表白呢？瑪莉一定二話不說，立刻和他遠走高飛。」我想，這位蒼白的助理一定就是讓瑪莉愛到連話都講不清楚的「靈性」男子。

「亞歷山大是個紳士。」傑米說道，遞給我一支羽毛和一壺胭脂。

「是呆子才對。」我不客氣地說。

傑米的嘴唇微微抽動。「或許吧！」他同意道：「他也很可憐。如果他們兩人私奔，瑪莉絕對會被逐出家門，但他的收入養不起她。他的身體也不好，公爵很可能會開除他，到時他要另謀生計可就難了。」

「瑪莉會被僕人發現的。」我把話題帶回先前憂心的事，免得又煩惱起那兩人未來坎坷的命運。

「不會的，他們全都忙著侍候客人。明天早上，等她的狀況穩定一點，就可以回她叔叔家。我已請人捎了口信過去，說因為天色已晚，她會借住在朋友家，以免他們來找她。」

「可是……」

「英國姑娘，」他的雙手放在我肩上，讓我沒再說下去，我倆的眼神在鏡中交會：「她還沒恢復之前，我們不能讓任何人發現她。發生在她身上的事一旦傳開，她的名聲就會完全毀了。」

「她的名聲？被強暴並不是她的錯啊！」我的聲音激動到微微顫抖，他握緊我的肩膀。

「我知道這樣不對，英國姑娘，但現實就是如此。她失身的事情一旦傳開，就不會有男人娶她——她只能帶著這份恥辱，孤單老死。」他的手捏捏我的肩膀後便鬆開，繼續幫我用髮夾別住隨時會鬆脫的頭髮。

「我們只能這麼幫她，克萊兒。」他說道：「保護她不受傷害，盡力幫她療養——還有找出犯下這樁罪行的下流混帳。」他轉過身，在我的箱子裡摸索著他的飾針。「妳真以為我不曉得瑪莉跟亞歷山大的感受嗎？」他語氣溫柔，朝著絲絨襯裡說道。

我把手放在他忙碌的手指上，輕輕捏著。他回握著我，然後舉起我的手落下一吻。

「天哪，英國姑娘，妳的手指好冰！」他把我轉過來，認真看著我的臉。「告訴我，妳還好嗎？」

他看著我的臉龐，心疼地喃喃自語，接著跪了下來，把我拉向他的胸前。我不再逞強，緊緊抱著他，將臉埋進漿過衣料的溫暖之中。

「傑米，我真的好怕，現在還是好怕……跟我做愛，現在。」

他笑了，胸口在我的臉頰下震動，把我抱得更緊。

「這樣對妳有幫助？」

「對。」

此刻的我已失去所有的安全感，唯有躺在我們的床上，讓屋子的闃靜環繞著我們，感受他在我身旁和體內的力量與溫度，讓歡愛的愉悅賜予我勇氣，並在擁有彼此身體的律動中，抹去無助與歷經暴虐的恐懼。

傑米的雙手托著我的臉，深深地吻著我，那一瞬間，我對未來與今晚的恐懼幾乎快要消失。然而，吻後他卻稍稍後退，帶著微笑看著我，雖然擔憂仍寫在臉上，但眼中只有我臉孔的微小倒影。

「先記在帳上吧！」他溫柔地說。

晚宴順利上到第二道菜，我才放鬆下來。不過，在舀著法式清湯喝的時候，我的手還是不自主地發抖。「實在太有意思了！」我說道，一面應付著小杜維內先生，但實際上是一直留心著樓上的動靜。「再多說點嘛！」

馬努斯服侍坐在我對面的聖日耳曼伯爵時，注意到了我。我嘴裡塞滿魚肉，還是努力對他微笑祝賀。他被訓練得能在公開場合微笑，稍稍點頭回禮，繼續服侍伯爵。我把手移向脖子的水晶，刻意地撫弄著，而伯爵大啖鱒魚佐杏仁時，陰鬱的臉上不帶半點煩惱。

傑米和老杜維內先生在桌子另一頭說話，傑米幾乎無視眼前美食，左手忙著用粉筆在紙上抄寫。「是在聊下棋，還是談生意？」我納悶著。

公爵身為貴賓，自然是坐在中間的位子。他天生食量大、胃口好，頭幾道菜吃得頗為高興，眼下正熱情地和右邊的阿班維爾夫人聊了開來。公爵是巴黎最知名的英國人，傑米認為值得跟他培養交情，希望藉此套出蛛絲馬跡，好推測是誰把那封充滿音符的信函寄給查理王子。不過，我的注意力一直從公爵身上，飄到坐他對面的席拉斯．霍金斯身上。

剛才公爵進門的時候，隨意向肩膀後頭揮了揮手，說道：「弗雷瑟夫人，妳認識霍金斯吧？」這讓我差點當場昏死過去，一了百了。

公爵那對興高采烈的藍色小眼睛用著毫不懷疑的眼神看著我，深信我必定會歡迎他一時興起邀來的客人。我別無選擇，只好微笑點頭，吩咐馬努斯多加一個位子。傑米一看見霍金斯先生走進會客廳，隨即一副需要再吃胃藥的樣子，但還是打起精神跟霍金斯先生握手，開始閒聊加萊港一路上各家旅館的品質。

我瞥了眼壁爐臺上的時鐘，客人還要多久才會離開呢？我默默數著桌上的美饌，盤算著還剩幾道菜尚未端上。差不多要吃甜點了，再來是沙拉和起司，然後就是白蘭地和咖啡，男人喝波特酒，女人則是利口酒，最後還會花一、兩個小時盡興地談天說地。老天爺，拜託別讓他們聊得太起勁，否則恐怕就會待到天亮了。

現在他們聊著街頭幫派的威脅。我索性不吃魚，拿起圓麵包。

「聽說有些遊蕩街頭的傢伙不是一般烏合之眾，而是年輕的貴族子弟！」這個可怕的想法讓阿班維爾將軍哼了一聲。「他們把這事當作消遣耶！好像犯下搶劫路人、玷汙婦女的罪行跟鬥公雞一樣有趣！」

「真是不可思議。」公爵說道，聽來事不關己，畢竟他無論到哪兒都有護衛隨行。僕人把綜合拼盤端到他嘴邊，他舀了些食物到自己盤內。

傑米瞄了我一眼，隨即起身。

「各位先生、女士，」他彎腰行禮，說：「我準備了一款很特別的波特酒，想請公爵閣下嘗嘗。我這就去酒窖拿來，容我先失陪一下。」

「一定是貝爾紅酒。」朱勒說道，他滿心期待地舔著嘴唇。「閣下，這可是難得的好酒，我從來沒在別的地方喝過。」

「是嗎？那麼你很快就有機會了，朱勒先生，」聖日耳曼伯爵插話：「而且是更上等的酒。」

「不可能有比貝爾紅酒更好的酒啦！」阿班維爾將軍大聲地說。

「確實就有，」伯爵語帶肯定，一臉得意：「我發現一款新的波特酒，是在葡萄牙外海的戈斯多斯島上釀造裝瓶，它的顏色有如紅寶石，相較之下，貝爾紅酒簡直索然無味。我已經簽下合約，這季生產的整批酒八月就會送到。」

「是這樣嗎，爵爺？」席拉斯．霍金斯朝我們這頭揚起灰白的粗眉。「所以你找到新的投資夥伴嘍？就我所知，你的資本……全都空了，可以這麼說吧？可憐啊！巴塔哥尼亞號就這麼毀了。」他從拼盤中拿了一塊起司，輕輕丟入嘴裡。

伯爵下顎肌肉凸起，這頭的氣氛瞬間凍結。霍金斯先生斜睨著我，忙著咀嚼的嘴巴露出一絲微笑，顯然知道巴塔哥尼亞號的不幸下場與我有關。

我的手再次伸向脖上的水晶，但伯爵並沒有看我。一股潮紅從他的花邊頸飾向上擴散，他怒眼瞪著霍金斯先生，毫不遮掩滿臉嫌惡。傑米說得沒錯，這個人的喜怒哀樂全都寫在臉上。

「很幸運地，我已經找到願意出資的合夥人。」他說道，努力抑制滿腔怒火。「那個金主跟我們殷勤的主人可是同鄉。」他語帶嘲諷，朝著走廊點點頭，傑米正好走了出來，馬努斯尾隨在後，手中抱著裝有貝爾紅酒的大玻璃瓶。

霍金斯的嘴巴這時停止咀嚼粗魯地張得老開，興致盎然地說：「蘇格蘭人？誰啊？巴黎的蘇格蘭酒商應該只有弗雷瑟家吧！」

伯爵的眼神透露幾分興味，視線從霍金斯先生移向傑米。「這位合夥人目前算不算蘇格蘭人，可能還沒有個定論，不過，他確實是圖瓦拉赫堡領主的同鄉，名字叫做查理·斯圖亞特。」

這個消息想必正如伯爵所盼，嚇住了在場眾人。霍金斯先生坐直了身子驚呼出聲，還被嘴裡的食物給嗆到。傑米本來準備說話，如今也閉嘴坐了下來，若有所思地看著伯爵。朱勒嘖嘖稱奇，口沫橫飛，阿班維爾夫婦也是驚嘆不已，就連公爵都把視線移開盤子，好奇地盯著伯爵。

「真的嗎？」他說道：「就我所知，斯圖亞特家族窮得不像話。你確定他不是在糊弄你？」

「我無意中傷他人，或是招人猜疑。」朱勒從旁附和說：「但宮裡人盡皆知，斯圖亞特家族根本沒錢。的確有些詹姆斯黨人最近正在籌措資金，但都到處碰壁，至少我聽說的情況是如此。」

「沒錯，」小杜維內好奇地向前傾身插話：「查理．斯圖亞特曾和我認識的兩個銀行家私底下談過，但他們評估他目前的狀況，都不願意借他高額資金。」

我迅速瞟了傑米一眼，他不著痕跡地點頭。這可說是好消息。但伯爵說的投資又是怎麼回事？

「這是真的，」他倔強地說：「殿下向一家義大利銀行貸到一萬五千法鎊，他把這筆貸款全數交給我，用來僱用一艘船隻，還有買下戈斯多斯葡萄園的裝瓶產線。我這裡有簽好的文件。」他滿意地拍了拍外套胸口，身子往後一靠，得意洋洋地環顧在座的每個人，視線停在傑米身上。

「那麼，大人，可以讓我們嘗嘗這款名酒了嗎？」他朝傑米前方裹著白布的酒瓶揮了揮手說道。

「好的，當然。」傑米呢喃說道。他動作僵硬地準備倒第一杯酒。

整頓晚餐都沒說幾句話的露易絲，注意到傑米的神情不太自在，身為想幫我解圍的好友，此時她轉頭面向我，換了較為輕鬆的話題。

「親愛的，妳脖子上戴的寶石真是漂亮，妳在哪裡買的？」她邊說邊朝我的水晶比畫。

「這個嗎？其實……」我說道。

一陣淒厲的尖叫硬生生打斷了我，在場的人頓時停止交談，只剩上方的水晶吊燈發出輕脆的回音。

「我的老天。」聖日耳曼伯爵說道，眾人鴉雀無聲。「什麼……」

尖叫再度傳來，一次又一次，充滿痛苦的聲音沿著寬敞樓梯，一路傳到大廳。

所有賓客全站起身，宛如一群忽然飛出的鵪鶉，全都湧進大廳，剛好看見瑪莉．霍金斯。她衣衫不整，踉蹌出現在樓梯平臺上。她站在那裡，彷彿是要加強效果般地張大嘴巴，雙手護在胸前，但撕裂的衣服還是清楚露出了胸部與手臂上與歹徒扭打所留下的瘀青。

她的瞳孔在燭臺的光線中縮成針尖大小，眼睛猶如清澈池水，映照出深深的恐懼。她低頭往下看，全然無視腳下樓梯與一大群瞠目結舌的賓客。

「不要！」她再度放聲尖叫。「不要！放手！拜託，求求你！不要碰我！」雖然她因為罌粟的影響而呈現茫然，但還是顯然感受到後方有人靠近。她轉過身，瘋狂亂打，雙手朝著亞歷山大猛抓，無論他多努力想出手安撫都沒有用。

很不幸地，從樓下往上看，亞歷山大的舉動根本就像是對瑪莉求歡不成的侵犯。

「該死的傢伙！」阿班維爾將軍脫口而出：「你這無賴，馬上給我放手！」這位老軍人往樓梯奔去，動作十分敏捷，看不出年歲已高，一手本能地想抓腰上的佩劍，幸好他先前在門口已經把劍卸下。

我趕緊向前一站，整個身體和厚重裙子擋在伯爵和小杜維內前面，他倆看似就要跟著將軍上樓前去營救瑪莉。但對瑪莉的叔叔席拉斯，我已束手無策了。這位酒商雙眼瞪得老大，先是愣在原地，然後低頭直衝，猶如一頭公牛衝過旁觀的賓客。

我急忙四處張望找尋傑米，發現他站在人群的外圍。我見他看到了我，只能揚起眉頭問他，我該怎麼辦才好。這時的大廳人聲喧嘩，瑪莉的尖叫又像汽笛般放聲大響，無論我發出什麼聲音，他都不可能聽到。

傑米聳了聳肩，環顧四周。我看到他眼睛一亮，視線落在牆邊一只插著菊花花瓶的三腳桌上頭。他抬頭評估距離，然後閉上眼睛幾秒，接著彷彿豁了出去一般，隨即果斷行動起來。

他蹬上三腳桌，伸手抓住樓梯扶手，縱身一翻，矯健地落在將軍前方數呎的階梯上。這一連串動作技高藝湛，在場一、兩位女士甚至倒抽口氣，在恐慌大叫之餘發出驚愕的讚嘆。

女士們的叫聲也隨著接下來的動作發展，越來越大：傑米往上攀過剩下幾階樓梯，擋在瑪莉和亞歷山大之間，他抓住亞歷山大的肩膀之後，便精準地往他的下顎重重擊了一拳。

亞歷山大原本因為瞥見樓下的雇主而一臉錯愕地張嘴往樓下看，現在則雙膝一跪癱坐在地，瞠大的雙眼突然發直，與瑪莉的眼神一樣，陷進空洞裡。

第十九章

立下誓約

不，我不會取你性命，
因為我還需要你。
但是我要跟你立個誓約，
你得接受。

除了地板嘎吱作響，和樓下廚房僕人工作到深夜的隱約碰撞聲之外，壁爐臺上的時鐘發出了惱人的滴答聲。儘管這是房裡的唯一聲音，我也受夠了，此刻只想安安靜靜地撫慰耗弱的神經。我打開大擺鐘的門，取下鐘擺，滴答聲戛然停止。

這無疑是本季最精采的一場宴會，無緣與會的人在接下來的幾個月也會四處吹噓他們人就在宴會現場，藉由散布八卦和加油添醋來取信於人。

我終於可以抓穩瑪莉，趁機朝她的喉嚨灌下一劑相當分量的罌粟汁。她可憐兮兮地癱倒在一堆沾血衣物之中，讓我得以將注意力轉向傑米、將軍和霍金斯先生三人之間的爭執。亞歷山大非常明智地不省人事，我讓他軟綿無力的身軀整齊平躺在瑪莉身旁，他們看來就像以陳屍廣場來控訴雙方親族罪行的羅密歐與茱麗葉，不過霍金斯先生的反應破壞了這樣的想像。

「毀了！」他不停大聲咆哮：「你毀了我的姪女！子爵現在不可能要她了！下流的蘇格蘭混帳！你和你的娼婦……」他隨即轉向我吼道：「妓女！老鴇！引誘無辜少女到妳骯髒的巢穴，取悅那些低賤的雜碎！妳……」傑米再也壓抑不住，表情猙獰地將手搭在霍金斯先生的頸肩上，把他的身體扳轉過來，接著對準他垂著肥肉的下巴一拳揮過去，然後一面滿不在乎地站在那裡揉著發疼的指關節，一面看著這個矮胖的葡萄酒商翻出白眼。霍金斯先生先是跌撞在牆壁的鑲板上，然後沿著牆壁緩緩滑下頹坐在地板。

傑米一雙藍色眼睛轉向阿班維爾將軍，冷冷地瞪著。將軍眼見霍金斯先生倒下，非常識時務地放下手中揮舞的酒瓶，向後退了一步。

「繼續呀！」我身背後傳來一陣催促的聲音。「為什麼停下來呢，圖瓦拉赫？把他們三個揍扁！統統解決乾淨！」將軍和傑米帶著相同的厭惡眼神，瞥向我後方那個衣冠楚楚的男人。

「走開，聖日耳曼，這不關你的事。」傑米說道。他的聲音聽來疲憊，但仍提高嗓門以蓋過樓下的大聲喧囂。他的外套肩縫已經裂開，裂縫露出底下亞麻襯衫的白色褶皺。

聖日耳曼的薄唇上彎，露出迷人的微笑，顯然非常享受這個時刻。

「不關我的事？我這麼熱心公益，這種事情怎麼會與我無關？」他眼神愉悅地掃視昏迷不醒的人們。「畢竟，如果陛下的客人曲解好客的意義，在自己家裡開起妓院，那豈不……欸，你別亂來呀！」傑米朝他走近，急得他連忙呼喊。一陣刀光突然從伯爵手裡閃現，彷彿是用魔法從他手腕的蕾絲摺邊變出來似的。我看到傑米微微撇了撇嘴唇，他轉了轉外套破口底下的肩膀熱身，準備迎戰。

「馬上住手！」一個強硬的聲音說道，杜維內父子擠進已經十分擁擠的樓梯平臺。小杜維內轉身對還在樓梯上的人群威嚇地揮舞手臂，一臉怒容嚇得眾人倒退一步。

「你！」老杜維內指著聖日耳曼說道：「如果你真如自己說的那樣熱心公益，現在就應該下樓幫忙勸離不相干的人。」

聖日耳曼瞪著老杜維內一會兒，才聳聳肩收起匕首。他不發一語轉身下樓，接著推開面前的人，大聲斥喝他們離開。

儘管他以及小杜維內相繼催促眾人疏散，大多數的賓客仍然等到國王親衛隊抵達之後，才帶著滿腹八卦離去。

霍金斯先生此時恢復了意識，立刻指控傑米綁架、與賣淫掛勾。有那麼一瞬間，我以為傑米又要再給他一拳，因為他的肌肉在天藍色的天鵝絨底下鼓起，但想想之後又放鬆了下來。

經過一大串紛亂的爭論和解釋之後，傑米同意前往親衛隊位在巴士底監獄的總部，在那裡他可以好好解釋一番……或許吧！

亞歷山大臉色蒼白、冷汗直流，根本不曉得究竟發生什麼事情，就被一併帶走，而公爵也沒有留下來親眼看看他部屬的下場，他早在親衛隊抵達之前，就謹慎地召來馬車離開現場。無論他的外交任務為何，捲入醜聞絕非明智之舉。

瑪莉仍然昏迷不醒，她被裹上毯子送回叔叔霍金斯先生家。

我也差點被帶走，但傑米強硬阻止他們這麼做，堅稱我的身體狀況羸弱，無論如何都不能待在監獄。最後，眼見傑米又將大動作開打以證明自己的立場，親衛隊隊長才網開一面，條件是我得同意不會離開巴黎。雖然逃離巴黎的想法很誘人，但我不可能丟下傑米自己離開，並背棄自己的承諾於不顧。

正當一群人慌亂地在大廳轉來轉去，忙著點亮燈籠和拿帽子斗篷時，我看見鼻青臉腫的穆塔夫，一臉嚴峻地在人群外圍徘徊不去。很明顯地，無論傑米被帶往何處，他都想盡辦法跟著他。我突然有股如釋重負的感覺，至少我的丈夫不會孤立無援。

「別擔心，英國姑娘。」他匆匆抱了我一下，在我耳邊細語。「我很快就會回來。如果出事的話……」他猶疑一會兒，然後堅定地說：「雖然沒有必要，但如果妳需要朋友的話，找露易絲吧！」

「我會的。」我只來得及在他唇邊匆匆落下一吻，衛兵便圍了上來，把他帶走。

房子的門打開了，傑米往背後看了一眼，瞥見穆塔夫，他嘴巴張開，好像想說些什麼。穆塔夫雙手抓著佩劍腰帶，瞪著惡狠狠的眼睛，朝傑米擠了過去，差點兒把小杜維內擠到大街上去。一陣短暫而沉默的意志對峙隨之而來，兩人以凶狠眼神交會，然後傑米聳聳肩，無可奈何地將雙手一揚。

他走下街道，無視緊貼在他周圍的衛兵，停在門口旁邊的一個矮小身影前面。他彎下腰來跟他交代幾句，然後站直轉身朝向房子，給了我一個微笑，在燈籠的照耀之下，他的笑容清晰可見。然後，他再向老杜維內先生點頭致意，走進在旁等待的馬車。馬車就這麼將他載走，而穆塔夫則掛在馬車廂後頭一路跟隨。

佛戈斯站在大街上，注視著馬車離去，直到完全看不見為止，接著他過來拉起我的手，踏著堅定的步伐，領我回到屋內。

「來吧，夫人，」他說道：「老爺要我照顧妳，直到他回來。」

佛戈斯溜進客廳，房門在他後方悄悄關上。

「我把房子巡了好幾遍，夫人。」他低聲說道：「全都關好了。」儘管擔心，我還是被他的語氣給逗笑，他很明顯是在模仿傑米。他的偶像將重責大任交付給他，他當然嚴肅看待。

他護送我到客廳之後，把房子內外巡了好幾回，就像傑米每天晚上那樣，檢查百葉窗的窗扣、外門的門閂——據我所知他幾乎抬不起來——並且把爐火封上。他的臉上沾了煙灰，半邊額頭和顴骨沾上一層黑灰，他蜷起拳頭揉了眼睛，所以眼睛周圍是一圈清晰的白皮膚，看起來很像小浣熊。

「妳該休息了，夫人。別擔心，我會守在這裡。」他說道。

這次我沒發笑，但是對他露出微笑。「我睡不著，佛戈斯。我想在這裡坐一會兒。倒是你應該上床，今晚對你來說實在太漫長了。」我捨不得命令他上床睡覺，不想破壞他被臨危授命的尊嚴，但是他明顯已經累壞了，骨瘦如柴的瘦小肩膀垂了下來，眼皮底下也出現深深的黑影，顏色幾乎要比臉上的煙灰還要來得深。

他毫不避諱地打了個哈欠，卻搖了搖頭。

「不，夫人。我一定要陪著妳……妳不介意吧？」他急忙補上最後一句。

「我不介意。」事實上，他已經累到無法說話，連平常坐立不安的樣子都不見了。他在跪墊上昏昏欲睡的安詳模樣有種撫慰效果，就像小貓小狗那樣。

我凝視著悶燒的火焰，努力試著回憶平靜的池面、林中的空地，甚至修道院教堂裡的闃黑祥和，但似乎都沒有辦法穩定我的思緒。所有平和的影像全都被當晚發生過的片段所掩蓋：粗糙的雙手和閃亮的牙齒，從陰森恐怖的黑暗之中竄出，瑪莉驚慌失措的蒼白臉孔，跟亞歷山大的臉如出一轍，霍金斯先生貪婪的眼中閃耀仇恨，將軍和杜維內父子臉上突然閃現的不信任，聖日耳曼隱藏不住的喜悅之情，閃爍其中的惡意，耀得彷彿吊燈上晶瑩剔透的垂飾。最後是傑米的笑容，燈籠相互擁擠之下閃爍不定的燈光，隱約照出安慰笑容背後的不確定感。

萬一他回不來怎麼辦？自從他們把他帶走以後，我就一直努力壓抑這個念頭。萬一他沒辦法洗刷罪名怎麼辦？萬一法官不相信外國人——呃，特別不相信，我更正——他很可能會被無限期羈押。這些意想不到的危機，可能毀掉我們最近幾個禮拜的精心運作。然而，除了這份恐懼，最令我擔憂的是傑米會在牢裡遭遇滬特沃斯那般的待遇。相較於眼前的危機，查理．斯圖亞特投資葡萄酒的消息顯得微不足道。

現在沒有人打擾我，我有足夠的時間可以好好思考，但想了半天還是沒有任何答案。「白夫人」是什麼？那是什麼樣的「白色夫人」，為何歹徒一聽到這個名字就落荒而逃？

後續晚宴發生的事情，我記得將軍提到橫行巴黎街頭的犯罪集團，其中成員包括貴族。帶頭襲擊我和瑪莉的男人，他的言行和穿著的確很像貴族，不過他的同夥看起來可就粗俗多了。我左思右想，懷疑他會不會是我認識的人，可是我的記憶已經十分模糊，一方面是當時天色昏暗，一方面我那時也驚嚇過度了。

就體型而言，那人很像聖日耳曼伯爵，可是兩人說話的聲音大不相同。如果伯爵參與其中，他肯定得大費周章地掩飾他的聲音和臉孔吧？此外，我也很難相信伯爵在襲擊我們之後的短短兩小時，還能平靜地坐在我對面的桌子喝湯。

我沮喪地撥著頭髮。天亮之前，我什麼事都做不了。如果天亮了，傑米還沒回來，我就要開始拜訪熟人和朋友，看看誰能提供消息或幫忙打聽。不過，在黎明尚未到來的這幾個小時裡，我無能為力，動彈不得，就像困在琥珀中的蜻蜓。

沒想到這時我的手指和髮飾與頭髮糾結在一起，我不耐煩地猛扯。

「唉呦！」

「我來，夫人。我幫妳拆下來。」

還沒聽見佛戈斯走到我背後的聲音，就已經感覺到他小巧靈活的手指在我的髮間，解下那個小髮飾品。他把髮飾放在一旁，然後猶豫地說道：「其他的也解下嗎，夫人？」

「謝謝你，佛戈斯，如果你不介意的話。」我感激地說。

他那雙手帶著扒手的輕巧沉著，一綹綹濃密的頭髮開始從原本固定的位置，落到我的臉龐四周。漸漸地，我的呼吸隨著放下的頭髮而平緩了下來。

「妳擔心嗎，夫人？」我背後那個微小輕柔的聲音說道。

「嗯。」我說道，我太累了，沒辦法繼續逞強。

「我也是。」他簡潔說道。

最後一根髮夾吭噹一聲落在桌上，我整個人也癱軟在椅子裡，雙眼緊閉。我驚覺到觸動，然後意識到是佛戈斯正梳著我的頭髮，輕柔地解開糾結的髮絲。

「可以嗎，夫人？」他察覺到我一時訝異的緊繃，於是說道：「女士們常說梳頭有助緩解憂慮不安。」

我在他舒緩的撫摸下再度放鬆下來。

「這樣可以，謝謝你。」過了一會兒，我問道：「你說什麼女士，佛戈斯？」

他瞬間遲疑了一秒，彷彿蜘蛛織網織到一半停住，再接著繼續細心地編織牠的絲線。

「我以前睡覺的地方，夫人。有客人在的時候，我不能出來。但如果我安靜的話，埃利絲夫人會讓我睡在樓梯下的壁櫥裡。清晨客人都離開時，我就可以出來，女士們有時會分我早餐吃。我會幫她們綁緊胸衣，她們說我的手非常靈巧。」他有些得意地補上這句。「如果她們喜歡的話，我也會幫她們梳頭。」

梳子滑過髮間，輕柔的沙沙聲有催眠效果。壁爐臺上的時鐘停了，無法得知確切時間，但外面街道寂靜無聲，想必夜已相當深沉。

「你怎會睡在埃利絲夫人那裡，佛戈斯？」我問道，忍不住打了個哈欠。

「我在那裡出生，夫人。」他回答。梳子滑過髮絲的速度漸漸變慢，他的聲音也越發困倦。「我總在想哪位女士是我母親，但我從來就不知道。」

—

客廳門被打開的聲音，把我給吵醒。傑米站在門口，累得眼睛充血、臉色蒼白，臉上卻掛著微笑，清晨的第一道曙光灑落在他身上。

一會兒之後，我對著他的頭頂說道：「我怕你回不來了。」他的頭髮隱約飄散刺鼻的菸味和牛油味，他的外套也已破爛不堪。但他的身體卻是溫暖而結實。此刻我不想對一大張臉埋進我懷裡的他，苛責頭髮氣味這種小事。

「我也是。」他悶著聲音說道，但我能感覺到他臉上的笑容。環抱在我的腰上的手臂先是收緊然後鬆開，他坐了起來，撥開我眼睛旁邊的頭髮。

「妳真美。」他輕聲說道：「滿頭蓬髮，一夜沒睡，頭髮散得滿臉都是，我的美人，妳在這裡坐了一整夜嗎？」

「不只我。」我的下巴朝地板點了點，佛戈斯整個人蜷縮在地毯上，頭枕在我腳邊的一個靠墊上。他在睡夢中稍稍改變姿勢，嘴巴微微張開，粉紅色的嘴唇柔軟豐滿，真像是個嬰兒。傑米將一隻大手輕輕放在他的肩膀上。

「來吧，小子，你把夫人保護得很好。」他將男孩抱起來，讓他靠在肩膀，男孩低聲咕噥，睡眼惺忪。

「佛戈斯很棒，可以休息了，趕快上床睡覺去。」我看見佛戈斯的眼睛吃驚地睜大，然後放鬆下來呈現半闔狀態，他在傑米的懷裡點了點頭。

傑米回到客廳時，我已經打開百葉窗，重新燃起爐火。他脫下破掉的外套，裡面仍穿著昨晚的衣服。

「給你。」我遞給他一杯酒，他直接站著喝，三口飲盡，打了一個寒顫，然後倒在小沙發上，舉起手中的杯子，示意再來一杯。

我說：「一滴都不給，你得先告訴我事情的經過。你沒有進監獄，所以我猜測一切平安無事，但……」

他打斷我：「並非全然沒事，英國姑娘，事情可能更糟。

「他們來來回回爭論了好久，大多都是霍金斯先生不斷重複的說詞，而法官被人從舒適的被窩硬拉出來，主持這場臨時庭訊，心情不是很好，最後他裁定亞歷山大是被告，無法作為公正的證人。我也不行，因為我和妻子都可能是共犯。穆塔夫供稱他對案發經過毫不知情，而克勞岱，也就是佛戈斯，他只是小孩，無法擔任證人。

「法官先生惡狠狠地瞪著親衛隊隊長，表明唯一能夠供出事實真相的人只有瑪莉・霍金斯，但鑒於她目前的狀況無法作證，因此，所有被告都得拘留在巴士底監獄，直到霍金斯小姐可以接受偵訊為止，隊長自己應該老早就能想到這點了吧？」

「那你為什麼沒被關在巴士底監獄呢？」我問道。

「老杜維內先生替我保釋。」傑米回答，一面將我拉往沙發，坐在他身旁。「在整個愚蠢的爭論過程中，他像刺蝟似的縮坐角落。等到法官做出裁定之後，他才站起來表示，他同我下過幾次棋，不認為我的人品會淪喪到做出如此不堪的勾當……」他突然停了下來，聳聳肩。

「妳也知道他，總之大意是，能在七盤棋中贏他六次的人，絕不可能引誘無辜少女到家中任人玷汙。」

「真有邏輯，」我正色說道：「我想他真正想說的是，如果他們把你關起來，他就不能找你下棋了。」

「我想也是。」他同意道，然後伸了伸懶腰，打了個哈欠，對我眨眨眼睛，臉上泛起微笑。

「反正我現在回家了，也不管那麼多了。到我這裡來，英國姑娘。」他雙手抓住我的腰，抱我坐到他的大腿上，兩臂環抱著我，愉悅地嘆了口氣。

「我現在唯一想做的，」他在我耳邊低聲說道：「就是脫掉這身骯髒的破衣，跟妳一起躺在壁爐前的地毯上，把頭枕在妳的肩上進入夢鄉，一直睡到明天。」

「這樣會造成僕人的困擾，」我說道：「他們打掃時得繞過我們。」

「去他的僕人，門是做什麼用的？」他舒服地說。

此時外頭傳來輕柔的敲門聲，我笑道：「很明顯，是給人敲的。」

傑米將鼻子埋在我的髮間沒能多久，便嘆了口氣抬起頭，讓我從他的大腿滑坐到沙發上。

「三十秒。」他低聲向我保證，然後提高音量說道：「請進！」

門打開了，穆塔夫走進房間。在昨晚的忙亂中，我著實忽略了穆塔夫，現在我覺得他看起來也沒有因為這一夜的疏於關照而有任何進展。

他跟傑米一樣沒睡，睜開的那隻眼睛眼眶發紅，布滿血絲。另一隻眼睛的瘀青已經加深變成爛香蕉的顏色，在腫脹的皮膚下微睜閃著黑色光芒的細縫。額頭上的硬塊腫得厲害：顏色發紫、鵝蛋大小，就腫在一邊眉毛上頭，上面橫著一道深長的傷口。

自從昨晚被人從袋子放出來之後，這個矮小的族人幾乎沒說什麼話，頂多只是問問佩刀的下落。佩刀後來被佛戈斯找到了，佛戈斯展現平日有如獵鼠梗犬般的搜尋功力，從一堆垃圾後面把短劍和蘇格蘭短刀都找了回來。穆塔夫在我們逃離的危急關頭一直保持嚴肅的沉默，殿後保護疾行在巴黎暗巷的我們。回到家之後，他雖然只剩一隻眼睛可用，銳利眼神卻也嚇得廚房僕人不敢提出任何不智的問題。

我想他在警察局一定說了一些話，證明他的主子品格端正——只是如果我是法國法官的話，我會懷疑穆塔夫說話的可信度。不過此刻的他，不只沉默得像巴黎聖母院上的滴水嘴獸，模樣也像極了。

雖然外表不修邊幅，但穆塔夫從來不失尊嚴，現在也是。他挺直腰桿，越過地毯，在傑米面前正式屈膝跪了下來，傑米被他的舉動弄得一頭霧水。

這個精實的小個子從腰間拔出短劍，沒耍任何花招，全然恭恭敬敬地將劍遞出，劍把朝外。那張顴骨突出、滿布皺紋的臉上沒有一絲表情，只有一隻黑色眼睛緊緊盯著傑米的臉。

「我讓你失望了，」他平靜地說：「我的主子，請你結束我的生命，讓我不必帶著這份恥辱苟活。」

傑米緩緩挺直身子，可以感覺得到他甩開疲憊，認真注視著他的侍從。他動也不動，雙手擱在膝蓋上好一會兒。然後他伸出一隻手，輕輕地覆蓋在穆塔夫額頭發紫的腫塊上。

「打輸沒有什麼好恥辱的，我的朋友，」他輕聲說道：「最偉大的戰士也有戰敗的時候。」

但小個子固執地搖搖頭，黑色眼睛一眨也不眨。

「不，」他說道：「我並不是打輸。你信任我，把自己的妻子和未出世的孩子交給我保護，還有那位英國小姑娘。但我太過輕忽這份任務，以至危險來臨的時候，連出手的機會都沒有。老實說，我甚至沒有看到那隻襲擊我的手。」他的眼睛終於輕輕眨了一下。

「背叛……」傑米開口說道。

「現在看看下場如何。」穆塔夫打斷他。自我認識他以來，從沒聽過他一下子講出這麼多話。「你的好名聲毀了，你的妻子被暴徒攻擊，而那位小姑娘……」他的嘴巴抿成一條細線，緊緊閉著，一會兒之後他嚥了嚥口水，喉結在瘦得青筋暴露的喉嚨裡起伏了一下。「光是這個，就讓我難過得沒辦法呼吸。」

「是啊！」傑米點點頭，輕聲說道：「我明白，兄弟，我感覺得到。」他摸了一下自己的胸口，心臟的位置。或許該讓他們獨處，傑米彎身靠近這位長者，兩人的頭距離只有幾公分。我雙手交叉放在腿上，既不動作也不開口，這時輪不到我插手。

「但我不是你的主子，」傑米以更堅定的語氣說道：「你沒有對我宣誓效忠，我無權主宰你。」

「你有。」穆塔夫的聲音也同樣堅定，劍把也沒有絲毫顫抖。

「可是……」

「我曾經對你發過誓，傑米，當時你出生不到一週，還是個躺在母親懷裡的胖小子。」

傑米的睜大眼睛，透露些許驚訝。

「我曾經跪在艾倫跟前，如我現在向你屈膝一樣。」矮小的族人抬起狹窄的下巴，繼續說道：「我以最高之主的名對她發誓，在你長大成人，需要有人為你效勞的時候，我會永遠追隨你，效忠你，保護你。」原本刺耳的聲音軟化了下來，眼瞼也垂蓋在那隻疲憊的眼睛上。

「小子，我把你當成親生兒子疼愛，現在卻背叛了你。」

「你並沒有背叛，而且永遠不可能。」傑米將雙手擱在穆塔夫的肩上，用力抓緊：「不，我不會取你性命，因為我還需要你。但是我要跟你立個誓約，你得接受。」

穆塔夫猶豫了很久，滿是硬刺黑髮的頭才微微點了點。

傑米將聲音壓得更低，但不是耳語。他豎直右手中間的三指覆在短劍的劍柄上。

「以你對我的誓言與對我母親的承諾，我命令你找出那群人。搜尋他們下落，一旦發現他們，我要你為我妻子的名譽和瑪莉・霍金斯的童貞之血報仇。」

穆塔夫愣了半晌，接著把傑米的手從劍上移開。他舉起劍，握住劍刃將其豎直。此時他終於察覺我的存在了，他低頭對我說：「主子已經吩咐，夫人，我會努力達成任務。我一定會幫妳報仇。」

我舔了舔乾燥的嘴唇，不知道該說些什麼，但此刻也不需要回答什麼了。他將短劍放在唇上吻了一下，然後俐落站直身子，將劍推回劍鞘。

第二十章

誰是白夫人？

女巫？

我難以置信地說。

馬努斯聳聳肩，無比小心地把餐巾塞進麵包周圍，眼睛不敢正視我。

我們換好衣服的時候，天色已白，早餐正從廚房端上樓來。

「我想知道，白夫人究竟是哪號人物？」我邊說邊倒熱巧克力。

「白夫人？」馬努斯手裡拿著一籃熱麵包，從我肩後探出頭來，他的動作太過突然，籃裡一塊圓麵包掉出，我身手敏捷地接住麵包，然後轉身抬頭看著管家，他似乎在發抖。

「對，沒錯。」我說道：「你聽過這個人嗎，馬努斯？」

「是的，夫人，」老管家回答：「白夫人是女巫。」

「女巫？」我難以置信地說。

馬努斯聳聳肩，無比小心地把餐巾塞進麵包周圍，眼睛不敢正視我。

「白夫人……」他喃喃地說：「聽說是個聰明女人，懂得醫術，而且……她能看穿男人的心思，要是誰心有邪念，她就會把那個人的靈魂化為灰燼。」他說完便行禮轉身，急忙拖著腳步往廚房的方向離去。我從背影看到他的手肘忽上忽下地，原來他一邊離去一邊在胸前畫十字。

「上帝保佑。」我說，轉回頭看著傑米。「你聽說過白夫人嗎？」

「嗯？喔，我是……聽過她的故事。」傑米埋頭喝著熱巧克力，眼睛藏在赭色的修長睫毛後面，但雙頰上的紅暈卻明顯得連熱巧克力的蒸騰熱氣都遮蓋不了。

我靠著椅背，雙臂在胸前交叉，仔細端詳著他。

「是嗎？」我說道：「那你要是知道昨晚襲擊我和瑪莉的那群人叫我白夫人，會覺得驚訝嗎？」

「他們這樣叫妳？」他倏地抬起頭來，滿臉驚愕。

我點點頭。「他們看到燈光下的我，大喊『白夫人』，然後落荒而逃，好像我有瘟疫似的。」

傑米深吸了一口氣，然後慢慢吐出。紅暈從他的雙頰褪去，留下一臉蒼白，就跟他面前的白瓷盤一樣。

「老天爺，」他說，半自言自語：「老──天──爺！」

我往前靠，越過餐桌從他手裡拿走杯子。

「跟我說說你知道的白夫人吧！」我柔聲建議。

「這……」他躊躇了一會兒，然後怯怯地看著我。「我……只是告訴格倫加立妳是白夫人。」

「你告訴格倫加立什麼？」我被剛吞下的一小塊麵包噎著，傑米急忙過來幫我拍背。

「其實是格倫加立和卡斯特洛帝，就是這樣。」他有點保留地說道。

「我是說，打牌、賭骰子是一回事，但他們可不就此罷休。他們覺得我忠於妻子這件事很好笑。他們說了一些事，讓我覺得有點煩。」

他扭過頭去，耳根子紅得發燙。

我啜了啜茶。我曾聽說卡斯特洛帝的嘴上功夫，可以想像傑米遭受到何種無情的譏笑。

他一口飲盡杯中的熱巧克力，然後故意小心地重新斟了一杯，眼睛盯著茶壺，避免和我眼神交會。「但我又不能一走了之，不理他們，是吧？」他說道：「我得整晚陪著殿下，讓他覺得我不像男人也不太好。」

「所以，你告訴他們我是白夫人。」我說道，努力不讓聲音透出任何笑意。「如果你跟那些女人亂來，我就讓你的命根子不保。」

「呃，這……」

「而他們相信？」我感覺到自己跟傑米一樣臉紅發燙，努力克制自己的情緒。

「我還得說得跟真的一樣。」他說道，一邊嘴角開始抽動。「他們還以自己母親的性命發誓，絕不洩漏這個祕密。」

「在這之前，你們到底喝了多少？」

「喝得可多了，我一直等到第四瓶上桌才說。」

我再也憋不住，放聲大笑起來。

「傑米！」我說道：「你真是太可愛了！」我靠過去親吻他紅到不行的臉頰。

他將奶油抹在麵包上，尷尬地說：「這是我能想到最好的藉口。他們也就不再把妓女往我懷裡推了。」

「很好。」我說道。我接過他的麵包，加上蜂蜜，再還給他。

「我沒什麼好抱怨的。這除了守住你的貞操，也讓我逃過遭人強暴的命運。」我說道。他放下麵包，抓住我的手說道：「感謝老天！如果妳發生了什麼事，英國姑娘，我就……」

「對，」我打斷他的話：「但若那些襲擊我們的人曉得我是白夫人……」

「沒錯，英國姑娘。」他看著我，點了點頭。「但不可能是格倫加立和卡斯特洛帝，因為妳被襲擊的當下，正是佛戈斯跑來找我的時候，他們兩個跟我在一起。一定是在場聽說這事的某個人幹的。」

一想起那人的白色面罩和面罩後的戲謔聲音，我忍不住微微打起哆嗦。

他嘆了口氣，鬆開我的手。「所以，我想最好去找格倫加立，問他到底跟多少人閒扯我的臥房祕辛。」

他惱怒地用手搔搔頭髮。

「然後還得去找殿下，問他跟聖日耳曼伯爵合夥到底有何用意。」

「你說的對，」我若有所思地說：「不過根據我對格倫加立的了解，可能半個巴黎的人都知道這事了。」

「下午我也得去拜訪一些人，我自己去。」

「妳要拜訪誰？英國姑娘。」他問道，緊緊看著我。我深吸一口氣，準備面對即將到來的嚴峻考驗。

「首先要找雷蒙大師，再來是瑪莉．霍金斯。」我說道。

「不然就用薰衣草吧？」雷蒙踮起腳尖，從架上取出一個罐子。「不是外敷，光是香氣就能舒緩情緒，安定神經。」

「那就得看是誰的神經了。」我說道，心裡想起傑米對薰衣草氣味的反應。這是黑傑克喜歡的味道，傑米壓根不覺得這種香草有何舒緩效果。「不過，這次的情況或許有用，至少不會造成傷害。」

「不會造成傷害，」他若有所思地重複：「是非常明智的原則。」

「你知道，這是希波克拉底誓詞的第一守則。」我說道，眼睛看著他彎腰在抽屜和桶子裡翻找。「醫生的行醫誓詞：首要之務，不得造成傷害。」

「那妳有宣示過嗎，夫人？」一對兩棲動物般的明亮眼睛，從高高的櫃檯上看著我。

他眼睛眨也不眨地注視，我感覺自己臉紅了。

「沒有。其實我沒有宣示過，我不是真的醫生。現在還不是。」不知何故，我加了最後那句話。

「沒有？可是妳想要修補的，是『真的醫生』試都不敢試的東西。處女膜一旦破了，可是沒得修補的。」他的諷刺意味非常明顯。

「是嗎？」我正色答道。在我的慫恿之下，佛戈斯曾經說過埃利絲夫人家裡那些「女士」的事。「那裝著雞血的豬仔膀胱是做什麼用的？還是你認為那東西是藥師的專業領域，不關醫生的事？」

他幾乎沒有眉毛可言，但當他被逗樂時，額頭上厚重的抬頭紋會稍稍抬起。

「那個傷害到誰啦，夫人？當然不是賣的人，也不是買的人——他花錢買到的樂趣，可能比買真貨的人還要多，甚至處女膜本身也沒有受到傷害！這肯定是一件符合道德和希波克拉底誓詞的事，任何醫生都會很樂意幫忙，是吧？」

我笑了。「我猜這種事你可清楚了，對吧？」我說：「下次我會跟醫療審查委員會提這件事。不過，如果不能創造奇蹟，眼前這種情況我們還可以做些什麼？」

他在櫃檯上鋪開一塊正方形紗布，把切碎的乾葉倒在紗布中央，一股強烈的香氣從那一小堆灰綠色的碎葉裡竄出。

「這是薩拉森人的聚合草。」他說道，熟練地將紗布四邊收疊起來，摺成一塊整齊的正方形。「可以舒緩皮膚過敏、輕微割傷，還有私處發炎。很有效吧？」

「是呀，的確。」我略為嚴肅地說：「這是浸泡用，還是煎煮用？」

「浸泡用。照妳說的情況，也許要用溫水。」他轉身走到另一個架子，拿出一個大的白色彩繪瓷罐，罐身寫著「白屈菜」。「這可以幫助睡眠，」這時他乾癟的嘴巴往嘴角一拉，說：「我想，最好不要用罌粟製品，妳的病人對這些東西的反應似乎很難預料。」

「你都聽說了，是吧？」我無奈地說。我很難希望他沒聽說。我很清楚，消息是他更重要的商品，這家小店成了眾多消息來源匯聚的八卦中心，上從王室臥房下至街頭小販的消息都有。

「我從三個不同來源聽說的。」雷蒙回答。他瞥了一眼窗外，伸長脖子望向街角附近建築物牆上掛的大鐘。「現在還不到兩點，入夜之前，關於昨天晚宴的事，我應該還會聽到好幾個不同版本。」只剩牙齦的闊嘴張開，發出微微的輕笑。「我特別喜歡的版本是，妳丈夫要求阿班維爾將軍到街上決鬥，而妳為了不讓伯爵叫來國王親衛隊，很識實務地送上昏迷的女孩，讓他享用。」

「那你有沒有興趣知道究竟發生什麼事？」我說道，開始覺得自己聽起來像蘇格蘭人。

他將角罌粟藥水倒進小瓶，淡淡的琥珀色在午後的陽光下閃爍光芒。

「真相總是有用的，夫人。」他回答，眼睛緊盯流出的細長液體。「妳也知道，物以稀為貴。」他輕輕砰的一聲，將瓷瓶放在櫃檯上。「所以可以換到好價錢。」他補上一句。我將藥錢擺在櫃檯上，硬幣在陽光下閃閃發光，我瞇起眼睛盯著他看，而他只是淡淡地笑著，彷彿對事情的來龍去脈一無所知。

外頭的大鐘響了兩聲。我算算從這裡到馬洛利街上霍金斯家的距離，如果搭馬車的話，大概半個鐘頭就到。時間相當充裕。

「既然這樣，我們可以去一下你的私人房間嗎？」我說道。

「事情就是這樣。」我說道，長長吸了一口櫻桃白蘭地。工作室的煙霧幾乎就跟從我杯子升騰而出的蒸氣一樣濃重，吸入過多煙霧，我的腦袋不停發脹，好像一顆巨大而歡樂的紅色氣球。「他們放了傑米，但還是覺得我們有嫌疑。不過，我想這種情況應該不會持續太久，你覺得呢？」

雷蒙搖了搖頭。一陣風來，吹得天花板上的鱷魚晃呀晃的，他起身關窗。

「不會。只是有點麻煩罷了。霍金斯先生有錢有人脈，發生那種事他當然心煩意亂，但這就是現實。說穿了，妳和妳丈夫只是錯在過於好心，想幫那個不幸的女孩保守祕密。」他從自己的杯子深深啜了一口。「所以此刻妳最在意的，是那個女孩？」

我點點頭。「這是其一。現在我已無力挽救她的名聲，只能盡量幫助她復元。」

他那帶著嘲諷的漆黑眼睛，越過手中的金屬杯子上緣盯著我瞧。

「我認識的大多數醫生會說：『我能做的就是盡量治療她。』而妳卻要幫助她復元？妳察覺到這兩者之間的差別，真是耐人尋味。夫人，我想妳辦得到。」

我放下杯子，感覺已經喝夠了。陣陣熱流從我的雙頰蔓延開來，明顯感覺我的鼻尖已經變成粉紅色了。「跟你說過，我不是真的醫生。」我將眼睛閉上一會兒，確定我還分得清楚東西南北之後，又睜開雙眼。「我以前曾經照顧遭到強暴的人。就外在而言，你幫不了什麼忙。也許你能做的真的不多，就是這樣。」我補充道。我改變心意，又拿起杯子。

「或許如此。」雷蒙同意道：「但如果有人能夠進入病人的內心世界，肯定就是白夫人嘍？」

我放下杯子，注視著他。我的嘴巴不由自主地張開，然後趕緊閉上。各種想法、懷疑和理解同時在我腦裡喧鬧，種種猜測將它們糾結在一起，彼此碰撞。為了爭取思考時間，我暫時避開這一團混亂思緒，抓住雷蒙的前半句話提問。

「病人的內心世界？」

他將手伸向桌上一個打開的瓶子，從中抓出少許白色粉末，放進他的高腳杯。深琥珀色的白蘭地霎時變成血色，並且開始沸騰。

「龍血，」他隨意搖晃正在冒泡的液體說道：「它只有在銀器裡才能發揮致命的作用。杯子當然肯定報銷，但如果在適當情況下進行，這是最有效的辦法。」

我發出小小的咯咯聲。

「病人的內心世界。」他說道，彷彿憶起幾天之前，我們曾經談論過的東西。「對，當然。所有治療基本上都必須深入病人的……該怎麼說？靈魂？心靈？就說是內心世界吧！唯有深入病人的內心世界，他們才能由內而外治療自己。夫人，想必妳也曾經見過。有些人病得或傷得差點沒命，但卻活下來。有些明明沒有大礙，只要好好照顧就能恢復，可是妳用盡辦法，卻挽救不了他們。」

「任何在意病患的人，都看過類似情況。」我小心回答。

「沒錯，」他同意道：「醫生的自尊很高，往往因為沒能救回病人而責備自己，因為挽回病人的生命而自我慶幸。但是白夫人看的是人的心靈，由此決定他的痊癒或死亡。所以，為非作歹的人不敢注視她的臉。」他拿起杯子向我敬酒，然後一口乾掉那杯冒泡液體，唇上殘留淡淡的粉紅色酒液。

「我想我該謝謝你。」我正色說道：「所以不只因為格倫加立太好騙嘍？」

雷蒙聳聳肩，看來頗為愜意。「這是妳丈夫的靈感。」他謙虛地說：「而且這個主意真棒。不過，雖然妳丈夫是憑藉自己的才能贏得大家敬重，但他不會被人當成超自然的神通。倒是妳，肯定會的。」

他厚實的肩膀在灰色天鵝絨長袍下略微聳了聳，其中一邊袖子綴著幾個小洞，邊緣明顯燒焦，似乎是碎碳燒穿的。施展法術的時候不小心燒到的吧，我猜。

「已經有人看到妳出現在我的店裡。」他指出。「妳的身世是個謎，而妳丈夫也說了，我自己的名聲多少有些可疑。我確實在某些……圈子內活動，可以這麼說嗎？」那個乾癟的嘴巴咧開一笑。「裡面可能有人會過分認真地猜測妳的真實身分，大家會怎麼談論，妳也不是不知道。」他又說道，不表贊同的一本正經模樣，讓我不禁大笑。

他放下杯子，俯身向前。

「夫人，妳說霍金斯小姐的情況，只是妳擔心的其中一件事情，還有其他事情嗎？」

「有的。」我啜了一小口白蘭地。「我猜，巴黎發生的很多事你都聽說了吧？」

他笑了，漆黑的雙眼銳利而和煦。「是的，夫人。妳想知道什麼？」

「你聽說過查理．斯圖亞特的事嗎？你知道他是誰？做什麼的嗎？」

我的問題令他吃了一驚，額頭上的抬頭紋抬了一下。然後他從前面桌上拿起一個小玻璃瓶，若有所思地放在手掌之間滾著。

「我知道，夫人，他的父親是——或者應該是——蘇格蘭國王，是吧？」他說道。

「看你從哪個角度來說。」我說道，壓下了一個小嗝。「你可以說他是蘇格蘭流亡國王，也可以說他覬王位，不過，這些對我都不重要。我想知道的是……查理王子有沒有什麼舉動，看來像在計畫舉兵進攻蘇格蘭或英格蘭？」

他放聲大笑。

「天哪，夫人！妳真是最奇特的女人，妳知不知道很少人說話這麼直接？」

「我知道，」我承認道：「這麼直接沒有什麼好處，但我不會拐彎抹角。」我伸手把他手中的瓶子拿了過來。「你聽到什麼風聲嗎？」

他本能地朝著半掩的門口瞄了一眼，女店員正忙著為一個多話的顧客調製香水。

「有件小事，夫人，有個朋友在信裡不經意提到的——不過答案絕對是肯定的。」

看得出來他在忖度要吐露多少詳情。我看著手裡的瓶子，讓他有時間決定。小瓶在我掌中晃來晃去時，瓶子裡的東西滾起來相當順手。小小瓶子，分量卻出奇地重，而且給人一種怪異而沉重的流動感覺，彷彿裡面充滿液態金屬。

「那是水銀。」雷蒙大師回答了我未問出口的問題。顯然，無論他用讀心術讀到什麼，都讓他下定決心幫我的忙，因為他拿回瓶子，將它倒出，裡面的水銀在我們面前的桌上聚為一灘閃閃發亮的銀色水窪。然後雷蒙靠回椅背，告訴我他所知道的消息。

「殿下的一位密使到荷蘭打聽消息，一個名叫歐布萊恩的男人——這人辦事不力，我絕對不會僱用這種人。」他補充道：「哪有密使喝那麼多酒？」

「查理王子身邊的人，個個都喝那麼多，」我說道：「歐布萊恩做了什麼？」

「他想找人運送闊劍，總共兩千把，在西班牙買，經由荷蘭運送，以隱瞞劍的來源。」

「他為什麼要這麼做？」我問道。不知道是我真的太笨，還是喝太多櫻桃白蘭地的關係，我覺得這樣簡直多此一舉，即使對查理王子也是如此。

雷蒙聳聳肩，用他圓鈍的食指戳著那灘水銀。

「想想看，夫人。西班牙國王是蘇格蘭國王的表親，是吧？還有我們賢明的路易國王也是？」

「沒錯，但……」

「也許他願意協助完成斯圖亞特家族的大業，只是不想公開進行？」

我的腦袋頓時酒醒。「是有可能。」

雷蒙用手指猛然敲著桌面，桌上那灘水銀抖成數顆圓滾滾的小珠，狂烈地在桌面蕩漾。

「有人聽說……」他試圖婉轉，雙眼依舊盯著水銀圓珠。「路易國王在凡爾賽宮招待一位英國公爵。還有人聽說，那位公爵是為了談生意而來。不過，很少有人聽說所有實情，夫人。」

我凝視蕩漾不已的水銀圓珠，想把所有消息拼湊在一起。傑米也聽說過，森丁罕出使法國，不只是為貿易權而已。如果公爵來訪的真正目的，是探詢法國與英格蘭簽訂協議的可能性——而這事或許涉及布魯塞爾的未來？而且如果路易王與英格蘭密談，支持英軍入侵布魯塞爾的話——屆時西班牙的菲利浦面對蘇格蘭表親求援，他可能做何反應？這個表親雖然身無分文，卻能吸引英格蘭的注意力，使其擱置進攻海外的雄心。

「三個波旁表親。」雷蒙喃喃自語。他把一顆水銀圓珠引向另一顆，兩顆圓珠相碰，馬上合而為一，一顆閃亮的大圓珠霎時出現，好像施了魔法一般。他的手指推著另一顆圓珠前來合併，大圓珠變得更大了。

「同為血親，但利益一致嗎？」

他的手指再次敲打桌面，閃亮的水銀碎珠在桌面散向四方。

「我不這麼認為，夫人。」雷蒙沉著地說。

「我明白了。」我說道，深深吸了一口氣。「那你怎麼看查理・斯圖亞特跟聖日耳曼伯爵合夥的事？」

他那彷彿兩棲動物般的寬闊笑容咧得更大了。

「我聽說殿下最近常去碼頭，肯定是跟他的新合夥人商量事情。他看了不少停泊碼頭的船艦，又好又快又貴……蘇格蘭確實得搭船過去吧？」

「確實如此。」我說道。一道光芒打在水銀上頭，閃爍一下，我注意到窗外太陽西下。我得走了。

「謝謝你。」我說道：「如果聽到什麼消息，你會通知我嗎？」

他親切地點了點碩大的腦袋瓜子，飄舞的頭髮被陽光染成水銀顏色，然後突然猛然抬頭。

「啊！別碰水銀，夫人！」他見我將手伸向朝我滾來的水銀圓珠，急忙出聲警告。「它一碰到金屬，就會馬上融合。」他伸手過來，輕柔地將細小的水銀顆粒鏟向自己。「妳應該不想毀了妳那漂亮的戒指。」

「沒錯，」我說道：「我不得不說，目前為止你幫了我很多。最近沒有人想要毒死我了，但我想你和傑米不會害我因施行巫術而被燒死在巴士底廣場吧？」我輕描淡寫地說，但對過去的賊坑和克蘭斯穆的審判仍記憶猶新。

「當然不會，」他莊嚴地說：「巴黎沒有人因為施展巫術而被燒死……噢，至少最近二十年沒有。妳很安全，只要妳不殺人就行了。」

「我盡量。」我說道，然後起身離開。

—

佛戈斯不費吹灰之力就幫我找來一輛馬車，我坐了一小段車到霍金斯家，一路上都在沉思最近的事態發展。我想雷蒙向他那些迷信的顧客傳播傑米胡謅的故事，其實是幫了我的忙，但一想到我的名字在通靈法會或黑彌撒上被傳來傳去，心中覺得有些不安。

我還想到剛剛因為趕時間，加上煩惱國王、闊劍和船艦的事情，沒來得及向雷蒙大師打聽，聖日耳曼伯爵究竟是從哪裡——如果有的話——進入他的勢力範圍。

外界似乎堅信伯爵是雷蒙所說那些神祕「圈子」的核心人物。但他究竟是參與者還是敵人？那些圈子的外圍分子是否已經滲透到國王身邊？謠傳路易王喜愛占星術；路易王、伯爵和查理王子之間，是否透過卡巴拉信仰和巫術的黑暗管道而有所關聯？

我不耐煩地搖搖頭，想擺脫白蘭地的氣味和毫無意義的問題。現在唯一可以確定的是，伯爵已與查理王子建立了危險的夥伴關係，目前這個就夠令人擔憂的了。

霍金斯家位於馬洛利街上，那是一幢三層樓建築，外觀看起來堅實宏偉，內部卻明顯破舊。天氣明明暖和，室內所有百葉窗卻依舊緊閉，以防有人窺探；門前臺階今早沒有刷洗，潔白的石材上盡是髒兮兮的鞋印，也沒有廚師或女僕出來跟賣肉小販討價還價或閒聊幾句。這幢房子似乎在為即將到來的災難嚴密準備著。

儘管身上穿著色彩歡愉的黃色禮服，我仍感覺自己像個厄運使者。我先派佛戈斯去敲門。佛戈斯和前來應門的人你來我往地交談一番，佛戈斯最大的優點之一就是從來不許別人說「不」，所以過沒多久，一個女人就來到我的面前。她看起來似乎是房子的女主人，想必是霍金斯夫人，瑪莉的嬸嬸。

眼前的女人相當心煩意亂，不願提供任何具體消息，就連自己的姓名也不願說，我只好自己斷下結論。

「我們不見客人！」她不斷嚷著，眼睛一直往肩後偷瞄，深怕體型碩大的霍金斯先生突然出現，向她興師問罪。「我們是……我們有……那是……」

「我不是要來見妳。」我堅決地說。「我想探望妳的姪女瑪莉。」

這個名字似乎讓她再次陷入驚慌。

「她，但……瑪莉？不！她不舒服！」

「我知道她不舒服，」我耐著性子說道。我舉起手上的籃子給她看：「我帶了一些藥給她。」

「喔！但、但……她……妳……妳不是？」

「廢話少說，娘兒們。」佛戈斯努力操著蘇格蘭腔說道，並不以為然地看著這個混亂場面：「女僕說小姐在樓上房間。」

「很好，」我說道：「佛戈斯，帶路。」佛戈斯二話不說，低身閃過擋住我們去路的長臂，迅速溜進房子的幽暗深處。霍金斯夫人轉身跟在他後面，口中語無倫次地叫喊，我趁機從她身旁溜過。

瑪莉的房門外有個女僕守著，她的身材健碩，身上圍了條紋圍裙。我跟她說要進房間，她沒有阻止我的意思。

她悲傷地搖搖頭：「我幫不了她，夫人，也許妳可以。」

這話聽來不太樂觀，但我沒得選擇，至少我不會帶來其他傷害。我理了理衣服，然後推開房門。

我彷彿走進山洞似的，每扇窗戶都罩著厚重的棕色天鵝絨窗簾，嚴密阻擋日光射入，即使光線從窗簾縫隙滲入，也會立刻被壁爐繚繞不去的煙霧給吞滅。

我深吸一口氣，然後用力咳了一聲。床上的人形沒有半點動靜，蜷曲在鵝毛羽絨被底下的，是個嬌小可憐的駝背身形。藥效當然退了，而且剛才走廊上喧鬧不已，她肯定無法入睡。也許她只是在裝睡，以免嬸嬸又進來嘮叨個沒完。要換成是我，肯定也會這樣做。

我轉身，朝著霍金斯夫人討厭的臉孔將門緊緊關上，然後走到床邊。

「是我。」我說道：「妳何不出來走走，免得在裡面悶死？」

被單底下突然一陣騷動，瑪莉像海豚破浪而出，從被子裡衝了出來，雙手環住我的脖子。

「克萊兒！哦，克萊兒！感謝老天！我以為再、再也見不到妳了！叔叔說妳被關進牢裡！他說妳……」

「等等，先放開我！」我努力掙脫她的雙臂，然後把她推開一些，好讓我仔細看看她。因為躲在被子底下的關係，她悶得臉紅紅、汗涔涔，頭髮也十分凌亂，但除此之外，一切都還不錯，棕色的雙眸又大又亮，沒有鴉片中毒的跡象。雖然看來受到刺激和驚嚇，經過一晚的休息，再加上年輕恢復得快，身上的傷勢顯然已經沒有大礙。不過，真正令我擔心的是其他的創傷。

「不，我沒被關進牢裡。」我說道，想先堵住她急切的發問：「不過，妳叔叔想方設法推我進去。」

「但、但我跟他說了……」她說道，但卻欲言又止，眼眸也垂了下來。「無論如何，我試、試、試著告訴他了，但他、但我……」

「別擔心，」我要她放心：「他氣壞了，根本不會聽妳說什麼，不管妳怎麼說。反正不要緊，最重要的是妳。妳現在覺得怎樣？」我撥開她額頭上的黑髮，仔細端詳著她。

「還好，」她回答，接著開始哽咽：「我……流了一點血，不過現在已經停了。」白皙的雙頰依然泛著鮮豔紅暈，但她的眼眸沒有垂下。「我……會痠痛。那、那會好嗎？」

「會，會好的，」我溫柔地說：「我帶了些草藥給妳。先用熱水煮過，等湯汁涼了之後，再用布外敷，或直接倒進浴盆裡泡澡，看哪樣方便。很有效的。」我從袋子拿出草藥，放在她的邊桌上。

她咬著嘴唇，點點頭。她顯然還有話想說，但因為生性害羞，讓她怯於啟齒。

「怎麼啦？」我問道，盡量語帶平靜。

「我會不會生寶寶？」她突然冒出話來，恐懼地抬眼望我：「妳說過……」

「不會，」我說道，語氣盡量堅定：「妳不會，因為他還來不及……做完。」我在裙褶之下交叉雙手手指，殷切希望自己是對的。懷孕的機率確實很低，但也不是沒有發生過。不過，實在沒有必要再拿這麼微弱的可能性來嚇她。我想了想，心裡有些不舒服。這個意外會是法蘭克存在之謎的可能解答嗎？我決定先把這個念頭擱在一邊，反正一個月後便知分曉。

「這裡面熱得跟該死的烤箱一樣，」我說道，一面鬆開脖子上的綁帶大口呼吸：「而且跟地獄之門一樣煙霧繚繞，我那死去的叔叔老愛這麼說。」我不知道接下來要跟她說些什麼，所以站了起來，沿著房間拉開窗簾，然後打開窗戶。

「海倫嬸嬸說，絕對不能讓別人看見我。」瑪莉說道，跪在床上看著我。「她說我很丟、丟臉，如果我出去，路上的人會對我指指點點。」

「也許吧，那些冷血動物。」我讓房間通風之後，回到她身旁。「但不代表妳要把自己埋起來活活悶死。」我坐到她的身邊，身體靠在椅背上，感受涼爽的新鮮空氣拂過髮梢，帶走滿室的煙霧。

她沉默了好一會兒，不停玩弄擺在桌上的草藥。最後，她終於抬頭看我，帶著笑容，鼓足勇氣，儘管下唇仍微微顫抖。

「起碼我不用跟、跟子爵結婚了。叔叔說，他現在不、不會要我了。」

「我想不會。」

她點點頭，低頭看著膝蓋上包得正正方方的紗布，手指不停撥弄捆綁草藥的細繩，弄得繩子鬆脫，幾片秋麒麟草碎屑掉到被單上。

「我……曾想、想過那個，妳告訴過我的，關於男、男人怎麼……」

她停下來嚥了嚥口水，我看見一顆淚珠滴落在紗布上。「我覺得我沒辦法讓子爵對我做那種事。現、現在事情已經發生……沒、沒人可以挽回，我再也不想做、做那種事了……而且……噢，克萊兒，亞歷再也不會跟我說話了！我永遠見不到他了，永遠！」

她癱倒在我懷裡，歇斯底里地哭著，把我帶來的藥材撒了一地。我抱著她靠在我肩上，溫柔哄拍著她，輕輕發出安撫的聲音，而我自己也不禁心疼地流下了眼淚，淚珠無聲滑落她烏黑亮澤的秀髮裡。

「妳會再見到他的，」我低聲說道：「妳一定會的，他不會在意，他是個好人。」

然而，我知道他在意。昨晚我在亞歷山大臉上見到痛苦的表情，當時我以為那只是對於他人受苦但卻無能為力的憐憫之情，就跟我在傑米和穆塔夫臉上看到的一樣。但得知亞歷對瑪莉的愛意之後，我才明白他有多痛苦——和恐懼。

他看起來是個好人，但也是個可憐的年輕人，身體孱弱，前途黯淡，他的工作完全來自森丁罕公爵的憐憫。我並不期待公爵會贊許他的書記和一個被人糟蹋過的女孩共結連理，而且這女孩既無社會人脈，也沒有嫁妝可以風光出嫁。

就算亞歷鼓起勇氣，不顧一切和她結婚，但在身無分文，被逐出上流社會，強暴的醜陋事實籠罩的情況之下，他們能有什麼未來？

我幫不上任何忙，只能抱著她，陪她為失去的一切流淚。

我離開時已是傍晚時分，第一顆夜星閃爍微弱光芒，高掛在煙囪頂上。我口袋裡放著瑪莉的親筆信，她以證人的身分，說明昨晚事發經過。只要把這封信交給有關當局，我們起碼不會官司纏身。這樣也好，因為我們其他的麻煩還很多。

這回我警覺多了，因此並未婉拒霍金斯夫人不情願地派家用馬車送我和佛戈斯回去。

我將帽子扔在前廳的牌桌上，看見一堆便箋和花束，多到溢出托盤。顯然我們還沒淪為賤民，但醜聞的消息想必早已傳遍巴黎社交圈。

我揮手打發焦急詢問的僕人，緩緩步向樓上的臥室，邊走邊漫不經心地褪去外衣，我已經筋疲力盡，什麼都不在乎了。

然而，當我推開臥室房門，看見傑米仰靠在火爐邊的躺椅上，我對世俗的冷漠霎時消失，取而代之的是滿腔柔情。他雙眼緊閉，滿頭紅髮到處亂翹，可見內心也是極為心煩意亂。不過，當他一聽見我進房的細微聲響，馬上睜開雙眼，露出俊美的笑容。在蠟燭溫暖的光芒下，他的眼睛清澈而湛藍。

「沒事了。」他起身將我擁入懷中，輕聲對我說：「妳到家了。」然後我們在靜默中脫去對方的衣服，躲進兩人世界，各自在彼此懷抱中找到企盼已久、無需言語的避風港。

第二十一章

陰魂未散

他的嘴除了周圍幾條明顯的皺紋外，
跟亞歷山大十分相像，
但那對冰冷的眼，
只可能屬於一個人。

我還在想銀行家的事，但馬車已在公爵位於聖安妮街的租處前停了下來。那是幢富麗堂皇的大宅院，車道又長又彎，兩旁種滿白楊樹，占地相當廣闊。真是有錢人啊，公爵。

「你認為查理投資聖日耳曼的錢，是跟曼澤第借的？」我問道。

「一定是。」傑米答道。他戴上正式拜會用的豬皮手套，但要讓僵直的右手無名指套得服貼，並不容易。他一邊調整手套，一邊微皺著臉。「他父親以為那筆錢是他在巴黎的生活開銷。」

「所以查理還真的是在為成軍籌錢。」我說，雖不情願，也不得不佩服起查理王子。馬車停了下來，僕人跳下車為我們開門。

「他是在設法籌錢，至少。」傑米一邊糾正我，一邊扶我下馬車。「就我所知，他是想用那筆錢，帶露易絲和他們的私生子一塊兒私奔。」

我搖搖頭。「我不這麼認為。雷蒙大師昨天說的並非如此。而且，露易絲也說，自從她和朱勒……唔……之後，就沒有見過他了。」

傑米哼了一聲。「這麼說來，她起碼還有點廉恥心。」

「我不知道這事是不是這樣就算了了。」我說，一邊挽著他的胳臂步上門口的階梯。「她說，她跟丈夫同床的事讓查理火冒三丈，氣得一走了之。從此之後，她就再也沒見過他了，但他不時會寄來熱情如火的情書，發誓只要回到屬於他的土地，他就會回來，帶她和孩子一起走。不過，她不想再見到他。她很怕朱勒發現真相。」

傑米發出蘇格蘭人不以為然的聲音。「天哪，有哪個男人不必擔心戴綠帽？」

我輕輕地碰了碰他的胳膊。「可能不少哩！」

「妳真的這麼認為？」他說道，但低頭對我微笑。

門開了，出來一位身材矮胖的管家，禿頭，制服一塵不染，神氣十足。

「老爺。」他向傑米鞠躬說道：「夫人，歡迎蒞臨，請進。」

—

公爵在主會客廳接待我們，風采迷人。

「哪兒的話，哪兒的話。」他說，婉拒了傑米的道歉，絲毫不在意昨天晚宴意外發生的混亂。「那群該死魯莽的法國人。什麼事都大驚小怪，實在荒唐。唉，我們還是來仔細瞧瞧這些有趣的提案吧，或許夫人會想要……嗯，自己慢慢看看這些……唔？」他舉臂朝牆壁的方向揮了揮，我不知道自己是要欣賞那幾幅巨大的畫作、塞得滿滿的書架，還是那幾個擺滿鼻煙壺收藏的玻璃櫃。

「謝謝。」我帶著迷人的微笑輕聲說道，然後便漫步到牆邊，假裝全神貫注地欣賞布雪❶的一幅巨型畫作，畫的是一個身材豐滿的裸女在曠野中坐在石頭上的背影。假如這幅畫反映當代對女性身材的品味，也難怪傑米對我的臀部讚歎不已。

「哈，緊身胸衣有啥用，嗯？」我說道。

「嗄？」傑米和公爵嚇了一跳，從一堆講投資組合的文件抬起頭來，那可是我們這次登門拜訪的藉口。

「不必理會我，我只是在欣賞藝術。」我說道，禮貌地揮揮手。

---

❶布雪（Francois Boucher, 1703-1770），法國畫家，洛可可藝術代表人物，筆法細膩，色彩明快豔麗，人物嬌媚，充滿煽動性。

「我十分欣慰，夫人。」公爵客氣地說，然後又立刻埋首於文件堆裡，而傑米則開始進行此行的正事——藉由精心設計的長談來套公爵的話，看他是否支持斯圖亞特家族的大業。

這次拜訪，我也有自己的盤算。趁著兩位男士討論益趨熱烈之際，我假裝瀏覽滿滿的書架，緩緩朝向門口移動。只要無人發現，我便打算溜到走廊，設法找到亞歷山大。我已經盡我所能修復瑪莉所受的傷害，剩下的只有靠他了。根據社交禮儀，他不能到她叔叔家拜訪，她也不能跟他聯絡。不過，我倒可以製造一個機會，讓他們兩人在特穆蘭街相會。

我後方的談話聲已經漸漸壓低為竊竊私語，我探頭到走廊一看，竟然看不到半個僕人，不過，附近一定有人，這種大小的房子肯定會有幾十個僕役。房子太大，我需要有人指引方向，才找得到亞歷山大。我隨便選了一個方向，沿著走廊走去，想找僕人詢問。

我看到走廊盡頭有個影子閃過，喊了一聲。對方沒有回應，但我聽到腳步聲，有人鬼鬼祟祟溜過光滑的地板。

似乎是某個好奇的僕人。我在走廊盡頭停了下來，環顧四周。我所在的走廊，右邊延伸出去是另一道走廊，一側是門，一側是長窗，窗外對著車道和花園。大多數的門都關了起來，最靠近我的一扇卻微微敞開。

我悄悄走近，把耳朵貼在門板上。安靜無聲，於是我抓住把手，大膽地把門推開。

「天哪，妳在這兒做什麼呀？」我驚呼道。

「妳嚇死我了！老天保佑！我以為我快、快死了。」瑪莉雙手按在胸衣上。臉色慘白，一雙深色大眼寫滿驚恐。

「不會吧？」我說道：「如果妳叔叔發現妳在這兒，他八成會殺了妳。還是，他知道？」

她搖搖頭。「不，我沒有告、告訴任何人。我是搭出租馬車來的。」

「為什麼？天哪！」

她掃視四周，像隻受驚的兔子在找尋避難所，卻徒勞無功，只好挺直身子，抿緊了唇。

「我必須找到亞歷，我必須跟、跟他談談，看他會不會……會不會……」她兩手絞擰在一起，可以看出她很努力想把話說出來。

「沒關係。」我說道，不勉強她：「我明白妳叔叔不會答應的，公爵也是。公爵不知道妳在這兒吧？」

她搖搖頭，不作聲。

「好吧！」我思索著。「我們的首要之務是……」

「夫人？需要幫忙嗎？」

瑪莉像兔子般驚跳起來，我也覺得自己的心臟猛然跳到喉頭。該死的僕人，從來不在對的時候出現在對的地方。

這時只能裝作若無其事。我轉過身來，面對門口站得直挺挺、一臉鄭重與狐疑的僕人。

「是的。」我說道，能端多大架子就端多大架子。「請你通報亞歷山大．藍鐸先生，我們想見他。」

「很抱歉，這個我沒有辦法，夫人。」僕人回以冷淡的官腔。

「為什麼？」我問道。

「因為亞歷山大．藍鐸先生已經不在公爵大人手下做事了。他被解僱了，夫人。」僕人答道，瞥了瑪莉一眼，臉微微一沉，姿態也顯得鬆散了：「據我所知，藍鐸先生已經搭船回英格蘭了。」

「不！他怎麼可能回去，怎麼可能！」

瑪莉朝門外衝去，差點兒撞上正好進來的傑米。她嚇得倒抽一口氣，他則驚愕地瞪著她。

「怎……」他開口，才看見我在她後面。「原來妳在這兒呀，英國姑娘。我找了個藉口出來找妳，公爵大人剛剛告訴我，亞歷……」

「我知道。」我打斷他。「他走了。」

「不！」瑪莉悲泣道：「不！」她再度朝門外衝去，我們都還來不及攔，她就跑掉了，高跟鞋在光滑的鑲木地板上喀喀作響。

「真是傻！」我踢掉鞋子，提起裙趕緊追出去，我穿絲襪跑，比她穿高跟鞋跑，自然快上許多。或許在她被人逮住、牽扯出可想而知的醜聞之前，我還有機會趕上她。

她裙襬一旋消失在走廊轉角，我急忙跟上去。地上鋪著地毯，我如果不跑快點，很可能會在某個岔道失去她的蹤影，無法從腳步聲判斷她的去向。我低頭猛追，就在衝過最後一個轉角時，迎面撞上來向的人。我攔腰撞上對方，他驚呼一聲，我們都因為撞擊力道而重心不穩，他一把抓住我雙臂，這才站穩。

「對不起。」我氣喘吁吁道：「我以為你是……該死的老天爺！」

起先我以為我看到了亞歷山大，但等我的視線從他輪廓分明的嘴移向雙眼，這第一印象剎那間消逝無蹤。他的嘴除了周圍幾條明顯的皺紋外，跟亞歷山大十分相像，但那對冰冷的眼，只可能屬於一個人。由於撞擊力道太大，一時半刻之間，所有反常的事似乎都再自然不過。我拚命想道歉，趕快擺脫他，繼續往前跑，把他留在走廊上，就當是一場偶遇。我的腎上腺因此加速運轉，把大量腎上腺素注入血液，心臟為之劇烈收縮，像握緊的拳頭。

此時他的呼吸已經緩和下來，也回復原有的鎮定。

「這位女士，我想我和妳的心情相同，但妳的表達方式，我可就不敢恭維了。」他仍舊握住我的手肘，和我拉開一點距離，在走廊暗影間瞇著眼端詳我的臉。就在光閃過我臉龐時，我見他因認出我而嚇得血色全無。「該死，居然是妳！」他大叫。

「我以為你已經死了！」我猛扭雙臂，想掙脫黑傑克緊抓不放的手。

他放開我一隻手臂，揉揉自己的腰，冷冷地審視我。瘦削突出的五官，健康的古銅膚色，外表一點也看不出他五個月前曾遭三十頭碩大的牲畜踐踏，額頭甚至連個蹄印也沒有。

「看來我倆的心情又有相通之處了，這位女士。我對妳的健康狀況，也有相當類似的誤解。或許妳到頭來真是個女巫。那晚妳到底做了什麼？把自己變成狼？」他嫌惡的表情充滿戒心，夾雜些許迷信的敬畏。畢竟，如果你在寒冷的冬夜把某人丟到狼群中，你當然希望他馬上被吃掉。一個你以為必死無疑的人，突然間活生生站在你面前，肯定令人六神無主，此刻我手心冒汗、心跳如擂鼓，就是明證。我想他一定也有點手足無措。

「我不會告訴你的！」一見他的臉，我心情翻騰不已，五味雜陳，但最先冒出的情緒是惹惱他的衝動，想刻意擾亂他裝出的冷靜。他的手指在我胳膊上加重了力道，嘴唇越抿越緊，看得出他心裡正在盤算，忙著剔除任何可能的選項。

「假如那不是你的屍體，那富雷裘爵士的手下從地牢搬出來的，會是誰？」我問，想趁他慌亂之際套出一些話來。目擊者跟我說，傑米藉由奔牛掩護逃出地牢的同時，現場也抬出「一個渾身鮮血的破布娃娃」──那可能就是黑傑克。

黑傑克乾笑著。即使他心裡跟我一樣慌亂，也沒有表現出來。他的呼吸比平常稍微快些，嘴和眼周的皺紋也比我記憶中來得明顯，但他沒像離水的魚那般大口喘氣，喘成那樣的人是我。我盡可能把氧氣吸進肺裡，努力用鼻子呼吸。

「那是我的傳令兵，馬雷。不過，既然妳沒回答我的問題，我為什麼要回答妳的問題？」他上下打量我，細細評估我的打扮：絲綢衣裙、髮飾、首飾、絲襪。

「嫁了法國人，是吧？」他問道：「我一直覺得妳是法國間諜，新任丈夫應該有能耐讓妳乖乖聽話，比之前……」

我後方的走廊傳來腳步聲，他一抬頭看到腳步聲的來源，話就卡在喉嚨裡了。如果我曾想擾亂他的心情，這個願望現在完全實現了。他那張高傲的臉滿是恐懼，勝過所有詮釋哈姆雷特驚見鬼魂的演員。他抓在我臂上的手深深掐進肉裡，我感到驚恐如電流般從他身上猛然傳來。

我知道他在我後方看到什麼，但是我完全不敢轉過身。走廊籠罩一片死寂，甚至連柏樹樹枝拍打窗戶的聲響，似乎也成了這死寂的一部分，像浪濤在海底深處化為震耳欲聾的靜默。我極其緩慢地將手臂從他手中抽離，他的手無力地垂落身側。而我後方一點聲音也沒有，但我能聽到走廊盡頭的房間有聲音傳出。我祈禱房門一直關著，同時拚命回想傑米帶了哪些武器。

我腦袋先是一片空白，然後突然浮現清晰畫面，他的佩劍掛在衣櫥上，陽光照在搪瓷劍柄上，閃閃發亮。不過當然，他還有短劍，和習慣藏在襪子裡的小刀。無論如何，我百分之百確定，他在緊要關頭會自認赤手空拳就足以擺平對手。而此刻我站在這兩人中間，正是緊要關頭……我嚥了下口水，慢慢轉過身。

他仍舊一動也不動地站著，就在我背後不到一碼的地方。他身旁有扇玻璃高窗開著，柏樹針葉的陰影倒映在他身上，如溪水潺潺流過水底的石頭，而他俊俏的臉孔也跟石頭一樣，沒有絲毫表情。無論那雙眼睛背後隱藏著什麼，它們都像窗格般大而空洞，彷彿眼中所映照的靈魂早已遠颺。

他沒說話，但不多久便向我伸出一隻手。手停在半空中，我愣了一下，終於回過神來，握住。此刻，他的手冰冷粗糙，我像抓住浮木般緊握著。

他將我拉到身邊，握住我的臂，讓我轉過身，全程不發一語，也不曾變換表情。我們走到走廊轉角時，黑傑克的聲音從我們背後響起。

「傑米。」他的聲音沙啞顫抖，口氣介於懷疑與懇求之間。

傑米停下來，轉過身看著他。黑傑克的臉一片慘白，兩邊顴骨各有一小塊紅暈。他摘下假髮攥在手上，汗濕的黑髮黏在太陽穴上。

「不。」我上方傳來的那聲音很輕，幾乎毫無感情。我抬起頭來，看見那臉仍與聲音一樣漠然，但他脖子上的脈搏卻快速激烈地跳動，衣領上方那塊三角形小疤也熱得通紅。

「請遵照規矩，稱我圖瓦拉赫堡爵士。」我上方那個輕柔的蘇格蘭腔聲音說道：「除了規矩所需之外，不許你再跟我說話——直到你在我的劍下求饒的那一刻。屆時你就可以直呼我的名字，因為那會是你所說的最後一句話。」

他猛地轉過身，帶我拐進走廊的轉角，身上的彩格呢披肩因急旋而飛揚，擋住我的視線，我沒能看到黑傑克。

馬車還在門口等著。我不敢注視傑米，逕自登上馬車，忙著將黃色絲綢裙襬夾在雙腿間。聽到車廂門關上的聲響，我陡然抬頭，但我還沒碰到門把，馬車便猛地開動，害我狠狠靠回座位。

我一邊掙扎咒罵，一邊奮力站起，從後車窗望去。他走了，車道無聲無息，只剩柏樹和白楊樹影搖曳。我瘋狂地敲打馬車廂頂，但車夫只是吆喝著馬匹，催促牠們加速狂奔。這個時候路上幾乎沒有車輛，我們飛快穿過一條又一條窄街，彷彿魔鬼在後緊追不捨。

最後我們終於在特穆蘭街停了下來，我立刻跳下馬車，又驚又怒。

「你為什麼不停車？」我質問車夫。他聳聳肩，安然地坐在他的座位上，動也不動。

「老爺吩咐我送您回家，不得耽誤，夫人。」他拿起鞭子，輕輕打在右側馬臀上。

「等等！」我喊道：「我要回去！」他卻只是像烏龜般弓背縮頭，假裝沒聽見我的話，咔啦咔啦駕馬車離去。

我滿腔怒火卻無能為力，只能轉身走向門口，佛戈斯的瘦小身影在那兒等著，他揚起稀疏的眉毛，意思是我怎麼回來了？

「穆塔夫在哪兒？」我氣沖沖說道。現在能最快找到傑米並且阻止他的，大概只有這矮個兒族人了。

「我不知道，夫人。也許在那兒。」男孩往甘保街的方向點點頭，那裡有幾間等級不一的酒館，體面的酒館會讓在外旅行的女士樂意跟著丈夫進去用餐，但接近河邊的那幾間破爛小酒店，就連全副武裝的男人可能也不敢單獨進入。

我把手搭在佛戈斯肩上，一方面穩住自己，一方面也是催促。

「佛戈斯，快去找他，能跑多快就跑多快！」

他被我的語氣嚇到，拔腿就跑，我還沒來得及叮嚀他要小心。他對巴黎下層生活的了解比我多得多，若要說在酒館人群間穿梭遊走，誰比得過當過扒手的他？希望他之前真的只當過扒手。

我一次只能專心煩惱一件事，一想到傑米對黑傑克說的最後一句話，佛戈斯被捕、吊死的畫面，便從我的腦海消失無蹤。

他絕對、絕對不會再回公爵宅邸，是嗎？是的，我安慰自己。因為他沒佩劍。無論他感受如何——一想到他的感受，我的心情便不禁沉重起來——他絕不會貿然行事。我見過他決鬥的樣子，外表冷靜，實則不斷思考，所有可能影響判斷的情緒，一律予以斬除。正因如此，在這件事上，他一定會遵照規矩。他會堅守嚴格的傳統，遵照贏得榮譽的常規，唯有堅守傳統，他才能抵抗嗜血和報復的強烈衝動，而不失去理智。

我在走廊停下腳步，木然脫下斗篷，站在鏡子前整理頭髮。「快想呀，博尚！」我默默催促鏡中蒼白的自己。如果他要決鬥，首先需要什麼？

一把劍？不，不可能。他自己的劍在樓上，就掛在衣櫥上。

借把劍可能不是難事，但這是他畢生最重要的一場決鬥，很難想像他會選用一把不屬於自己的劍。傑米的舅舅，杜戈爾．麥肯錫，在他十七歲時給了他那把劍，親眼看著他接受訓練，教他左撇子劍客的用劍技巧和優勢，用的都是那把劍。杜戈爾督促他練習，左手對左手，連續練習數小時，他告訴我，最後練到他感覺手上的那塊西班牙金屬有了生命，成了他手臂的延伸，劍柄就焊在他手掌上。傑米曾經說過，少了那把劍，他會覺得好像沒穿衣服。這次決鬥，他絕不會想要赤裸上陣。

不，如果他急需那把劍，早就回家拿了。我煩得用手當梳子不斷扒著頭，試圖想個明白。該死，決鬥規則是什麼？在拿劍之前，還得做什麼事？提出挑戰，沒錯。傑米在走廊上的那番話算嗎？我依稀記得是用手套打人一耳光，但不知道這是否就是慣例，抑或僅僅只是電影虛構出來的印象。

這時我突然想到，決鬥首先得提出挑戰，然後約定決鬥地點——一個隱密的適當地點，不會引起警察或國王親衛隊的注意。提出挑戰，安排地點，都需要副手幫忙。「啊，他就是去那兒了吧，去找他的副手，穆塔夫。」

即便傑米在佛戈斯之前先找到穆塔夫，他還是得按照規矩將事情安排妥當。思及至此，我開始感覺呼吸輕鬆些了，但心臟還是怦怦直跳，胸衣的綁帶仍然太緊。我沒看見半個僕人，只好自己用力扯鬆綁帶，然後大大地深吸了一口氣。

「我不知道妳習慣在走廊寬衣解帶，否則我就待在客廳了。」我後方一個蘇格蘭腔的聲音嘲諷道。

我急轉過身，心臟跳得老高，差點兒把我給噎著。一個男人站在客廳門口伸懶腰，雙臂大開，輕鬆抵著門框，塊頭很大，幾乎和傑米一樣，而且動作同樣俐落優雅，氣質同樣冷靜沉著，只不過他是黑髮，深邃的灰綠色雙眸。杜戈爾·麥肯錫突然出現在我眼前，彷彿是我的念力召喚他前來似的。真是說曹操，曹操到。

「你究竟在這兒做什麼？」看見他的震驚已逐漸消退，但我的心臟仍怦怦跳著。早餐過後我就沒吃東西，一陣噁心驀地湧起。他上前抓住我的手臂，將我拉向椅子。

「坐下，姑娘，坐著應該就不會像剛剛那樣了。」他說道。

「你的觀察力真是敏銳。」我說。我視野周邊漂浮著許多黑點，眼前還有許多金星不停閃爍。「抱歉！」我先客氣招呼一聲，便把頭埋進兩膝間。

傑米、法蘭克、喬納森、杜戈爾，他們的臉孔不斷閃過腦海，名字一一迴盪在耳邊。我手心汗涔涔的，忙把雙手夾在腋下，環抱自己，想讓自己不要嚇得直發抖。傑米不會馬上面對黑傑克，這點很重要。還有一點時間可以思考，採取預防措施，但，是什麼措施呢？這個問題現在只能留給我的潛意識去苦思，我必須強迫自己放緩呼吸，思考比較緊急的事情。

「我再說一遍。」我一面說，一面坐起來，將頭髮向後順了順。「你到這兒來做什麼？」

他兩道濃眉向上一挑。「拜訪親戚需要理由嗎？」

我的喉嚨裡面仍有膽汁的苦味，但至少手已經不抖了。

「就眼前的情況而言，是的！」我說。我挺直身子，大大方方忽視已經解開的胸衣綁帶，伸手去拿白蘭地。杜戈爾搶在我前面從托盤拿了一只玻璃杯，倒了一小匙的分量。打量我一眼之後，他又加了一倍。

「謝了。」我冷冷地說，接過玻璃杯。

「眼前的情況，嗯？眼前是什麼情況？」他沒等我回答或許可，泰然自若替自己倒了另一杯，隨意舉杯敬了一下。「敬陛下。」

我撇了一下嘴。「詹姆斯國王，是吧？」我啜一小口自己的酒，感覺濃郁辛辣的酒氣燒灼著眼後的薄膜。「你現身巴黎，是代表你已經說服柯倫改變想法了嗎？」杜戈爾．麥肯錫是詹姆斯黨人，但他的兄長柯倫才是領導歐赫堡麥肯錫氏族的首領，只不過柯倫的雙腿因某種病變殘廢扭曲，無法再率軍上陣，所以帶兵的是杜戈爾。杜戈爾雖是軍事領袖，但決定是否開戰，仍是柯倫的權力。

杜戈爾不理會我的問題，逕自飲盡玻璃杯中的酒，接著馬上又倒了另一杯。這回他細細品嘗了第一口酒，將酒含在嘴裡翻攪，然後一口吞下，末了還舔去唇上的最後一滴酒。

「不錯。」他說道：「我得帶些回去給柯倫，他需要比葡萄酒更強勁的東西，幫助入睡。」

這個回答其實拐彎抹角地回應了我的問題。這麼說來，柯倫的情況正日趨惡化。病痛如影隨形，不斷侵蝕他的身體，為了止痛，柯倫習慣在晚上飲用摻烈酒的葡萄酒，才能入睡。現在他需要純白蘭地，不知多久之後，他得用鴉片緩解痛苦。

等到那一天來臨，便是他統治告終的時刻。現在的他雖然不具實權，卻仍以個人力量領導眾人。一旦柯倫的理智淪陷於病痛和藥物之中，麥肯錫氏族將會有新的領袖——杜戈爾。

我透過酒杯注視他，他對我的注視絲毫不覺羞赧，只在那張麥肯錫招牌闊嘴上，掛著淺淺的微笑。他的臉像極了他的兄長和外甥——輪廓深邃分明，顴骨高闊，鼻子如刀刃又長又直。

他十八歲便宣誓效忠兄長領導，這個誓約他守了將近三十個年頭。我知道他仍會繼續遵守下去，直到柯倫死亡或無法再領導的那一天。屆時，領主的衣缽將傳到他手中，麥肯錫氏族的勇士將跟隨他的領導，歸於蘇格蘭聖安德魯十字旗下，及詹姆斯國王麾下，成為美王子查理的先鋒部隊。

「眼前的情況？」我將話題轉回他剛才的問題。「哼，拜訪一個你曾見死不救的人，還曾意圖染指他妻子，我不認為這種行為很高尚。」

不愧是杜戈爾・麥肯錫，他放聲大笑。我不知要怎樣才會讓這個男人驚慌失措，如果真有那個時候，我一定要親眼見識一下。

「染指？」他興致盎然噘起嘴來。「我是向妳求婚。」

「我記得的是，你想強姦我。」我厲聲道。去年冬天我求他從溫特沃斯監獄救出傑米，他拒絕，在那之後，他的確向我求過婚，而且用的是強迫手段。儘管他的主要動機是傑米在拉利堡的土地，因為傑米一死，這些都將歸我所有——但他一點也不排斥婚姻帶來的次要好處，比如理所當然享受我的肉體。

「說到營救傑米，」他繼續道，一如往常不理會我說的話：「當時看似已經沒有辦法救他出來了，沒理由要大批人馬去冒無謂的險。他是最能理解這點的。假如他死了，我這個親人有責任保護他的妻子。我是那小子的養父，不是嗎？」他將頭一仰，飲盡杯中的酒。

我喝了一大口自己的酒，並迅速吞下以免嗆著。酒精燒灼我的喉嚨和食道，我的臉頰也熱辣辣地發燙。他說的沒錯，他不願進攻溫特沃斯監獄，傑米並未因此責怪他——他也不希望我去救他，我會成功純屬奇蹟。雖然我曾經向傑米簡短提過杜戈爾想娶我的事，但我略過他對我意圖不軌那段，畢竟，我根本沒想過會再見到杜戈爾・麥肯錫。

從我過往的經驗，我知道他是個投機者。傑米將被吊死之際，他甚至等不及行刑，就想占得我的人，和我將繼承的財產。萬一——不，我糾正自己——只要柯倫一死或無法視事，杜戈爾一週之內就能取得麥肯錫氏族的完整領導權。萬一查理王子能覓得後援，杜戈爾一定是其中一員，畢竟他有過臨朝攝政的經驗。

我仰頭乾杯，心裡思忖著，柯倫在法國有商業利益，主要是葡萄酒和木材，這些無疑是杜戈爾來到巴黎的藉口，甚至可能是他對外宣稱的主要原因。但我確定，他一定還有其他理由。來到查理・愛德華・斯圖亞特王子所在的城市，幾乎可以確定是其中一個理由。

不得不說，面對杜戈爾可以刺激思考，因為你必須一直猜測他心裡到底在打什麼如意算盤。他的出現，再加上幾杯葡萄牙白蘭地下肚，我的潛意識開始醞釀一個想法。

「無論如何，我很高興你來了。」我說著，一邊將空酒杯放回托盤上。

「真的嗎？」那兩道濃眉難以置信地揚起。

「真的。」我起身，指了指走廊。「幫我拿斗篷，我得繫好綁帶。我要你陪我去警局。」

見他一臉訝異，我心中燃起一絲希望。假使我能讓杜戈爾．麥肯錫小吃一驚，想必也能阻止一場決鬥？

—

馬車在米海依劇場附近顛簸前進，小心閃躲迎面而來的四輪馬車和滿載菜瓜的運貨馬車，此時杜戈爾問道：「可否告訴我，妳打算做什麼？」

「不要。」我坦白回道：「但我想我不得不說。你知道黑傑克還活著嗎？」

「我沒聽說他死了。」杜戈爾理所當然地說。

他的回答讓我愣了一下。不過他的確沒錯，我們之所以認為黑傑克死了，只是因為馬可士．麥藍諾荷爵士從溫特沃斯監獄救出傑米的時候，將死於牛群踐踏的傳令兵誤以為是黑傑克本人，他的死訊自然不會傳回蘇格蘭高地，因為這件事根本沒發生。我努力拼湊腦海裡紛亂的思緒。

「他沒死，而且現在人在巴黎。」我說。

「在巴黎？」這個消息讓他警覺起來，眉毛上揚，雙眼也因為浮起的念頭瞠圓。

「傑米在哪兒？」他急切問道。

我很高興他了解了重點。雖然他不知道傑米和黑傑克在溫特沃斯監獄有何過節——除了傑米、黑傑克和略知一二的我之外，沒有任何人知道。但從黑傑克以前的所作所為來看，杜戈爾很清楚遠離英格蘭的庇護後，傑米在這裡遇見那人的第一個念頭會是什麼。

「我不知道。」我說著望向窗外。此時馬車正經過中央市場，魚腥味撲鼻而來，我趕緊掏出香水手帕摀住口鼻。手帕上的冬青香氣雖然強烈濃郁，仍敵不過十幾家魚攤帶來的惡臭，但多少有些幫助。我隔著香氣四溢的亞麻手帕說話。

「我們今天在森丁罕公爵的家裡意外遇見黑傑克。傑米派車送我回家，從那之後他就不見蹤影了。」

杜戈爾無視惡臭和賣魚婦刺耳的叫賣聲，皺著眉看我。「他肯定是想殺了那個人吧？」

我搖搖頭，跟他解釋劍還在家裡的事。「我絕不允許決鬥發生。」我說道，一面把擋住口鼻的手帕放下，好把話說清楚。「絕不！」

杜戈爾心不在焉地點點頭。「這是很危險的事。不是說那小子沒辦法輕鬆收拾黑傑克——跟妳說，他的劍是跟我學的。」他這句有點自吹自擂的味道。「只不過決鬥要判的刑……」

「被你說中了。」我說。

「那，好。」他緩緩地說道：「但為何要找警察？妳不會想要那小子還沒決鬥就被抓去關了吧？他還是妳丈夫吧？」

「不是傑米，是黑傑克。」我說道。

他的臉上綻開大大的笑容，但也帶點懷疑。「喔？那妳打算如何進行？」

「我和一個朋友……前幾天晚上在街上遇襲。」我說著，一面回想，一面吞了口口水。「那些男人蒙面，我看不到他們的長相，但其中一個的身高和體格跟黑傑克很接近。我打算跟警察說，我今天在某人家裡遇見他，認出他就是襲擊我們的男人之一。」

杜戈爾的眉毛豎起，整個皺在一塊兒。他冷靜望著我，眨了幾下眼，突然間他的盤算有了新結論。

「妳真邪惡。妳們是遇上搶劫，是吧？」他低聲問道。我雙頰不由自主泛起憤怒的紅暈。

「不是。」我牙縫間迸出這兩字。

「不過，妳應該沒事吧？」他靠回車廂椅背，仍直盯著我看。我瞥向路過的街道，但能感覺到他的視線窺探我的衣領，一路溜過我臀部的弧線。

「我沒事，但我朋友……」我說。

「我明白了。」他沉默片刻，然後若有所思地說：「妳聽說過『使徒會』嗎？」

我猛然調頭面向他，他像貓般懶洋洋蜷在一角，迎著陽光的眼瞇了起來，盯著我看。

「沒聽過。他們是什麼人？」我問。

他聳聳肩坐直了，視線越過我，盯著逐漸接近的巴黎市警局，警局單調的灰色樓房，聳立在波光粼粼的塞納河上方。

「一個社團——算是社團吧！成員都是年輕男子，這麼說好了，他們喜歡……不道德的事物。」

「那就這麼說吧！」我說道：「你究竟知道使徒會哪些事情？」

「我只是從西堤島一家酒館聽到傳聞。那個社團要求成員提供大筆捐獻，而且入會代價很高……就某些標準而言。」他說道。

「那是？」我用眼神示意他講下去。他邪邪笑了一下才開口。

「一是處女膜，二是已婚女人的乳頭。」他往我胸部一瞥。「妳的朋友是處女吧？還是說，之前是？」

我渾身忽冷忽熱，拿起手帕擦了擦臉，再塞進斗篷口袋，但手不停顫抖，試了兩次才成功塞進去。

「她之前是。你還聽到什麼？你知不知道哪些人加入了使徒會？」

杜戈爾搖搖頭，覆在太陽穴上的赤褐色頭髮夾雜著幾根白髮，在午後陽光的照耀下閃閃發亮。

「只聽過傳聞。布斯卡子爵，夏米斯家族最年輕的兒子有可能。聖日耳曼伯爵。呃！妳還好吧，姑娘？」

他俯身向前，有些驚惶，直勾勾望著我。

「還好。」我一面說，一面用鼻子用力深呼吸。「好得很。」我掏出手帕，抹掉額頭上的冷汗。

「我們不想傷害妳們，女士。」那個挖苦的聲音迴盪在我記憶深處。穿綠色上衣的男人身高中等、膚色黝黑、體格瘦削、窄肩。如果這些描述符合黑傑克，那也就符合聖日耳曼伯爵。可是那聲音不像，而且正常人怎麼可能在聖多諾黑街事件發生後僅兩小時，就若無其事地坐在我對面吃晚餐，享用鮭魚慕斯，優雅地談笑風生？

然而仔細想想，為何不可能？畢竟，我自己就曾經如此，而且如果傳聞屬實，我也沒有具體理由可以證明公爵是正常人——就我的標準而言。

馬車就快停下，沒有時間再想了。我這樣做是不是讓侵犯瑪莉的傢伙逍遙法外，而且還讓傑米最深惡痛絕的敵人保住一命？我深深吸了一口氣，身子不停顫抖。該死，別無選擇了，我想。人命關天，正義只能等待時機了。

車夫已下車準備打開車門。我咬唇瞟了杜戈爾一眼，他看著我微微聳肩。對他，我能有何指望？

「你會替我作證嗎？」我突然問道。

他抬頭仰望高聳的巴黎市警局。燦爛的午後陽光，透過敞開的車門照進來。

「妳確定？」他問。

「確定。」我已經口乾舌燥。

他挪到座位另一端，向我伸出手，「老天保佑我們最後不會淪為階下囚吧！」他說道。

一小時後，我們步出警局踏上空蕩蕩的街道。我已經先遣馬車回家，以免熟人看見我們的馬車停在巴黎市警局外。杜戈爾向我伸臂，我不得已只好挽住他。這裡地面泥濘，街上鋪的鵝卵石讓高跟鞋舉步維艱。

我們慢慢沿著塞納河畔，往聖母院高塔的方向走去。「關於這使徒會，」我問：「你當真認為我們在聖多諾黑街遇襲，聖日耳曼伯爵可能是……那夥人之一？」我開始發抖，因為激動，累了——也餓了。早餐後我就沒吃東西，此刻正飢腸轆轆。我完全是靠意志力撐過警方的偵訊，現在已經沒有思考的需要了，我的思考能力也隨之而去。

我的手挽在杜戈爾的臂上，但無法抬頭看他，我必須將所有注意力集中在腳步上。我們轉進伊利斯街，地上的鵝卵石閃著潮濕的亮光，沾著各式各樣的髒汙。一個拖著貨箱的搬運工在我們前方停步，清清喉嚨，大聲咳痰，一口吐在我腳邊。那團綠色的東西先是黏在石頭表面，再緩緩滑落，漂在鵝卵石路面坑洞積成的一小攤泥水上。

杜戈爾一面注意街上有無馬車可搭，一面皺眉思索。「我不敢斷定。我聽說過他更糟的事情，但我至今還沒榮幸見他一面。」他低頭看了我一眼。

「到目前為止，妳做得不錯。」他說道：「他們在一個小時之內就會把黑傑克關進巴士底監獄，但是他們遲早得放人，我可不太相信傑米的怒火能在這段時間內冷卻下來。需要我跟他聊聊，勸他別幹傻事嗎？」

「不需要！看在老天的份上，別管這事了！」馬車車輪壓過鵝卵石的轟隆聲響有如雷鳴，但我說話聲音之大，竟也嚇得杜戈爾揚起眉來。

「好吧，既然這樣，」他語氣溫和：「我讓妳去處理他。他拗得像石頭……不過，我想妳有妳的一套，不是嗎？」他說這話的時候，斜瞟了我一眼，會心一笑。

「我會處理。」我會的。我不得不。我告訴杜戈爾的一切都是真的，沒有半句虛假，但卻又如此遠離事實。我樂於摧毀查理王子和他父親的大業，放棄阻止他貿然做出傻事的希望，甚至冒著把傑米送進監牢的危險，為的只是修補黑傑克的復活在傑米心中劃開的傷口。我會幫他殺了黑傑克，而且只會為此慶幸，但有件事情始終讓我擔憂。這個顧慮大到足以超越傑米的自尊、男子氣概，和瀕臨瓦解的心靈平靜。法蘭克。

這是驅使我度過今天、支撐我挺過崩潰臨界點的唯一念頭。過去幾個月，我以為黑傑克已死，而且沒有後嗣，所以一直擔心法蘭克的生死。在那幾個月當中，只有看見左手無名指上的純金戒指還在，我才能感到些許慰藉。

傑米給我的銀戒戴在右手，如同這枚金戒。每當午夜夢醒時分，疑惑襲上心頭，這只金戒就是我的護身符。如果戒指還在手上，那麼給我戒指的那個人就還活著。我如此告訴自己千百遍，儘管我不知道一個死而無嗣的人如何能夠繁衍後代，使法蘭克得以出世，總之，只要戒指還在，法蘭克就會活著。

現在我終於知道戒指為何還在我手上了，我的手指此刻就如金屬般冰涼。黑傑克還活著，他仍然可能結婚，仍然可能成為法蘭克先祖的父親，除非傑米在此之前就殺了他。

目前能做的我都做了，但眼前所面臨的，仍是當初在公爵家中走廊上的情況。法蘭克生命的代價是傑米的靈魂，我該如何選擇？

迎面而來的出租馬車無視杜戈爾的招呼，停也不停地飛馳而過，車輪濺起的泥水，潑在杜戈爾的絲質長統襪上，也波及我的禮服下襬。

杜戈爾忍住迸出蓋爾語的衝動，對著遠去的馬車揮了揮拳頭。

「好了，現在怎麼辦？」他反問道。

一團黏答答的口水浮在我腳邊的水坑裡，閃著灰色的光。我能感到舌上有團冰涼黏膩的痰。我伸手抓住杜戈爾的手臂，那手臂結實得像光滑的懸鈴木樹幹。雖說結實，但也晃得我頭昏眼花，逐漸把我帶離這片寒冷、刺眼、魚腥味瀰漫、濕黏的水面。我的眼前浮起黑點。

「噢，我要吐了。」我說。

回到特穆蘭街時，太陽已快下山。我的膝蓋不停顫抖，連抬腳登梯都吃力。我直接走進臥室，脫下斗篷，心想不曉得傑米回家了沒有。

他回來過。我僵在門口，掃視房內。我的藥箱攤在桌上，我用來剪裁繃帶的剪刀，半開著放在梳妝臺上，這是把相當罕見的剪刀，一個刀匠送我的，他偶爾會到昂吉醫院工作。刀柄燙金，形狀有如鸛頭，長長的鳥喙正好是銀晃晃的刀刃。剪刀此時在夕陽餘暉中閃閃發亮，底下是一團金紅絲線。

我向梳妝臺走了幾步，幾縷滑順晶亮的髮絲，隨著我走路掀起的一陣風飛起，緩緩飄過桌面。

「該死的老天爺！」我低語。他回來過，沒錯，但現在已經走了，他的劍也不見了。

紅色的頭髮一大綹一大綹躺在掉落之處，閃著微光，梳妝臺、凳子和地上到處都是。我從梳妝臺拿起一束頭髮握在手裡，細軟的髮絲觸著指間，一如繡花絲線。一股冰冷的恐懼從我肩胛升起，順著脊椎而下。我想起傑米坐在羅翰宅邸後方的噴泉前，告訴我他在巴黎的第一場決鬥過程。

「我的髮帶斷了，風把髮帶颳到我臉上，我幾乎看不見自己在做什麼。」

他絕對不會再讓這種意外發生。看著他留下的證據，感覺我手中的髮絲仍然柔軟而有生命力，我能想像他在做這件事的時候內心有多麼決絕。拿起剪刀抵著腦袋，剪去所有可能擋住視線的弱處。什麼都阻止不了他殺死黑傑克。

除了我之外。我握著他的一綹髮，走到窗前向外看，彷彿希望在街上看見他的身影。但特穆蘭街一片闃靜，一點動靜也沒有，只有大門邊白楊樹影搖曳，以及僕人的輕微動作。僕人站在大門左側跟守衛說話，守衛揮舞著他的菸斗，指指點點。

整幢房子只聽得到樓下準備晚餐的嘈雜聲，今晚沒有客人，所以少了平時的喧囂。我們吃得很簡單。

我坐在床上，閉上眼睛，雙手交疊在隆起的肚子上，手裡仍緊緊抓著那綹頭髮，彷彿只要我不放手，他就會安然無恙。

我的動作會不會太慢了？警方是否已經趕在傑米之前找到了黑傑克？萬一他們同時抵達？或者正好遇見傑米向黑傑克提出正式決鬥的挑戰？我將那綹頭髮放在拇指和食指之間搓著，讓髮梢散開成紅棕色和琥珀色的小扇。嗯，若是如此，至少他們兩個都會平安無事。也許會被關進監獄，但相對於其他危險，這比較不令人擔心。

萬一傑米先找到黑傑克呢？我朝窗外瞟了一眼，天色暗得很快。決鬥通常在黎明舉行，但我不知道傑米是否願意等到早上，說不定，此刻他們已經面對彼此，周圍是極為隱密的地方，刀劍相擊和死傷哀號的聲音都不會引起任何注意。

這將是一場你死我活的戰鬥，只有死亡才能使那兩個男人停手，然而最後倒下的會是誰呢？傑米？還是黑傑克——和隨他而去的法蘭克？傑米的劍術可能較好，但黑傑克是接受挑戰的人，可以選擇武器，而手槍的成功機率大多取決於運氣，而非使用者的技巧。只有作工精良的手槍才能瞄得準確，即便是這種手槍，也很容易發生走火或其他意外。我的腦海突然浮現傑米腳步踉蹌，然後倒地不起的畫面，鮮血從空洞的眼窩汩汩流出，黑火藥粉的氣味瀰漫在布洛涅森林的春天氣息裡。

「妳究竟在幹什麼，克萊兒？」

我猛然抬頭，力道大到不小心咬到舌頭。他的兩隻眼睛完好，而且都在該在的地方，從刀刃般的高鼻兩側注視著我。我從來沒看過他頭髮剪得這麼短，感覺像個陌生人，臉部肌膚下是剛毅的骨骼線條，茂密短髮下清晰可見頭骨的圓弧曲線。

「我在幹什麼？」我重複他說的話，嚥了嚥口水，潤一下乾燥的口腔。「我在幹什麼？我坐在這裡，手裡握著你的一綹頭髮，猜想你現在是生是死！這就是我現在在幹的事！」

「我活得好好的。」他走到衣櫥前打開門。他身上佩著劍，但衣服已經不是在森丁罕公爵宅邸的那身，現在他穿的是舊大衣——可以讓雙臂自由活動。

「是，我看到了。真貼心，還特地跑回來告訴我。」我說道。

「我回來拿衣服。」他拿出了兩件襯衫和長斗篷，放在對面的凳子上，再到五斗櫃翻找乾淨的內衣褲。

「你的衣服？你到底要去哪兒？」我一直不知道再見到他時會是何等光景，但我絕對沒想到會是這樣。

「去客棧。」他瞥了我一眼，然後顯然覺得我應該得到超過三字的解釋。他轉過身來，看著我，雙眸如藍銅礦般，湛藍迷濛。

「把妳送上回家的馬車後，我走了一會兒，讓自己的情緒平復下來。然後，我就回家取劍，回到公爵宅邸，要向黑傑克提出正式的挑戰。但管家告訴我，他已經被捕了。」

他凝視我的眼神，遙遠如海洋深處。我又嚥了口口水。

「我去了巴士底監獄。他們告訴我，妳要控告黑傑克，因為他是那晚襲擊妳和瑪莉的人。為什麼這麼做，克萊兒？」

我的手在顫抖，我丟下剛剛一直握在手裡的那綹頭髮。髮綹被我握得聚不攏，一下就散了，細長的紅色髮絲落在我大腿上。

「傑米。」我說，連聲音都在顫抖。「傑米，你不能殺黑傑克。」

他的嘴角抽搐了一下，非常輕微。

「我不知道該為妳憂慮我的安全而感動，還是該為妳對我缺乏信心而生氣。但無論如何，妳都不需要擔心。我可以取他性命。輕而易舉。」最後一句話是氣音，語氣混雜著痛恨和滿足。

「我不是那個意思！傑米……」

他繼續說道，彷彿沒聽見我說的話：「幸好，黑傑克可以證明強姦案發生當晚，他整晚都待在公爵的住所，只要警方完成當天在場賓客的偵訊作業，確定他是無辜的——至少就那個案件而言——屆時他就會獲釋。我要在客棧等他出來，然後就去找他。」他的眼睛盯著衣櫃，但顯然是在看其他的東西。「他會等我的。」他低聲說。

他將襯衫和內衣褲塞進旅行袋，再把斗篷掛在手臂上。正當他要轉身走出房間門口時，我從床上跳起，抓住他的衣袖。

「傑米！看在老天的份上，傑米，聽我說！你不能殺他，我絕不讓你這麼做！」

他低頭望著我，表情十分訝異。

「因為法蘭克。」我說。我放開他的袖子，向後退了幾步。

「法蘭克。」他重複了一遍，稍微搖搖頭，彷彿要清除耳中的雜音。「法蘭克。」

「對。」我說。「如果你現在殺了黑傑克……法蘭克就不會存在，就不會誕生。傑米，你不可以殺一個無辜的人！」

他的臉平時是淡紅的古銅色，在我說這番話時卻沒了血色。此時紅潮再次翻滾，灼熱他的耳根，燃燒他的臉頰。

「無辜的人？」

「法蘭克是無辜的！我根本不在乎黑傑克……」

「我在乎！」他一把抓起袋子，大步走向門口，斗篷掛在手臂上。「天哪，克萊兒！妳竟然想阻止我報復那個逼我當男妓的人？誰逼我下跪、逼我含他的老二，那上面還滿是我自己的血？天哪，克萊兒！」

他砰地一聲猛地推開房門，在我追上去的時候，他人已經進了走廊。

屋內已經全暗，但僕人點了蠟燭，整條走廊充滿著柔和的紅光。我抓住他的手臂，用力拉住他。

「傑米！我求你！」

他不耐煩地將手臂從我手中猛力抽回。我幾乎要哭出來了，但卻努力忍住淚水。我抓住袋子，硬從他手裡搶了過來。

「拜託，傑米！求你等等，只要一年！那孩子，黑傑克的孩子——明年十二月就會受孕了。在那之後，就不會有問題了。求你——看在我的份上，傑米——就等這一年吧！」

擺在金邊檯子上的燭臺，將他的影子投射得十分巨大，在遠處的牆上搖晃不定。他凝視著影子，雙拳緊握，彷彿面對一個聳立在他前方的巨人，巨人面無表情，而且來勢洶洶。

「是！」他低聲說道，彷彿自言自語。「我是個男子漢，夠大、夠強，我扛得下很多事。沒錯，我扛得了。」他轉身對我大喊。

「我什麼都扛得了！只因為我辦得到，就代表我非這麼做不可嗎？誰的問題我都要扛嗎？我不能只對付我自己的問題嗎？」

他開始在走廊來回踱步，緊隨在後的背影流露出無聲的盛怒。

「妳不能這樣要求我！妳、你們所有人！妳，明知道……知道……」他哽咽著，氣得說不出話來。

他邊走邊捶打走道的石牆，拳頭狠狠揮向石灰岩牆，每記重拳都是無言的暴力，石牆只能默默承受。

他轉過身，停了手，面向我，大口喘著氣。我呆立著，不敢移動或說話。他很快點了一、兩下頭，彷彿打定了什麼主意，接著咻一聲從皮帶抽出短劍，舉到我鼻子前。他顯然費了一番力氣才冷靜開口。

「妳可以有妳的選擇，克萊兒。選他，還是選我。」他緩慢轉動短劍，蠟燭的火焰，在磨得光亮的金屬刀面上搖曳。「不是他死，就是我死。如果妳不讓我殺他，那就先殺了我，妳親自動手！」他一把抓住我的手，強迫我握著短劍柄，然後撕開自己的花邊領，露出喉嚨，一邊緊扣著我的手指，拽起我的手往上刺。

我使出全身力氣拉住刀子，但他卻硬將刀尖抵住鎖骨上方柔軟的凹窩，那上方正是多年前黑傑克用刀傷了他的白色傷疤。

「傑米！住手！馬上住手！」我用另一隻手死命拉住他的手腕，他終於鬆開緊握，我得以把手抽回來。刀子掉落地面，從石板地彈起，無聲無息落在織著綠葉圖案的奧布森毯❷一角。如此清晰的小細節，讓生命中最悲慘的時刻更加痛苦。我看見刀刃旁是一串飽滿肥大的青葡萄，彷彿下一秒就要切斷捲曲的藤蔓，讓葡萄從地毯的世界中滾出來，滾到我們腳邊。

他動也不動站在我面前，面色蒼白如骨，眼神熾烈。我抓住他的手臂，手指感覺到那臂膀堅硬如木。

「求你相信我，拜託。如果有其他辦法，我絕對不會這麼做。」我顫抖著深吸一口氣，以緩和肋骨下激烈的心跳。

「你的命是我救回來的，傑米。不是一次，而是兩次。你在溫特沃斯差點被吊死，在修道院發高燒，都是我救了你。你欠我一條命，傑米！」

他低頭注視我好一會兒才開口，聲音已經恢復平靜，但帶著一絲尖刻。

「我明白了，妳現在是要我還債是吧？」他的眼中燃燒著清澈的深藍色，一如火焰中心。

「我必須這樣做！我怎麼講理你都聽不進去！」

「講理，哈，講理。不會吧！我橫豎都看不出妳剛剛講的有什麼道理。」他雙手交疊背後，左手緊握著右手僵硬的手指，低著頭，沿著沒有盡頭的走廊，慢慢離我而去。

走道牆壁上掛了不少畫，有些畫特別打光照亮，因此在畫框下方設有燈架或燭臺，或在畫框上方掛上鍍金燭臺。沒那麼受寵的畫，則沉默地隱身黑暗中。傑米緩緩走在這些畫之間，時而抬頭望望，猶如在和這個精心布置的走道對話。

走廊與二樓樓層等長，鋪著地毯，牆面則有掛毯，前後兩端都鑲上巨大的彩繪玻璃。他一直走到盡頭，然後以閱兵隊伍般的精準動作轉過身來，一路往回走，步伐仍緩慢莊重。走過去，走回來，走過去，走回來，一遍又一遍。

我雙腿不停顫抖，癱坐在靠走道盡頭的扶手椅上。有個僕人卑躬屈膝地走近，問夫人是否需要葡萄酒或餅乾？我盡力維持禮貌，揮揮手打發他走，繼續耐心等著。

傑米終於在我面前停下，穿著銀色扣環鞋的雙腳大開，雙手仍緊握在背後。他一直等到我抬頭看他才開口，表情堅決，看不出一絲激動的抽搐，但眼睛四周的紋路，卻因緊繃刻得更深。

---

❷ 奧布森毯是十六～十八世紀時法國貴族用為地毯或掛毯，以彰顯身分地位的精緻手工藝術織品。名貴的奧布森毯上織有細膩的編織畫，其獨特的編織法可以呈現精細的寫實風景、人物或花鳥藝術，也被聯合國教科文組織列入無形文化遺產名冊中。

「那就一年！」他說完這句便馬上轉身離開，等我掙扎著從那張深綠天鵝絨椅上起身時，他已離我好幾呎遠。然而，我才勉強站穩腳步，他又突然轉身衝過我身旁，三大步走到巨大的彩繪玻璃窗前，右手一拳擊破窗上的玻璃。

那片窗戶是由數千個彩色小窗格組合而成，以熔化的鉛條固定窗格，呈現神話「帕里斯的判決」場景。整片窗框雖被他一拳打得晃動，但鉛條仍穩穩護住大部分的窗格。玻璃碎了一地，只有阿芙蘿黛蒂的腳邊出現一個鋸齒般的小洞，讓輕柔的春風徐徐吹進來。

傑米呆立了一會兒，雙手緊緊按著上腹，襯衫荷葉褶袖口上的深紅色血漬不斷擴大。我向他走去，他卻再度掠過我大步離去，一語不發。

—

我再度癱坐扶手椅上，震得椅面絨布揚起一小陣灰塵。我渾身無力，雙眼緊閉，感覺夜晚的涼風不斷吹拂而來。濕髮貼在太陽穴上，我可以感到自己的脈搏在喉嚨深處快速跳動，快得像小鳥的心跳。

他會原諒我嗎？一想起他發現自己遭背叛時的受傷眼神，我的心便揪成一團。「妳怎能這樣要求？」他說道：「妳，明知道……」是的，我知道，我想這件事可能就此拆散我跟傑米，一如我被迫和法蘭克分離。

然而，要是我判死一個無辜的人，一個我曾深愛過的人，那麼無論傑米是否原諒我，我永遠都無法原諒自己。

「父親的罪孽……父親的罪孽不應延及子孫。」我喃喃自語。

「夫人？」

我嚇了一大跳，睜開眼，看見女僕也被我嚇得後退幾步。我把手放在怦怦跳的心臟上，大口喘著氣。

「夫人，您不舒服嗎？要不要我去……」

「不用。」我說，語氣盡可能平和。「我很好，我想在這裡坐一會兒。請離開。」

那女孩似乎急於服從命令，一說完：「是，夫人！」便消失在走廊上，獨留我一人茫然凝視掛在對面牆上的畫，那是花園裡的性愛場景。我突然覺得一陣寒意襲來，我拉緊之前不及脫下的斗篷，再次閉上雙眼。

午夜過後，我才回到我們的房間。傑米坐在房裡的小桌前，顯然正盯著一對不怕死的草蛉繞著燭臺飛舞。那根蠟燭是房裡僅有的光。我將斗篷脫在地上，朝他走過去。

「不要碰我，去睡吧！」他顯然人在心不在，但我還是停了下來。

「可是你的手……」我開口說道。

「不要緊，去睡吧！」他又說了一次。

他的右手指關節沾有血跡，襯衫袖口也因為血漬而變硬，但我不敢接近他，因為他的腰間插著一把小刀。我讓他一個人凝視草蛉的死亡之舞，自己上床睡覺。

我醒來時天色已近黎明，今天的第一道曙光模糊地照出房間家具的輪廓。我透過通往前廳的對開門，可以看見傑米仍然坐在桌前，就跟我昨晚就寢時一樣。此時蠟燭已經燒完，草蛉也不見蹤影，他坐在那兒，頭埋在掌心，手指插在他昨日大肆剪短的髮間。曙光偷走了房間的所有顏色，就連他指間如火焰般豎起的頭髮，也被冷卻成灰燼的灰。

我悄悄下床，身上只穿著單薄的繡花睡衣，覺得很冷。我走到他背後，他並沒回頭，但知道我在。我輕觸他的手，他隨即把原先撐著頭的手擱在桌上，頭往後仰，抵在我乳房下方。我揉揉他的頭，他不由深深嘆了口氣，我可以察覺他的武裝已漸漸化解。我的手往下一路移到他頸間和肩膀，他體內的寒意，透過單薄的亞麻衣料陣陣襲來。最後我挪到他面前，他伸手抱住我的腰，將我拉向他，頭埋進我的睡衣，靠在寶寶隆起的那地方。

「我好冷。」我終於開口，語氣無限溫柔。「你要來暖暖我嗎？」

片刻後，他才點點頭，摸黑中他絆了一下腳。我領他上床，他坐著任我為他脫下一身衣物，蓋好被子。我躺在他的臂彎中，緊緊依偎著他，直到寒意從他的皮膚退去，我們舒適地躲在柔軟溫暖的一方天地中。

我試探性地把一隻手放在他胸前，來回輕輕愛撫，直到乳頭變硬——那代表慾望的小小凸起。他將手覆在我的手上，意思是叫我不要動。我怕他會推開我，他是把我推開沒錯，但只是為了可以翻身向我。

天色越來越亮，有很長一段時間，他只是俯視我的臉，從太陽穴往下巴輕撫著，拇指順著頸線而下，滑過我的鎖骨。

「我真的好愛妳。」他輕聲說，彷彿自言自語。他用吻封住我的唇，不讓我回應，用受傷的右手在我一邊乳房輕輕繞圈，準備征服我。

「可是你的手……」這是那夜我第二次講這句話。

「不要緊。」這是那夜他第二次講這句話。

第二十二章

皇家馬場

只要能減輕妳的痛苦，
要我做什麼、不做什麼，我都願意，英國姑娘。
只是，妳的良心比起我的榮譽，
到底有多重要？

我們的馬車在路況特別糟的路段緩慢顛簸前進，這段路歷經冬雪和春雨，遍地坑洞。過去一年雨水相當豐沛，即便是初夏的此刻，道路兩旁茂密的醋栗灌木叢下，仍有一攤攤沼澤似的濕軟爛泥。

傑米坐在我身旁的狹長木板平臺上，上頭鋪了軟墊，所以也算是馬車的一個座位。佛戈斯懶懶靠在另一塊平臺的角落睡著，頭隨著馬車顛簸不斷左搖右晃，活像脖子安了彈簧的機械玩偶。車廂裡的空氣很暖和，但每當經過乾土地面，窗戶就會湧進一陣陣金黃色的煙塵。

一開始我們只是隨意聊些鄉間風光、此行的目的地阿戎坦皇家馬廄，還有宮廷和商界人士每天閒聊的一些小八卦。馬車規律搖晃，加上溫暖的天氣，我原本也可能會睡著的，但現在我的體態已經有了變化，無法長時間保持相同坐姿，而且背部也因為顛簸而疼痛。我肚裡的寶寶越來越活躍，初期只是細微的顫動，現在已經進展到明顯的小小戳刺。或許這些動作會讓寶寶很開心，我卻焦躁難安。

傑米看我不停扭動，一再調整姿勢，微微皺眉道：「也許妳應該待在家裡的，英國姑娘。」

「我沒事。」我笑著說：「有點不舒服罷了。再說，錯過這一切實在太可惜。」我比了一下馬車車窗。窗外是大片遼闊的田野，在高聳筆直的白楊樹防風林間，閃著翡翠般的亮綠。吸久了市區各種惡臭和昂吉醫院的藥水味，鄉下空氣格外芬芳醉人，灰塵根本無關緊要。

路易王為對英格蘭的外交提議表達友好之意，同意讓森丁罕公爵從阿戎坦皇家馬場購買四匹配種用的法國佩爾什母馬。公爵大人在英格蘭養了一小群役馬，這次買馬可以改良現有品種。公爵大人為此今天來到阿戎坦，並邀傑米一道前往，提供選馬意見。邀約是在一場晚宴上提出的，一牽二連的結果，把這次行程變成不折不扣的野餐郊遊，共有四輛馬車以及多位女士和紳士參加。

「這是個好兆頭，你不覺得嗎？」我問道，同時小心一瞥，確定同行的人確實已經熟睡。「我是說，路易王允許公爵買馬。如果他對英國人有所表示，就應該不太可能同情詹姆斯王——至少檯面上不會。」

傑米搖搖頭。他完全不肯戴假髮，那頭大膽俐落的短髮在宮廷引起不小轟動。就現在而言，這樣也有好處，雖然他又長又直的鼻梁上，剔透的微小汗珠微微閃著光，但他完全不像我這樣，整個人快熱癱了。

「不，我現在非常肯定，路易王故意要和詹姆斯王的斯圖亞特家族劃清界線——至少就復辟行動而言。杜維內先生斬釘截鐵跟我說，議會完全反對這種事。雖然路易王最終可能迫於教宗的壓力，對查理略施小惠，但在英格蘭喬治王的嚴密監控下，他不打算讓斯圖亞特家族在法國獲得任何重要利益。」他今天披了蘇格蘭披肩，肩上別了一只漂亮的飾針——那是他姊姊從蘇格蘭寄給他的，飾針造型是兩頭弓身奔跑的雄鹿，頭尾相接，圍成一個圓圈。他拉起披肩的一角，擦了擦臉。

「過去幾個月，我跟巴黎小有資產的銀行家都談過了，他們基本上都不感興趣。」他苦笑：「沒有人錢多到想資助斯圖亞特王朝復辟，這種事的風險太大了。」

「所以就……」我邊說邊悶哼一聲，伸展背部：「只剩西班牙了。」

傑米點點頭。「的確。還有杜戈爾．麥肯錫。」他看來喜形於色，激起我的好奇心，不禁坐起身來。

「你最近有他的消息嗎？」儘管杜戈爾最初懷有戒心，終究還是認同傑米是忠誠的詹姆斯黨人。杜戈爾原本只從西班牙捎來一般數量的密文郵件，現在已經進展為一連串低調的通訊，這代表傑米可以先過目之後，再交給查理王子。

「的確有。」從傑米的表情，看得出是好消息，事實上也的確沒錯——雖然無關斯圖亞特家族。

「菲利浦國王已經拒絕給予斯圖亞特家族任何援助。他有教廷那邊傳來的消息，妳也知道，他不想涉入蘇格蘭王位之爭。」傑米說道。

「我們知道原因嗎？」最近從教宗信使攔截的消息已經好幾封了，但都是署名給詹姆斯王或查理王子，其中可能並未提及教宗與西班牙國王的談話內容。

「杜戈爾認為他知道。」傑米笑道：「他很不以為然。話說他已經在托雷多等了將近一個月，最後只送來『若承天意，時機成熟便得援助』的模糊保證。」他壓低聲音裝出道貌岸然的語調，我不禁笑了出來。

「教宗本篤希望避免西班牙和法國之間的摩擦。他不希望菲利浦和路易浪費錢，這些錢他可能還有其他用處。」他尖酸地補上這句。「教宗說這些話實在有失體統，但本篤對於天主教國王能否再度掌控英格蘭存疑。蘇格蘭高地氏族的領袖都是天主教徒，但英格蘭已經好一段時間沒出現信奉天主教的國王了——下次出現可能要等非常之久——若承天意。」他嘲諷道。

他搔搔太陽穴上方的金紅色短髮。「看起來斯圖亞特王朝的前途黯淡，英國姑娘，這是個好消息。這樣一來就沒了波旁表親們的援助。現在我唯一關心的是查理王子與聖日耳曼伯爵合作的投資。」

「你不覺得那純是談生意？」

「嗯，是生意沒錯。」他皺著眉頭說：「不過後頭還有很多黑幕，我聽過傳言，不是嗎？」雖然巴黎這些銀行家族無意幫助年輕僭君奪回蘇格蘭王位，但如果查理王子突然有錢投資，情況可能很快就會轉變。

「殿下告訴我，他一直在跟戈布蘭家族談。」傑米說道：「是聖日耳曼引介的，否則他們根本不會理他。老戈布蘭覺得他是敗家子、是笨蛋，跟戈布蘭家的某個兒子一樣。不過，小戈布蘭說他需要觀察一陣子。假如查理王子這次投資成功，那麼或許他可以用自己的方式，提供其他機會。」

「這樣一點也不好。」我說。

傑米也搖了搖頭。「錢可以滾錢，是吧！讓他成功做成一、兩次大投資，那些銀行家就會願意聽他說話。那個人說不出什麼大道理。」他撇嘴道：「但他很有個人魅力，他可以說動別人接受明知不妥當的事。即便如此，要是他沒能累積一點名聲的話，一切還是沒轍——但只要這次投資成功，他就有名聲了。」

「那我們可以做些什麼？」我再次變換坐姿，動動悶在皮鞋裡的腳趾。這雙鞋當初訂做的時候非常合腳，但我的腳開始腫了，絲襪也因腳汗而濕透。

傑米聳聳肩，嘴一歪，綻開笑意。「祈禱壞天氣遠離葡萄牙吧，我想。除了沉船之外，我不知道還有什麼會害這次投資失敗，老實說。聖日耳曼已經為整船貨物找到買主，他和查理王子等著回收三倍的錢。」

聽到伯爵的名字時，我打了一下哆嗦，不禁想起杜戈爾的猜測。杜戈爾來訪的事我沒告訴傑米，當然也沒提過他對伯爵夜間活動的揣測。我不喜歡藏著祕密不告訴他，但杜戈爾要我封口，才願意幫我指控黑傑克，我別無選擇，只好答應。

傑米突然對著我笑，伸出一隻手來。「我會想出辦法的，英國姑娘。現在把妳的腳給我。傑妮懷孕的時候，曾叫我幫忙揉腳，她說這樣很舒服。」

我二話不說，馬上把腳從悶熱的鞋子抽出，雙雙抬到他的膝蓋上。當窗外涼風吹來，拂過汗濕的絲質長襪時，我不禁鬆了一口氣。

傑米的手很大，手指力道強中帶柔。他用指關節順著我的足弓向下滑按，我靠在椅背上發出輕柔的呻吟。我們靜靜地乘著馬車，沒幾分鐘，我就全身放鬆，進入無憂無慮的幸福狀態。

傑米俯身揉著我套著綠色絲襪的腳趾，突然冒出一句話：「跟妳說，其實並沒有欠債這回事。」

「你在說什麼？」我正沉浸在溫暖的陽光和舒服的足部按摩中，他突然這一句，弄得我一頭霧水，完全不知道他的意思。

他抬起頭看著我，手邊的按摩動作仍沒停。他表情非常認真，儘管眼裡閃著藏不住的笑意。

「妳說我欠妳一條命，英國姑娘，因為妳救過我的命。」他抓住一隻大拇趾扭動著。「但我想了好久，實在不確定妳說的到底對不對。我認為我們互不相欠。」

「你是什麼意思，哪裡互不相欠？」我想把腳抽回來，但他緊緊抓著。

「如果說妳救過我的命——事實上也的確如此——那麼，我也救過妳呀，次數至少跟妳救我的一樣。在威廉堡的時候，我把妳從黑傑克手裡救出來，記得吧？還有克蘭斯穆那次，也是我救了妳，對不對？」

「對。」我謹慎回應道，不知他究竟想表達什麼，可以確定的是，他並不是為了打發無聊才講這些話。

「我真的非常感激你。」

他喉嚨深處輕輕發出蘇格蘭人表示不以為然的典型聲響：「這不是妳或我感不感激的問題，英國姑娘——重點是這根本不是責任問題，對雙方而言都是如此。」他眼中的笑意早已消失，他完全是認真的。

「我並不是拿黑傑克的性命換我自已的性命，況且這種交易並不公平，這是其一。閉上妳的小嘴，英國姑娘。」他忽然提醒我一件很實際的事：「蒼蠅會飛進去。」我們身邊的確有些小蟲，有三隻就停在佛戈斯胸前，完全不受呼吸起伏的影響。

「那你當時為何同意？」我停止掙扎，他用雙手包住我的腳，拇指緩緩沿著腳跟弧線滑動。

「不是為了妳跟我說的原因。至於法蘭克……」他說：「的確，我是搶了他的妻子，我非常同情他，有時比任何人都還同情他。」他說著，俏皮地揚起一邊眉毛。「不過，假如他現在就在這裡，結果會不同嗎？妳可以在我們之間選一個，而妳選擇了我，即使他那邊有熱水澡這樣的奢侈品。哇！」我猛然抽回一隻腳，朝他的肋骨踢去，他坐直身，一把抓住我的腳，免得我再踢他。

「妳後悔了嗎？」

「還沒。」我說道，努力收回我的腳：「不過，可能隨時會。你再說下去啊！」

「好吧！我不明白，妳選擇了我，但法蘭克卻在妳心目中占有特殊地位。我承認我是有那麼一丁點嫉妒那個傢伙。」他坦白說道。

我換另一隻腳踢他，這次瞄準較低的部位，卻被他及時抓住，熟練地把我的腳踝扭向另一邊。

「至於說欠他一條命，基本上……」他繼續說著，忽略我亟欲掙脫：「這個問題，修道院的安森弟兄會答得比我好。我的確不會冷血到去殺無辜的人，但是話說回來，我也在戰場上殺過人，這有何不同嗎？」

我想起我們在逃離溫特沃斯的途中，我殺死的士兵和雪地裡的那個男孩。我不再用那段記憶來折磨自己，但我知道這是永遠揮不去的記憶。

他搖搖頭。「沒有，關於這個，妳可能有很多道理可以講，但是到頭來，所有選擇都只有一個：必要時就得殺人，然後雙手沾滿鮮血地活下去。我殺死的每個人，每張臉我都記得，永遠忘不掉。但事實就是：我活下來，他們死了，這是我唯一能為自己說的話，無論這樣是對是錯。」

「可是在現在這種情況下，這是不對的。」我強調道：「那不是殺人或被殺的問題。」

他搖搖頭，趕走停在他頭上的蒼蠅。「這妳就錯了，英國姑娘。我和黑傑克之間的恩怨，只有我們其中一人死了才能解決——或許連這樣都沒辦法解決。除了刀槍之外，還有其他方法可以殺人，有些事比人死了還嚴重。」他的語氣緩和下來：「在聖安妮修道院，我面對的死亡不止一種，是妳救了我，褐髮美人，別以為我不明白。」他搖搖頭。「也許，我欠妳的，終究還是比妳欠我的多。」

他放開我的腳，自己換了個姿勢坐。「這讓我開始思考妳的道德標準，還有我自己的。畢竟，妳在選擇的時候，根本不知道以後會發生什麼事，拋棄一個人是一回事，定他死罪又是另一回事。」

我一點也不喜歡他這麼形容我，但又無法否認這是事實。事實上，我已經拋棄了法蘭克，儘管選擇無法反悔，但我還是做了，而且無時無刻不遺憾必須如此。傑米接下來說的話，奇妙地反映出我的想法。

他繼續說道：「假如妳知道這可能代表法蘭克……嗯，這麼說好了，法蘭克會死，或許妳會有不同的選擇。但因為妳選擇的是我，那麼我有沒有這個權利，讓妳的選擇變成必然的結果，而不是妳的本意？」

他原本全神貫注陳述著自己的想法，絲毫沒注意我的反應。在我們的馬車穿越鄉間綠蔭之際，他一見我的表情，突然打住話，沉默地望著我。

「我不懂妳所做的事怎麼會是罪過，克萊兒。」他終於開口，把手放在我穿著長襪的腳上。「我是妳的合法丈夫，就像他之前那樣——或是以後。妳甚至不知道妳原本大可回到他身邊。我的褐髮美人，妳可能會回到更早以前，或去未來另一個完全不同的時空。妳表現得好像妳非這樣不可，除了妳沒人辦得到。」他抬起頭，專注的眼神洞悉了我的靈魂。

「老實說，我根本不在乎這樣是對是錯，我只要妳在我身邊就好，克萊兒。」他柔聲說道：「如果選擇我對妳而言是項罪過……那麼我願意親自走到魔鬼面前，感謝他引誘妳這麼做。」他抬起我的腳，輕輕吻上大拇趾尖。

我把手放在他頭上，那頭短髮摸起來刺刺的，卻很柔軟，像剛出生的小刺蝟。

「我不覺得錯了。」我輕聲說道：「但倘若是的話……那我願意跟你一起去見魔鬼，傑米．弗雷瑟。」

他閉上眼，低下頭，緊握我的腳，我可以感覺到細長的蹠骨被這一握擠壓在一塊兒，但我沒把腳抽回來。我把手指插入他的髮間，溫柔地扯了一下。

「為什麼呢，傑米？你為什麼決定放過黑傑克？」

他仍然抓著我的腳，但睜開眼朝著我笑。

「那晚我在走來走去的時候，想了一些事情，英國姑娘。我想到如果我真的殺了那個齷齪的混蛋，妳會很痛苦。只要能減輕妳的痛苦，要我做什麼、不做什麼，我都願意，英國姑娘。只是，妳的良心比起我的榮譽，到底有多重要？」

「不對。」他又搖搖頭，繼續解釋另一個原因：「我們每個人都只能對自己的行為和自己的良心負責，我的所作所為不能算在妳的帳上，無論結果如何。」風中飛揚的塵土讓他淚水直流，他眨眨眼，抬起一隻手想順一下亂髮，卻是徒勞無功。他額前散著一綹髮絲，但因為剪得短，像豎起根根尖刺。

「我想問的是，為什麼？」我問，傾身向前。「你說的都是反面理由。其他原因呢？」

他猶豫了一會兒，但後來還是直視我的眼。

「因為查理王子，英國姑娘。到目前為止，我們已經防堵了所有的可能，除了他這次的投資——他可能還得有辦法在蘇格蘭領導軍隊才行。如果真能如此……會發生什麼事妳比我清楚，英國姑娘。」

的確，一想到那些，我就開始渾身發冷，腦海不禁浮現歷史學家如何形容高地人在卡洛登的悲慘命運——「屍體層層堆疊，泡在雨水和自己的血泊中。」

高地人慘遭領導失當和缺糧之苦，但仍浴血奮戰到最後一刻，終在最後半小時的關鍵時刻全數喪命。他們將在寒冷的四月春雨中暴屍成堆，奮鬥百年之久的反攻大業，也一併隨之葬送。

傑米突然伸手向前，拉住我的手。

「我認為那不會發生，克萊兒，我認為我們可以阻止他。萬一不行，那我一定也能全身而退。但如果注定……」此刻的他十分認真，語調溫柔而急切：「如果真到這一步，那我要妳有個安全的藏身之所，萬一我屆時無法在那裡照顧妳的話，我要有人陪在妳身邊。假如那個人不是我，那麼我會找個愛妳的男人。」他把我的手抓得更緊，我能感到兩只戒指都深深陷入肉裡，也能感受他透過雙手傳達出來的那股急迫。

「克萊兒，妳明白我為妳饒過黑傑克一命所做的犧牲有多大。答應我，如果真有那麼一天，妳會回到法蘭克身邊。」他細細讀著我的臉，深藍色的雙眸宛如在他後方窗外的那片藍天。「我試過送妳回去兩次，感謝老天妳不願意走。但倘若有第三次的話——答應我，妳會回到他身邊——回到法蘭克身邊。這就是為什麼我願意讓黑傑克再多活一年——全都是為了妳。答應我，克萊兒？」

「去！去！爬上去！」車夫在上頭喊道，驅策馬兒爬上斜坡。我們快到了。

我終於點頭。「好，我答應你。」

—

阿戎坦馬廄乾淨通風，充滿濃烈的夏日氣息和馬匹氣味。傑米在一個開放隔間裡，繞著一匹佩爾什母馬打轉，像隻馬蠅般意亂情迷。

「多麼標致的小姑娘呀！過來這兒，親愛的，讓我看看妳那肥美的屁股。真是漂亮極了！」

「真希望我丈夫也會對我說這種話。」奈維公爵夫人說道，逗得同行其他女士咯咯笑，一群女人就站在中央走道的乾草堆上看著。

「如果妳的背影有這麼香豔的話，或許他會喔，夫人。到時候妳丈夫也許就不會跟圖瓦拉赫堡爵爺一樣，對漂亮屁股那麼著迷嘍！」聖日耳曼伯爵任他的視線在我身上游移，帶著一絲輕蔑的消遣意味。我試著想像那對黑眼珠透過面具開口閃閃發光的模樣，實在太吻合了。可惜，他手腕袖口的蕾絲褶邊剛好蓋住指關節，我看不見他的虎口。

傑米也看見剛剛那段插曲，不過此時他舒舒服服靠在寬闊的馬背上，從馬下方望去，只看得到他露出腦袋、肩膀和前臂。

「圖瓦拉赫堡爵士欣賞各種美的事物，無論是動物還是女人，爵爺。不過不像某些人，我分辨得出這兩者之間的差別。」他不懷好意地朝聖日耳曼笑笑，然後拍拍馬頸走人，旁觀的一群人霎時爆出笑聲。

傑米挽著我，帶我走到下一間馬廄，其他人跟在我們後面緩緩移動。

「啊！」他大口吸著混雜馬匹、馬具、糞便和乾草氣味的空氣，彷彿聞著薰香。「我真想念馬廄的味道，這裡的鄉下讓我開始想念蘇格蘭了。」

「看起來不太像蘇格蘭呀！」我瞇著眼說道，剛從昏暗的馬廄出來，我不太適應耀眼的陽光。

「是不像，但都是鄉下。環境清新、綠意盎然，空氣中沒有煙霧，腳下也沒有汙水——除非妳把馬糞算進去，但我可不這麼想。」他說道。

綿延起伏的綠色山丘上有些屋舍，屋頂映著阿戎坦燦爛的初夏陽光。皇家馬場就在城外，建築結構比附近百姓的房子堅實許多。穀倉和馬廄是以人工採掘的石頭打造，石材地板、石板屋頂，而且比昂吉醫院還乾淨得多。

馬廄轉角後方突然傳來一陣響亮的呼喊，傑米馬上止步，及時避開如彈弓發射般衝到我們前方的佛戈斯，追在他後面的是兩個馬廄小廝，兩人個頭都比他大，其中一個男孩的側臉有一抹綠色的新鮮馬糞，想必就是衝突發生的原因。

佛戈斯不慌不忙，突然掉頭折回原路，衝過那兩個追來的男孩，急急閃進我們一行人之中，躲到傑米的蘇格蘭裙後。追他的兩個男孩見獵物安全返回巢穴，驚慌地望著迎面而來的一群朝臣和女士，互相使個眼色，便轉身溜之大吉。

佛戈斯見他們離去，從我裙後探出頭來，嚷了幾句下流的法語，惹得傑米狠狠朝他耳上摑了一記。

「鬧夠了吧你！」他粗聲道：「拜託你別朝個頭比你大的人扔馬糞。現在給我退下，不要再鬧事了。」說完，他在佛戈斯的屁股上結實地拍了一掌，佛戈斯便朝剛剛兩個男孩跑的相反方向踉蹌走開。

我之前一直在猶豫，這次出遊要不要帶佛戈斯來，雖然女士們多半都帶了侍童，幫忙跑跑腿，提提野餐籃和郊遊的必備物品。傑米原本是想讓那小子見識一下鄉間風光，就當放他一天假。結果行程一切順利，除了佛戈斯以外。他這輩子從沒出過巴黎，一接觸到鄉間的空氣和陽光，看見龐大的動物活生生出現在眼前，就開心得昏了頭，從我們抵達目的地開始，就不斷惹麻煩。

「天曉得他等下會幹出什麼事來。」看著他退下的狼狽模樣，我不悅道：「放火燒乾草吧，我猜。」

傑米聽見我的話，但仍一副泰然自若的樣子。

「沒事的，每個年輕小夥子都愛拿馬糞鬧著玩。」

「真的嗎？」我轉過身，仔細瞅著聖日耳曼，白色亞麻、白色斜紋嗶嘰布、白色絲綢，全身潔白無瑕，禮貌地彎身傾聽公爵夫人說話，陪她緩緩小步走過鋪滿乾草的院子。

「也許是你愛這麼玩，但他不會，主教也是，我覺得他們都不會。」我說道。我不知道這次出遊是否是個好主意，至少對我而言。傑米跟他的佩爾什大馬相處甚歡，而公爵顯然也對他留下深刻的印象，這些都很好。但另一方面，我的背因坐馬車而疼痛難耐，腳也又悶又腫，痛苦地擠在緊繃的皮鞋裡。

傑米微笑低頭看我，覆著我勾在他臂上的手。

「再忍耐一下就好，英國姑娘。嚮導要帶我們去看繁殖場，之後妳就可以和其他女士坐下來吃點東西，而我們男人就是不斷拿彼此那話兒的大小，開些下流的玩笑。」

「是不是看完馬兒交配都會有這種反應？」我饒富興味地問道。

「這個嘛，男人的確如此，我不知道女人是否也是。妳待會兒豎起耳朵注意聽聽看，回頭再告訴我。」

其實，我們一行人擠進繁殖場狹窄的隔區時，每個人都極力壓抑著心裡的興奮之情。這裡和其他建物一樣是石材搭建，但裡面不是左右兩側整排隔間的設計，而是小小的圍欄，兩端有欄舍，後面是某種滑道或跑道，此外還有好幾扇門，以開門關門控制馬匹移動。

建物本身明亮通風，占地廣大，從兩端沒鑲玻璃的窗戶望出去，看得見外面綠油油的牧場。有好幾匹碩大的佩爾什母馬在邊上吃著草，其中一、兩匹似乎非常焦躁不安，兩、三步併作一步地突然加速，然後又恢復為小跑或慢步，一面搖晃著頭和鬃毛，一面發出尖銳的嘶叫聲。繁殖場那端的欄舍一度傳來一聲響鼻，這兒的馬匹立刻重踢一下，震得隔板晃動不已。

「他準備好了，不知會是哪個幸運的姑娘？」我背後有個聲音喃喃地說。

「離門最近那匹。五法鎊，押那匹。」公爵夫人說，隨時準備下注的姿態。

「不！妳錯了，公爵夫人，她太平靜了，應該是蘋果樹下那匹小的，她的眼睛轉呀轉地，真夠騷。妳看看她怎麼甩頭的？我選她。」

種馬高聲一叫，所有母馬的動作都停了，揚起鼻子不斷嗅聞，緊張地掀著耳朵。原本就焦躁不安的那幾匹，不斷甩頭嘶叫，其中一匹更是拉長脖子，高聲長鳴。

「那匹！」傑米輕聲說，朝著一匹母馬點點頭。「聽見她在呼喚他了嗎？」

「她在說什麼呢，爵爺？」主教問道，眼裡閃著光芒。

傑米一臉正經地搖頭。「她是在唱歌，大人，但這歌教士是聽不懂的——或者說不應該聽得懂。」他說道，引發現場陣陣笑聲。

果然，那匹發出呼喚的母馬被選中了。她一進來先是站定不動，昂起頭，鼻孔外張，站在原地嗅著空氣中的味道。種馬聞到她的氣味，他的嘶吼聲神祕地迴盪在木造屋頂之間，音量很大，我們根本無法交談。

不過，這時也沒人想說話。原本就不太舒服的我，乳房因為興奮而微微刺痛，當母馬再次回應種馬的呼喚時，我懷孕的大肚子也為之一緊。

佩爾什馬體型很大，站立時肩膀高度最多可以超過五呎，而營養良好的母馬，臀部幾乎可以寬達九十公分。花色有灰白、灰斑或亮黑數種，馬尾如一道黑瀑，根部約有我胳臂那麼粗。

種馬霎時從欄舍衝出，奔向被拴住的母馬，大家嚇得從柵欄倒退了幾步。巨大的馬蹄踏在圍欄地面的鋪土上，揚起陣陣飛塵，敞開的馬嘴流出了幾滴口水。馬夫幫種馬打開欄舍門後，立即閃到一旁，和圍欄內自由走動的這頭巨獸一比，馬夫變得渺小而卑微。

母馬後腳著地、前腳躍起，發出警告的長鳴，但他隨即跨上她，緊咬她頸間頑強的那道弧線，迫她低頭就範。她把濃密的尾巴甩得高高地，讓自己赤裸裸地臣服於他的慾望。

「天呀！」普魯東先生低呼。

整個過程其實一下子就結束，但感覺似乎很長。我們看著汗濕後格外黑亮的馬腹上下起伏，光影在捲曲的尾巴和鬃毛間舞動，健美的肌肉閃耀光澤，足見交合之激烈。

離開繁殖場時，每個人都啞然無聲。最後公爵忍不住笑了，手肘碰碰傑米，說：「你很習慣這樣的場面嗎，圖瓦拉赫堡爵爺？」

「是啊！」傑米回答。「我看過很多次了。」

「那可否告訴我，看過那麼多次感想如何，爵爺？」公爵說。

傑米的嘴角抽了一下，不過還是努力板著臉回答：「自嘆不如，大人。」

—

「好壯觀啊！」奈維公爵夫人說道，她兩眼出神，剝開餅乾慢慢嚼著。「看得真讓人興奮，是不是？」

「妳是說，好大一根吧！」普魯東夫人直白地說道。「真希望菲力柏特也能那麼大，但其實呢……」她揚起一邊眉毛，眼睛瞄向一盤小香腸，每根大概五公分長，坐在野餐墊的女士們忍不住咯咯笑。

「去幫我拿點雞肉吧，保羅。」聖日耳曼伯爵夫人對她的侍童說。他年紀很輕，聽見年長女人的淫穢對話，害羞得臉紅了起來。我很好奇她與聖日耳曼之間的婚姻關係。他從不帶她出席公共場合，除非是像今天這樣，主教在場，他不方便帶情婦出現。

「呸！」曼徹斯爾夫人說，她是宮廷女侍，丈夫是主教的友人。「大小並不代表一切，我問妳，如果他有種馬的大小，但只能持續一分鐘，不到兩分鐘呢？那有什麼好的？」她用兩隻手指掐起一根酸黃瓜，吐出小巧可愛的粉紅色舌尖，故意舔了一下細小的淡綠色醃瓜。「我說呀，重要的不是他們褲襠裡的東西，而是他們用它來幹什麼。」

普魯東夫人哼了一聲。「他們就只會把它插進最近的洞裡，如果妳知道誰會用它來幹點別的事，記得跟我說一聲，我倒是有興趣看看，那種東西還可以用來做啥。」

「至少妳還有個感興趣的人。」奈維公爵夫人插話道，嫌惡地瞟了她丈夫一眼，他正和一群男人擠在附近的圍場旁，看著一匹上了鞍的母馬進行訓練。

「今晚不行，親愛的。」她將她丈夫誇張而帶有鼻音的聲調模仿得維妙維肖。「我累死了。」她把一隻手搭在前額上，眼睛上翻。「我忙公事忙得筋疲力盡。」眾人的笑聲讓她模仿得越加帶勁，驚恐地睜大眼睛，雙手交叉護住大腿上方。「什麼？再來一次？妳不知道男性精氣過度外洩有害健康嗎？妳快把我榨乾了，這還不夠嗎？瑪蒂爾德。妳難道希望我心臟病發？」

女士們咯咯地尖聲大笑，聲音之大，引來主教注意，他帶著燦爛的笑容向我們揮揮手，這麼一揮又引發另一陣爆笑。

「唉呦，至少他沒把男性精氣發洩在妓院，或者……其他地方。」普魯東夫人說道，神情誇張地拋給聖日耳曼伯爵夫人同情的一瞥。

「不！」瑪蒂爾德哀怨地說。「他惜精如金，妳會覺得根本沒機會享用了，他呀……喔，大人！您要不要來杯酒呀？」這時公爵從後面無聲無息地走近，她連忙抬頭對他露出迷人的笑容。他則微微弓起一邊眉毛，站著對在場女士微笑致意。就算他聽見我們的談話內容，也沒表現出來。

公爵選了我旁邊的一個位置，在野餐墊上坐下來，他一如往常地與女士們詼諧談笑，怪異的高亢嗓音在女人堆裡顯得很和諧。雖然他一副認真聊天的樣子，但我注意到，他的眼睛不時瞟往圍場柵欄邊的那一小群男人。即使在一片華麗的立絨呢和硬絲綢中間，傑米的蘇格蘭裙依舊顯眼。

對於再見到公爵這件事，我曾經有點猶豫，畢竟，我提出強姦未遂的指控，害我們上次的拜訪最終以喬納森・藍鐸被捕收場。不過，這次出遊，公爵仍然維持他一貫迷人的溫文爾雅，不曾提及藍鐸兄弟，也未曾公開談論那次的逮捕行動。公爵的交際手腕，高竿到足以獲蓋一枚皇家緘默封印。

其實，我歡迎公爵來野餐墊上同坐。至少他的出現，讓在場女士不會一直追著我問——聚會上三不五時就會有冒失的人問——蘇格蘭男人裙下風光的傳聞是否為真。眼前這群人興致正高昂，我的官方回答「喔，就是平常那樣」，肯定無法滿足她們。

「妳的丈夫很會相馬。」公爵趁著談話的空檔對我說道，坐在他另一側的奈維公爵夫人，正彎身跟墊子對面的普魯東夫人談話。「聽他說，他的父親和舅舅，在蘇格蘭高地都有馬廄，規模不大，但相當不錯。」

「沒錯。」我啜著葡萄酒。「你不是去過里歐赫堡拜訪柯倫・麥肯錫嗎？一定親眼看過他的馬廄。」我去年第一次見到公爵，其實就是在里歐赫堡，但那次的會面十分短暫，他才出發去狩獵不久，我就因施巫術遭到逮捕。我想他一定知道這件事，但即便如此，他完全沒表現出來。

「的確。」公爵精明的小藍眼珠先是飛快瞥向左，又瞥向右，看是否有人在注意他，然後改用英語說道：「那時妳丈夫告訴我，他並未住在自己的領地，因為英國國王錯給他安上一個謀殺的罪名，真是慘啊！夫人，不曉得那害他流亡的罪名，現在是否仍然成立？」

「他的項上人頭還在懸賞中。」我直截了當地說。

公爵總愛表達禮貌性的關心。他心不在焉地從盤子拿了一根小香腸。

「這件事並非無法挽救。」他平靜地說。「在里歐赫堡遇到妳丈夫之後，我做了一點調查——相當謹慎，我向妳保證。親愛的夫人，我認為，要解決這件事並不太困難，只要找對的人，去跟對的人說。」

這有趣了。傑米告訴森丁罕公爵他依柯倫．麥肯錫的建議而流亡的事，原先是希望說服公爵介入幫忙。傑米其實沒犯罪，所以幾乎沒什麼對他不利的證據。公爵在英格蘭貴族之間具有相當影響力，他確實可能設法撤銷這項罪名。

「為什麼？」我說。「你想要什麼回報？」

他先是揚起淡淡的金色眉毛，然後笑了起來，露出小巧整齊的一口白牙。

「唉呀，妳真是直接，難道我就不可以單純感謝妳丈夫幫我挑馬，希望他能夠回去故土，好好發揮他那相馬的好本領嗎？」

「可以是可以，但事實並非如此。」我說。我突然瞄到普魯東夫人銳利的雙眼正望向我們，並對著公爵親切微笑。「到底是為了什麼？」

他把整根香腸丟進嘴裡，慢慢嚼著，和藹的圓臉上，只有沉浸於美好夏日和美味餐點的滿足，他終於吞下香腸，用細緻的亞麻餐巾拍了拍嘴。

「好吧！」他說道：「我現在只是純粹假設，妳懂吧……」

我點點頭，他繼續說：「如果，呃，或許我們可以假設，妳的丈夫最近結交了某位剛從羅馬來的重要人士？我想妳了解我的意思。好，我們假設，他們的來往已經對某些人造成困擾，而那些人比較希望重要人士平安回到羅馬——當然他也可以留在法國，但還是回去羅馬比較好——那裡比較安全，妳懂吧？」

「我明白。」我自己也吃了根香腸，香腸裡面添加許多辛香料，每咬一口，就有股蒜味迸發而出，直衝鼻腔。「那些人非常在意他們兩人的交情，所以願意撤回我丈夫的罪名，條件是他們要斷絕來往？但我還是要問，為什麼？我丈夫也不是多重要的人物。」

「現在不是。」公爵附和道：「但未來就有可能是了。他和幾個勢力龐大的法國銀行家族有所聯繫，與商界鉅子的交往就更多了。他也獲得宮廷的接納，可以在路易王耳邊說上幾句話。總之，即使他現在還沒有能力掌控大量金錢和權勢，不久之後也許就有可能。況且，在蘇格蘭高地，他是兩個強大氏族的成員，不單單只是一個強大氏族啊！希望那位重要人士回羅馬的那群人，他們擔心妳丈夫的影響力，可能會用在不好的方面，其實，這個憂慮並非沒有道理。假如妳丈夫可以恢復名聲，風光回到蘇格蘭故土，一切不就沒事了嗎？妳覺得呢？」

「那只是一個想法。」我說道，事實上那也是個賄賂，而且是非常有吸引力的賄賂。斷絕一切與查理王子的聯繫，然後自由回到蘇格蘭和拉利堡，不必擔心被吊死。不過，從英格蘭國王的立場來看，無需動用一兵一卒，就可以除掉一個可能非常麻煩的斯圖亞特支持者，這也是個很誘人的提議。

我盯著公爵，努力想找出他在這一連串事情中所扮演的角色。表面上，他是英格蘭喬治二世的特使，只要蘇格蘭的詹姆斯王一直待在羅馬，喬治二世就可以穩坐漢諾威選帝侯與國王的寶座，所以公爵來到法國可能有雙重目的，難道是會見路易王，巧妙運用外交手腕，在客套寒暄中傳達威脅意圖，同時消弭詹姆斯黨勢力再起的可能？平時常在查理身邊走動的幾個同志，最近都推說必須處理國外緊急業務，不再出現。他們是被收買，還是被嚇跑了？我不知道。

從他親切的表情，看不出他心裡的盤算。他把假髮向後推，露出光禿的前額，無意識地搔了搔頭。

「妳再想想吧，夫人。」他勸道：「如果有什麼想法，直接告訴妳的丈夫。」

「你為什麼不自己跟他說？」

他聳聳肩，又拿了些香腸，這次是三根。「我發現男人通常比較會聽家人的建議，他們信任家人。外人的話會造成壓力，他們反而不喜歡聽。」他笑了笑。「事關自尊，必須細膩處理，而說到細膩處理——那不就是『女人的專長』嗎？妳說是不是？」

我還沒來得及回答他的問題，主馬廄就傳來一聲大叫，所有人都轉過頭去看。

一匹馬沿著主馬廄與工具棚之間的狹窄小巷，朝著我們奔來。那是一頭佩爾什小馬，年紀非常小，從身上的斑點判斷，大概只有兩、三歲。然而，即使是佩爾什小馬，體型仍然非常龐大，尤其在他跌跌撞撞跑著、長尾左右甩動時，看來更具破壞力。顯然，那匹小馬還不習慣讓人套上馬鞍，巨大的肩不斷扭動，努力想甩掉跨在脖子上的瘦小身影，一雙小手埋在濃密的黑色鬃毛中。

「該死，是佛戈斯！」在場女士都被這一聲大叫嚇著了，紛紛站了起來，目不轉睛看著眼前這番景象。我壓根沒有注意到男士們也加入看熱鬧的行列，直到有個女人說：「看起來好危險呀！如果那男孩掉下來，鐵定會受傷的！」

「哼，就算他沒有因為掉下來而受傷，等我逮住那個小混蛋，我也絕對會讓他皮開肉綻。」我背後一個嚴厲的聲音說道。我轉過身，看到傑米正盯著那匹迅速接近中的小馬。

「該去把他救下來嗎？」我問。

他搖搖頭。「不，讓馬自己放他下來。」

事實上，馬被背上突如其來的重量嚇壞了，越加驚慌失措，綴著斑點的灰色皮毛不斷抽顫，猶如遭到成群蒼蠅侵擾，困惑地搖搖頭，彷彿想弄清楚到底發生了什麼事情。

佛戈斯的雙腿直挺挺伸著，跨坐在佩爾什小馬寬闊的背上，顯然唯一支撐他不從馬背掉下的，就是他死抓著的鬃毛。要不是馬糞大戰的輸家展開了報復計畫，他或許已設法抓著鬃毛滑下馬背，或至少毫髮無傷地從馬背上滾下來。

兩、三個馬夫隔著一段安全距離跟在小馬後面，擋住牠背後的去路，另一個馬夫則成功跑到前頭，打開我們附近的一個空的圍場柵門。那個柵門一側是我們這群正在野餐的參觀訪客，另一側是馬廄和長棚之間的小巷盡頭。他們顯然希望安安靜靜地把馬趕進圍場，在那裡，牠或許有可能踏到佛戈斯，但至少小馬本身是安全的，不會逃跑或受傷。

不過，在這計畫還沒大功告成前，有個敏捷的身影，從窄巷上方某個小閣樓的窗口探出頭來。所有觀眾的注意力都在小馬身上，只有我一個人注意到窗口的人影。閣樓上的男孩先是觀察底下的狀況，消失一下子之後又再度出現，雙手抓著一大把乾草。他算準時機，趁佛戈斯和他的坐騎經過窗口正下方時，將手中的乾草往下一丟。

結果就像炸彈爆炸。乾草在佛戈斯頭上炸開，小馬受了驚嚇，發出一聲嘶鳴，後半身一頓，隨即如德比賽馬大會的冠軍馬，直直衝著一小群朝臣狂奔而去，嚇得眾人一哄而散，像鵝群般尖叫。

傑米撲過來用身體護住我，將我推到一邊，把我撞得跌在地上。他很快從我身上爬起，嘴裡不斷飆出罵人的蓋爾語。他沒停下來詢問我的狀況，隨即朝著佛戈斯的方向衝去。

小馬完全嚇壞了，牠後腳直立，不斷扭動，前腳亂踢不止，幾個馬夫和馬廄小廝都怕得不敢靠近，一想到國王的寶貝馬兒可能就在他們眼前傷到自己，所有人都失去了平日的專業與冷靜。

佛戈斯不知是因為某種神奇的牛脾氣，還是因為害怕，竟然這時還沒掉下來，整個人在顛簸起伏的馬背上滑動彈跳，瘦削的雙腿跟著猛晃。旁邊的馬夫都大聲叫他放手，但他絲毫不理會，閉緊眼，牢牢抓著有如救生索般的馬鬃。有個馬夫手裡拿著乾草叉，威脅似的對空揮舞，嚇得曼徹斯爾夫人驚慌尖叫，她以為馬夫想要去叉佛戈斯。

尖叫聲自然無法安撫小馬的緊張情緒，牠還是不斷蹦跳，想嚇退打算包圍牠的人。雖然我不認為馬夫真的想用叉子把佛戈斯從馬背上刺下來，但如果那孩子自己摔下馬，非常有可能慘遭馬蹄踐踏——而且我實在不知道他能撐多久。就在此時，小馬突然朝著圍場附近的小樹叢衝去，可能是要躲開越趨逼近的人群，也可能是想到可以利用樹枝，除去背上的夢魘。

正當牠經過第一叢樹枝下方，我在綠葉間瞥見紅色格子呢，接著一道紅影閃現，是傑米從藏身的樹枝間跳了下來，身體從馬背斜擦而過，摔落在地，蘇格蘭裙霎時掀起，短暫露出赤裸的雙腿。眼尖的人此時會發現，這個蘇格蘭男人裙下什麼都沒穿。

一旁看熱鬧的觀眾頓時全都衝向前去，圍著從樹上掉落的圖瓦拉赫堡勳爵，馬夫則忙著去追消失在樹林另一頭的小馬。

傑米仰躺在山毛櫸樹下，臉色白裡透青，雙眼和嘴都張得大大地，雙臂緊緊抱住佛戈斯。佛戈斯則像水蛭般攀在他胸口。我趕緊衝到傑米跟前，他朝我眨眨眼，無力地笑著。他口中發出的微弱氣音，終於加強為淺淺的喘息，我這才鬆了一口氣，原來他只是喘不過氣。

佛戈斯終於意識到自己停了下來，小心翼翼抬起頭，接著在他老闆的肚子上坐直了，興奮地說：「太好玩了，老爺！可以再來一次嗎？」

在阿戎坦冒險救人的結果，是傑米拉傷了大腿肌肉，回到巴黎的時候，已經跛得十分厲害。他差佛戈斯到廚房去幫他弄晚餐後，便坐進壁爐旁的椅子，揉著腫脹的腿。佛戈斯和小馬鬧了這麼一場，事後又被傑米訓了一頓，但所幸身上沒傷，心裡也沒疙瘩。

「很痛嗎？」我憐惜地問。

「有一點，不過只要多休息就好了。」他站起來，伸了個大大的懶腰，長臂幾乎快要碰到壁爐臺上方發黑的橡木橫梁。「馬車裡面好窄，坐得我骨頭都快散了。」

「嗯，我也是。」我揉揉腰背，顛簸了一天，痠痛得很。那股痠痛似乎是從骨盆一直往下壓迫到雙腿——可能是懷孕讓關節鬆動吧，我猜。

我伸手在傑米的腿上檢查了一下，然後指了指旁邊的躺椅。

「來側躺著，我有不錯的藥膏可以幫你按摩大腿，擦了可能比較不疼。」

「好吧，如果妳不嫌麻煩的話。」他僵硬地起身，向左側躺，將蘇格蘭裙拉至膝蓋上方。

我打開藥箱，翻遍大大小小的盒罐。龍牙草、榆樹皮、牆草……找到了！我拿出福黑先生給的藍色小玻璃罐，擰開蓋子，小心翼翼聞了一下。藥膏容易腐敗變臭，但這罐似乎加了不少鹽當防腐劑，聞起來很舒服，顏色也很漂亮，是新鮮奶油的那種飽滿淡黃。

我挖出一大塊藥膏，順著長長的大腿肌肉將它推開，為了方便抹藥，我把傑米的裙子撩到臀部上方。他腿部的肉很暖和，不是感染時的發燙，只有正常年輕男性的體熱，是活動和強勁脈搏產生的溫度。我輕輕地將藥膏揉開，讓它滲進皮下，一邊摸著肌肉腫脹之處，探尋四頭肌和腿筋的位置。我稍微加重搓揉力道，傑米輕輕地悶哼一聲。

「會痛嗎？」我問。

「有一點，但不要停，」他答道：「好像有點用。」他輕笑著。「英國姑娘，除了妳之外，我絕不會跟任何人承認，今天真的滿好玩的，我已經好幾個月沒像這樣活動了。」

「很高興你喜歡。」我面不改色地說，同時又挖了一小塊藥膏。「我也過得挺充實。」我一邊按摩，一邊告訴他森丁罕公爵的提議。

他悶哼了一聲回應，眉頭稍稍皺起，我不小心按到他的痛點了。「所以柯倫是對的，當時他就認為，這個人或許可以幫我撤銷罪名。」

「看樣子好像是。但我想問題在於，你願意接受他的提議嗎？」我等著他回答，也叫自己別抱指望，因為，我知道答案會是什麼。弗雷瑟家族固執得出名，儘管他母親來自麥肯錫家族，但傑米是徹頭徹尾的弗雷瑟家人，他已經打定主意要阻止查理王子，所以幾乎不可能放棄這個念頭。不過，對我而言，那是個十分誘人的提議，對他而言也是如此。我們都想回蘇格蘭，回到他的家鄉，平靜度日。

不過，還有另一個難處。如果我們真的回去，讓查理王子的計畫朝著我所知道的未來發展下去，那麼蘇格蘭平靜的好日子終究不長。

傑米微微哼了一聲，顯然他跟上了我的思緒。「我跟妳說，英國姑娘。如果我認為查理王子能成功從英格蘭手中奪回蘇格蘭的統治權，那麼我會獻上我的土地、自由和生命來幫助他。他也許是傻，卻是帶有皇家血統的傻瓜，而且不是缺乏勇氣的那種，我想。」他嘆了口氣。

「我認識這個人，也跟他聊過，跟所有追隨他父親的詹姆斯黨人聊過。要是再起義一次，妳告訴我的一切就會發生的話……我不曉得除了留下之外，我還能有什麼選擇，英國姑娘。如果有其他人可以阻止他，也許還有機會回去，也可能沒有。但現在，我只能婉謝公爵大人的好意。」

我輕輕拍拍他的大腿。「我就知道你會這麼說。」

他對我笑了笑，然後低頭瞥見沾滿我手指的黃色軟膏。「那是什麼東西？」

「福黑先生給的，他沒說是什麼。我想裡面應該沒有任何活性成分，不過很好用，塗起來非常滑順。」

我撫觸的那身體為之一僵。傑米轉過頭看著那藍色罐子。

「福黑先生給妳的？」他不安地說。

「對呀！」我回答，有點驚訝。「怎麼了嗎？」因為他撇開我塗滿藥膏的雙手，將雙腿從躺椅上放下，伸手去拿毛巾。

「那罐藥膏的蓋子上是不是有朵鳶尾花，英國姑娘？」他問道，手拿著毛巾，擦去腿上的藥膏。

「是呀，的確有。」我說道：「傑米，這藥膏有什麼不對嗎？」他臉上的表情怪異至極，參雜著驚愕與好笑兩種不同情緒。

「我沒說它有什麼不對，英國姑娘。」他終於答道。他使勁擦著腿，用力到滿臉通紅，金紅色腿毛都倒豎了起來。他把毛巾扔到一邊，仔細端詳罐子。

「福黑先生一定非常看得起妳，英國姑娘。這東西很貴的。」他說。

「但是……」

「我不是不喜歡。」他連忙安撫我：「我只是不想把人體的某種成分塗在身上一整天，我覺得這樣有點詭異。」

「傑米！」我不由自主大聲起來。「這到底是什麼東西？」我抓起毛巾，趕緊擦拭塗滿藥膏的雙手。

「這是絞刑犯身上的油脂。」他無可奈何答道。

「絞、絞、絞……」我連那個詞都說不出口，只好改口說道：「你的意思是……」我的手臂上滿是雞皮疙瘩，寒毛也豎得跟軟墊上的針一樣。

「沒錯，這就是從絞刑犯身上的脂肪提取的。」他爽朗地說道，恢復平日的鎮定，但我卻立刻亂了手腳。「他們說，這對風濕病和關節病的患者很好。」

我想起福黑先生在昂吉醫院手術完畢，現場收拾得整整齊齊的樣子，還有每次傑米看到那高大的外科醫生送我回家時，臉上的怪異表情。我腿一軟，五臟六腑攪在一起。

「傑米！那該死的福黑先生到底是幹什麼的？」我幾乎尖叫起來。

他滿臉都是被逗樂的表情。「他是第五區的公共絞刑官，英國姑娘，我以為妳知道。」

——

傑米濕淋淋地從馬廄回來，冷得半死。他去那裡刷洗身體，因為在臥室的澡盆裡沒辦法洗乾淨。

「別擔心，都洗乾淨了。」他向我保證，一面脫去襯衫，光著身鑽進被窩。他粗糙的皮膚冷得起了雞皮疙瘩，將我抱進懷裡時，還打了個冷顫。

我僵直地縮在被子底下，雙手環抱自己，他忍不住問：「怎麼了，英國姑娘？我身上已經沒有味道了，不是嗎？」

「不，」我說道：「我是害怕，傑米，我在流血。」

「天哪！」他輕聲說道。我能感到他一聽見我說的話，馬上湧起一陣恐懼，我也一樣。他把我擁緊，摸我的頭髮，輕拍我的背，但在面對病痛時，這一切都起不了任何作用，這讓我倆覺得格外無助。即使像他這麼強壯的人，仍舊無法保護我，他可能很想幫忙，卻什麼也不能做。我頭一次覺得，在他懷裡得不到安全，這把我倆都嚇壞了。

「妳覺得……」他開口，但句子沒說完便打住，嚥了嚥口水。我能感到他喉嚨肌肉的顫抖，聽得見他嚥下恐懼時的哽咽。「情況很糟嗎？英國姑娘，妳判斷得出來嗎？」

「沒辦法。」我說道，我把他抱得更緊，想要找到可依靠的地方。「我不知道，不是嚴重的出血，至少現在還不是。」

蠟燭仍舊亮著。他低頭看著我，目光因憂心而暗下來。「我是不是該去找個人來幫妳，克萊兒？在醫院工作的那些女人？」

我搖搖頭，舔了舔乾燥的嘴唇。「不，我……我不覺得她們幫得上什麼忙。」這是我最不想說的一句話。我多希望現在有人可以幫幫我們，告訴我們如何轉危為安。

我想起以前接受護士訓練時，產科病房的某醫生，在一位流產婦人床邊轉身離去之際，聳聳肩道：「你根本無能為力，如果孩子要流掉，通常就會流掉，無論你怎麼努力。臥床休息是唯一能做的事情，但即使如此，也往往無法保住孩子。」

「可能沒什麼。」我說，努力幫我倆打氣。「孕婦在懷孕期間出現輕微出血，是很尋常的事。」很尋常沒錯，但指的是頭三個月。我已經懷孕五個多月，這絕不尋常。儘管如此，很多因素都可能導致出血，不代表一定是大問題。

「應該不要緊。」我說著，把一隻手放在肚子上，輕輕按壓。肚裡的寶寶馬上回應，緩緩伸了下懶腰，頂著我的肚子，我心中的大石瞬間放下，一股強烈的感激之情不禁湧現，熱淚盈眶。

「英國姑娘，我能幫上什麼忙？」傑米低聲問，把手環過來蓋在我的手上，托住我隱憂重重的肚子。

我把另一隻手覆在他手上，緊握著。

「祈禱就好，為我們祈禱，傑米。」我說。

第二十三章

人算不如天算

最大困難還是在於，
你必須非常迅速切斷心臟上方的幾條大血管，
這樣才能趁心臟還在跳動的時候將它拉出。
群眾喜歡這種畫面。

出血一早就停了，我小心翼翼起床，一切安然無恙。不過，顯然是時候了，我得停止在昂吉醫院的工作。我寫了一張字條，向希德嘉修女解釋不克工作的原因並致歉，然後派佛戈斯送去。不久他便回來，帶著修女的祈願和祝福，以及一瓶資深助產士極為推崇的褐色藥水——隨附字條是這麼寫的，說是可以有效預防流產。自從用過福黑先生的藥膏之後，我對別人給的藥物都有點半信半疑，不過仔細聞了一下，至少可以確定裡面的成分是純植物的。

猶豫了好久，我還是決定試喝一匙看看。藥水很苦，在我的嘴裡留下令人作嘔的味道。不過光是做點什麼，甚至是我認為可能沒用的事，都會讓我感覺心安些。現在，我大部分的時間都躺在臥室的躺椅上，看書、打盹、縫衣，或者只是把手放在肚子上發呆。

我一個人在家的時候是如此，如果傑米在家，他大部分時間都會陪我，跟我說說一天的工作，或者討論詹姆斯黨人最近的來信。詹姆斯國王顯然已經知道他兒子計畫投資波特酒的事情，而且全力贊成，他寫道：

「……非常理想的一個計畫，我不得不說，這將為你在法國贏得立足之地，正如為父所願。」

「這麼說來，詹姆斯認為這筆錢的用途，僅是為了讓法國人認可查理的紳士身分，為他在這裡掙得一些地位。」我說。「你覺得他心裡想的只有這些嗎？露易絲今天下午有來，她說查理上禮拜去找她，雖然她起先拒絕見面，但他堅持非見不可。她說他很興奮，得意洋洋的樣子，可是又不肯告訴她到底是什麼事，只是神祕兮兮一直暗示，他馬上要幹一番轟轟烈烈的大事業。『偉大的冒險』，她說他是這麼講的，聽起來不像只是投資波特酒這麼簡單，對不對？」

「的確不像。」傑米神情嚴肅地思考著。

「種種跡象看來，查理想的應該不單是作生意賺錢、安頓下來，成為人人敬重的商人而已。」我說。

「如果要我打賭，我願意押上全部家當。」傑米說道。「現在的問題是，我們要怎麼阻止他？」

經過幾天的頻繁討論，排除許多無用的選項之後，我們終於有了答案。那天穆塔夫來看我們，從碼頭帶了幾疋布料送到臥室來給我。

「聽說葡萄牙痘瘡大流行。」他邊說，邊將昂貴的波紋絲綢當用過的粗麻布似的，往床上一扔。「今天早上有艘船從里斯本運鐵過來，港務長加三個助手，鉅細靡遺把船檢查過一遍，不過什麼都沒發現。」他瞥見我桌上有瓶白蘭地，便倒了半杯，像喝水一樣大口豪邁喝下，看得我瞠目結舌，幸虧傑米的驚呼聲把我拉回現實。

「痘瘡？」

穆塔夫暫時停下他的豪飲說道：「是啊！就是天花。」說完又再度舉杯，有條不紊享受他的杯中物。

「天花。」傑米喃喃自語：「天花。」

漸漸地，他臉上的皺眉撫平了，眉間一道豎紋也消失了，整個人陷入沉思。他靠在椅上，雙手放在腦後，定定盯著穆塔夫，嘴角浮現一絲微笑。

穆塔夫只狐疑地看著傑米這一連串表情的變化，邊喝完杯裡的酒，弓著背坐在凳上，不動聲色。傑米則突然跳起來，繞著他的矮個兒族人打轉，吹起不成調的口哨。

「你想到辦法了嗎？」我說。

「有，」他說，自顧自輕笑起來：「我是有個辦法。」

他轉向我，眼裡閃著想到鬼點子的光芒。

「妳的藥箱裡是不是有藥可以讓人發燒？拉肚子？長痘子？」

「有是有……」我一邊思索，一邊緩緩說道。「有迷迭香，辣椒也行。要拉肚子的話，可以吃苦鼠李。問這個做什麼？」

傑米看著穆塔夫，調皮地咧嘴笑，十分滿意自己想到的妙計，忍不住大笑出聲，亂搔穆塔夫的頭髮，弄得跟刺蝟一樣。穆塔夫狠狠瞪他，模樣像極了露易絲的寵物猴。

「聽著……」傑米湊過來，神祕兮兮對我們說：「要是聖日耳曼伯爵從葡萄牙回來的船帶了天花，那會怎樣？」

我睜大眼睛看他。「你瘋了嗎？」但語氣還是很鎮定：「那會怎樣？」

穆塔夫這時插嘴：「萬一真的有天花，所有貨物都得沒收，要不燒毀，要不倒入海裡，法律規定的。」

他黑色的小眼睛這時閃過一絲興奮。「你打算怎麼做，小子？」

傑米稍稍收斂喜色，但眼裡的光芒依舊晶亮。

「這個嘛，」他老實說：「我還沒有完整詳細的計畫，但一開始是這樣的……」

這計畫經過好幾天的討論與研究，不斷改進，最後終於定案。用苦鼠李導致腹瀉的點子，因太傷元氣而不列入考慮。不過，我從雷蒙大師借我的草藥中，找到很好的替代品。

穆塔夫帶著一袋迷迭香精、蕁麻汁和茜草根，將在這週末出發前往里斯本，到了那邊，他會到水手常去的一些酒館嚼舌根，打探聖日耳曼伯爵僱了哪艘船，然後設法搭上那艘船，同時將船名和開船日期的消息送回巴黎。

我問傑米這種行為是否會令船長起疑，傑米回答：「不，這很常見。幾乎所有貨船都會搭載幾名乘客，不過，他們大多只能擠在甲板之間，但穆塔夫會盡量多帶點錢，讓船長非常歡迎他上船，連船長艙都可以讓給他住。」他豎起一根手指對穆塔夫搖了搖，要他特別留意這點。

「弄間艙房，聽到沒有？我不在乎花多少錢，你一定得要有個私人空間才能吃那些草藥，絕對不能讓人看到。就算沒辦法弄到艙房，也得在艙底弄張吊床。」他用挑剔的眼光打量自己的教父。「你有體面一點的外套嗎？如果你上船穿得跟乞丐一樣，他們還沒發現你毛皮袋裡裝的東西，就會先把你丟進港裡。」

「唔。」穆塔夫回道。這個矮個兒族人通常很少參與討論，但他只要一說話，必然頭頭是道，切中要點。「這藥我得什麼時候吃？」他問。

我掏出一張紙，上面寫著服藥指示和服用劑量。

「兩匙玫瑰茜草──就是這個。」我拍拍透明的玻璃小瓶，裡面裝滿深粉紅色的液體：「在你預計發作前四小時服用，喝了第一劑之後，每兩小時喝一次──因為現在無法預知你喝了多久會發作。」

我再遞給他第二個瓶子，這次是綠色玻璃瓶，裡面裝滿紫黑色的液體。「這是迷迭香葉精華液，作用很快，在你預計發作前半小時喝四分之一瓶，你應該半小時之內就會開始皮膚發紅，不過效果消失得也很快，所以如果你希望症狀不要突然停止，就得多喝一些。」我再從藥箱拿出另一個小藥瓶。「等到症狀進展到『發燒』，你可以在手臂和臉上擦些蕁麻汁，皮膚就會開始冒出膿包。你想留著這些指示嗎？」

他斷然搖搖頭。「不用，我會記住。留這張紙在身邊，比忘記怎麼服藥還要危險。」他轉向傑米。

「你會在奧維耶托上船是吧，小子？」

傑米點點頭。「對，船應該會在那裡入港。每艘運酒船都會在那兒補充淡水。如果沒有的話，那……」

他聳聳肩。「我會租艘小船趕上它。只要在抵達阿弗赫之前上船，應該就沒問題，但最好還是在西班牙沿岸上船。除非必要，否則我不想在海上待太久。」他揚起下巴，朝穆塔夫手上的瓶子比了一下。

「你最好等到我上船之後再喝那些藥水。既然沒人看到經過，船長可能會採取最省事的作法，趁夜把你丟到船尾。」

穆塔夫哼了一聲：「好，他可以試試看。」他摸了摸隨身短劍的劍柄，並用反諷語氣強調了「試試看」三個字。

傑米皺眉看著他說道：「不要忘記你有任務在身，你得假裝得了天花。運氣好的話，他們連碰都不敢碰你，不過，為了以防萬一……你要等我上船，而且等船完全離岸之後才能行動。」

「唔。」穆塔夫回應。

我打量一下眼前這兩個男人，這計畫雖然有點異想天開，但應該可以行得通。倘若船長相信有乘客感染天花，絕對不會把船開進阿弗赫港，讓海關有藉口依照法國的衛生禁令銷毀船上貨物。屆時他只能將整船貨送回里斯本，白跑一趟，或派人送信到巴黎，整船人貨在奧維耶托空等兩個星期。與其如此，他很可能願意把貨賣給剛上船不久的蘇格蘭殷實商人。

天花患者假扮得逼真與否，是這樁計畫的成功關鍵。傑米自願充當試藥白老鼠，結果作用相當顯著，短短幾分鐘之內，他的白皙皮膚就整個轉為暗紅，蕁麻汁旋即引發膿包，非常容易讓船醫或驚慌失措的船長誤認為天花。假若還有人存疑，喝下茜草排出的紅色尿液，絕對可以製造天花侵襲腎臟的完美假象。

「天哪！」一見識到茜草的神奇藥效，傑米不禁驚呼道。

我從他背後瞧著白瓷尿壺和裡面的深紅色液體，說：「這效果真棒！比我預期的還要好。」

「藥效多久才會消退？」傑米低著頭，相當緊張地問道。

「幾個小時吧，我想。怎麼啦？哪裡不對勁？」我說。

「沒有不對勁，只是有點癢。」他一邊說，一邊搔著。

「不關草藥的事，像你這年紀的小夥子，那是正常現象。」穆塔夫面無表情地插話。

傑米對他的教父笑了笑。「那麼久以前的事還記得呀？」

「比你出生還早，早到你想不到，小子。」穆塔夫搖頭道。

矮個兒穆塔夫開始將小藥瓶收進毛皮袋裡，有條不紊地在每個瓶子外面包上軟皮革，以防藥瓶破裂。

「我會盡快捎回船名和船隻出航的日子，離開西班牙後，不到一個月我們就會碰面，在那之前你籌得到錢吧？」

傑米點點頭。「下週吧，我想。」賈爾德的事業在傑米的管理之下，業務蒸蒸日上，但手頭現金仍然不足以買下整船波特酒，何況還要支付弗雷瑟家的其他開銷。不過，之前的「下棋策略」的成果已超越單一層面，小杜維內先生這位傑出的銀行家，已經欣然同意提供一筆可觀的貸款給父親的朋友。

「可惜，我們不能把貨運到巴黎。」傑米在籌畫時曾說：「聖日耳曼鐵定會發現的。我希望我們可以盡量透過西班牙的中介商把貨賣掉，我知道畢爾包有個不錯的人。最後的利潤一定遠不如在法國賣，而且稅也比較高，但魚與熊掌不可兼得，是吧？」

「我會想辦法償還杜維內的貸款。說到貸款，曼澤第先生借給查理王子的錢，他打算怎麼辦？」我說道。

「不指望查理會還了，我想。」傑米開心地說：「而且他每次一提到這件事，就會向所有歐陸銀行家詆毀斯圖亞特家族的名譽。」

「這對可憐的老曼澤第似乎有點殘忍。」我說道。

「是呀，但就如我奶奶說的，做蛋捲哪有不敲破雞蛋的。」

「你哪有奶奶？」我糾正道。

「是沒有。」他老實說：「但假如我有的話，她肯定會這麼說。」他很快收起嬉笑的態度。「再說，這對斯圖亞特家族也非常不公平。事實上，萬一詹姆斯黨人知道我所做的一切，他們一定會說這是背叛，他們說的一點也沒錯。」他用手揉揉眉毛，搖了搖頭，我在他的嬉皮笑臉下，看得出他十分嚴肅。

「沒有用的，英國姑娘。如果妳是對的——我現在已經為此賭上我的性命——那麼，這就是在查理王子的野心與蘇格蘭成千上萬生靈之間作選擇。我一點也不喜歡英格蘭的喬治王——他懸賞我的項上人頭，我怎麼可能喜歡他？但我不知道還有什麼選擇。」

他皺著眉，一隻手刷過頭髮，這是他在思考或心煩時的標準動作。「如果查理有機會成功……那麼，情況可能就不同了。為成就光榮的大業而冒險——但你們的歷史記載，他不會成功，我也不得不說，根據我對這個人的了解，你們的歷史應該是對的。他們都是我的同胞、我的家人，如果說他們的生命代價是銀行家的黃金……那麼，我自己的榮譽，根本不算什麼犧牲。」

他聳聳肩，表情半是逗趣，半是絕望。「所以，我現在已經從偷竊殿下的信件，升級到搶銀行、當公海強盜，看來是萬劫不復了。」

他沉默片刻，低頭看著自己擱在桌上緊握的雙手，然後轉過頭來，對我笑笑。

「我從小就想當海盜，只可惜沒辦法帶把彎刀。」他說。

我躺在床上，頭和肩用枕頭撐著，雙手捧著肚子思索著。不久前的頭一次緊急狀況後，我只有極少量出血，身體狀況也很好。不過，這個階段的任何出血，都可能是緊急狀況的前兆。我暗暗擔心傑米去西班牙的這段期間，我要是出了什麼事，不曉得怎麼辦。不過，擔心也沒用，他勢必得去，那船波特酒需要擔心的問題已經夠多了，實在沒有夫妻私情插足的空間。再說，如果一切順利，他應該可以趕得上迎接寶寶出生。

像現在這種情況，所有私人事務都必須先擺一旁，無論危險與否。查理已經壓抑不住內心的興奮，向傑米透露他近期之內需要兩艘船，甚至可能更多。他也詢問傑米對船體設計和甲板砲安裝的建議。他父親最近從羅馬寄來的信件已透出些許懷疑語氣——詹姆斯王的波旁鼻子有敏銳的政治嗅覺，嗅得到事有蹊蹺，但顯然還沒有人告訴他查理在忙些什麼。傑米對於解碼信件的內容知之甚詳，他認為西班牙的菲利浦國王應該還沒提到查理的提議或教宗的意圖，但詹姆斯王也有自己的眼線。

過了一會兒，我突然察覺傑米的神情有些改變。我看了他一眼，只見他雖然膝上攤著一本書，但卻許久不曾翻頁——他根本沒在看書，反而一直盯著我看。再說白一點，是盯著我睡袍岔開的地方看，那位置比符合禮教之處還要低好幾寸，不過話說回來，跟自己的丈夫躺在床上，似乎不太需要講究禮教。

他看得有點出神，深藍色的眼眸帶著渴望，我突然意識到，如果不是社會要求，跟自己丈夫躺在床上還顧慮禮教，實在非常不體貼，目前這種情況，自然有其他替代方案可以解決。

傑米發覺我在看他，微微臉紅，急忙將目光轉回書上，假裝認真讀著。我翻身側躺過來，將一隻手放在他的大腿上。

「書很好看喔？」我一邊問道，一邊慵懶地撫摸他。

「唔……是呀！」他兩頰紅暈加深，但眼睛還是死盯著書。

我竊笑，一手滑進被窩。他放下書。

「英國姑娘！」他說道：「妳知道妳不可以……」

「我不可以，」我說道：「但你可以，或者說，我可以替你服務。」

他堅決挪開我的手，把手放回我身邊。

「不行，英國姑娘。這樣是不對的。」

「這樣不對？」我訝異道：「為何不對？」

他難為情地扭捏著，不敢直視我的眼睛。「我……我覺得這樣不好，英國姑娘。從妳身上得到快樂，但卻不能給妳快樂……總之，我不喜歡這樣就是了。」

我把頭靠在他的大腿上，放聲大笑。

「傑米，你真是太可愛了！」

「我不可愛。」他憤憤地說：「我只不過沒那麼自私……克萊兒，不！」

「你打算再多等幾個月？」我問道，絲毫沒有停手的意思。

「我忍得了。」他說道，企圖維持他的男性尊嚴：「我都等了二、二十二年，現在當然可以……」

「不，不可以。」我說著便一把扯開被子，渴慕著他睡衣底下雄偉的隆起。我伸手愛撫，它輕輕顫抖，熱切堅挺地抵住我。「不管老天要你做什麼，傑米．弗雷瑟，絕對不是禁慾的教士。」

我熟練地撩起他的睡衣。

「可是……」他說。

「二比一，你輸了。」我說完便俯下身。

接下來幾天，傑米工作得特別賣力，為的是讓酒莊業務在他離開期間，仍可維持正常運作。儘管如此，每天午餐過後他還是會盡量撥空上樓，陪我小坐一會兒，所以那天僕人通知有客人來訪的時候，他也在場。我們家常有訪客，露易絲每隔一兩天就會來一趟，聊聊懷孕的情況，或為逝去的愛而感傷——雖然我私下以為，她其實比較喜歡將查理當作破鏡重圓的對象，在他們還是情人的時候，她反而沒那麼熱情。露易絲曾答應幫我帶些土耳其軟糖過來，因此我頗期待她粉紅的圓臉出現在門口。

不過，出乎我的意料，訪客是福黑先生。馬努斯親自領他進入我的起居室，並以一種近乎迷信的敬畏姿態，接過他的帽子和斗篷。

傑米驚訝地看著我們的訪客，不過他仍然起身，禮貌地迎接這位絞刑官，招呼他喝點小酒。

「我通常不喝烈酒的，」福黑先生笑著說：「但我不願辜負好同事的熱情款待。」他朝著我坐臥的躺椅，鄭重地行禮致意。「我想妳應該好多了，弗雷瑟夫人？」

「是的，謝謝你的關心。」我措詞很小心。他這趟來訪不知所為何事。福黑先生因為職務的關係，有相當不錯的社會聲望及財富，但他的工作應該不會有太多飯局邀約。不曉得絞刑官是否有社交生活可言，我突然好奇了起來。

他從房間那頭走來，將一小包東西放在我身旁，很像禿鷹爸爸帶晚餐回家給小鷹享用。我想到上次的絞刑犯油膏，不禁小心翼翼拿起包裹，放在手上掂掂重量，不重，有股淡淡的辛辣味。

「希德嘉修女的小小紀念品。」他解釋道。「據我所知，那是資深助產士最喜愛使用的藥方，她還寫了服用說明。」他從口袋掏出一張對摺密封的字條，遞給我。

我嗅嗅藥包。覆盆子葉、虎耳草，還有其他我不認識的藥草。希望希德嘉修女也列了藥材清單。

「替我謝謝希德嘉修女。」我說道。「醫院的大家最近如何？」我非常想念那裡的工作，也很想念修女和那幫組合怪異的醫生團隊。我們聊了一會兒醫院的事情和同事，傑米偶爾也會插上幾句，但通常只是帶著禮貌的微笑聽著，如果話題太過臨床專業，他便低頭喝幾口酒。

聽完福黑先生描述他如何成功修復粉碎的肩胛骨，我惋惜道：「真可惜，我從來沒看過。我真的好想念開刀房的工作。」

「是呀，我也會很想念的。」福黑先生點點頭，啜了一小口酒。杯裡的酒喝不到一半，顯然他不喝烈酒之事並非玩笑。

「你要離開巴黎？」傑米有點驚訝地說道。

福黑先生聳聳肩，長大衣的皺褶發出羽毛似的沙沙聲。

「只是離開一段時間。」他說道：「不過，這一走至少兩個月。事實上，夫人。」他又向我微微欠身：「這是我今天來訪的主要目的。」

「是嗎？」

「是的。我即將啟程前往英格蘭，我想到夫人可能希望有人幫忙帶些消息過去，這是舉手之勞，在下樂意之至。換句話說，夫人是否有任何想要聯繫的對象？」他以一貫的精準風格說道。

我瞥了傑米一眼，他的臉色大變，原本的他一直維持著禮貌傾聽的誠懇表情，臉上帶著愉快的微笑，隱藏所有想法。陌生人不會注意到這前後的差別，但我可以。

「沒有。」我欲言又止：「我在英格蘭沒有朋友，也沒親戚，自從……守寡之後，我就斷了與當地的所有聯繫。」每當這樣提及法蘭克，我心裡總會隱隱作痛，但我努力壓下情緒。

福黑先生可能覺得很奇怪，但他沒表現出來，只是點點頭，放下喝了一半的酒杯。

「我明白。妳在這兒有不少朋友，真是幸運。」他的語氣似乎隱含著警告意味，但他並沒看我，反而彎下腰去拉襪子，接著便站了起來。「等我回來再來拜訪你們，希望下次再見的時候，妳已經恢復健康。」

「去英格蘭是為了什麼事，先生？」傑米直截了當地問。

福黑先生轉向他，嘴角帶著淡淡的笑意。他歪著頭，眼睛發亮，像極了一隻大鳥，我嚇了一跳，這是我第二次有這種感覺，不過這次不是專吃腐肉的禿鷹，而是猛禽，以獵殺維生的鳥。

「像我這種職業的人，還會為了什麼事情出遠門，弗雷瑟先生？」他問道。「有人請我去執行我平常在做的工作，在史密斯菲爾德。」

「重要場合，我了解。」傑米說道。「我的意思是，聘請你這種技能的人需要有個好理由。」他的雙眼警戒著，但臉上除了禮貌性的詢問表情外，不露一絲情緒。

福黑先生的眼睛更亮了，他緩緩站起，低頭看著坐在窗邊的傑米。

「你說的沒錯，弗雷瑟先生。」他輕聲說道：「事關技術問題，不容分毫差錯。用一根繩子結束一個人的生命，啪！人人都會。但若要在墜落瞬間乾淨俐落地絞斷脖子，就需要精確計算體重和墜落速度，此外，繩結該怎麼綁也需要相當的練習。不過，如何拿捏分寸，精準執行叛徒的死刑，的確需要高度技巧。」

我突然覺得口乾舌燥，便伸手去拿酒杯。「叛徒的死刑？」我說道，但其實並不真的想知道答案。

「絞刑、開膛剖肚，然後支解。你一定是指這個吧，福黑先生？」傑米說道。

這位絞刑官點點頭。傑米有點不情願似的站了起來，面對著這位一身黑衣的瘦削訪客。他倆身高相去不遠，很輕易便能直視對方的眼。福黑先生朝傑米挪了一步，表情頓時變得專注，好像正要示範某種醫療程序。

「沒錯，」他說道：「那就是叛徒的死刑。首先得上絞刑架，就如你所說的，但下手判斷必須非常精準，如此一來，頸子才不會折斷，也不會壓到氣管——窒息並不是我們想要的結果，了解吧？」

「我明白。」傑米的聲音非常溫和，幾乎有點嘲諷的意味，我困惑地瞄了他一眼。

「真的嗎，先生？」福黑先生淡淡一笑，不等傑米回答，便繼續說下去。「時機是最重要的，你必須用雙眼精準判斷。臉部幾乎第一時間就會充血，要是膚色白皙的話，速度更快。等到犯人呼吸開始困難，舌頭會不由自主伸出嘴來，這是圍觀群眾最喜歡的一幕，當然還有眼珠彈出的畫面。但只要眼角轉紅，就代表小血管破裂了，這時，你就必須立刻打手勢，把吊著犯人的繩子割掉，因此一定要有個可靠的助手，了解吧。」他半轉過身看我，硬要我加入這個令人毛骨悚然的話題，我點點頭，儘管非常不情願。

「然後……」他轉回去面向傑米，繼續說道：「你得馬上施打興奮劑，讓犯人甦醒過來，同時脫掉犯人身上的襯衫——開口一定得整排開在前面，否則襯衫很難從頭上脫掉。」他伸出一根細長的手指，指著傑米襯衫中間的鈕釦，但沒真的碰到剛漿好的亞麻衣料。

「我想也是。」傑米說。

福黑先生收回手指，點點頭，很滿意這個回答。

「就是這樣。助手會事先把火點起來，行刑官不做這種事。接著，就是刀子上場的時刻。」

房間裡一片死寂，傑米臉上的表情仍然神祕莫測，但頸側有點點汗珠閃爍。

「這是最需要技術的一個步驟。」福黑先生解釋道，還豎起一根手指強調。「你的動作必須非常迅速，以免還沒完成犯人就斷了氣。調製一劑收縮血管的興奮劑，可以多爭取一些時間，但也不會太久。」

這時他發現桌上有支銀色的拆信刀，於是伸手拿起，握住刀柄，食指頂住刀刃，朝下對準桌上閃著光澤的核桃。

「就是那裡。」他說道，神情幾乎有點飄飄然。「在胸骨基部，迅速往下劃到腹股溝脊。大多數情況下，你可以很容易看見骨頭。」他把拆信刀劃過一邊，再劃過另一邊，飛快、精巧，有如蜂鳥之字形的飛行路線。「再來沿著肋弧劃開，千萬不能切太深，以免劃破內臟周圍的囊膜，但你還是得切開皮膚、脂肪和肌肉，而且必須一刀完成。這……」他向下凝視著自己在桌面上的倒影，滿意地說：「就是藝術。」

他將刀子輕輕放在桌上，轉身面向傑米，愉悅地聳聳肩。

「在那之後，便是速度的問題了，手也要夠巧，但如果你一路下來都做得很精確，通常不會有什麼問題。要知道，內臟是包在一層薄膜裡，外觀很像袋子。如果不小心沒有切開這層，小問題，只要加一點點力量，將雙手塞進肌肉層下方，就可以將整團內臟拉出。接著，快速在胃和肛門的位置切上一刀……」他輕蔑地瞟了拆信刀一眼：「然後就可以把內臟丟進火裡了。」

「喏，」他再次豎起一根手指：「如果你的動作夠迅速精確，此時應該會有短暫的空檔，但請注意，截至目前為止還未切斷任何一條大血管。」

我雖然坐著，還是覺得頭好暈。我現在的臉色一定跟傑米一樣蒼白。蒼白歸蒼白，傑米還是保持著笑容，彷彿是為顧及談話的禮貌。

「是為了讓犯人……多活一點時間嗎？」

「完全正確，先生。」絞刑官明亮的黑眼掃視傑米健壯的體格，馬上得知他肩膀和腿部肌肉的寬度。「這種休克的影響無法預測，但我曾經看過一個很強壯的男人，在這種狀態之下撐了十五分鐘才死去。」

「我想犯人感受的時間，應該遠遠超過這十五分鐘吧！」傑米嘲諷地說。

福黑先生似乎沒有聽到傑米的話，他又拿起拆信刀，一邊說話一邊揮著。

「隨著死亡腳步逼近，你必須往上進入胸腔，取出心臟，這裡也是需要技術的地方。心臟會收縮，但下方並沒有其他臟器可以幫它固定，而且位置比你想得還上面。此外，心臟也是最滑的。」他作勢在大衣下襬擦了擦手。「不過，最大困難還是在於，你必須非常迅速切斷心臟上方的幾條大血管，才能趁心臟還在跳動的時候將它拉出。群眾喜歡這種畫面。」他解釋道：「這個動作做得好不好，會大大影響你拿到的報酬。至於其他的……」他輕蔑地聳聳瘦削的肩：「就是單純的屠宰。生命一旦消逝，就再也不需要任何技巧了。」

「我想也是。」我虛弱地說。

「妳的臉色好蒼白啊，夫人！我光顧著聊這些乏味的話題，實在叨擾太久了！」他驚呼道。他伸手拉我的手，我努力壓抑將手抽回的強烈衝動。他的手冰冰涼涼的，但當他輕吻我的手時，嘴唇卻是溫暖的，落差太大，我也驚訝得縮緊自己的手。他回捏一下我的手，動作極輕，旁人根本無法察覺，接著他又轉身，向傑米正式鞠了個躬。

「我得走了，弗雷瑟先生。期待下次再見到你和你美麗的妻子……再續今朝。」兩人對視一秒，然後福黑先生突然想起他手裡還握著拆信刀，驚呼一聲，攤開手掌遞出手上的刀子。傑米挑起一邊眉毛，輕巧地拿起拆信刀。

「一路順風，福黑先生。」他說。「也謝謝你，」他半嘲諷地撇了下嘴：「今天教了我們不少東西。」

他堅持親自送客到大門，留我一人在房間。我起身走到窗前，站著努力深呼吸，直到福黑先生的深藍色馬車消失在甘保街的轉角。

我背後的門打開，傑米走了進來，手裡仍然拿著拆信刀。他故意走到立在壁爐旁的大粉彩罐前，鏗鏘一聲，將拆信刀丟進去，然後轉身向我，勉強擠出笑容。

「就警告的標準而言，剛剛那個警告非常有效。」他說。

我打了一個小小的寒顫。「可不是嗎？」

「你認為是誰派他來的？」傑米問道。「希德嘉修女？」

「我想是。我們上次在破解音樂密碼的時候，她曾經警告過我，說這麼做非常危險。」福黑先生來訪前，我始終不知道她說的到底有多危險。我已經好一陣子不會晨吐，但此刻竟又開始覺得反胃。如果詹姆斯黨人知道我所做的一切，一定會說這是背叛。一旦我們的事跡敗露，他們會祭出什麼手段？

從表面看來，傑米是個不折不扣的詹姆斯黨公開支持者，他藉此名義，探訪查理王子，宴請馬里夏爾伯爵，參加宮廷宴會。如今，他已經非常熟悉如何藉由弈棋、出入酒館、飲酒作樂，來破壞斯圖亞特家族的復辟計畫，不過表面上卻表現出一副積極支持的模樣。除了我們兩人之外，只有穆塔夫知道我們阻撓斯圖亞特家族起義的企圖——但是就連他也不知箇中原因，他只是無條件相信主子的話永遠沒錯。在法國活動，這種偽裝是必要的，可一旦他踏上英格蘭的土地，傑米馬上就會因這層偽裝淪為叛徒。

這些我當然早就知道，但我不知道的是，以逃犯身分被吊死和以叛徒身分被處決，兩者之間的差異竟然如此之大。福黑先生的來訪粉碎了我天真的想法。

「你還真平靜。」我說道，心仍驚得怦怦亂跳，手心冰冷，卻冒了一堆汗。我用衣服擦掉手汗，把雙手夾進膝蓋之間取暖。

傑米微微聳肩，對我撇嘴一笑。「不愉快的死法多得很，英國姑娘。如果我注定要受其中一種死法，我肯定非常不樂意。但真正的問題在於：我是否這麼害怕受折磨，怕到要停下正在進行的事嗎？」

他在我身旁坐下，拉起我的一隻手，用雙掌包住它。他的手掌很溫暖，而緊靠我身旁的結實身軀，讓我充滿安全感。

「這件事我已經思考好一陣子，英國姑娘，先是在修道院養傷的那幾個禮拜，再來是我們到巴黎的時候，然後是我認識查理王子的時候。」他搖搖頭，俯向我們交握的手。「我可以想像自己站在絞刑架上的樣子。我在溫特沃斯看過絞刑架——我跟妳說過嗎？」

「沒，你不曾說過。」

他點點頭，雙眼因回憶陷入茫然。「他們把我們一群死牢囚犯押到院子裡，逼我們在石頭上站成一列，觀看處決過程。那天他們吊死六個人，都是我認識的人。我看著他們一個個步上階梯，總共十二階，站定位，雙手綁在背後，脖子套上繩結，低頭看著院子。那時我在想，哪天要是輪到我的時候，我會如何踏上那些階梯。我會哭泣禱告，還是站得筆直，對著下面院子裡的朋友微笑？」

他突然搖搖頭，像狗兒甩落身上的水，對我一笑，略帶憂鬱之色。「無論如何，福黑先生所說的一切，我以前全都想過，但現在為時已晚了，褐髮美人。」他把一隻手覆在我的手上。「我是怕沒錯，但若不是我想要回家、想要自由，一定怕得不敢動手。褐髮美人，為時已晚了。」

第二十四章

布洛涅森林

布洛涅森林，在七聖徒大道附近。

這裡林木茂密，外人不易察覺，因此是相當熱門的非法決鬥地點。

明天，那裡的某塊隱密空地，將出現傑米和黑傑克，還有我。

福黑先生的來訪是一連串不尋常混亂的開端。

「夫人，樓下有個義大利人，他不肯透露姓名。」馬努斯來通報，嘴不太高興地噘了起來。我猜，這位訪客如果不願報上姓名，想必還對管家說了些不中聽的話。

從這點來看，再加上「義大利人」的稱呼，便足以讓我判斷訪客的身分，所以，當我走進客廳，發現查理王子站在窗前，並沒有太意外。

我一進門，他便轉過身，手裡拿著帽子。一見來者是我，顯然十分驚訝，張口結舌，但短短一秒他就發覺自己失態，連忙向我鞠躬致意。

「圖瓦拉赫堡爵士不在家嗎？」他問，眉毛不悅地皺在一起。

「是的，他不在家，想用點茶點嗎，殿下？」

他好奇地打量客廳四周的華麗陳設，卻搖了搖頭。據我知道，他先前只來過這房子一次，那次是他和露易絲幽會後跑到我們家屋頂。他和傑米都認為邀他參加我們辦的晚宴並不妥，畢竟沒有路易王的正式認可，法國貴族仍對他不屑一顧。

「不用了，謝謝，弗雷瑟夫人。我不坐了，僕人在門外等著，回我的住所還有一段很長的路程。我只是想請我的朋友詹姆士幫個忙。」

「我想我丈夫一定很願意幫忙，殿下——假如他有能力的話。」我小心地回答，心裡納悶著究竟是要幫什麼忙。借錢？很有可能，佛戈斯最近聽到小道消息，有不少裁縫、靴匠之類的債主都在抱怨他。

查理笑了，換上喜出望外、刻意討好的表情。

「我知道，夫人，我無法表達我多麼讚賞妳丈夫的貢獻與幫助。在我目前孤立無援的情況下，看見他忠心耿耿的樣子，總讓我十分窩心。」

「喔？」我說。

「我需要的幫忙並不困難。」他向我保證。「只是我最近有一筆小投資，我投資了一船波特酒。」

「真的？太有意思了。」我說。那天一早穆塔夫已經出發前往里斯本，毛皮袋裡裝著蕁麻汁和茜草根。

「這沒什麼。」查理高傲地抬手一揮，不屑他借來投資的一分一毫。「不過，我希望這批貨物到港後，我的朋友詹姆士能幫我把貨處理掉。因為，妳知道的嘛，」說到這裡，他胸一挺，下巴也不自覺微微抬起：「要是讓人看到我親自處理買賣的事，實在有失身分。」

「是，我完全明白，殿下。」我說著抿起唇。不曉得他是否跟他的合夥人聖日耳曼表達過這想法，只要有利可圖，聖日耳曼可是非常願意親自經手「買賣」的。在他眼裡，隨便一位法國貴族都比這個年輕的蘇格蘭僭君來得重要。

「這樁生意是殿下一人獨資？」我故作不知情。

他微微蹙眉。「不，我有一個合夥人，但他是法國人。我比較喜歡把生意所得交給同胞打理。再說，」他刻意補了一句：「我聽說詹姆士老弟是個非常精明能幹的生意人，說不定他有聰明的方法，可以幫我的投資多賺些錢。」

無論是誰向他提及傑米的經營才能，我想那人一定沒有告訴他，傑米可能是聖日耳曼最討厭的巴黎酒商。假如一切都按計畫順利完成，這倒不成問題。但萬一生意有任何差錯，讓聖日耳曼發現查理王子竟把他半數的獨家戈斯多斯波特酒，委託給他最痛恨的對手，他一定會勒死查理王子，把我們之間的所有恩怨一筆勾消。

「我相信我丈夫一定會盡最大努力，為殿下處理貨物，爭取最大利益。」我的話可沒半句虛假。

殿下十分和藹地向我致謝，很有王子接受忠臣服務的架式。他十分有禮地鞠躬、吻了我的手，離去時仍不斷表達對傑米的感激之意。馬努斯看來對這位皇族訪客十分不滿，面無表情在他背後關上門。

那天，傑米一直到我入睡後才回家，隔天早餐，我告訴他查理來訪，以及他的請求。

「天哪，不知道殿下會不會告訴伯爵？」他說。他迅速喝完粥，以促進消化，接著又繼續吃法式早餐，是淋上熱騰騰巧克力的奶油麵包。他一邊思考伯爵可能的反應，一邊啜飲熱可可，露出開懷的笑。

「不知道痛罵流亡王子算不算是冒犯君王？如果不算的話，我希望聖日耳曼聽到這件事的時候，殿下的家庭教師謝爾登也在身邊。」

走廊突然傳來一陣聲響，打斷我們的談話。不多久，馬努斯出現在門口，銀托盤上是封便箋。

「抱歉，老爺，送來這張字條的信差，希望您盡速展閱。」他鞠躬說道。

傑米雙眉一抬，拿起托盤上的便箋，打開細讀內容。

「該死的混蛋！」他的語氣相當嫌惡。

「怎麼了？」我問道：「還沒有穆塔夫的消息嗎？」

他搖搖頭。「沒有。這是倉庫領班送來的。」

「碼頭有麻煩？」

傑米的表情五味雜陳，焦躁，卻又忍不住笑。

「不完全是。應該說是有人困在妓院無法脫身，乞求我的原諒，」他哭笑不得，朝那封信比了一下：「還指望我去幫他。換句話說就是，」他完全了解信中的意思，邊把餐巾揉成一團，邊起身：「我願意幫他付錢嗎？」

「你願意嗎？」我也覺得好笑。

他哼了一聲，拍掉腿上的麵包屑。

「我想我非付不可，不然我就得自己管倉庫，我可沒這種閒工夫。」他皺起眉，盤算當天該做的工作。這事可能需要一點時間，而等著他處理的還有桌上的訂單、等在碼頭的一群船長，和倉庫的酒。

「我最好帶著佛戈斯，幫忙送信，萬一我趕不及，他或許可以送信去蒙馬特。」他無奈地道。

我看著傑米站在書桌旁，懊喪地翻著一大疊等著處理的文件，不禁說：「仁心貴於冠冕。」

「喔，是嗎？是誰說的？」他問道。

「我想應該是阿佛烈·丁尼生勳爵，他現在還沒出世，但他是個詩人。朗柏叔叔有一本英國名家詩集，裡面還有一首彭斯的詩，我記得，他是蘇格蘭人，他說過：『自由與威士忌同在。』」我解釋道。

傑米哼了一聲。「我不曉得他是不是詩人，但這起碼可以肯定，他絕對是蘇格蘭人。」他笑了笑，彎身親吻我的額頭。「晚飯我會回來吃，褐髮美人。好好照顧身體。」

—

我吃完自己的早餐，為了不浪費，還清光傑米留下的吐司，然後搖搖晃晃走上樓，小睡一會兒。第一次出血後，陸續有過幾次小出血，但都只有一、兩滴，幾個禮拜下來，所幸平安無事。不過，我還是盡可能臥床或待在躺椅上，只有到客廳接待訪客，或到飯廳與傑米一起用餐，才會下樓。然而，中午我下樓用餐時，卻發現餐桌只準備一人份的餐點。

「老爺還沒回來呀？」我有些驚訝地問道。老管家搖搖頭。

「還沒，夫人。」

「我想他很快就會回來。幫他留點食物，別讓他回來沒東西吃。」我實在太餓，沒辦法等傑米回來一起吃。如果太長時間沒吃東西，我又會開始噁心想吐。

午餐過後，我再度躺下休息。既然夫妻生活暫停，床上並沒有太多事情可做，只能閱讀或睡覺，所以我讀了很多書，也睡了很多覺。現在已經沒辦法趴睡了，仰睡又不舒服，因為寶寶會在肚裡亂動，所以只能側睡，抱著越來越大的肚子蜷曲著，像雞尾酒蝦裹著酸豆。我很少睡得沉，通常只是打盹，任思緒隨著孩子偶爾的輕微活動飄盪。

半夢半醒之間，我似乎感覺傑米在我身旁，但一睜開眼，房間卻空無一人，於是我又閉上眼，彷彿我也漂浮在無重力的溫暖海洋中。

終於，近傍晚時，臥室門口傳來一陣輕柔的敲門聲，將我吵醒。

「請進。」我說，一面眨眨剛睡醒的雙眼。進來的是管家馬努斯，滿臉歉意說又有客人來訪。

「是羅翰公主，夫人，公主希望等您醒來，但阿班維爾夫人也來了，我想也許……」他說。

「沒關係，馬努斯，我等會兒就下去。」我說，一面努力起身，將雙腳挪到床邊。

我很期待訪客上門。過去一個月我們停止一切宴客活動，現在已經有點想念那些喧鬧和閒談，儘管其中大部分都言不及義。露易絲常來陪我，為我帶來宮廷最新消息，但瑪麗．阿班維爾已經好一陣子沒見，不曉得今天是什麼風把她吹來的。

我十分笨拙地緩慢走下樓梯，由於體重日漸增加，每走一步，腳底就會傳來一陣軋軋聲。客廳的鑲板門關著，但仍可以清楚聽見裡面講話的聲音。

「妳想她知道嗎？」

我正要走進客廳時，聽到有人這麼問道，聲音壓得低低的，顯示八卦意味濃厚。我在門檻的地方停步，裡面的人剛好看不見我。

說話的是瑪麗．阿班維爾。她年邁的丈夫地位崇高，所以走到哪兒都很受歡迎，即使以法國人的標準來看，她都算得上相當喜歡交際，整個巴黎值得一聽的消息，瑪麗無所不曉。

「知道什麼？」回答的人是露易絲，響亮的尖嗓門有天生貴族的完美自信，才不管誰會聽到。

「妳沒聽說呀！」瑪麗高興得像小貓發現有新耗子可以玩弄，緊抓住這個八卦的良機。「天哪！難怪了，我自己也是一個小時前才聽說的。」

然後就趕緊跑來我家告訴我，我想。不管那消息是什麼，站在走廊比較可能聽到未經刪節的版本。

「是圖瓦拉赫堡爵士。」瑪麗說道，我不需要看她也想像得到，她此刻一定是身體前傾，綠眼珠左顧右盼，迫不及待分享小道消息：「就在今天早上，他向一個英國人提出決鬥挑戰，還是為了個妓女！」

「什麼！」露易絲的驚呼蓋過我自己倒抽冷氣的聲音。我連忙扶著身旁的小桌撐住自己，無數黑點在我眼前飛舞，我的世界開始瓦解。

「千真萬確！」瑪麗繼續說：「賈克．凡先在場，是他告訴我丈夫的！就在魚市場附近的那家妓院。妳想想，一大早就去妓院！男人真奇怪。總之，賈克在和妓院老闆埃利絲夫人喝酒的時候，樓上突然一陣嚇死人的怒吼，接著又是揍又是罵的，亂成一團。」

她停下來喘口氣，順便故意吊人胃口。我接著聽到倒液體的聲音。

「所以啦，賈克二話不說馬上衝到樓梯——他自己是這麼說啦，我想他應該是立刻躲在沙發後面吧，他膽小得很。接著又是一陣連揍帶罵，然後好大一聲，乒乒乒乒的，有個英國軍官跌跌撞撞衝下樓，衣衫不整，連假髮都來不及戴，就這麼一頭撞上牆。結果呢，站在樓梯頂，像個復仇使者的，竟然就是我們的小詹姆士！」

「不！我發誓他絕不可能……妳還是說下去吧！後來呢？」

傳來茶杯輕叩茶盤的聲音，接著瑪麗開口，掩不住透露祕密的興奮。

「唉呀，衝下樓的那個男人居然還沒倒地呢，而且馬上轉過來看著樓梯上的圖瓦拉赫爵士。賈克說，這人剛被趕下樓，連褲子都沒來得及拉上，但還真是鎮定，而且還笑得出來呢，但不是真心的笑，是那種很下流的笑。他說：『沒有必要動粗啊，弗雷瑟，等會兒就輪到你了，不是嗎？我以為你在家已經發洩夠了，不過啊，有些男人就是喜歡花錢找樂子。』」

露易絲驚呼。「太可惡了！真是個無賴！不過圖瓦拉赫爵爺又沒做什麼丟臉的事……」我能從聲音聽出她在友誼與八卦之間的掙扎，毫無意外地，八卦贏了。

「圖瓦拉赫爵爺現在沒辦法從妻子身上獲得滿足，她懷著孩子，而且還有流產的危險，所以他當然只能上妓院解決需求，不然紳士還能怎麼辦呢？繼續說下去，瑪麗！後來呢？」

瑪麗吸了一口氣，故事要進入高潮了。「圖瓦拉赫爵士衝下樓去，一把掐住那英國人的喉嚨，把他當老鼠一樣猛晃！」

「不！不會吧！」

「千真萬確！夫人整整動用了三個僕人才將他制服！真是個孔武有力的大塊頭，是吧？還真凶狠呀！」

「是呀，但後來怎麼樣了？」

「賈克說那英國人喘了好一會兒，然後挺起腰桿，對圖瓦拉赫爵士說：『你已經兩次差點殺了我，弗雷瑟。總有一天你會成功的。』然後圖瓦拉赫爵士用可怕的蘇格蘭方言罵個不停，我一個字也不懂，妳呢？——接著又掙脫抓住他的那些人，一拳就朝那英國人臉上揍過去。」露易絲聽到這裡倒抽了一口氣。

「他又說：『明天黎明就是你的死期！』然後就轉過身跑上樓去，那英國人也走了。賈克說他一臉蒼白，這也難怪！妳想想那場面就知道！」

我的確在想像那場面。

「夫人，您還好嗎？」馬努斯焦急的詢問蓋過了露易絲後來的驚呼聲。我伸出手四下摸索，他立刻接過我的手，把自己另一隻手撐在我手肘下方。

「我不太舒服，可以幫我……轉告那兩位女士嗎？」我朝著客廳無力地擺了擺手。

「沒問題，夫人，稍待一會兒，現在先讓我送您回房。請往這邊走，親愛的夫人……」他領我走上樓，一面攙扶我，一面不斷說著安慰的話。他扶我回到臥室的躺椅上，離開前還說要立刻派一個女僕來侍候我。

我沒等人來侍候。最初的震驚逐漸平息，我可以好好走路了，於是我起身走到房間另一頭，找我放在梳妝臺上的小藥箱。我並沒有要暈倒的感覺，但藥箱裡有瓶氨水，我想拿在手邊，以防萬一。

我把蓋子蓋回，動也不動地站著，凝視藥箱。有那麼一刻，我的腦袋拒絕意識眼睛所看見的畫面。一張摺得四四方方的白紙，好端端豎在五顏六色的藥瓶間。我恍惚間發現，把紙抽出來的時候，我的手指不斷顫抖，試了好幾次，才順利把紙攤開。

「對不起。」寫得又粗又黑，端正地躺在紙中央，底下一個「J」字同樣工整，再下來的附注，寫得倉促潦草，是他豁出去的心情：「我必須去！」

「你必須去。」我喃喃自語，雙膝癱軟，倒在地上，天花板的雕花飾板在上方模糊閃動，我居然在想，以前我一直以為十八世紀的女人常昏倒，是因為胸衣箍得太緊的緣故，現在我才知道，有可能是十八世紀的男人愚蠢透頂所致。

不遠處傳來一聲驚恐的尖叫，接著來了好幾隻手將我扶起，我感覺到身體底下是柔軟的羊毛床墊，額頭和手腕覆蓋冰涼的布巾，鼻子聞到醋的味道。

我很快就恢復知覺，但一點也不想開口說話。我向女僕保證我真的沒事，然後將她們趕出房間，倒回枕頭堆，努力思考。

那是黑傑克，毋庸置疑，傑米已出門去取他性命。我的腦袋一團亂，除了恐懼和猜測外，這是唯一明確的想法。但為什麼呢？什麼原因使他背棄對我的承諾？

仔細思量瑪麗剛剛敘述的經過——這話已經是第三手了。如果他倆只是意外撞見，應不致如此震驚，我想必然發生了更嚴重的事。我了解黑傑克，即便非我所願，我還是知他甚深。如果說我對什麼有把握，那就是，他不會只為妓院的尋常服務而花錢，單純享受女性肉體不是他的作風。他喜歡、需要的是——痛苦、恐懼、羞辱。

當然，這些東西也能買得到，只是價格會稍微昂貴些。我在昂吉醫院看得很多，知道有些妓女真正賣錢的地方不在兩腿之間，而是一副強健的筋骨和一身嬌貴的脆弱肌膚，極易瘀青，瞬間就能顯現鞭打和毆打的痕跡。

傑米自己的白皙皮膚便留有黑傑克「特別照顧」的痕跡，我想，應該是傑米撞見他對妓院的女人幹下類似的事，才因此拋開所有承諾與約束。傑米左乳乳頭下方有一小塊疤痕，那是黑傑克用燙紅的印戒烙下的印記。傑米後來把它挖掉，留下一塊小小的白色傷疤。這股強烈的憤怒，讓他寧願忍受體膚殘缺，也不願留著那可恥的印記。而此時，怒火更可能一觸即發，殃及點燃這把怒火的人——和他倒楣的後代。

「法蘭克、法蘭克！」我輕呼，左手不由自主蜷縮，黃金婚戒閃著微光。對傑米而言，法蘭克幾乎只是鬼魂，只是萬不得已時可以為我提供庇護的遙遠希望。但對我來說，法蘭克卻是曾經一起生活、同床共枕、有肌膚之親，但最後卻為了與傑米廝守，而狠心拋棄的人。

「我不能，我不能讓他這麼做！」我低語，對著房裡的空虛，對著肚裡伸懶腰、毫不受我情緒影響的小傢伙。

午後的明亮已褪為傍晚的灰，整個房間似乎滿是世界末日的絕望氣息。「明天黎明就是你的死期。」今晚不可能找到傑米了。我知道他不會回特穆蘭街，如果打算回來，就不會留下那張字條。他不可能明知一早要做的事，卻還在我身邊躺上一整夜。不，他肯定投宿某家客棧或酒館，在那裡獨自準備行使他誓言維護的正義。

我想我知道這地點會在哪裡。第一次決鬥的記憶深植於心，傑米為此斷髮備戰。我相信在選擇決鬥地點的時候，他會再次想起。布洛涅森林，在七聖徒大道附近。這裡林木茂密，外人不易察覺，因此是相當熱門的非法決鬥地點。明天，那裡的某塊隱密空地，將出現傑米和黑傑克，還有我。

我躺在床上，雙手緊抱肚子。我看著暮色褪為黑夜，深知今晚絕對徹夜難眠，現在只能靠著腹中小傢伙的輕微動作得到些許慰藉，然而傑米的話始終不斷在我耳邊響起：「明天黎明就是你的死期。」

布洛涅森林是一片幾近原始的森林，坐落在巴黎外郊，和巴黎的調性完全不搭。傳言森林深處仍有野狼、狐、獾潛藏，但這絲毫無法嚇阻熱情男女，到林蔭下的青草地尋歡作樂。這是遠離城市喧囂與髒亂的世外桃源，但因位置偏遠，未成為貴族的遊樂場。來此遊憩的多半是附近居民，在巨大的橡木與白樺樹下小歇片刻，也有一些遠道而來，想在此靜一靜的外地人。

布洛涅是片小樹林，但若要徒步搜尋容得下兩名決鬥者的空地，這裡仍嫌太大。夜裡下了場雨，黎明姍姍來遲，晨光微弱穿過烏雲密布的天空。森林兀自低語，雨滴輕打樹葉的聲音，夾雜著枝葉微微的窸窣。

馬車在通往森林的路上停下，附近的破舊民宅是沿路上的最後一小群建物。我交代了車夫該辦的事，他隨即跳下座位，拴了馬，消失在民宅間。住在森林附近的居民知道這條路下去會是什麼，這兒不可能有太多適合決鬥的地點，適合的地點，想必眾所皆知。

我坐回位置，將厚重的斗篷拉好，緊裹著在清晨低溫中發抖的自己。我感覺非常不舒服，徹夜未眠的疲憊不斷襲來，恐懼和哀傷壓得我透不過氣，但最難受的是心裡那把怒火，我只能盡力壓抑，免得壞了大事。然而，只要我稍一鬆懈戒備，這怒火便在不覺間燃起，就如此刻。「他怎麼能這麼做？」我在腦海裡不停喃喃自語，怒不可遏。我不該在這裡，我應該在家，靜靜地躺在傑米身旁休息。我不該被迫出來追蹤他、阻止他，忍著怒火、忍受身體不適。馬車顛簸讓我的尾椎疼痛不已。是的，他可能也很難受，我懂，但老天，呀，這可關係到一條人命，他那該死的自尊，怎麼可能比一條命重要？而且他沒有半句解釋，就離我而去！我還得從說三道四的鄰居口中才知道這件事。

「你答應過我的，傑米，可惡，你答應過我的！」我低聲說。森林裡一片寂靜，雨點不斷落下，霧氣繚繞。他們已經到了嗎？他們會來嗎？我會不會猜錯地方了？

車夫再度現身，帶了一個年輕小夥子，大約十四歲左右。他敏捷地跳上馬車，坐在車夫旁邊，揮手示意先前進再左轉。車夫啪一聲揮鞭，咋舌催馬慢慢小跑步前行，我們一路駛進逐漸醒轉的森林。

我們停了兩次車，車一停下小夥子便跳下去，衝進灌木叢，沒一會兒他又出現，搖頭表示不是這裡。第三次，他急奔回來，興奮之情溢於言表，我沒等他跑近叫車夫，就逕自打開車廂門。

我已經把錢準備好、握在手裡，隨即一把塞給他，同時抓著他的衣袖說：「帶我去看！快！快！」

我幾乎沒注意到小徑兩側密密交錯的樹枝，也沒發現衣服陡地被樹上的雨水浸濕。那衣衫襤褸的小夥子為我帶路，上衣同樣處處水漬。落葉在小徑上鋪成厚厚的軟墊，因此我們兩人的鞋子都沒發出聲。

我還沒見到那決鬥的兩人，就先聽到聲音，他們已經開始了。隔著濕漉漉的灌木叢，兵器互擊的聲音小了許多，但已相當清楚。陰雨的清晨沒有鳥兒歌唱，只有決鬥的殺戮聲迴盪耳邊。

那塊空地頗大，位於森林深處，但仍有小路可通，足以容納激烈決鬥的移動範圍。他們兩人身上只穿襯衫，在雨中打鬥，濕透的布料緊貼身體，露出肩膀和脊骨的弧線。

傑米說他的劍術比較好，也許吧，但黑傑克也不是省油的燈。他迂迴閃躲，身段柔軟如蛇，出劍狠如獠牙。傑米腳步輕快，出手精準，速度不遑多讓，個子這麼高大的人能有如此身手，實屬奇才。我一動不動看著，不敢叫出聲來，生怕分散傑米的注意力。他們在出劍和閃避之間快速往來過招，腳步在草地上如舞蹈般輕移。

我屏息凝神看著這一幕。天剛亮，我就想方設法找到這裡，想要阻止他們。現在人是找到了，卻沒辦法插手，深怕一有閃失就有人送命。我所能做的就是等待，看看我的哪個男人會先死。

黑傑克舉起劍要抵擋對方的攻擊，但速度不夠快，沒能擋住凶猛的來勢，劍飛了出去。

我張嘴大叫。就在黑傑克掉劍和傑米使出致命一擊之間的當兒，我本想大叫傑米的名字、要他住手。結果，我是叫了，聲音卻微弱地卡在喉嚨裡。因為久站，原有的背痛加劇，痛得我像拳頭蜷縮起來，突然間，我感覺某個地方斷裂了，彷彿拳頭原本握著的東西斷了開來。

我連忙伸手摸索，緊緊抓住身旁的樹枝。我看見傑米臉上流露勝券在握的篤定，我想在他深陷殺戮之氣時，只怕什麼都聽不見，決鬥結束前，他眼裡只有一個目標。黑傑克在利劍的無情進逼下節節後退，在濕草地上滑了一跤，弓起背想站起來，但草地很滑。他的衣服裂開，仰著頭，黑髮早已淋得濕透，頸間罩門大開，像乞求憐憫的狼。然而，復仇無所謂憐憫，傑米的劍並未往他喉嚨刺去。

我穿過灰暗的霧氣，只見傑米的劍往下一揮，優雅而致命，死神般冷酷。劍尖觸及仿鹿皮長褲的腰際，刺下後，再扭轉，往下劃去，霎時一攤暗紅色的血，染上黑傑克的褲子。

鮮血化為一道熱流沿著我大腿滑下，肌膚上的寒意則向內直透入骨。骨盆與背部交接處的骨頭逐漸斷裂，每次疼痛襲來，都像閃電從脊椎直劈而下，在臀部底端爆炸燃燒，摧毀一切，只剩大片焦土。

我的身體與感官似已支離破碎，什麼都看不見，也分不清眼睛是張是閉，一切的一切都墜入漩渦般的黑暗，偶爾還浮現不同的圖案，就像小時候玩的遊戲——夜裡閉上眼，用手壓住眼皮，就會看見浮動的圖樣。

雨滴打在我臉上，也重擊喉嚨和肩膀，滴滴都是千斤重的冰，打在我身上後，化成一道細小的暖流，畫過我冰冷的皮膚。在下半身一陣陣絞痛之餘，這種感覺格外清晰。我努力把注意力集中在雨滴上，強迫自己不去理會大腦中央那個冷漠的微小聲音，一副寫病歷的語氣：「妳現在肯定是大出血。從血量判斷，可能是胎盤破裂，有生命危險。大量失血造成手腳麻痺、眼前發黑。據說聽覺是最後消失的感官，應該是真的。」

無論這是不是我僅餘的感官，至少我還有聽覺。我聽得到聲音，大多是激動的語氣，也有些人力圖鎮定，但全都是法語。我唯一聽得懂的是我自己的名字，有人一遍又一遍地喊，卻與我有段距離。「克萊兒！克萊兒！」

「傑米。」我想叫出聲來，嘴唇卻凍得僵麻，完全沒辦法動。四周的騷動逐漸平靜下來。有人來了，至少有人願意表現出如何應付這種場面。

也許他們真的知道怎麼應付。有人把我大腿間濕透的裙子輕輕撩起，塞進一塊厚布墊。有人幫我把姿勢調成向左側躺，屈起雙膝靠向胸口。

「帶她去醫院。」我耳邊有個聲音建議。

「她撐不了那麼久。」另一個聲音完全不抱希望：「不如等個幾分鐘，再叫人來收屍。」

「不，出血和緩了，她可能還活著。而且，我認識她，我在昂吉醫院見過她。帶她去找希德嘉修女。」另一個聲音堅持己見。

我使出身上僅存的一點力氣，努力發出微弱的聲音：「修女。」然後便放棄掙扎，任黑暗將我淹沒。

第二十五章

雷蒙的藍色之光

雷蒙的雙手並沒移動，
但手上方似有彩色光芒隱約閃動，
在我雪白的肌膚上，
撒下玫瑰色和極淺的藍色光芒。

我上方是尖拱支撐的拱形天花板。尖拱是十四世紀的建築特色，也就是四根拱肋從柱子頂端往上延伸，兩兩交叉成拱形。

我的病床就擺在其中一個尖拱下，四周圍了薄紗布簾保護隱私，可是尖拱的中心點並未正對著我，病床的位置偏離中心數呎，害我每次往上看，心裡總覺得有些彆扭，一直想用念力移動病床，彷彿把床移到屋頂中央正下方，我的所有魂魄也會跟著歸位。

如果我還有魂魄可言的話。我的身體傷痕累累，一碰就疼，像遭過一頓痛打。關節也疼痛不堪，感覺鬆垮垮的，像是因壞血病鬆動的牙齒。我身上蓋了好幾條厚重的毛毯，這些毛毯的功用是保溫，而我已無體溫可保，黎明那場雨的寒氣已深入我骨髓。

我觀察著身體所有的症狀，彷彿那是別人的病，除此之外，我什麼也感覺不到。我腦中那個微小而理智的核心仍在，但環繞這個核心、決定我表達方式的情緒機制已死，也許是癱瘓了，也或者根本消失。我不知道，也不關心。我已經在昂吉醫院躺了五天。

希德嘉修女的修長手指透過我的病袍，以一貫的溫柔動作探查腹部深處，看子宮是否因收縮而變硬。但我的腹部軟得像熟爛的果實，在她的觸摸下陣陣發疼，我疼得縮起身，她皺起眉，嘴裡輕聲念念有詞，可能是在祈禱。

在那陣呢喃中我聽到一個名字，不禁問道：「雷蒙？妳認識雷蒙大師？」我實在很難把眼前這位令人敬畏的修女，和骸骨巢穴裡的小侏儒聯想在一起。

希德嘉修女挑起粗濃的眉毛，一臉驚訝。

「妳叫他『雷蒙大師』？那個邪裡邪氣的江湖郎中？上帝保佑！」

「我以為妳說了『雷蒙』。」

「嗯。」她又繼續在我的腹股溝皺褶處，用手指查看有無腫大的淋巴結，這是感染的徵兆。它們長在哪兒，我心裡有數。我摸索過自己空洞的身體，知道它們的位置。我也可以察覺發燒、痠痛和骨髓深處的寒氣，等到寒氣進逼皮膚表面，就會如火焰般燃燒。

「我是在祈求聖雷蒙．雷敏的幫助。」希德嘉修女解釋道，把冷水盆裡的方巾拿出來擰乾。「他是孕婦的主保。」

「我已經不是孕婦了。」我隱約看到她眉間閃過一陣痛楚，但她連忙幫我擦拭額頭，那痛苦的表情隨即消失。她用浸了冷水的方巾，輕柔地擦拭我的臉頰，再往下擦拭因發熱而汗濕的脖子。

我忽然碰到冷水時，不禁打了個哆嗦，她立即停下動作，謹慎地將手放在我額頭上。

「聖雷蒙不是挑剔的人。」她說，有點責備的意味。「我是盡可能地尋求幫助，我建議妳也如此。」

我閉上眼，退回灰濛濛的避風港。現在那片灰霧似乎多了點隱約的光，像夏日遠方地平線上忽隱忽現的閃電。

我聽見希德嘉修女站直身子，黑玉念珠搖晃著發出輕響，門邊傳來一位修女的低語，請她去看看另一名情況緊急的病人。不過在快要走到門口的時候，她忽生一念，連忙轉身，厚重的裙襬一揚，擺出下令的架式，指著我的床腳，喝道：

「鈕釦！腳邊，趴下！」

狗兒和主人一樣毫不遲疑，伶俐地轉身，踩著不疾不徐的步伐躍上床腳。先是用爪子順了好一會兒床單，然後像是為此處解除咒語似的，逆時鐘轉了三圈，這才安然躺在我腳邊，把鼻子靠在腳掌上，滿意地大大舒了口氣。

希德嘉修女安了心，邊走邊喃喃道：「上帝保佑你，我的寶貝。」然後便不見蹤影。

我在重重迷霧和徹骨寒意包圍下，恍惚地向她道謝。她知道我沒有孩子可以抱在懷裡，所以為我安排了最好的替代品。

毛茸茸的狗兒壓在我腳上，那重量確實是有形的小小安慰。鈕釦靜靜躺著，讓人想起聖德宜大教堂墓園裡，歷代國王棺蓋上，都在國王腳邊刻著狗兒的身影。牠的體溫驅走我雙腳的無情寒意，有牠在，我無論有沒有人陪，看上去都好得多，因為牠對我一無所求。我什麼都感覺不到，也完全無法付出。

鈕釦放了個小小的響屁，又沉沉睡去。我拉起被蓋住鼻子，努力效法牠進入夢鄉。

我終於睡著了，而且還作了夢。我一邊發燒，一邊夢見疲憊與荒涼的情景，夢見自己不停做著永無完成之日的工作，在一塊滿是石頭的貧瘠土地上，無止境地痛苦勞動著；我夢見灰色濃霧，失落像霧中的惡魔，穿過重重濃霧朝我追來。

我猛然醒了過來，發現鈕釦不見了，但我並非獨自一人。

雷蒙的髮際線是完全水平的，像有人用尺在他額頭畫了道直線。他把濃密的花白頭髮披在腦後，直垂到肩，所以一大片額頭像巨石般凸出，蓋過臉上其他部分。此刻他的臉就在我上方盤旋，盯著我發燒的雙眼直看，活像盯著墓碑石板。

他和修女說話時，臉上的皺紋微微牽動，我覺得那些紋路就像字母，寫在額頭那塊石頭下方，努力想鑽到石頭表面，顯出死者的名字。我相信再過一會兒，我的名字就會清晰地顯現在那塊白色石板上，等那一刻到來，我就真的死了。我弓起背，放聲尖叫。

「你看！她不想見你，你這噁心的老傢伙，你打擾到她了，走開！」希德嘉修女強行架起雷蒙的胳膊，把他拉開我床邊，但他堅決不從，像立在草坪上的侏儒石像一般文風不動。這時莎莉絲特修女出手幫了希德嘉修女大忙，一人一邊抬起他的腳，把他架走。雷蒙的雙腳不斷在半空中瘋狂亂踢，一隻木屐掉在路上。

那隻木屐側躺在落地之處，豎在擦洗過的石板地面中央。發著高燒的我，視線無法離開那隻木屐。我循著木屐磨損的邊緣，一遍又一遍地來回看著那不可思議的平滑弧線，每看一遍，都得用力把自己的目光拉出那片深不可測的黑暗。因為假如我任自己進入那片黑暗，我的靈魂就會被吸入混沌之中。注視著那隻木屐，我可以再次聽見通過石圈陣的剎那，時間飛逝的聲音。我揮舞雙臂，發狂似的亂抓塞滿棉花的被褥，找尋穩住自己的方式，抵抗這不明的幻覺。

突然間一隻手臂從布簾後竄出，有隻因勞動而發紅的手，抓起木屐便消失不見。我失去集中注意力的焦點，視線繞著石板地的凹溝打轉了好一會兒，燒昏的頭腦紊亂不已，後來望見地上規則的幾何圖形，才稍稍定下心神，迷迷糊糊地沉沉睡去。

然而，即使在夢中我還是不得平靜，我累得步履蹣跚，走著一個又一個迷宮，遇見不斷重複的圖形，無盡的迴圈與渦紋。在重複單一規律的世界盡頭，我終於看見一張不規則的人臉，打從心底覺得如釋重負。

那張不規則的臉是扭曲的，因為它惡狠狠地蹙眉，嚴峻地抿著唇。要不是我發現有隻手重重壓著我的嘴，我根本沒意識到自己醒了。

這頭怪獸緊抿著唇，嘴閉成長長的一條線，湊到我耳邊。

「別出聲，親愛的！再被她們發現，我就完蛋了！」那對黑漆漆的大眼來回掃視，小心翼翼注意著布簾的動靜。

我緩緩點頭，他鬆開蓋在我嘴上的手，手指上有淡淡的氨水和硫磺味。我想他應該是找來（或偷來）一件破爛的灰色修士長袍，套在他骯髒的天鵝絨藥師袍外。長袍的兜帽正好蓋住他的白髮和顯眼的高額。

發燒引起的幻覺稍稍消退，取而代之的是我僅有的一點好奇心，但我太虛弱了，最多只能說出「我……」，但我一開口，他又將一根手指壓在我唇上，同時掀開我蓋的被單。

我困惑地看著他迅速解開我的內衣綁帶，敞開至腰際。他的動作非常迅速、專業，不帶任何慾望。並不是我認為竟有人想非禮我飽受折騰的病體，特別是希德嘉修女不在的時候，只是這樣的動作不免讓人……

我微微入迷地看著他的掌心包住我的乳房。他的手掌很大幾近正方形，每根手指都很長，拇指更是異常柔軟，靈巧地貼著我的乳房弧線。我看著他的手竟清楚地想起瑪莉安·詹金森，她曾與我一起在彭布羅克醫院受訓。她在護士宿舍對一群聽得出神的室友說過，男人拇指的尺寸和形狀，直接反映他私密部位的品質。

「這是真的，我發誓。」瑪莉安把一頭金髮誇張地往後甩，正色道，可是當大家逼她舉幾個例子時，她卻只是咯咯甜笑，眼睛轉呀轉地轉向漢利中尉，他長得很像大猩猩，卻有一對超大的拇指。

雷蒙碩大的拇指輕輕壓著我身體，逐漸加重力道。我感到自己的乳頭在他結實的手掌下腫脹立起。和我發燙的皮膚一比，他的手掌冰得多。

「傑米。」我說，同時打了一個哆嗦。

「噓，夫人。」雷蒙說。他的聲音低沉溫和，卻有些出神，儘管他的雙手此刻正在我身上忙碌著，但注意力好像並不在我身上。

我又開始打起哆嗦，彷彿我體內的熱氣都傳到他身上，但他的手並沒有變暖，手指仍是冰冰涼涼的。在高燒漸漸從骨髓深處退去、起伏不定之際，我開始冷得發抖。

午後陽光穿過床邊布簾的層層紗幔，成了灰暗的光。雷蒙的雙手被我雪白的乳房一襯，更形黝黑，但他骯髒指間的陰影並非黑色，而是……藍色，我想。

我閉上眼，盯著隨即出現在眼簾後的雜色渦紋。當我再次睜開眼，彷彿某種同色的花紋還留在眼前，罩著雷蒙的雙手。

熱度逐漸消退，我思緒也清楚了些，眨眨眼想抬起頭看明白些。雷蒙稍稍加強按壓的力量，要我躺回去，我把頭靠回枕頭上，只能偶爾斜眼打量。

這個情景並不是我想像出來的——或者真是想像？雷蒙的雙手並沒移動，但手上方似有彩色光芒隱約閃動，在我雪白的肌膚上，撒下玫瑰色和極淺的藍色光芒。

我的乳房開始溫暖起來，那是健康的自然體熱，不是發燒帶來的難受高溫。從外面拱廊吹進來的微風，終於穿過布簾，撩起我太陽穴上汗濕的頭髮，但我一點也不覺得冷。

雷蒙低著頭，整張臉埋在長袍的兜帽裡。過了一段感覺很長的時間，他將雙手從我的乳房移開，極其緩慢地移至雙臂，在肩膀、手肘、手腕和手指關節之處輕輕捏壓。原有的痠痛消除了，我看見上臂皮下隱約浮現一條藍線，骨之幽靈正在發光。

他持續徐緩觸摸著，雙手沿著我的鎖骨凹處，再順著身體經絡而下，張開手掌蓋住我的肋骨。

整個過程最怪異之處是，我一點也不驚訝，似乎那是再自然也不過的事，我飽受折磨的軀體，在他雙手形成的硬模中舒服地放鬆，如模製蠟胚般融化、重塑，唯一固定不動的只剩骨架。

那雙方正寬闊、工人般的雙手，散發一種奇異的溫暖，小心翼翼地在我的身上緩慢移動，我能確實感到血液中的細菌逐漸死去，每一丁點感染在微小的爆炸後消失。我能完整而立體地感覺到體內每個器官，更能清楚看見，彷彿這些器官就一一放在我面前的桌上。中空的胃、厚重的肝葉，百轉千迴的腸道，整齊地包在晶亮的腸膜中。那股暖流不斷在各個器官之間散播開來，像是我體內的小太陽，照亮每個臟器，然後熄滅，前往下一站。

雷蒙頓了一下，雙手並排壓在我腫脹的肚子上。我想他應該是皺著眉，但很難看得清楚。兜帽下的頭側耳傾聽，遠方同時傳來醫院日常的喧囂，沒有可疑的腳步聲朝我們這兒來。

我倒抽一口氣，不由自主動了起來，因為他的一隻手往下挪，包覆我雙腿間片刻，另一隻手上則加重力道，示意我保持安靜。接著他圓鈍的手指便緩緩進入我體內。

我閉上眼等著，感覺我的內壁正在適應這突兀的侵入。他輕輕地往內探，一點一滴解除發炎狀態。此時他抵達孩子流掉的中心點，一陣抽痛，子宮的厚壁收縮，我發出細微的呻吟，他搖了搖頭，於是我閉緊雙唇。

他的另一隻手向下滑，停在我肚子上安撫我，另一隻在我體內摸索的手則觸著子宮。他靜止不動，雙手捧著我痛苦的根源，彷彿捧著水晶球，沉重而脆弱。

「現在，叫他，叫那個紅衣男子，叫他的名字。」他輕聲說。

他加重手指與手掌的力道，我雙腿狠狠抵著床，想要反抗那股力量，但是身上已沒有半點力氣，只能承受那無情的力量，任它壓碎那顆水晶球，釋放球內的混沌。

我的腦海充斥著各種影像，比發燒作夢的痛苦更難耐，因為感覺更為真實。悲傷、失落、恐懼折磨著我，死亡和白粉筆的粉塵味充塞我的鼻腔。我在腦海胡亂浮現的圖像中倉皇求救，只聽見那聲音仍耐心而堅定地輕喚：「叫他的名字！」我在找尋我的錨。

「傑米！傑米！」

兩掌之間一道熱流射穿我的肚子，像穿過骨盆中心的箭。原先壓迫的力道鬆開了，一股祥和的輕盈充滿體內。

床架一陣搖動，原來他在千鈞一髮之際躲進床底。

「夫人！您沒事吧？」安琪莉可修女猛然拉開布簾，頭巾下的圓臉愁得發皺，眼底的關切藏著無奈。修女們知道我快死了，如果我在做死前最後的掙扎，她就準備要請神父來了。

她小而有力的手先放在我的臉頰上，然後迅速移到額頭，接著又回到臉頰。此時我的內衣仍在大腿處皺成一團，病袍也是敞開的。她將雙手伸進袍裡，夾在我腋窩下，停了好一會兒才抽出。

「讚美主！」她大叫，雙眼濕了。「燒退了！」她突然俯身湊過來，緊張地盯著我瞧，想要確認退燒不是因為我死的緣故。我有氣無力對她笑了一下。

「我沒事，告訴希德嘉修女。」我說。

她熱切地點點頭，趕緊幫我把被子蓋好，就匆匆離開房間，完全忘了拉上布簾，雷蒙此時便從床底下冒了出來。

「我得走了。」他說，將一隻手放在我頭上。「保重，夫人。」

我儘管虛弱，仍奮力起身，抓住他的手臂，順著他結實的肌肉往上摸索，找著，但什麼也沒發現。他的皮膚光滑，毫無瑕疵，一直到肩頭都無斑痕。他驚訝地盯著我看。

「妳在做什麼，夫人？」

「沒事。」我又躺回床上，滿心失望。我身子太弱，腦袋太昏，只怕無法把話說清楚。

「我想看看你有沒有接種疫苗的疤痕。」

「接種疫苗？」即使我現在非常善於觀察人的臉部表情，無論掩飾速度多快，我都有辦法看見臉部最細微的抽動，但此時卻無法從雷蒙臉上看到任何反應。

我雙手輕輕擱在微凹的肚子上，彷彿不敢驚擾裡面那片破碎的空虛。「我的孩子沒了。」

他看起來略為吃驚。

「我並不是因為孩子才幫妳，夫人。」

「那是為什麼呢？」我並非真心希望他回答，但他回答了。我倆疲憊已極，彷彿一同漂在時間與因果皆不存在的空間裡，我們之間除了真誠，別無他物。

他嘆了口氣。

「每個人都有自己的顏色。」他說道：「就在他們周圍，像雲一樣。妳的是藍色，夫人。就像聖母馬利亞身上的斗篷，跟我一樣。」

布簾輕輕飄起，他走了。

第二十六章

楓丹白露

我曾經見過驅使他復仇的那股狂暴的力量，

深知它無法永遠迴避。

但我只求幾個月的寬限，這是他親口對我的承諾，

到頭來他卻無法等待，背棄了自己的諾言。

我連睡了好幾天，究竟是復元的必經過程，還是不願醒來面對現實的倔強，我不知道。我只勉強醒來吃點東西，再旋即陷入昏睡之中，肚裡肉湯微小而溫暖的重量彷彿變成了錨，拉著我往睡眠的深淵直直墜下。

幾天後，耳邊一股聲音把我喚醒，我意識到有雙手將我抱離病床。抱著我的是一雙剛強的手臂，那一瞬間，我感覺到一種漂浮的快感，接著我便完全清醒了，但無力地抵抗陣陣襲來的菸味和廉價酒味，我發現自己竟然躺在雨果的懷裡，露易絲家裡那個身材壯碩的男僕。

「放我下來！」我一面說，一面虛弱地捶打他。他大為吃驚地看著我突然從死裡復活，差點兒就要把我扔下，但一個尖細強勢的聲音阻止了我們兩個。

「親愛的克萊兒，我的好友！別怕，不要緊的，我帶妳去楓丹白露，那裡空氣好、食物新鮮，正是妳現在所需要的。還有靜養，妳需要靜養……」

我像新生羔羊，朝著光線眨了眨眼，接著看見露易絲圓潤而粉紅的臉，帶著焦急神情浮現在不遠的地方，好像雲端的小天使，希德嘉修女則站在她的背後，高大而威嚴，有如伊甸園守護天使，她倆都站在昂吉醫院大廳的彩繪玻璃前面，更強化了這天堂般的幻覺。

「對！」她說，低沉的嗓音使這個最簡單的字變得無比有力，勝過露易絲的吱喳。「這對妳有幫助，再見了，親愛的。」

就這樣，我被抱下昂吉醫院的臺階，稀哩呼嚕地進了露易絲的馬車，既沒有力氣也不想反抗。地面窪洞和前車駛過的路面凹痕使馬車顛簸得厲害，所以在前往楓丹白露的途中，我一路醒著。這趟旅行的目的在讓我安心，所以露易絲一路上不停跟我說話。起初，我強打起精神試著回應，但很快就意識到她並不需要我回答，不需要回答的交談就輕鬆多了。

在醫院冰冷的灰石拱頂之下躺了多天之後，我覺得自己像是剛被解開繃帶的木乃伊，在光線和色彩的襲擊下萎縮，但我發現，如果讓它們徹底將我沖刷過一遍，接下來就變得比較容易忍受。

這個策略十分有效，直到我們抵達楓丹白露外圍的一座小樹林。林中的橡木樹幹又黑又粗，樹冠很低而且面積寬廣，下方地面只有隨著枝葉不斷搖曳的細碎陽光，整片樹林看起來就像在風中輕微移動。我恍惚地欣賞這片光影效果，但卻發現我原本以為是樹幹的東西，竟然在動，以非常緩慢的速度來來回回地擺動。

「露易絲！」我出聲大叫，並且抓住她的手臂，打斷她的喋喋不休。

她重重地橫撲在我身上，從我這邊的窗戶看我到底瞧見了什麼情景，然後一屁股坐回她的位置，把頭伸出窗外，對車夫大吼。

我們在樹林前緊急煞車，馬車滑行過時揚起滿天塵土。他們有三個人，兩男一女。露易絲激動地高聲抱怨並質問，車夫不時插話打斷，似乎是在解釋或道歉，但我沒有注意。

儘管他們的身體有些擺動，而衣服也有細微飄動，但他們本身卻是一動也不動，比吊住他們的樹木更加僵直。他們的臉因為窒息而發黑，這讓我嚇得腦袋恍惚地想：「福黑先生絕對不會允許這樣的狀況。」明顯是業餘手法，儘管這樣，還是達到致死的效果了。風向改變，一股淡淡的腐臭味撲向我們。

露易絲驚聲尖叫，氣極敗壞地猛敲著窗邊，馬車猛地開動，將她拋回座位上。

「可惡！」她說，一面急急搧著她紅撲撲的臉蛋。「真是愚蠢，竟然停在那種地方！太冒失了！這種驚嚇對我肚裡寶寶一定很不好。還有妳，親愛的，我可憐的克萊兒！呃，對不起，我不是故意要讓妳想起……求妳原諒我，我實在太口無遮攔了……」

她怕我因為眼前的情景而心煩，但這份擔憂反而使她忘記自己看見屍體的不快。不過，要讓她停止抱歉實在非常累人，於是我無可奈何地把話題轉回被吊死的人。

「誰？」話題轉移成功，她眨了眨眼，想起自己受到的驚嚇，趕緊掏出一瓶氨草精油，狠狠嗅了一陣，結果反射性地打了一個噴嚏。

「胡格……哈啾！胡格諾教徒❶。」她打出噴嚏，然後擤鼻喘氣。「新教異端，這是車夫說的。」

「所以吊死他們？現在還會這樣？」不知為何，我一直以為這種宗教迫害已經是過去的事了。

「通常不單單只是因為新教徒的身分，雖然這點就夠了。」露易絲擤擤鼻子說道。她拿出繡花手帕優雅地擦擦鼻子，仔細端詳上面的痕跡，然後又用手帕再擤擤鼻子，心滿意足地哼了一聲。

「這樣舒服多了。」她將手帕塞回口袋，靠在椅背上嘆了口氣說道：「現在終於好些了。真是嚇人，如果真要吊死他們也就算了，但有必要在大家公用的道路旁邊這麼做嗎？這麼噁心的場景，女士經過一定會瞧見的，妳聞到那味道嗎？這是梅達伯爵的領地，我一定要寫封信狠狠地罵罵他，妳看我敢不敢。」

「但他們為什麼要吊死這些人呢？」我問道，粗魯地插話是與露易絲真正交談的唯一方法。

「巫術吧！這是最有可能的原因。裡面有個女人，妳也看到的。有女人牽涉其中的，通常就跟巫術有關。如果只有男人，多半就是煽動人心和鼓吹異端邪說，但女人不會傳道。妳看到她那身醜陋的深色衣服嗎？太恐怖了！整天穿著深色衣服真是讓人覺得鬱悶。哪種宗教會規定信徒穿著那麼醜的衣服？顯然是魔鬼在作祟，任何人都看得出來。他們害怕女人，就是這麼回事，所以他們……」

我閉上眼睛，靠回座位，並希望露易絲的鄉間別墅不會太遠。

除了堅持帶在身邊的那隻猴子外，露易絲的鄉間別墅也有不少品味奇特的裝飾品。在巴黎，她必須顧及丈夫和父親的品味，因此住宅固然布置得富麗堂皇，但風格低調。朱勒很少來到鄉間別墅，巴黎的工作太忙了，所以露易絲得以在這裡自由展現自己的品味。

「這是我的新玩具，妳看可不可愛？」她柔聲說道，一隻手愛憐地撫摸著牆上一座突兀的黑木雕刻小屋，旁邊是尤莉狄絲❷造型的鍍金青銅燭臺。

「這看起來像是布穀鳥鐘。」我不太確定地回答道。

「妳以前看過？巴黎不可能找到同樣的東西！」得知她的玩具可能並非獨一無二，露易絲微微噘起嘴來，但又旋即恢復開朗，興匆匆地將時鐘指針撥快一鐘頭，然後往後一站，滿臉笑容、得意洋洋地看著時鐘裡面的小鳥兒探出頭來，連續發出響亮的「布穀！」叫聲。

「妳看是不是很特別呀？」她趁小鳥退回藏身洞穴之前，迅速地摸了摸它的頭。「柏塔，就是這裡的管家，幫我弄來的，她託她的兄弟一路從瑞士帶回來。不管妳覺得瑞士人怎樣，但他們木雕手藝真是高超極了，是吧？」

我想說不是，但開口卻只能喃喃說些婉轉的稱讚。

活潑的露易絲很快又跳到新的話題，可能是剛剛提起瑞士人時想到的。

「妳知道嗎，克萊兒，妳真的應該每天早上到小禮堂望彌撒。」她帶著些微責備的語氣說道。

「為什麼？」

她將頭往門口的方向一甩，那裡正好有個女僕端著托盤走過。

---

❶十六～十七世紀時在法國的喀爾文教派的名稱，因為喀爾文教派的影響，在政治上持反對君主專制的立場，使得胡格諾教徒幾度受到政府當局公開的迫害。

❷希臘神話中音樂鼻祖奧菲斯之妻，因意外喪生，奧菲斯潛入冥間將她帶回，但卻在最後關頭回頭看她，破壞了與冥王的約定，奧菲斯只得一人落寞返回人間。

「我是根本不在乎，但我僕人可不這麼認為——妳也知道，鄉下人很迷信。我的巴黎住所有個男僕，竟然蠢到相信妳是白夫人，而且還把整件事全部告訴廚子。我當然跟他們說過那些都是無稽之談，而且還威脅要開除散播八卦的人，但是……我想，如果妳肯來彌撒，可能有所幫助，至少偶爾大聲祈禱，讓他們聽到妳的聲音。」

像我這種信仰不堅的人，要我每天到別墅的小禮拜堂望彌撒可能有點困難，但基於好玩的心理，我答應盡力減輕僕人的恐懼，因此，接下來的一個小時，露易絲和我輪流朗讀詩篇，並且一起背誦天主經，而且是大聲地朗誦。我不知道這種作法會對僕人產生什麼影響，但至少使我筋疲力竭，累得上樓休息，接著就一睡到清晨，整夜沉睡無夢。

我通常很難入睡，可能是因為我的清醒狀態其實跟不舒適的瞌睡差不多。我總是徹夜難眠，眼睛盯著白石膏天花板上面發亮的花果雕塑，它們就懸在我頭上，像黑暗中黯淡的灰影，反映著我白晝時的憂鬱。就算在夜裡閉上眼睛，我也是不安穩地作夢。我也無法阻止那些帶著灰影的夢，它們披著鮮豔的色彩攻擊黑暗中的我。因為如此，我很少睡著。

—

傑米沒有捎來任何消息，也沒有任何關於他的消息。他沒能到醫院看我，原因究竟是被捕還是受傷，我不知道。總之，他就是沒來，他也沒來楓丹白露。此刻他也可能已經前往奧維耶托了。

有時候，我不禁會想我們何時，或者是否會再見面，以及見面時我們會對彼此說些什麼，如果還有話可說的話。不過，在大部分情況下，我寧可不去想它，就讓日子來來去去、一天一天地過，不去想未來和過去，只活在當下。

失去了景仰的人，佛戈斯意志消沉，我一次又一次從房間窗口看見他悶悶不樂地坐在花園的山楂灌木底下，抱著膝蓋望向通往巴黎的道路。最後，我忍不住了，強撐著尚未復元的身體下樓去找他。我步履沉重地走下樓梯，踏上花園小徑。

「你不能找點事做嗎，佛戈斯？一定有馬廄小廝需要幫忙之類的。」我問他。

「是的，夫人。」他猶疑地應允道，一邊心不在焉地撓著屁股，我看著他這番舉動，疑心大起。

我將手臂叉在胸前說道：「佛戈斯，你長蝨子了嗎？」他像是被燙到似的，趕緊縮回搔癢的手。

「沒有，夫人！」

我彎下腰，把他拉起來，仔細嗅了嗅他身上的味道，然後一根手指探進他的衣領，拉開時看見脖子上一圈汙垢。

「去洗澡。」我簡單明瞭地說道。

「不要！」他猛然躲開，但我抓住他的肩膀。他的激烈反應嚇著我了，我自己對洗澡的興趣並沒有比一般巴黎人高到哪裡——他們厭惡浸泡的感覺幾乎接近恐懼了——儘管如此，我還是很難想像我平日認識的那個聽話孩子，竟然變成我現在這個在手裡扭動不停的憤怒小子。

一陣撕裂聲之後，他便趁機逃脫了，像被黃鼠狼追趕的兔子般躍過黑莓樹叢，弄得樹葉沙沙作響，石頭亂翻，然後就消失在圍籬那頭，通往別墅後方外屋的方向。

我穿越別墅後方數間宛如迷宮的破舊外屋，一邊閃避泥水坑和汙物堆，一邊喃喃咒罵著。突然之間，傳來一陣高頻的嗡嗡聲響，一群蒼蠅從我面前幾呎的小堆飛起，屍體在陽光下閃著藍色光芒。

我並沒有接近到足以驚動蒼蠅的地步，顯然是糞堆旁邊的漆黑門口有些動靜。

「啊哈！抓到你了，你這骯髒的小兔崽子！馬上給我出來！」我大聲叫道。

沒有人出現，但棚屋裡頭傳來一陣騷動，我從外頭瞥見陰暗的棚內有個白色影子，於是我捏住鼻子，跨過糞堆走進棚內。

空氣中同時響起兩股害怕的喘息聲，一股是我發出的，因為我看見後牆靠著一個看起來像是婆羅洲野人的東西，而另一股則是他看見我出現而發出的。

陽光穿過木板之間的縫隙流淌入內，亮度足夠讓我們清楚看見對方的模樣。等到眼睛適應周遭的黑暗之後，我發現他並沒有我剛開始以為地那般可怕，雖然他也沒有好到哪裡去。他的鬍子汙穢糾結，頭髮也是，髮長過肩，披散在破爛有如乞丐衣服的襯衫上。他腳上沒有穿鞋，而且如果「無套褲漢」❸這個詞彙還未盛行的話，絕對不是因為少了他的努力。

我並不怕他，因為他明顯比較怕我。他將身體緊緊貼在牆上，彷彿想要利用滲透作用穿牆而去。

「沒關係，我不會傷害你的。」我安慰道。

他並未因此卸下心防，反而突然挺直身子，手伸進襯衫裡面，掏出一個繫在皮繩上的木製十字架，朝我比畫一下，然後開始禱告，聲音因為恐懼而顫抖。

「討厭，該不會又來了吧！」我氣惱道，然後深吸一口氣。「我們的天父……」他的眼睛瞪得老大唸到一半，手裡緊握十字架，看到我的反應後，他至少停止了自己的禱告。

「……阿門！」我呼了一口氣，幫他結束禱詞。我舉起雙手，在他的面前擺動。「聽到了嗎？沒有倒拼的字，『求你今天賞給我們日用的食糧』順序也都唸對了吧？我的手指都沒有交叉，所以，我不可能是女巫，是吧？」

男人緩緩放下他的十字架，站在原地目瞪口呆地看著我。「女巫？」他說道，表情反而是以為我發瘋了。我覺得情況似乎有點不對勁。

「你剛剛不是以為我是女巫嗎？」我說道，開始覺得有點愚蠢。有個像是笑容的動作出現在他臉上，然後在他糾結的鬍鬚之間漾開。

「不，夫人，是我習慣了別人說『我』是那種東西。」他說。

「你是？」我緊緊盯著他看，除了衣衫襤褸和骯髒外，這個男人明顯餓壞了，露出襯衫衣袖的手腕瘦得跟小孩一樣，但他的法語說得優雅又有教養，儘管口音有點奇特。

「如果你是巫師，想必當得不是很成功。你究竟是誰？」我說。

此時，他又再度流露出驚恐的眼神。他環視兩側，想要逃走，棚屋儘管老舊，但蓋得倒是挺扎實的，除了我站立的門口外，沒有其他出口。最後，他鼓起僅剩一點勇氣，挺起腰桿——身高大概比我矮十公分——以莫大的尊嚴說道：「我是來自日內瓦的沃特．洛朗教士。」

「你是神父？」真是晴天霹靂，我無法想像一個神父——無論是不是瑞士人——怎會落得這般田地。

洛朗神父看起來幾乎跟我一樣驚嚇。

「神父？」他重複我的話：「神父？才不是！」

我突然明白了。

「胡格諾教徒！沒錯，你就是新教徒，對吧？」我說，腦中想起吊在森林裡的屍體，我想那就足以解釋一切了。

❸無套褲漢（sans-culottes）一詞是法國大革命時期對城市平民的稱呼。當時法國貴族男子盛行穿緊身短套褲，膝蓋以下著長統襪，而平民則穿長褲，不加套褲，故稱無套褲漢。這原是貴族對平民的譏稱，但不久成為革命分子的同義詞。

他的嘴唇不禁顫抖，他將嘴唇緊抿好一會兒，才開口回答我的問題。

「是的，夫人。我是一名牧師，我在這個教區已經傳教一個月了。」他舔了下嘴唇，眼睛看著我。「不好意思，夫人，我想妳應該不是法國人？」

「我是英國人。」我說道。他一聽，整個人就放鬆下來，好像有人突然把他脊椎整個抽走似的。

「感謝天父，所以妳也是新教徒嘍？」他虔誠道。

「不，我是天主教徒。」我回答道：「但我一點也不憎恨新教徒。」看到他淺棕色的眼睛再度浮現緊張的神情，我急忙補上這句。

「別擔心，我不會跟別人說你在這裡。我猜你來是想偷點東西吃吧？」我同情問道。

「偷竊是罪！」他一臉驚駭地說。「不是的，夫人。不過……」他緊閉雙唇，但眼睛卻飄往別墅的方向，洩漏了心思。

「所以有僕人幫你帶吃的，你讓他們去幫你偷竊，不過我猜你之後可以赦免他們的罪，所以沒有關係。我不得不說，你的道德標準可真低呀！」我責備道：「但這些都不關我的事，我想。」

他的眼裡閃現希望的光芒說道：「妳是說，妳不會叫人來抓我，夫人？」

「不會，當然不會。我可以體會逃犯的心情，我自己差點就被燒死在火刑柱上。」我實在不明白自己為何如此多話，可能是慶幸遇到一個似乎明智的人吧，我想。露易絲體貼、虔誠、善良，但她的頭腦就跟她客廳裡的布穀鳥鐘差不多簡單。提起瑞士時鐘，我突然意識到洛朗牧師的祕密教友會是誰了。

「聽著，如果你要留在這裡，我就去別墅告訴柏塔或莫里斯，你在這裡。」我說。

這個可憐的男人全身上下只剩皮膚、骨骼和眼睛，他思考的每個念頭全都反映在那兩顆巨大、溫和的棕色眼球裡。此刻，他顯然是在想，曾經試圖把我燒死在木樁上的人真是做對了。

「我聽說，有個英國女人，巴黎人叫她『白夫人』，她是異端雷蒙的同夥。」他緩緩說道，伸手握住他的十字架。

我嘆了口氣接著說道：「那就是我，但我不是雷蒙大師的同夥，我不這麼認為。他只是一個朋友。」看到他瞇著眼睛疑惑地看著我，我再度吸了口氣。「天主經……」

「不、不，夫人，拜託。」出乎我意料，他竟然放下十字架，而且面帶微笑。

「我也是雷蒙大師的舊識，我們是在日內瓦認識的，他在那裡是個著名的醫生和草藥郎中。現在，我擔心他已經轉而追求更為邪惡的能力，但目前還沒有證據可以直接證明。」

「證據？證明什麼？『異端雷蒙』的稱號到底是怎麼回事？」

「妳不知道？」棕色的眼睛上的稀疏眉毛揚起。「那妳應該沒有參與雷蒙大師的……活動。」他明顯鬆了一口氣。

「活動」這個含蓄的用語似乎意指雷蒙在醫院治療我的儀式，所以我搖搖頭。

「我沒參與，但希望你可以告訴我。不過，我不該站在這裡說話，我應該先去叫柏塔送些食物過來。」

他帶著尊嚴搖搖手。

「這個不急，夫人。相較於靈魂的慾望，身體的慾望無足輕重。無論是天主教徒與否，妳都對我非常仁慈。如果妳現在還沒涉入雷蒙大師的神祕活動，那麼應該有人及時提醒妳。」

他不管地板的髒汙和朽裂的木牆板，盤了腿就直接靠著棚屋牆壁坐下，並且優雅地示意我也坐下。出於好奇，我在他的對面坐了下來，小心翼翼地將裙襬掖好以免沾到糞便。

「妳聽說過杜卡雷福這個人嗎，夫人？」牧師說道。

「沒有？我向妳保證，他的名字在巴黎是無人不曉，但妳最好不要提起。這個男人組織並領導一個難以名狀的邪惡墮落團體，專門從事最惡劣的祕密活動，我無法勉強自己為妳說明詳情，但有些特殊儀式甚至是在貴族之間祕密進行，而他們竟然還敢說我是巫師！」他喃喃說道，幾近嘟囔。

他舉起一隻瘦骨嶙峋的食指，彷彿是要搶先防堵我尚未出口的抗議。

「夫人，我知道這種流傳甚廣的八卦，沒有事實根據——但誰會比我們更了解這回事呢？不過，杜卡雷福和他信徒的活動是人人皆知的，他因為這些活動而遭到審判、監禁，最後更因為他的罪行被燒死在巴士底廣場。」

我想起雷蒙說過一句玩笑話：「在巴黎沒有人因為施展巫術而被燒死……至少過去二十年沒有。」我打了一個寒顫，儘管天氣十分暖和。

「你是說雷蒙大師與這個杜卡雷福有所關聯？」

牧師皺起眉頭，無意識搔著亂蓬蓬的鬍子，他身上可能有蝨子和跳蚤，我想，於是微微地往後挪開。

「這很難說。沒人知道雷蒙大師是從哪裡來的，他會講好幾種語言，但都沒有明顯的口音，非常神祕的一個人，但雷蒙大師是個好人，我願意以上帝之名起誓。」

我對他笑了笑說道：「我也這麼認為。」

他微笑點頭，但隨即又嚴肅起來，繼續講述他的故事：「正是如此，夫人。不過，他還是與來自日內瓦的杜卡雷福有所聯繫，這是他親口說的，所以我才知道他提供杜卡雷福想要的各種物品：植物、萬靈藥、乾動物皮，甚至還有一種魚——世界上最怪異可怕的東西，他告訴我那是從最黑暗的海底深處抓上來的，非常嚇人的東西，全身都是利牙，幾乎沒有肉，最可怕的是還有小燈，像小燈籠似的，在牠的眼睛下方。」

「真的。」我出神地說。

洛朗牧師聳聳肩。「當然，這一切可能非常單純，只是生意上的來往，但是當杜卡雷福開始遭到懷疑的時候，他也同時從日內瓦消失，就在杜卡雷福被處決後幾個禮拜，我開始聽說雷蒙大師已經在巴黎建立事業，而且他還接手了杜卡雷福的許多祕密活動。」

我想起雷蒙的內室，和畫著卡巴拉符號的櫃子，為了嚇阻相信這些標誌的人。「還有呢？」

洛朗牧師揚起眉毛。

「沒了，夫人，我知道的就這樣了。」他有氣無力地說。

「好吧，我自己真的沒有涉及諸如此類的事情。」我向他保證。

「這樣很好。」他略為遲疑地說。他靜靜坐了一會兒，彷彿正在打定什麼主意，接著便禮貌地對我點了點頭。

「請恕我冒昧，夫人，柏塔和莫里斯跟我提過妳小產的事情。我很遺憾。」

「謝謝。」我說，眼睛盯著陽光在地板上投射出的一條條光影。

又是一陣沉默，然後洛朗牧師謹慎問道：「妳的丈夫呢，夫人？他沒有過來陪妳？」

「沒有，我不知道他現在人在哪裡。」我說，眼睛還是盯著地板。幾隻蒼蠅突然冒了出來，發現沒有食物，一下子就飛走了。

我不是故意要多說的，但是不知為何我抬起頭，看著面前這個衣衫襤褸的瘦小傳道人。

「他在乎自己的榮譽，多過在乎我，或他的骨肉，或一個無辜的人，我不在乎他現在人在哪裡，我再也不想見到他了！」我苦澀地說道。

話才說完，我不禁顫抖起來。在此之前，我從來沒把這個想法行諸語言，甚至是對我自己，但它是真實存在的。我們之間曾有過深刻的信任，但傑米為了復仇而親手毀了它。我可以理解，我曾經見過驅使他復仇的那股狂暴的力量，深知它無法永遠迴避。但我只求幾個月的寬限，這是他親口對我的承諾，到頭來他卻無法等待，背棄了自己的諾言。他這樣做，等於犧牲了我和他之間的一切，不僅如此，他甚至危及我們所致力的事業。我全都可以理解，但就是無法原諒他。

洛朗牧師將一隻手放在我的手上。他的手很髒，滿是結塊的汙泥，指甲也斷了，指縫卡滿黑色汙垢，但我沒有把手縮回。我以為他會講些陳腔濫調或說教，但他也不發一語，只是輕輕地握著我的手，就這麼維持好長一段時間，陽光橫越了地板，蒼蠅也緩慢而沉重地從我們頭上嗡嗡飛過。

「妳該走了，我會想妳的。」他最後鬆開我的手說道。

「希望如此。」我深深地吸了一口氣，心情如果沒變好，至少也穩定許多。我摸摸長裙的口袋，我習慣隨身攜帶一個小錢包。

我猶豫了一下，不想冒犯他。畢竟，從他的觀點而言，我即使不是女巫，也算是個異教徒。

「你願意接受我的一點小錢？」我小心翼翼問道。

他想了一想，然後笑了，淺棕色的雙眼閃閃發亮。「可以，但有個條件，夫人。可否讓我為妳祈禱？」

「就這麼說定了。」我說道，便把錢包給了他。

第二十七章

再見路易

我一動也不動地杵在門口，眨了眨眼睛。

原本我正思索著在國王面前寬衣解帶的禮儀，但此刻心中只剩下驚訝。

待在楓丹白露的日子一天天過去，我的體力逐漸恢復，但我的精神仍持續委靡，不敢觸及任何回憶，也不敢思考任何行動。

露易絲的鄉間別墅鮮有訪客，是一處避難所，先前那些在巴黎的狂熱社交生活如今看來，似乎是另一個折磨我的不安夢境。因此，當女僕請我到客廳會見訪客時，我非常驚訝，直覺來人可能是傑米，讓我突然一陣頭暈目眩，但隨即又恢復理智：傑米現在一定已經前往西班牙，八月下旬才可能回來，但他何時去的？

我想不起來，決定暫時不去思考這個問題，但在繫好鞋帶準備下樓前，我的手仍不住地顫抖。

結果出乎意料，「訪客」是馬努斯，賈爾德巴黎宅邸的管家。

「請您原諒，夫人。」他一見到我便深深鞠躬說道：「我不敢擅自臆測，但我無法判斷這件事是否重要，而且老爺也不在……」這個老管家平時在家氣勢十足，可是一旦遠離他的勢力範圍竟是如此惶惶不安。他花了一些時間說明事情的來龍去脈，最後終於拿出一張摺疊密封的便箋，上面署名是給我的。

「這是穆塔夫先生寫來的。」馬努斯說道，敬畏的語氣中帶著些許反感，我想這就是他有所猶豫的原因。巴黎宅邸的僕人都對穆塔夫又敬又怕，在聖多諾黑街事件的傳聞出現之後，更加嚴重。

「便箋在兩個星期前就寄到巴黎宅邸。」馬努斯說道，僕人們不知該怎麼處理，幾經躊躇與商議，最後他決定帶來讓我過目。

「老爺不在。」他重複道。這次我終於注意到他在說什麼了。

「不在？」我說。便箋因為長途旅程而變皺褪色，在我的手中輕如樹葉。「你的意思是傑米在這封便箋寄到之前就離開了？」我糊塗了，這張便箋一定是穆塔夫寄來通知我們查理王子那批波特酒的貨船名稱及離開里斯本的船期。沒有收到通知以前，傑米不可能前往西班牙。

彷彿是為了驗證這點，我拆開彌封，打開便箋。信上署名給我，因為傑米認為比較不會有人想要攔截我的郵件。信寄自里斯本，日期已經是將近一個月前，信裡沒有簽名，但也沒有這個必要。

「斯卡拉曼德利號七月十八日從里斯本出發」，這是信上唯有的訊息。我很驚訝穆塔夫的字寫得如此小巧整齊，不知何故，我一直預期自己會看到凌亂潦草的筆跡。

我抬起頭看見馬努斯和露易絲正在交換非常奇怪的眼色。

「怎麼了？」我突然脫口而出：「傑米在哪兒？」我以為他沒去昂吉醫院探視小產的我，是因為他內疚自己的魯莽行動害死了我們的孩子，害死了法蘭克，而且還幾乎賠上我的一條性命。那時，我不在乎，也不想見到他，但現在，我開始想到另一個更險惡的理由可以解釋他的缺席。

終於，露易絲開口了，她挺挺圓潤的肩膀上陣。

「他現在人在巴士底監獄，因為決鬥的關係。」她深吸一口氣說道。

我雙膝一軟，不得不就近坐了下來。

「你們為什麼都不告訴我？」我分不清楚自己聽到這個消息的感覺，震驚？恐懼？還是小小的滿足？

「我、我不想讓妳難過，親愛的。」露易絲結結巴巴說道，看到我反應如此痛苦，她大為吃驚。「妳很虛弱……畢竟妳也幫不上什麼忙，況且妳也沒問。」她解釋道。

「但那要……要關多久？」我問。無論我的最初感受如何，此刻都已經被一股突如其來的迫切感所取代。穆塔夫的便箋早在兩個星期前就已經送達特穆蘭街，傑米應該在收到消息後啟程，但他卻沒有。

露易絲喚來僕人，一口氣吩咐送上葡萄酒、氨草精油和燒焦羽毛，我猜，我現在看起來一定相當嚇人。

「他違反了國王的命令，他得在監獄待到國王高興為止。」她在忙亂中停下來說道。

「天殺的該死！」我咕噥道，希望我還有更強烈的字眼可說。

「幸好爵爺沒有殺死對方。」露易絲趕緊補上一句。「如果對方死了，懲罰可是會更嚴重……唉呀！」

她連忙將條紋長裙拉向一旁，及時躲開一股腦落下的巧克力和餅乾，因為我不小心打翻了剛剛送上的點心。托盤噹啷地掉到地板上，但我一點也不在乎，只是低頭盯著她看。我的雙手緊握在胸前，右手蜷曲護著左手手指上的金戒。這圈細細的金屬似乎快要在我的皮膚上燃燒起來。

「他沒死嗎？」我問，恍如身在夢境。「藍鐸……他還活著？」

「怎麼啦，是呀！」她說道，一臉狐疑地抬頭看著我。「妳不知道嗎？他受了重傷，但聽說復元了。妳還好吧，克萊兒？妳看起來……」我的耳裡轟隆作響，她接下來說的話我一個字也聽不見。

「妳活動太多、太快了。」露易絲將窗簾拉開，嚴厲說道：「我不是叮嚀過了嗎？」

「你是說過。」我說。我坐起身來，將雙腿挪到床緣外側，小心翼翼地檢查昏倒過後有無後遺症。頭腦不會暈眩，耳朵沒有耳鳴，眼睛沒有複視，也不會感覺快要跌倒。生命徵象一切正常。

「我需要我的黃色連衣裙，然後可否請妳幫我叫輛馬車，露易絲？」我問。

露易絲驚恐地看著我：「妳要出門？胡鬧！克勞梭先生就要來了，我已經派人請他馬上趕過來了！」社交圈名醫克勞梭先生正從巴黎趕來看我的消息，可以作為我下床的充分理由，要是派得上用場的話。再過十天就七月十八日了。如果用上快馬、天氣晴朗而且兼程趕路的話，從巴黎到奧維耶托六天就可到達，這代表我只有四天的時間可以將傑米從巴士底監獄救出來。我沒有時間和克勞梭先生瞎耗了。

「那麼，至少叫個女僕來幫我更衣吧，我不想克勞梭先生看見我這副邋遢模樣。」我環顧房間若有所思地說。

雖然她仍一臉懷疑，但這理由說得過去，宮廷仕女就連臨終之際也會起床盛裝打扮，以確保不失禮數。

「好吧！」她同意了，轉身離開。「不過，妳得待在床上等依芳進來，聽到了嗎？」

黃色連衣裙是我最好的衣服之一，時髦的布袋款式寬鬆優雅，寬翻領，合身袖型，還有一串珠飾掛在前面。依序撲粉、梳頭、穿襪，噴上香水之後，我停下來打量依芳替我準備的鞋子。我左看右看，帶著品評的眼光皺起眉頭。

「不，我不要這雙，我想穿別雙，改換那雙紅色摩洛哥羊皮革高跟鞋好了。」我最後說道。

女僕不解地看了看我的衣服，心裡彷彿在估量黃色雲紋絲綢搭配紅色摩洛哥羊皮革的效果，不過最後仍然順從地轉身，在巨大的衣櫥底下翻找。

我踮起穿著襪子的腳尖走到她的背後，猛推一把，使她頭朝下摔入衣櫥，然後把門甩上，將掉落的成堆衣服和擁擠尖叫統統關進衣櫥裡面。鑰匙一拔，俐落地丟進口袋，在心中和自己握握手，「幹得漂亮，博尚。妳從這一切政治陰謀學到的東西，是護士學校那群人永遠無法想像的，這點毋庸置疑。」我想。

「別擔心，很快就會有人放妳出來，妳可以告訴公主，不是妳放我走的。」我對著晃動的衣櫥安撫道。

衣櫥裡傳出的絕望哀號似乎提到克勞梭先生的名字。

「叫他看看露易絲的猴子，牠有疥癬。」我轉頭喊道。

與依芳交手成功，使我的心情大受鼓舞，不過一坐上馬車，顛簸趕回巴黎之際，我的精神又明顯一沉。

雖然對於傑米我已經不再那麼憤怒，但我還是不想見到他。我的感覺一片混亂，而我也不打算仔細釐清這些感受，我畢竟傷得太深。摻雜有悲傷、深刻的挫敗感，但最糟糕的莫過於「背叛」。他的背叛和我的背叛，他不該去布洛涅森林，而我也不該尾隨他去。

然而，我們都是順應我們的本性和情感而為，或許，我肚裡的孩子是我們兩個聯手害死的。我不想看見我的殺人共犯，也不想向他顯露我的哀傷，將他的罪過與我相提並論。我逃避所有會讓我想起布洛涅森林那個陰雨早晨的一切，當然，我也拒絕回憶最後一次見到傑米的情景，他從手下敗將身旁站起，臉上因為復仇而散發光亮，但這一復仇卻也毀了他自己的家庭。

每次一想起這裡，即使只是連帶憶及，我的肚子都會一陣劇烈緊縮，隱約喚醒小產的痛苦回憶。我握起拳頭，用力抵住馬車座位的藍色天鵝絨軟墊，藉由撐起身體，緩解背部的壓力。

我把目光轉向窗外，希望分散注意力，但眼前的景色兀自移動著，我的心思依舊不由自主地回到這趟行程的目的。無論我對傑米的感覺如何，無論我們是否會再相見，無論我們可能對彼此如何或不如何——他在監獄的事實依舊存在。我相當清楚囚禁對於曾經待過溫特沃斯的他而言，這代表何等意義，夢境中撫弄他身軀的手，他在睡夢中捶打的石牆……

更重要的是，查理的那批貨和葡萄牙貨船、向杜維內先生借的款項，還有即將在里斯本搭船前往奧維耶托會合的穆塔夫。我們的賭注太龐雜、太沉重了，已經沒有任何餘地讓我縱容自己的情緒。為了世世代代蘇格蘭氏族和整個高地地區的未來，為了傑米的家族和拉利堡的佃農，為了成千上萬將死於卡洛登及後續屠殺中的人們——無論如何必須一試。若要一試，勢必得先救出傑米，但這件事並非操之在我。

不，無論如何，我一定得竭盡所有可能，把他救出巴士底監獄。

但我可以怎麼做？

馬車駛進聖多諾黑街，我看見乞丐爭相朝著車窗作勢乞討。我想，猶豫不決之時，應該尋求更高權威的協助。

我趕忙搥擊駕駛座位後的鑲板，隨即傳回一陣刺耳的煞車聲響，露易絲的馬夫轉過留著鬍鬚的臉孔注視我。「夫人？」

「左轉，去昂吉醫院。」我說。

—

希德嘉修女若有所思地在樂譜上敲著她圓鈍的手指，彷彿在驅逐某個麻煩片段。她坐在專屬辦公室的鑲嵌書桌前，對面坐的是葛斯曼先生，他被召來加入我們的緊急會議。

「是，」葛斯曼先生滿腹狐疑地說道：「我想我可以安排一個私下覲見陛下的機會，但……妳確定妳的丈夫，嗯……」這位音樂大師似乎有不尋常的難言之隱，我不禁懷疑請求國王釋放傑米的這件小事，可能比我想像的還要複雜，希德嘉修女的反應證實了我的懷疑。

「約翰尼斯！她不可能做那種事！弗雷瑟夫人不是宮廷仕女，她是貞潔之人！」她大聲叫道，情緒激動，失去平日說話的正經模樣。

「請問……我的貞潔跟我請求國王釋放傑米有何關係？」我禮貌地說。

修女和歌唱大師交換眼色，他們顯然被我的天真嚇了一大跳，同時也夾雜著不願破壞這份天真的情緒。最後，比較果敢的希德嘉修女硬著頭皮開口了。

「如果妳一個人去向國王提出這種請求，他會要求跟妳上床。」她直截了當地說。由於已得知太多荒唐情事，因此我幾乎毫不意外，但我還是看了葛斯曼先生一眼，他也不得不地點頭確認。

「陛下很容易答應美麗女士的請求。」他說得婉轉，而且突然對書桌上的某個裝飾品產生興趣。

「而這樣的請求都得付出代價。」希德嘉修女補上這句，說得就沒那麼婉轉了。「如果國王看上自己的妻子，大多數朝臣都會非常高興，因為這對他們的仕途大有助益，絕對值得犧牲妻子的貞潔。」一講到這裡，她的闊嘴輕蔑地撇了一下，然後又拉直成平日的嘲諷線條。

「但妳的丈夫，似乎不是願意戴綠帽子的柔順個性。」她說道，眉毛高高揚起，為這句話的最後加上了一個問號，我點頭回應。

「沒錯。」事實上，那是我聽過意思最明白的保守說法之一。如果「柔順」不是形容傑米．弗雷瑟最不可能用到的字眼，那肯定也是排名最後幾個。我試圖想像如果傑米得知我和其他男人有染，甚至是法國國王，他會做何想法，或者有何反應。

一想到這裡，我不禁想起我們之間曾經有過的信任，幾乎從我們結為連理的那天就開始存在，霎時間，淒涼的感慨襲上心頭。我將眼睛閉上一會兒，想驅散身體不適的感覺，但眼前的現實仍然不得不面對。

「好吧，還有其他辦法嗎？」我深吸一口氣說道。

希德嘉修女雙眉一緊，皺著眉頭看著葛斯曼先生，彷彿期待他給個答案，但這位身材矮小的音樂大師聳聳肩，換他皺起眉頭了。

「你們的朋友裡面，有沒有人夠分量，可以為妳丈夫向陛下說情？」他試探著問道。

「應該沒有。」從楓丹白露出發到巴黎的路上，我已經思考過所有可能的替代人選，結果不得不承認，我找不到任何適合的人可以提出這樣的請託。決鬥既不合法也不光彩——瑪麗．阿班維爾一定已經將這事傳遍整個巴黎——我們的法國友人沒有一個有能耐出面干涉。杜維內先生為人善良，他曾經答應見我，但結果卻令人失望。等待，是他的建議，等過了幾個月風頭稍緩之後，就可能在陛下耳邊說上幾句。但是現在……

森丁罕公爵的情況也差不多，他受限於細膩的外交禮儀，為此他甚至辭退疑似捲入醜聞的私人祕書，他沒有立場請求路易釋放傑米。

我低頭盯著鑲嵌桌面，但幾乎沒有看到搪瓷掃過抽象幾何形狀和色彩的繁複曲線。我的食指繞著眼前的圓圈和旋渦打轉，為我奔騰不止的思緒提供一個飄搖不定的支柱。如果真的必須從監獄救出傑米，才能防止詹姆斯黨揮軍蘇格蘭，那麼我似乎就是救出傑米的唯一人選，無論採取哪種方法，也不管後果如何。

最後，我抬起頭，看著音樂大師的眼睛，「我必須這樣做，沒有其他辦法了。」我輕聲說。

現場沉默了好一會兒，然後葛斯曼先生朝希德嘉修女看了一眼。

「她會待在這兒，等你安排好之後，可以差人送信到這裡通知她覲見的時間，約翰尼斯。」希德嘉修女冷靜說道。

她轉向我，「要知道，如果妳真的走上這條路，我親愛的朋友……」她的雙唇緊抵在一起，然後張開說道：「幫助妳做出敗德的行為是有罪的，但我還是願意這麼做。我知道妳有妳的理由，不管那是什麼，也許妳的友誼帶來的恩典會大過於罪。」

「噢……」如果再說多一些，我的眼淚可能就會潰堤，所以我只是輕輕回握一下擱在我肩頭因為勞動而粗糙不已的大手。我突然有股渴望，想要躲進她懷裡，將臉埋入那身穿黑色嗶嘰服的溫暖胸懷，但她的手卻離開我的肩膀，握住走路時在她裙襬之間咔啦作響的黑玉念珠。

「我會為妳祈禱。」她微笑說道，這在她平時少有表情的臉上算是難得的燦爛笑容，但是不一會兒，她就突然轉為沉思表情，她若有所思地說道：「不過我不太確定，這種情況到底應該向哪個守護神禱告？」

當我模仿祈禱者舉手向上，好讓狹窄的柳條裙撐架滑過肩膀撐在臀部時，我的腦海浮現瑪利亞．抹大拉這個名字，還有瑪塔．哈里，但我十分確定她從未出現在聖人曆❶上。我不確定抹大拉管不管那檔事，但從良的妓女似乎是天上聖人當中，最有可能同情我即將所為之事的一位。

我想這間女子修道院可能從未出現過這樣的裝束，雖然見習修女在準備做出最終宣誓時，會盛裝打扮得有如基督的新娘，但紅色絲緞和蜜粉在儀式中扮演的角色可能並不重要。

鮮紅色華服滑過我微微仰起的臉龐時，我意識到顏色的象徵意義。白色代表純潔，紅色代表……它所代表的意義。米芮芙修女是來自富裕貴族家庭的年輕修女，她被派來協助我梳妝，她將鑲著小粒珍珠的鴕鳥羽毛插入我的頭髮，手法熟練，態度沉著。她仔細地梳理我的眉毛，用小鉛梳加深眉毛的顏色，並將蘸過胭脂罐的羽毛蘸紅我的嘴唇。羽毛拂在唇上癢得難受，觸發我想狂笑的衝動，不是欣喜若狂，而是歇斯底里。

米芮芙修女伸手去拿手鏡，我阻止了她，因為我不想看見自己的眼睛。我深吸一口氣，然後點點頭。

「我準備好了，請人去叫馬車吧！」我說。

—

我不曾來過宮殿的這個區域，事實上，在這條排滿蠟燭的鏡廊裡拐過好幾個彎之後，我已經弄不清楚裡面到底有幾個我，更不知道那些我最後都跑到哪裡去了。

不知名的侍寢官謹慎地領我來到一處凹室的小鑲板門前面。他敲了一下門，然後向我鞠躬，不待我回答便轉身離開。門朝內轉開，我走了進去。

國王身上仍穿著馬褲，意識到這點後，我的心跳慢至最低限度，感官也停止一切感覺，彷彿隨時可能嘔吐出來。

我並不清楚自己在期待些什麼，但現況令人感覺些微寬慰。他一身輕便打扮，穿著襯衫和馬褲，肩上搭著棕絲睡袍保暖。陛下笑了笑，伸手扶著我的手臂要我起身。他的手掌很溫暖——我下意識以為他的觸摸會是冰冷而黏膩——我盡我所能地衝著他微笑。

我的努力肯定失敗極了，因為他親切地拍拍我的手臂說道：「別害怕，親愛的夫人。我會不咬人。」

「不，我一點也不怕。」我說。

他看起來比我從容許多。「那是當然的，」我想：「他經驗豐富得很。」我深吸一口氣，試著放鬆。

「想不想喝點酒，夫人？」他問。這裡就我們兩個，沒有僕人，但酒已經倒好在桌上的一對高腳杯內，像是紅寶石般地在燭光下閃閃發光。房間布置華麗，但是極小，除了桌子和兩張橢圓椅背的椅子外，只有一張豪華的綠色天鵝絨軟墊躺椅。我拿起酒杯，喃喃說聲謝謝，努力控制眼睛不飄向躺椅的方向。

「請坐。」路易王在其中一張椅子上坐下，並示意要我坐在另一張椅子。「現在，請告訴我，我可以為妳做些什麼。」他微笑看著我說道。

「我、我的丈夫，他人在巴士底監獄。」我開口說道，因為緊張稍微有點口吃。

「對對對，因為決鬥。我記得。」國王喃喃說道。他拉起我空著的手，手指輕輕停留在我的脈搏上。「妳希望我怎麼做，親愛的夫人？妳知道這可是一項重罪，妳丈夫違反了我頒布的命令。」一隻手指輕撫我的手腕內側，一股微癢的感覺竄上手臂。

「是、是，我明白，但那是對方……先挑釁他的。」我想到一個辦法。「您知道他是個蘇格蘭人，那個國家的男人，」我努力想為脾氣暴躁找個好聽的說法：「一碰到攸關榮譽的問題，都會變得非常激動。」

路易王點點頭，他頭低低的，顯然被他所牽的那隻手深深吸引。我可以看見他的皮膚上閃著一層薄薄油光，也聞得到他擦的紫羅蘭香水，非常濃烈的甜膩氣味，但還是不足以完全掩蓋他自己刺鼻的男性體味。

---

❶ 聖人曆是天主教的傳統曆書，把歷來聖徒的生日或忌日封為「慶日」，以紀念並作為砥礪教徒的典範。

他兩口喝乾杯中的酒，然後放下高腳杯，用雙手穩穩地握著我的手。一隻指甲剪得短短的手指在我的結婚戒指上輕撫，順著上面的交錯花紋和薊花線條遊走。

「的確如此。」他說，將我的手拉近，彷彿要仔細查看戒指。「的確如此，夫人，不過……」

「我會感激不盡的，陛下。」我插話道。他揚起頭來，我注視著他的眼睛，漆黑而詫異。我的心跳得跟杵槌一樣。

他的嘴唇很薄，牙齒很糟，我聞得到他的口臭，濃濃的洋蔥和腐敗氣味，我試著屏住呼吸，但這畢竟只擋得了一時。

「嗯……」他緩緩地說，好像是在思考：「我個人是願意網開一面，夫人……」

我迅速地換了一小口氣，他的手帶著警告意味地抓緊我的手。「但是妳應當明白，情況是很複雜的。」

「是嗎？」我氣若游絲。

他點點頭，雙眼依舊緊盯我的臉，他的手指輕輕撫順我手背上的血管。

「那個不幸冒犯圖瓦拉赫堡爵士的英國人。」他說：「他是某人的手下，一位頗有分量的英國貴族。」

森丁罕。一提到是他，雖然沒有指名道姓，我的心臟還是猛然抽了一下。

「該怎麼說呢？這位貴族正在進行……一些協議，所以不得不考量他那邊的因素。」薄唇微微一笑，益發凸顯上方鼻子的專橫鼻頭：「而且這位貴族自己也牽涉妳丈夫和那位藍鐸隊長之間的決鬥，恐怕他會是最希望妳丈夫受盡所有處分的人，夫人。」

「該死的肥豬。」我心想。肯定是因為傑米拒絕了他的赦免賄賂，要是能把傑米關進巴士底監獄幾年，豈不是可以阻止他「涉入」斯圖亞特家族事務？這樣周全縝密且不花分毫的妙策，自然能受到公爵的歡迎。

另一方面，路易正衝著我的手粗喘，這代表我還有機會扳回一城。如果他不打算答應我的要求，就不可能指望我會跟他上床，但如果他有所期待的話……

我鼓起勇氣準備再試一次。

「難道陛下就這麼任那英國人予取予求？」我大膽問道。

突如其來的驚嚇使路易睜大雙眼，然後陷入苦笑，思忖我的意圖。雖然如此，我還是成功撩動了他的敏感神經，我看見他微微抽動肩膀，像是調整隱形斗篷般地重新整理思緒。

「不，我不會，但是我會考量各種因素。」他有些冷淡地說，沉重的眼皮垂下遮住眼睛一會兒，但仍然抓著我的手不放：「聽說妳丈夫跟我表親的私人關係很好。」他說。

「陛下真是消息靈通。」我有禮貌地說：「既然是這樣的話，您應該知道我丈夫並不支持斯圖亞特家族重新入主蘇格蘭。」我祈禱這是他想聽到的。

顯然是，他笑了，一邊將我的手舉到他的嘴唇下輕吻。

「嗄？我聽到的消息跟妳說的不太一樣。」

我深吸一口氣，忍住抽回手背的衝動。

「都是為了生意。」我說，語氣盡可能平淡：「我丈夫的堂親賈爾德．弗雷瑟，是位堅定的詹姆斯黨人，為了與賈爾德合夥作生意，我的丈夫當然無法張揚自己的真正意向。」看見疑惑開始從他的臉上褪去，我趕緊順水推舟。「您可以去問杜維內先生，他非常了解我丈夫的真正態度。」我建議道。

「我曾經問過。」路易停頓了好一會兒，盯著自己又黑又粗的手指在我手背上細膩地畫著圓圈。「好白，真細，簡直可以看見血液在妳皮膚底下流動。」他喃喃地說。

他放開我的手，然後面對我坐著。我十分善於解讀臉部表情，但此刻卻很難看穿路易的心思。我突然意識到他五歲就登基為王，早已練就一身隱藏心思的好功力，就如他的波旁鼻子或睏倦的黑色眼睛一樣，已經成為他的一部分。

這時，我突然意識到另一個事實，一陣寒意打從我的心底升起。他是法國國王，法國大革命還要等上四十多年，在此之前，他是法國至高無上的統治者。只要他一句話，就可以釋放傑米，或者取他性命。他可以為所欲為，甚至只要點個頭，法國國庫就能撥出資金幫助查理王子，像一道致命閃電直搗蘇格蘭的心臟。

他是國王，他可以為所欲為。我看著他沉思的黑色眼睛，顫抖地等待著路易王揭露他的心意。

他最後打破沉默說道：「告訴我，親愛的夫人，如果我答應妳的請求，釋放妳的丈夫……」他又停頓，陷入思考。

「是的？」

「他必須離開法國，這是釋放他的條件。」路易揚起一邊粗眉警告道。

「我明白。」我的心臟怦怦直跳，幾乎蓋過他說話的聲音。總之，傑米必須離開法國。「但是他被放逐，不得返回蘇格蘭……」

「我想這是可以安排的。」

我猶豫了一下，但也別無選擇，只能代表傑米同意：「好吧！」

「很好。」國王高興地點點頭，然後他的眼睛又再度回到我身上，先是盯著我的臉，再慢慢滑向脖子、乳房、身體。「我要妳提供一個小小的服務作為回報，夫人。」他輕聲道。

我直直地盯著他的眼睛一秒鐘，然後低下頭，說道：「全聽陛下吩咐。」

他站起來甩掉睡袍，隨意地把它掛在椅背。他笑著向我伸出一隻手：「很好，親愛的，就跟我來吧！」

我閉上眼睛用意志力移動我的膝蓋，心想著：「妳已經結過兩次婚，看在老天的份上，別大驚小怪了。」

我起身牽著他的手。出乎我的意料，他並沒有走向天鵝絨躺椅，而是領我走向房間另一端的那扇門口。

當他放開我的手去開門的那一刻，我的意識異常冷靜而清晰。「殺千刀的，傑米・弗雷瑟。」我心裡想著：「你這該死的！」

—

我一動也不動地杵在門口，眨了眨眼睛。原本我正思索著在國王面前寬衣解帶的禮儀，但此刻心中只剩下驚訝。

房間很暗，僅靠一些小盞油燈照明，所有油燈分成五組置於房間的壁龕裡面。房間本身為圓形，房間中央的那張巨大桌子也是圓形，黑木桌面因為反映油燈的微小燈光而閃閃發光。有人坐在桌旁，但在漆黑的房間裡僅看得見模糊的駝背黑影。

剛走進房間時聽得見喃喃低語的聲音，但國王一現身整個房間就馬上安靜下來。隨著眼睛逐漸適應黑暗環境，我震驚地意識到坐在桌旁的人竟然都戴著頭套。距離最近的那個人轉向了我，我看見他的雙眼從天鵝絨頭套小洞透出幽微的光芒。看起來像是劊子手的聚會。

顯然，我是主賓。我開始緊張起來，不知道他們究竟想要我做些什麼。從雷蒙和瑪格麗特的暗示，我不禁聯想到嬰兒獻祭、強姦婦女和撒旦崇拜等噩夢般的神祕儀式。不過，超自然現象絕少真的發生，我希望這一次也不例外。

「夫人，我們耳聞妳的高超本領和……聲譽。」路易臉上笑著，但當他注視我的時候，眼裡卻帶著一絲謹慎，好像害怕我會做出什麼舉動。「如果今晚妳願意展現妳的高超本領，我們將感激不盡，親愛的夫人。」

我點點頭。感激不盡，是吧？太好了，我希望他感激我，但是他想要我做什麼呢？僕人將一根巨大的蠟燭擺了上桌，然後點燃，在拋光的木桌面上灑落一片圓潤燭光。蠟燭上頭裝飾的圖案很像我在雷蒙大師密室裡見過的符號。

「看啊，夫人。」國王的手拉著我的手肘，將我的注意力引導至桌子的另一端。由於蠟燭已經點燃，我可以看見兩個身影靜靜站立在這些閃爍的黑影之間。我漸漸看清眼前的景象，而國王的手緊抓著我的手臂。是聖日耳曼伯爵和雷蒙大師，兩人並排站在那裡，中間間隔六呎左右的距離。雷蒙似乎沒有發現我的存在，他只是靜靜站著，一雙漆黑沒有瞳孔的深井之蛙眼睛盯著一旁看著。

伯爵看見我了，他的眼睛睜得大大的，眼神寫滿難以置信，接著便皺起眉頭，怒目而視。

他身上穿著他最好的行頭，如同往常一身白色。撇過白色緞子外套、米色真絲背心以及馬褲，袖口和衣領裝飾著小粒珍珠，在燭光之下閃閃發亮。然而，撇開光鮮亮麗的衣著不談，我覺得伯爵看起來一副憔悴不堪的模樣——他的臉色疲憊，襪子的蕾絲花邊癱垂著，衣領也被汗水浸濕。

雷蒙則恰恰相反，鎮定得有如冰上的鰈魚，面無表情站在那裡，穿著他一貫破舊的天鵝絨長袍，雙手交疊在袖子裡面，扁平的大臉一派平靜，神祕莫測。

路易王手指向雷蒙和伯爵說道：「這兩人，被控使用巫術，將正當的知識追求歪曲成神祕法術的探索。這種伎倆在吾人祖父在位期間十分盛行，但我們的時代不應再忍受這種邪惡。」他的聲音冰冷而嚴峻。

國王伸出手指，朝著一名面前擺著筆墨和一疊紙張的蒙面人點了點，「你唸一下訴狀。」他說。

那名蒙面人乖乖站起，從那疊紙拿出其中一張開始唸了起來：指控犯下獸行和進行邪惡犧牲，殺害無辜人士，玷汙聖體褻瀆彌撒的至聖儀式，在神的祭壇前進行色情儀式——我的腦海迅速閃過雷蒙在昂吉醫院對我進行治療的情景，看起來一定很像這裡所謂的色情儀式，由衷感謝當時沒人發現他。

我聽到訴狀提到「杜卡雷福」這個名字，用力嚥下突然湧上的膽汁。洛朗牧師說過什麼？巫師杜卡雷福才在二十年前被燒死在巴黎，為的就是我剛才所聽到的罪名：「……召喚惡魔和黑暗力量，受僱引發疾病和死亡。」我一手按住肚子，腦海清楚浮起苦鼠李的記憶。「詛咒宮廷成員，玷汙處女。」我迅速朝伯爵瞥了一眼，他表情冷漠地聽著宣讀內容，雙唇緊閉。

雷蒙一動也不動地站著，一頭銀髮拂過他的肩膀，彷彿在聆聽畫眉鳥歌唱之類無關緊要的事情。我在他的櫃子看過卡巴拉符號，但我幾乎無法將我認識的這位慈悲的投毒者和能幹的藥師，跟此刻正在宣讀的罪狀聯想在一起。

訴狀終於讀完，蒙面人看了國王一眼，接獲一個手勢後，便坐回椅子上。

國王轉向我說道：「我們已經進行過全面調查，證據確鑿，而且也取得許多證人的證詞。情況似乎很清楚。」他轉身冷冷地注視那兩位遭到指控的魔法師：「這兩個人鑽研古代哲學家的著作，並藉由計算天體運行實施占卜之術。儘管……」他聳聳肩，朝身材最粗壯的蒙面人瞥了一眼，我猜那是巴黎主教。「這些行為本身不算犯罪，據我了解，這些也未必偏離教會的教導，即使是有福的聖奧古斯丁，據說也曾探究占星術的奧祕。」

我依稀想起，聖奧古斯丁確實研究過占星術，但他最終是輕蔑地將其痛斥為一派胡言。儘管我懷疑路易王是否真的讀過奧古斯丁的《懺悔錄》❷，但這個論點無疑是指控巫師的絕佳理由，相較於獻祭嬰兒和駭人的狂歡活動，觀星似乎相當無害。

---

❷古羅馬時代生於西元三五四年的基督教神學家奧古斯丁所著的《懺悔錄》，是西方世界的第一部自傳，其優美詩辭在西方文學也有非常重要的地位。內容旨在痛悔自己年輕時放縱不羈、不學無術、沉入迷信的生活，以及受開導、皈依基督教之後的靈性轉化與見證。

我開始納悶，在這種場合我究竟是要扮演何種角色，內心不禁憂心忡忡。要是有人在醫院看見我和雷蒙大師在一起，那該怎麼辦？

國王以一種帶著節奏的語調說道：「我們不反對適當地使用知識，也不反對追求智慧，如果懷著謹慎謙卑的心態研讀，的確可以從古代哲學家的著作學到許多東西。可是，這些著作固然蘊含許多寶貴知識，同時也隱藏許多邪惡思想，歪曲單純的智慧追求以作為贏取世俗權力與財富的慾望。」

他來回掃視兩名被告巫師，顯然對於何人的歪曲作為較為嚴重有了結論。伯爵仍在不斷出汗，潮濕的汗漬讓白色絲綢外套浸透成暗色。

「不，陛下！」他說道，一面將黑髮甩到背後，雙眼急切地盯著雷蒙大師：「這片土地確實有著黑暗力量作祟，而您剛宣讀的罪行就在我們之間橫行！但是，這些邪惡並不存在於您最忠誠臣子的心裡。」他重重拍擊著自己的胸口，以免我們忽略一點。「不，陛下！如果要找尋歪曲知識和使用禁忌法術的人，您必須將目光望向您的宮廷之外。」他並未直接指控雷蒙大師，但他的注視方向卻十分明顯。

國王絲毫不為這番突如其來的輸誠所動，他輕聲說道：「這些可憎行為在吾人祖父的統治時期十分興盛，如今我們已經剷除它們的所有巢穴，消滅這種邪惡進駐我們國家的威脅。巫師和女巫，這些都是偏離教會教導的人……各位，我們不能容許這種惡行再度發生。」

「所以……」他將雙掌輕輕靠在桌面，挺直身子，眼睛仍然盯著雷蒙和伯爵，但卻朝著我的方向伸出一隻手來。

「現在我們這裡來了一位證人，一位可以判別真相、判別潔淨心靈的可靠裁判。」他宣稱道。

我發出小小的咕嚕聲，國王轉頭看我。

「一位白夫人，白夫人不會說謊，她可以看穿一個人的心和靈魂，然後將其導入正途……或者步向毀滅。」他輕聲說道。

整個晚上如夢似幻的感覺一下子突然消失，酒精帶來的淡淡微醺也不見蹤跡，我突然完全清醒過來。我張開嘴，然後又閉上，因為我意識到自己根本無話可說。

就在國王忙著準備之時，一陣恐懼沿著我的脊椎蜿蜒而下，盤繞在我的肚子。地板上繪製了兩個五角星，要讓兩名巫師站在其中，為自己的行動和動機提出證詞，再由白夫人判定所言虛實。

「我的老天……」我喃喃說道。

「伯爵？」國王指指地毯上用粉筆畫出的第一個五角星。只有國王才會那樣傲慢對待這貨真價實的奧布森毯。

伯爵走到他的位置，故意掠過我身旁，當他從我身邊走過時，他對我耳語著：「小心點兒，夫人，我不是單獨行動。」他就位站定，轉身面向我諷刺地鞠了躬，神情鎮定。

他的言下之意相當清楚，如果我指證他，他的黨羽就會迅速包圍，切掉我的乳頭，燒掉賈爾德的倉庫……我舔舔乾燥的嘴唇，心裡不斷咒罵路易王。為何他不是只想要我的身體就好？

雷蒙此時輕鬆地走進自己的五角星，並朝我親切地點了點頭，那雙漆黑的圓眼不帶任何指示意味。下一步該怎麼做，我一點頭緒也沒有。國王示意我站在他對面，中間隔著兩個五角星。蒙面人全都起身站在國王背後，這群面無表情的人已經成功凝造出了威嚇的氣氛。

房間裡異常寂靜。蠟燭燃燒冒出的煙霧在鍍金天花板附近聚集成一團黑雲，一縷縷地隨著懶洋洋的氣流漂移。所有的目光都集中在我身上。最後，我出於絕望地轉向伯爵點頭示意。

「你可以開始了，爵爺。」我說。

他笑了笑——至少我覺得那應該是個笑容——然後開始說話，先是說明卡巴拉的基本宗旨，然後再闡釋希伯來文的二十三個字母，及其所象徵的深刻意涵。聽起來相當學術，完全無害，不過也無聊至極。國王打了個大大的哈欠，一點也沒有想要遮住嘴巴的意思。

於此同時，我的腦海翻騰著完全不同的景象。這個男人曾經威脅並襲擊我，而且還想找人暗殺傑米——無論是基於個人或政治原因，沒有差別。他極有可能是帶領一幫暴徒打劫我和瑪莉的人。撇開這些不談，也撇開他的其他活動傳聞不談，他仍是我們阻止查理王子復辟的重大威脅。我該放過他？讓他繼續代表斯圖亞特家族影響國王的意志，讓他繼續帶著那幫蒙面惡霸橫行巴黎暗街？

我的乳尖因恐懼而挺起，我可以從絲質禮服清楚看見她們脹立的輪廓，但我還是挺直身子瞪著他看。

「請稍等，爵爺，目前為止你所說的一切都是實話，但我還是可以聽見你的話裡有所隱瞞。」我說。

伯爵張大了嘴巴，而路易王頓時興奮起來，不再懶散地靠著桌緣，反而站得直挺挺地。我閉上眼睛，將雙手蓋在眼皮上面，彷彿向內觀看。

「我在你的內心看見一個名字，爵爺。」我說，嚇得上氣不接下氣，而且聲音帶著哽咽，完全沒有辦法控制。我放下雙手，雙眼直直地盯著他看，「邪惡使徒會，你跟使徒會有何關係，爵爺？」我說。

他實在不善於隱藏自己的情緒，一聽到我的問話，他突然雙眼凸出、臉色發白，讓我在恐懼之中小小鬆了一口氣。

國王顯然也聽說過「邪惡使徒會」，昏昏欲睡的黑眼睛突然瞇成細縫。

伯爵也許是信口雌黃的騙子，但他並非懦夫。他鼓起勇氣瞪了我一眼，然後把頭一仰。

「這女人說謊。」他說，語氣十分肯定，如同他說字母 α（Aleph）的字形象徵基督的血一樣肯定。

「她根本不是白夫人，而是撒旦的僕人！她的黨羽是她的主人，也就是臭名昭彰的巫師，杜卡雷福的徒弟！」他大喇喇地指向雷蒙大師，雷蒙的表情有些吃驚。

有個蒙面人開始畫起十字，我聽到黑影之中傳出簡短的禱告低語。

「我可以證明我所說的話。」伯爵宣稱道，不讓別人有任何插話的機會，他隨即將手伸進外套的胸口。我想起他在晚宴當晚從袖口掏出的匕首，全身緊繃準備閃躲。然而，他最後掏出的並不是刀。

他怒喝道：「聖經說：『他們手能拿蛇不受害。』這樣的證明，總該讓你們知道誰是真神的僕人！」

我原本以為可能只是條小蟒蛇，但實際上卻是條將近三呎長的大蛇，渾身閃著金色和褐色的光芒，身軀滑溜蜿蜒有如浸過油的繩子，一對金色銅眼十分驚駭。

蛇一出現，所有人同時倒抽一口氣，兩名蒙面裁判嚇得立刻往後倒退，路易王也大受驚嚇，連忙環顧四周找尋他的貼身侍衛，侍衛站在房間門口，眼睛瞪得大大的。

蛇吐信一、兩次，偵測空氣中的氣味，顯然知道蠟燭和焚香不是食物，於是轉頭想要鑽回原本的溫暖口袋裡。伯爵熟練地將蛇繞在頸後，然後猛地將牠推向我。

「你們看到了嗎？那女人怕得退縮了！她是女巫！」他得意洋洋地說。

事實上，相較於某個已經遠遠縮到牆上的裁判，我簡直就是座不動如山的界碑，但我必須承認，在蛇出現的那一剎那，我的確不由自主地倒退幾步。但這時我又再度上前，想把蛇從他脖子上扯下來。那該死的東西應該沒有毒。或許把牠纏在伯爵的脖子上，我們就可以真的驗證牠是否無害了。

不過，在我還沒走近他之前，我後方的雷蒙大師就開口說話了。這一連串的騷動，讓我幾乎忘了他。

「爵爺，聖經上的話還沒說完啊！」雷蒙說道。他並未提高嗓門，寬大的兩棲動物臉孔平淡乏味得有如布丁。儘管如此，說話聲音一停，國王仍然轉過身來聆聽。

「是嗎，先生？」他說。

雷蒙點點頭，禮貌地表達肯定之意，然後便將雙手伸進長袍，從一個口袋掏出一只瓶子，又從另一個口袋掏出一個小杯。

他引述道：「『他們手能拿蛇不受害，若喝下致命毒物，也必不喪命。』」他將杯子擺在手掌之上，鍍銀的杯子在燭光照耀下閃閃發光，然後又將瓶子靠在杯緣，準備斟滿。

「鑑於圖瓦拉赫堡夫人和我自己都遭到指控。」雷蒙很快瞥了我一眼說道。「所以我提議我們三人都參加這個測試，請您恩准，陛下？」

事態發展之迅速，路易王也看得目瞪口呆，不過他還是點了點頭，接著一股細細的琥珀色液體便倒入杯中，一接觸到杯子，液體就變成紅色，並且開始冒泡，彷彿沸騰一般。

「龍血。」雷蒙晃晃杯子揭曉道：「對於純潔無邪的心完全無害。」他露出不見牙齒的鼓勵笑容，遞給我一杯。

我所能做的似乎就只有喝下它。龍血可能是某種碳酸氫鈉，嘗起來很像白蘭地蘇打水。我喝了兩、三口，將杯子遞回。

雷蒙按照禮儀，也喝了龍血。他放下杯子，展示他染成粉紅色的嘴唇，然後轉向國王。

「可否請白夫人將杯子遞給爵爺？」他說，手指著腳下的粉筆線，表明他無法跨出五角星的範圍之外。

國王點點頭，於是我接過杯子，機械化地轉向伯爵。我們間隔約略六呎，我邁出第一步，接著又一步，雙膝顫抖得厲害，比在小接待室單獨與國王在一起的時候更加嚴重。

白夫人能夠看穿一個人的本性。我能嗎？我真的了解雷蒙大師或伯爵嗎？

我有機會阻止這一切嗎？我後來反問自己一百次、一千次，我還有其他選擇嗎？

我憶起自己在遇見查理王子時的大膽想法，如果他死了，不知道對大家有多省事。然而，我們不能因為一個人的信念而殺人，即使這些信念實現的結果意味著許多無辜人命的犧牲。還是說，為了拯救更多人而殺了一個人並沒有錯？

我不知道。我不知道伯爵是否有罪，我不知道雷蒙是否無辜，我不知道追求光榮事業是否就能使用不光彩的手段，我不知道一條人命甚或是一千條人命究竟值多少錢，我不知道復仇的真正代價。

我只知道現在我雙手所握的杯子是死亡，掛在我頸上的白水晶沉甸甸地提醒我杯中所盛的是毒藥。我並未看到雷蒙在裡面添加任何東西，沒有任何人看到，我敢肯定。但我不需要把水晶石浸入那血紅色的液體裡，就知道其中的成分。

伯爵從我臉上的表情讀出我的想法，白夫人不會說謊。他看著杯中冒泡的液體猶豫著。

「請喝，先生。還是你害怕了？」國王說，半垂眼皮再度罩著那雙黑色眼睛，看不出任何情緒。

伯爵也許有很多不堪的劣行，但怯懦絕非其中之一。他臉色蒼白，但帶著僵硬的微笑正視國王的眼睛。

「不，陛下。」他說。

他從我的手中接過杯子，雙眼盯著我，一飲而盡。那雙眼睛並沒有移開，仍然盯著我的臉，即使它們因為罩上死亡的陰影而變得空洞。白夫人可以將一個人的本性變好，或者毀滅。

突然間，伯爵整個人摔在地上不停扭動，在旁觀看的蒙面人不約而同大聲尖叫，淹沒了他可能發出的任何聲音。他的腳後跟蹬了幾下，便安靜地躺在繡花織毯上，他的身體先是彎成弓形，而後便攤成柔軟的一團。那條蛇悻悻然從雜亂的白色綢緞褶皺中掙扎爬出，朝向路易腳邊的庇護所，迅速溜走。

現場一片狼藉。

第二十八章
撥雲見日？

我不想回來，
不願再有感覺。
我不想在嘗到愛的滋味後，
再次讓人奪走我的愛。

我從巴黎回到露易絲在楓丹白露的宅邸。我不想回特穆蘭街，或任何傑米可能會找到我的地方。不過傑米也沒多少時間可以找我，他當時必須立刻動身前往西班牙，否則我們原訂的計畫就會失敗。

露易絲很貼心，我的搪塞敷衍她都能諒解，也很努力不開口過問我去了哪裡、做過什麼。我話很少，多半待在房間，也吃得不多，整天盯著白色天花板上光溜溜的圓胖小天使。有段時間，我念茲在茲的都是到巴黎完成任務，但現在我什麼都不必做了，也沒有之前固定的生活規律當慰藉。我失去方向，再次漫無目的地飄盪。

不過，我有時還是會勉強一試。在露易絲的鼓勵下，我會下樓和大家一起吃晚餐。露易絲若有朋友來作客，我會與她們一起喝茶。我也盡力多關照佛戈斯，在這個世界上，我只覺得對他有責任。

因此，有天下午我照慣例散步，卻聽到宅邸旁小屋的另一側傳來佛戈斯與人大吵的聲音，我覺得自己該去看看怎麼回事。

佛戈斯正和一個馬房的小夥子對峙，那小夥子塊頭比較大，肩很寬，繃著一張撲克臉。

「閉嘴，大笨蛋，少在那裡胡說八道！」馬房的小夥子說。

「我比你聰明！你才是笨得像豬！」佛戈斯兩隻手指插著鼻孔往上推，跳來跳去，不停學豬齁齁地叫。

馬房的小夥子的確有一只相當顯眼的朝天鼻。他也不浪費時間和佛戈斯鬥嘴，便直接揮舞握緊的雙拳衝過來。沒多久，兩個人就已經滾在泥地裡，像貓一樣尖聲怪叫，猛扯對方的衣服。

我正在想著要不要插手時，馬房的小夥子已經騎到佛戈斯身上，雙手掐著佛戈斯的脖子，用力把他的頭往地上撞。一方面我覺得佛戈斯已經惹了不少事，活該受點教訓，但另一方面，他的臉已經變成暗紫色，我也不想看他年紀輕輕就死於非命。我想了好一會兒，才走到扭打的兩人後面。

馬房的小夥子兩腳跨騎在佛戈斯身上，掐得他喘不過氣，小夥子這下用了力氣，繃得緊緊的褲臀在我眼前直晃。我挪後一步，隨即提腳往前踹，不偏不倚踹中他褲子縫線正中央。這小子一個不穩，嚇得大喊一聲就往前栽，撲在佛戈斯身上。他滾到一邊，緊握拳頭跳起來，但看到是我，一聲不響趕緊開溜。

「你到底在幹嘛？」我一把將佛戈斯拉起來站好，一邊質問他、喘著氣，連話都講不清楚，一邊動手把他衣服上的泥塊和乾草屑拍掉。

我罵他：「你看！你不但弄破上衣，連褲子也破了。得請柏塔幫你縫了。」我讓他轉過身，摸著衣褲上的破洞。剛才馬房的小夥子顯然抓住佛戈斯的褲腰，沿側邊縫線往下扯，漿過的硬棉布襯裡從佛戈斯乾癟的臀部垂下，露出一邊光溜溜的屁股。

我突然住口，瞪大了眼睛。我注意的不是佛戈斯丟臉的光屁股，而是他屁股旁一個小小的紅色標記。這標記大約藍莓大小，呈現燙傷剛癒合的暗紫紅色，邊緣陷入皮膚，造成這標記的東西一定曾經深深嵌入肉裡。我難以置信，伸手觸摸傷口，佛戈斯嚇了一跳。我抓住他胳臂免得他跑掉，俯身把這傷口看個仔細。

我離標記約十五公分左右，把標記的形狀看得清清楚楚。那是個橢圓形，中間有個模糊的印子，原本一定是字母的痕跡。

「誰幹的，佛戈斯？」我的嗓音異常平靜而冷漠，自己聽著都覺得怪。

佛戈斯用力拉扯想脫身，但我緊抓不放。

「佛戈斯，是誰？」我輕輕搖了搖他。

「沒什麼啦，夫人，我從籬笆滑下來自己受傷了，這只是木片弄的。」佛戈斯黑色的大眼左顧右盼，還想找尋脫逃的機會。

「這不是木片，我知道這是什麼，佛戈斯，我想知道是誰幹的。」這標記我以前只見過一次，當時那個傷口才剛成形沒多久，佛戈斯的傷口則已經癒合了一段時間。但是，這個烙鐵的印記我絕不會看錯。

佛戈斯看出我是認真的，不再掙扎。他舔舔嘴唇，還是吞吞吐吐的，不過從他垂頭喪氣的樣子看來，我知道他會跟我說實話。

「這是……一個英國人用戒指燒的，夫人。」

「什麼時候？」

「很久了，夫人，五月的事了。」

我深吸一口氣，計算著。三個月。三個月前傑米出門，去一家妓院找倉庫工頭，佛戈斯陪著他去。三個月前傑米在埃利絲夫人那裡遇見黑傑克，發現了某件事，然後他背棄所有的承諾，決心殺了黑傑克。三個月前，傑米離開，再也沒有回來。

要讓佛戈斯吐實需要很大的耐心，同時還得牢牢抓住他的手臂，但最後我總算還是逼他說了出來。

當時他們到了埃利絲夫人那邊，傑米要佛戈斯在樓下等，他上樓去談錢的事。佛戈斯根據過去的經驗，判斷自己得等上一段時間，於是晃到妓院大廳裡，那裡有幾個他認識的年輕姑娘正在「休息」，一邊七嘴八舌，一邊幫對方整理頭髮，等待顧客上門。

佛戈斯向我解釋：「有時候早上生意不太好，但是在星期二和星期五，漁夫會來塞納河這邊，在早市賣漁獲。他們賺了錢，埃利絲夫人生意就好，所以這些丫頭早餐後就要準備上工。」

大多數的「丫頭」其實在這青樓算是年紀較長的一群，漁民不太會挑三揀四，所以通常不會找最搶手的姑娘。不過，這些女人大多是佛戈斯以前的朋友，會和他鬧著玩，所以他和這群鶯鶯燕燕膩在一起，過了愉快的十五分鐘。幾個早到的客人出現，選了中意的對象，便到樓上的房間去。埃利絲夫人的房子有四層，每層空間都不算大。其他的姑娘則留下來繼續聊天。

「然後那個英國人走了進來，埃利絲夫人跟在旁邊。」佛戈斯頓了一下，吞吞口水，凸出的喉結不安地在瘦弱的喉嚨下起伏。

佛戈斯看過男人酩酊大醉與興奮的各種德性，所以他很確定，這個英國隊長喝酒喝了一晚，不但滿臉通紅、邋遢骯髒，兩眼還布滿血絲。埃利絲夫人想為這英國人介紹姑娘，他看也不看，甩開夫人，自己在屋裡亂走，焦躁地掃視擺出來的貨色，最後看到佛戈斯，眼睛一亮。

「他說：『你，過來。』然後就抓住我的胳臂。我向後退，夫人，我告訴他我老闆在樓上，我不能……但他根本不聽。埃利絲夫人低聲在我耳邊叫我跟他去，說她會把錢分給我。」佛戈斯聳肩，手足無措地看著我。「我知道那些喜歡小男孩的通常不會太久，我以為不用等老爺辦完事，他就會結束。」

「我的老天爺！佛戈斯，你是說你以前做過？」我鬆開緊握，手掌無力地滑到他的袖口。

他看起來很想哭。我也是。

「我不常做這種事，夫人。」他說著，彷彿在懇求我理解。「有些專門做這種的妓院，喜歡的男人通常就會去那裡。但有時客人會看中我……」他用手背抹去淌下的鼻涕。

我翻找口袋，掏出手帕遞給他。他一邊吸鼻，一邊回想那個星期五早晨發生的事。

「他比我想的要大很多。我問他，可不可以放在嘴裡，但他……但他想……」

我一把拉他過來，按住他的頭，讓他緊靠在我肩膀，把他的聲音堵在我懷裡。他纖弱的肩胛骨，摸起來就像小鳥的翅膀。

「別說了，別再說了！沒關係，佛戈斯，我沒有生氣，不要再說了……」我安撫著他。

但他已經聽不進去，這些日子以來他因為恐懼而沉默，一旦吐實便無法停止。

「夫人，都是我的錯！」他脫口而出，掙脫我的懷抱，嘴角顫抖著泣不成聲，眼中湧出淚水。「我不該出聲的，我不該叫出來！可是我忍不住……然後老爺聽到我的聲音，然後……他衝進來……然後……夫人，是我不好，可是我那時真的很高興看到老爺，我跑過去，他把我拉到自己背後，一拳揍了那英國人的臉。然後，那個英國人站起來，拿凳子扔過來。我很害怕，跑出房間，藏在走廊最底端的衣櫃裡。接著就聽到有人大喊大叫、撞來撞去、還有東西摔碎的聲音，乒乒乓乓的，然後又有人吼來吼去，最後終於安靜了。沒多久老爺就打開衣櫃的門，帶我出去。他拿了我的衣服，幫我穿上，我沒辦法自己扣釦子，我的手指一直抖。」

佛戈斯兩手拉著我的裙子，一心希望我相信他，難過得臉揪成一團。乍看之下像是扮鬼臉，卻是傷心的鬼臉。

「夫人，是我的錯，可是我不曉得，我不曉得老爺會打那個英國人！老爺走了，他再也不會回來了，都是我的錯！」

接著他趴在我的腳邊嚎啕大哭。我彎下腰扶他起來。他哭得那麼大聲，也許聽不到我說話，但總之我還是說了。「佛戈斯，這不是你的錯，也不是我的錯。但你說得對，他走了。」

聽完佛戈斯這一番話，我更加心灰意冷。小產後始終包圍著我的烏雲，如今好像靠得更近，一層層包覆我，再明亮的陽光也變得黯淡。聲音聽起來都離我很遙遠，如同海上浮標的鐘聲，穿過濃霧飄來。

露易絲站在我面前，皺著眉頭，憂心忡忡，低頭看我。

她罵我：「妳太瘦了，而且一臉死白。依芳說妳又沒吃早餐了！」

我不記得上次肚子餓是什麼時候，我覺得無所謂。早在到布洛涅森林之前，早在到巴黎之前，我就不在乎餓不餓了。我盯著壁爐臺，又慢慢把目光轉向洛可可雕花裝飾。露易絲還在叨唸，但我沒有在聽，那只是房裡的一個聲音，一如樹枝掃過城堡石牆；一如蒼蠅看上我擱著沒吃的早餐，在房裡嗡嗡飛。

我看著其中一隻蒼蠅，露易絲突然拍手，原本停在蛋上的蒼蠅飛竄，急躁地繞了兩圈，又停在食物上。我背後傳來匆匆的腳步聲，露易絲一聲令下，我只聽得有人順從地說：「是的，夫人。」然後突如其來「刷！」的一聲，蒼蠅拍揮了下來。女僕把蒼蠅一隻隻拍下來，把每隻黑色的小屍體丟進口袋，掃下桌面，又用圍裙一角擦拭留下來的汙跡。

露易絲俯身，突然把臉湊到我眼前。

「妳瘦得臉都成皮包骨了！如果不想吃，至少到外面走一走！」她不耐地說：「雨停了。來吧，我們看看涼亭裡還有沒有葡萄，妳可以吃一點。」

屋裡屋外對我來說都一樣，那團烏雲帶來的麻木依然包圍著我，一切的輪廓都已模糊，什麼地方看起來都沒有差別。但這件事對露易絲好像很重要，所以我乖乖起身，和她一起去走走。

不過，才走到庭園門口，廚師就把露易絲攔了下來，連珠炮似地質疑、抱怨晚餐的菜色。真是苦了露易絲，她為了轉移我的注意，邀請客人來晚宴，整個早上家裡為了準備忙得鬧哄哄的，不時有些小紛爭。

露易絲苦惱地嘆了口氣，然後拍了拍我的背。

「妳先去吧，我會找個僕人送斗篷給妳。」她催促我朝門口走去。

前晚開始就一直下雨，所以今天的天氣以八月來說很涼爽。碎石小徑上有幾個小水潭，濕透的樹木不斷滴著水，一如下個不停的雨。

天空仍然灰暗，但挾帶狂風暴雨的烏雲已經退去。我環抱自己，雖然太陽似乎即將露臉，但屋外仍有涼意，是該穿件斗篷。

我背後傳來腳步聲，轉身一看，是另一個僕人弗蘭索瓦，但他手上沒拿東西，只是遲疑地望著我，彷彿要確定我是他找的人。

「夫人，有客人找您。」他說。

我在心裡嘆了口氣，實在不想花力氣打起精神，和人客套。

「請告訴他們我身體不適。」我轉身繼續走：「等他們走了，就把我的斗篷拿來。」

弗蘭索瓦在我背後說：「可是夫人，這位客人是圖瓦拉赫堡的領主，也就是您的丈夫。」

我嚇了一跳，轉身望向宅邸。沒錯，我看到傑米高大的身影走過宅邸轉角處。我回過身，假裝沒看到他，逕自往涼亭走去。那裡的灌木叢長得很密，或許可以讓我躲一下。

「克萊兒！」假裝也沒用，他也看見了我，沿著小徑向我走來。我走得很快，但快不過傑米那雙長腿。往涼亭的路還沒走到一半，我已經氣喘吁吁，只好慢下來。我現在的身體狀況不適合劇烈運動。

「等等，克萊兒！」

我半轉過身，他快追上來了。

那包圍我、讓我關上所有感覺的烏雲，也為之動搖。想到一旦見了他，我這層保護罩便會立時瓦解，不由一愣，六神無主。少了這層烏雲，我根本活不下去，就像一隻被人從土裡挖出來的蛆，給直接扔到石頭上，毫無抵抗能力，任陽光曬成乾癟的一小團。

「別過來！」我開口。「我不想跟你說話，走開！」他猶豫了一下，我隨即轉身沿小徑快步往涼亭走去。我聽到他踏在碎石上的腳步聲，卻依然背對他，越走越快，幾乎成了跑步。

我略一停步想鑽進涼亭，他突然一個箭步向前，抓住我的手腕。我想把手抽回來，但他緊握不放。

「克萊兒！」他喚著我。我努力掙扎，把臉轉開。假如我不看他，就可以假裝他不在，我還是安全的。

他放開手改抓住我的雙肩，我不得不抬頭穩住身子。他的臉曬黑了，也瘦了，嘴側多了歷經風霜的皺紋，幽暗的眼眸充滿痛苦。「克萊兒，」他看我望著他，聲音也緩和下來：「克萊兒，那也是我的孩子。」

「對，你的孩子，而你殺了他！」我使勁掙脫他的手，旋身穿過狹窄的涼亭拱門，像隻嚇壞的狗兒，終於可以跑到亭裡大口喘氣。只是我完全沒意識到，這爬滿藤蔓的小涼亭，居然四面都是花格牆，把我困在裡面。我背後忽地一暗，因為傑米擋住了拱門。

「不要碰我。」我只一味盯著地上，往後退，腦裡亂成一團，拚命想著：「走開！求求你，看在老天的份上，讓我靜一靜吧！」只覺環繞我四周的烏雲被無情地一把扯開，一絲小而尖銳的痛楚穿透了我，一如閃電破開雲層。

傑米在幾尺外停了下來。我在幽暗中摸索，踉蹌地朝花格牆走去，跌坐在木頭長椅上，閉上眼，瑟瑟發抖。雨雖然停了，但潮濕的冷風仍透過花格牆吹來，寒意襲上頸間。

他沒有再靠近，但我感覺得到，他就站在那兒，低頭望我，我聽得到他紊亂的呼吸。

「克萊兒，」他再次喚我，聲音裡透出絕望：「克萊兒，難道妳不明白……克萊兒，回答我！我連孩子是男是女都不曉得！」

我僵坐著，雙手緊抓長椅粗糙的木頭。不多久，我面前的地上彷彿有重物徒然落下，伴著碎石摩擦的聲音。我猛然睜開眼，只見傑米坐在我腳邊濕漉漉的碎石上，垂著頭。他濕透的髮顏色變得更深，雨在他髮間灑落晶亮的水珠。

「難道妳要我求妳？」他說。

沉默片刻後，我開口了：「她是女孩，」我的聲音又粗又啞，連我自己都覺得好笑。「希德嘉修女為她行洗禮，給她取名費絲❶，費絲．弗雷瑟。希德嘉修女的幽默感是滿怪的。」

傑米低垂的頭一動不動。過了半晌，他平靜地問：「妳看到孩子了？」

我原本不願睜開的雙眼，此時已然大開，盯著自己的膝蓋。風吹落我背後葡萄藤上的雨水，在我膝間的絲裙上漾出斑斑水漬。

「看到了，助產士說該給我看孩子，所以她們有讓我看。」我想起博奈爾夫人不帶情緒的低沉嗓音。在昂吉醫院，博奈爾夫人是助產士之中最資深、最受敬重的一位。

「把孩子給她，讓她看比較好，這樣就不用自己想像。」

所以我不必想像。我記得她的樣子。

我聲音很輕，彷彿對自己說：「她好完美，好小，我可以用掌心蓋住她的頭。她的耳朵只長出一點點，而且會透光，我看得到她的耳朵閃閃發亮。」

光線也透過她的皮膚，在她渾圓的臀部散發珍珠般的光澤。她靜止不動，全身冰冷。她一直住在羊水的世界裡，摸起來仍有那種奇特的觸感。

「希德嘉修女把她包在長長的白緞子裡。她閉著眼睛，還沒長出睫毛，但看得出眼尾有點斜挑。我說她眼睛像你，可她們說嬰兒的眼睛都是這樣。」我看著自己雙拳緊握，擱在大腿上。

十隻手指，十隻腳趾。沒有指甲。嬌小的關節、膝蓋和指骨，如蛋白石閃著微光，就像這世界臨終前，在自己骨骸上嵌的寶石。記住，人啊，你本是塵土……

我想起躺在醫院時，遠處的嘈雜聲，在那兒，生活依然如常運轉。希德嘉修女和博奈爾夫人則在我病床附近低聲交談，討論要不要請某位神父來進行特殊的彌撒。我記得博奈爾夫人轉身打量我，平靜地評估我的病情。或許她從我身上的光亮，判斷我馬上就會發燒，於是又轉過身去和希德嘉修女討論，只是這次聲音更低了——她也許是建議修女再等一下，說不定得舉行兩場葬禮。

而你仍要歸於塵土。

但我從死裡復活了。只有傑米的擁抱有那麼強大的力量，可以將我從死神那關拉回來，這點雷蒙大師早就知道了。我知道接下來只有傑米能把我拉回生命之地。就是這樣我才要離開他，盡我所能不讓他靠近，確保他不會再靠近我。因為我不想回來，不願再有感覺。我不想在嘗到愛的滋味後，再次讓人奪走我的愛。

但即使我想努力留住包圍我的烏雲，我知道為時已晚，抵抗只是讓烏雲更快消散，就像想伸手去抓雲絮，雲卻化為冰涼的霧氣，從指間消散。我感覺光芒再次照耀，刺眼而灼熱。

傑米已經起身，站在我旁邊，身影映在我的膝上，顯然雲霧已經散去。有光，才映得出影子來。

他低聲說：「克萊兒，拜託，讓我安慰妳。」

「安慰我？你要怎麼安慰？你能把孩子還給我嗎？」我說道。

他在我面前跪下，但我依然低著頭，盯著我平攤在腿上，空無一物的掌心。我感覺他伸出手想碰我，猶豫了一下，手縮了回去，接著又再次伸出手。

「不能。」他說道，聲音低到幾乎聽不見：「不能，這件事我辦不到。可是……上帝慈悲……我或許還有機會，再給妳一個孩子？」

傑米把手移到我的手上方，即使沒有觸著我，我也能感受到他肌膚的暖意，和他內心翻騰的種種情緒：他竭力抑制的悲痛、幾乎讓他喘不過氣的憤怒與恐懼、他不顧一切勇於傾吐的勇氣。彷彿被他感染一般，我隨之也鼓起所有的勇氣，哪怕與原先包圍我的濃密烏雲相比，這武裝脆弱已極。我握住他的手，抬起頭，毫無保留地直視他滿是陽光的臉龐。

---

❶費絲的英文為Faith，原意為「信念」。失去費絲的克萊兒與傑米，有著同時失去對彼此「信念」的隱喻。

我們坐在長椅上，雙手緊緊交握，就這樣不動也不說話，彷彿過了好幾個小時。雨後涼爽的微風掀動頭頂的葡萄葉，傾吐我倆的思緒。風過處，在我們身上灑落雨滴，是為失落與分離而流的淚。

「妳好冷。」傑米終於低聲開口，拉起他的披風裹住我，也帶來肌膚的暖意。在這小小的避風港內，我慢慢靠在他身上卻抖得更厲害，但不是因為冷，而是忽地有了那麼結實的倚靠，突然感受到他火熱的體溫。

我怯生生把手放在他的胸口，彷彿害怕碰觸他會真的灼傷。我們又這樣坐了好一會兒，讓葡萄葉代我們傾訴。

「傑米，」我終於幽幽開口：「噢，傑米。你到哪兒去了？」

他的手臂緊圈住我，過了一會兒才答話。

「我以為妳死了，褐髮美人。」他的聲音好輕，涼亭裡樹葉瑟瑟作響，我幾乎聽不到他的聲音。

「我看到妳在那裡——結束的時候，妳倒在地上。那時妳的臉色好蒼白，裙子浸滿了鮮血……克萊兒，我一看到妳，馬上想去找妳，我跑過去，卻給衛兵抓住了。」

他費力地吞了口口水，我感覺一股顫慄傳遍他全身，沿著脊椎的弧線一路向下。

「我和他們打起來……我跟他們打，也跟他們求過情……但他們就是不肯讓我去看妳，就這麼把我抓走，關到牢裡……我以為妳已經死了，克萊兒，因為我知道那簡直是我下的手。」

傑米依舊輕輕顫抖，雖然他的臉在我上方，我看不見，但我知道他哭了。傑米獨自在黑暗的巴士底監獄中待了多久？倘若不是因為見血的渴望、徒具形式的復仇，他又何致孤單入獄？

「沒關係，傑米，沒關係……那不是你的錯。」我手掌緊貼他胸口，彷彿想讓那急躁的心跳慢下來。

「我不願再想下去了，就用頭撞牆。結果他們把我手腳都綁起來。隔天朱勒找到我，告訴我妳還活著，只是可能活不久了。」傑米低聲說，彷彿在耳語。

接著他陷入沉默，但是我能感受到他內心的痛苦，像晶亮的冰矛那般鋒利。

「克萊兒，」他終於喃喃道：「我很對不起。」

對不起。在世界破碎以前，這是他留給我的最後一句話。現在我終於明白了。

「我知道，傑米，我都了解。佛戈斯告訴我了。我知道當初你為什麼要去。」我說。

他顫抖著深吸了一口氣。

「這……」他欲言又止。

我把手放在他大腿上。他的馬褲淋了雨，又濕又冷，摸起來很扎手。

「他們放了你的時候，有沒有告訴你，你為什麼獲釋？」我努力想讓呼吸平穩下來，卻沒成功。

我的手感覺到他的大腿緊繃，不過現在他可以把聲音控制得比較平穩了。

「沒有，他們只說……因為陛下龍心大悅。」他說「龍心大悅」時語氣微微加重，帶著隱約的敵意。看來不論獄警有沒有告訴他，他很清楚自己為什麼獲釋。

我緊咬下唇，思考現在該說什麼。

傑米語氣平穩地繼續說：「是希德嘉修女告訴我的。我有一次去昂吉醫院找妳，發現希德嘉修女，還有妳留給我的小紙條。修女她……都告訴我了。」

我頓了一下才開口：「對。我去見國王……」

「我知道！」他握著我的手突然收緊，從他的呼吸聲，我知道他正緊咬牙關。

「但傑米，我去是為了……」

他突然坐直，轉身面對我：「老天爺！克萊兒，難道妳不知道……」他閉了一下眼睛，深吸一口氣。「我一路騎到奧維耶托，眼前畫面都是他的手放在妳白皙的肌膚上，都是他吻著妳的頸子，他的——他的老二，我甚至可以看到他鼓脹起來——我看到那骯髒汙穢、又粗又短的東西……天啊，克萊兒！我在監獄時以為妳死了，等我騎到西班牙，卻希望妳不如當時就死了比較好！」

傑米握著我的那隻手指節泛白，我嬌小的指骨在他緊握下咯咯作響。

我猛地把手抽開。「傑米，聽我說！」

「不要！我不想聽……」他說。

「聽我說，你這個王八蛋！」

我話裡的氣勢讓他閉上了嘴，趁他沒開口，我很快地告訴他一切來龍去脈，包括國王的寢室、戴兜帽的人、陰暗的房間、術士的決鬥，以及聖日耳曼伯爵的死。

傑米聽著，歷經風霜的臉頰不再漲紅，痛苦憤怒的表情逐漸緩和，變得不知所措，最後漸漸轉為驚異、相信。

「噢，上帝啊！」他終於吐出一口氣。

「你知道你剛才講的那些話有多傻嗎？」我筋疲力盡，但還是勉強擠出笑容。「所以伯爵……沒事了，傑米。他已經不在了。」

傑米沒有回應，只是輕輕摟著我，讓我的額頭靠在他肩上，我的淚浸濕了他的上衣。但很快我又坐直，一邊抹鼻子，一邊望著他。「傑米！我突然想到，那些波特酒——那是查理王子的投資！如果伯爵死了……」

傑米搖搖頭，微微一笑。「沒事，褐髮美人，那些酒很安全。」

我聽了，大大鬆一口氣。「感謝老天。你成功了，對嗎？那些藥對穆塔夫有效嗎？」

「沒有，不過對我有效。」傑米的笑意更深了。

恐懼和憤怒一瞬間煙消雲散，我覺得頭重腳輕有點暈眩。雨水洗過的葡萄味濃烈而甜美，我依偎著傑米，感受他的體溫，聽他說走私波特酒的經歷，感覺幸福又安心。他的溫度不再危險，終於能帶給我安慰。

「有些男人天生適合在海上乘風破浪，英國姑娘，但我大概不是那種人。」傑米開口。

「我知道，你暈船了？」我問道。

「我很少暈得這麼厲害。」他苦笑。

奧維耶托附近的海域向來波濤洶湧，他們上船不到一小時就知道，傑米顯然無法扮演他原本在計畫中的角色。

「從頭到尾，我除了躺在吊床上呻吟，什麼都做不了，所以乾脆假裝我也得了天花。」他聳聳肩。

他和穆塔夫匆匆交換角色。就在斯卡拉曼德利號駛離西班牙海岸二十四小時後，船長驚恐地發現天花入侵了。

傑米不經意地抓抓脖子，好像蕁麻汁的威力還在。

「他們發現時本來想把我扔進海裡。我得說當時這主意還真不壞。妳曾經一邊暈船，一邊長蕁麻疹嗎，英國姑娘？」他一邊嘴角上揚，對我笑道。

我光想就打了個寒顫：「沒有，感謝老天。穆塔夫阻止他們了？」

「對，穆塔夫可是很強悍的。他睡在門檻上，手裡拿著短劍，直到我們安然抵達畢爾包的港口。」

船長當時只有兩個選擇，一個是駛往阿弗赫，這樣貨物會被沒收，他無利可圖；或是捎個消息到巴黎，但他得回西班牙枯等。這時半路殺出一位新的買主，一如所料，船長馬上抓住機會處理掉船上的波特酒。

「但他還是拚命講價，花了半天在那裡討價還價，這時我不但有血尿，連內臟都快吐出來了，差點死在吊床上。」傑米抓抓手臂說道。

等到終於成交，波特酒和染上天花的傑米就都隨著文件在畢爾包下船。而傑米除了維持一陣子血尿，其他都復元得很快。

「我們在畢爾包把波特酒脫手給一個代理商，我立刻讓穆塔夫回巴黎，償還欠杜維內先生的錢。然後……我就來到這裡。」他低頭看著自己靜靜擱在腿上的雙手，輕聲說：「我沒辦法決定要不要來。我用走的，給自己時間思考。我從巴黎一路走到楓丹白露，又往回走，幾乎走回巴黎。我回頭了六次，心想自己不但是凶手，還是個傻子。我不知道該殺了妳，還是乾脆自殺……」

然後他嘆了口氣，抬頭看我，幽暗的眼裡映著飄動的葉。

「我一定得來。」他簡單地下了結語。

我沒說什麼，只是把手覆上他的手背，和他並肩坐在一起。涼亭地面四散著落地的葡萄，散發濃烈的發酵氣味，但等釀成酒，曾經的辛辣苦痛都會遺忘。

霞光四射，夕陽就要下山，涼亭入口隱約出現雨果的身影，黑色的剪影勾上金邊，顯出他恭敬的姿態。

「抱歉打擾了，夫人，主人想知道領主是否要留下來用晚膳？」雨果說。

我看著傑米。他坐著不動，等著，陽光穿過葡萄葉，在他的髮間閃著金色斑紋，陰影掠過他的臉。

「我想你最好留下來吃晚餐，你瘦得要命。」我說。

他似笑非笑地打量我。「妳也一樣，英國姑娘。」

他站起來，向我伸出手臂。我挽著他一起去吃晚餐，留下葡萄葉無聲的絮語。

我躺在傑米身邊，依偎著他，他的手搭在我大腿上，已然睡去。我抬眼望著漆黑的臥室，傾聽傑米睡夢中安詳的呼吸，吸進夜裡清新潮濕的雨後空氣，那裡面有一抹紫藤的香氣。

那天晚上，除了路易王以外，每個人都在討論聖日耳曼伯爵的垮臺。賓客一一離開，彼此興奮地低聲交頭接耳，路易這時挽著我，領我從來時的小門離開。路易王固然很能言善道，但現在他沒有開口的必要。

他領我到一張綠色絲綢貴妃椅上，我躺上去，還來不及說話，他就將我的裙子輕輕掀起。他沒有吻我，他並不渴望得到我，這只是一種儀式，索討雙方同意的報酬。路易王在討價還價上很精明，不管這份報酬對他來說是否重要，只要他認為欠他的，就絕不會放過。或許他也很看重這份報酬，因為他在準備時看來又害怕又興奮，畢竟除了一國之君，有誰敢將白夫人擁入懷中？

我既緊又乾燥，還沒有準備好。路易王不耐煩了，從桌上抓了一瓶玫瑰香油，大略塗抹在我雙腿間。待他急促探刺的手指抽出，另一個稍大的東西立刻進入，我一動也不動，靜靜躺著。我不覺得自己在「忍受」，因為我既不覺得痛苦，也不覺得屈辱，這只是一個交易。在他快速戳刺時，我只是靜靜等著，然後他站了起來，臉因為興奮而漲紅，摸索一番手指把褲子重新穿好，蓋住他那小小的隆起。他很小心，以免冒出一個半是皇室血統，半是女巫血統的私生子，而且圖赫勒夫人已經準備好，在走廊上另一個房間等著，他還得好好享受——希望她準備得比我充分。

我之前暗示自己可以付出的東西，已經給了，現在國王陛下可以應允我的要求，也不會覺得自己有什麼損失。至於我，他彬彬有禮地向我一鞠躬，我也還了禮，接著他握著我的手肘，殷勤地伴我走到門口，於是我們進入謁見廳不過幾分鐘便又離開，同時路易也答應隔天一早就會下令釋放傑米。

國王的侍寢官已經在走廊等著。他向我一鞠躬，我回了禮，便跟他走過鏡廳。我油膩的大腿互相摩擦，感覺滑溜溜的，雙腿間仍帶著強烈的玫瑰氣味。

聽到皇宮的大門在我背後關上，我閉上眼，心想我再也不會見到傑米了。即使恰巧遇見，我會把這玫瑰香氣抹上他的鼻子，直到他的靈魂作嘔、死去。

但如今我握著傑米的手，放在我的大腿上。我傾聽他的呼吸，在暗夜裡深沉而平穩，就在我身邊。路易王謁見廳的那扇大門，就讓它永遠闔上。

第二十九章

愛人的察覺

我知道妳騙了我。
我想妳不相信我愛妳，或者……
妳原本就想要路易，
只是不敢讓我知道。

「蘇格蘭啊！」我嘆口氣，想到傑米在拉利堡的家，想到那兒涼爽的棕色溪流、墨綠的松林。「我們真的可以回家了嗎？」

「我們也不得不回去了。」傑米自嘲：「法王的赦免令是我必須在九月中以前離開法國，否則就得回巴士底監獄。我想，陛下應該也和英格蘭王交涉過，請他下了赦免令，免得我在茵凡涅斯一下船就直接被送去吊死。」

「我想我們可以去羅馬，或是德國。」我試探性地建議。其實我只想回拉利堡，重回蘇格蘭高地寧靜平穩的生活，療傷止痛。一想到皇室裡那些陰謀算計，纏繞不去的紛紛擾擾，我的心就往下沉。但是，如果傑米覺得我們必須……

傑米搖搖頭，彎腰拉襪子，紅髮垂落到臉上。

他說：「不行，不是回蘇格蘭就是回巴士底監獄，為了確定我們會回去，行程都已經安排好了。」他直起身子，把頭髮從眼前撥開，微微苦笑。「我想森丁罕公爵，或許還有英國喬治國王，都希望我好好待在家裡，這樣他們才能監視我，確定我沒有跑去羅馬刺探情報，或跑到德國籌集資金。這三週的寬限期，我推測是要給賈爾德一個禮遇，讓他來得及在我離開前趕回來。」

我坐在臥室靠窗的座位，望著楓丹白露森林化為洶湧翻滾的綠色海洋。夏天的空氣燠熱滯悶，黏得人很不舒服，吸走所有精力。

「那也好。」我嘆口氣，把臉頰貼在玻璃窗上，尋求片刻的涼意。昨天一場冷雨讓濕度大增，潮濕的空氣鋪天蓋地，讓我的髮絲與衣服都黏在皮膚上，又濕又癢。「不過，你覺得安全嗎？我的意思是，既然伯爵死了，曼澤第的錢又沒了，你覺得查理會放棄嗎？」

傑米皺眉，一手順著下巴邊緣摩挲，看鬍碴是不是長出來了。

「我很想知道過去這兩週查理有沒有接到羅馬來的信，如果有，信上又是怎麼說。不過不要緊，我們安排好了。如果用斯圖亞特的名字，歐洲沒有一家銀行會借他半個黃銅生丁，這點沒問題。西班牙的菲利浦王有自己的事要忙，至於路易王……」他聳聳肩，嘴角一撇。「有杜維內先生和森丁罕公爵在，我得說，在錢這方面，查理最好不要抱太大希望。妳覺得我該剃鬍子嗎？」

「我覺得不用。」我說道。這隨口的提問感覺很親密，讓我忽然害羞起來。我們前晚雖然同睡一張床，但兩人都早已筋疲力竭，而且我們在涼亭裡重新織起的交流與信賴還太脆弱，禁不起歡愛的壓力。然而，我整晚都很清楚意識到我身旁那散發溫熱的身軀，但無論如何，都必須由他主動。

此時他轉身去找上衣，我看著光影在他肩頭舞動，突然有股渴望攫住我，讓我想觸摸他，感受他再次因我而光滑、堅硬與熱切。

他的頭探出上衣領口，我倆意外四目相接，毫無防備。他頓了一下，看著我，但一言不發。早上城堡裡熱鬧喧囂，我倆卻被沉默籠罩。僕人忙進忙出，露易絲聲音又高又尖，似乎在與人口角。

「不要在這裡，」傑米的眼睛說道：「這麼多人在附近。」

他低下頭，仔細扣好上衣的鈕釦。他邊看著自己的動作，邊問我：「露易絲有養來騎的馬嗎？幾哩外有幾座斷崖，也許我們可以騎到那裡，空氣比較涼爽。」

「我想她有，我來問她。」我說。

—

我們在中午前到了斷崖。其實那也稱不上斷崖，只有高聳的石灰岩柱與岩脊，四面環著山丘與逐漸轉黃的野草，像古城的遺跡。經過多年風吹雨打，蒼白的石灰岩脊有許多裂隙與溝紋，積存了少許土壤，卻已足夠讓數千株奇特的小型植物找到立足之地，在此生長。

我們讓馬在草叢裡慢慢走，自己下馬步行，攀爬到一處寬廣平整的石灰岩床上，位置就在最高的亂石堆下，長滿了叢叢野草。雜亂的矮樹叢無法供人遮蔭，不過因為地勢高，偶爾有清風拂過。

「老天爺，真熱！」傑米說。他鬆開蘇格蘭裙的扣帶，讓它落在腳邊，接著扭動身體脫掉上衣。

「傑米，你在做什麼？」我有點好笑地問他。

傑米一本正經地說：「脫衣服。妳要不要也把衣服脫掉，英國姑娘？妳汗流得比我還多。反正這裡沒有人會看見。」

我猶豫了一下，就照他建議脫了衣服。這裡地勢隔絕，而且崎嶇多岩，羊不會來這裡，牧羊人就算迷路，也不太可能上來這裡遇到我們。而且我們還能赤身裸體地獨處，離露易絲和那一大群煩人的僕人遠遠的……傑米把蘇格蘭披肩鋪在粗糙的地面上，我則繼續剝掉身上汗濕的衣服。

傑米懶洋洋伸個懶腰，躺在披肩上，手枕在腦後，對好奇的螞蟻、散亂的碎石、帶刺的植物，全部視而不見。

「你的皮一定和山羊一樣厚，不然怎麼可以這樣躺在光禿禿的地上？」我和他一樣光溜溜的，但他細心幫我把披肩多摺幾摺，鋪得比較厚，於是我舒適地躺上去。

他聳聳肩，閉著眼睛，沐浴在溫暖的午後陽光下。陽光在他小憩處灑下一整片金，與他身下暗色的野草相映，讓他全身煥發紅金交織的光澤。

「躺起來還行。」他自在地說，隨即陷入沉默。風吹過我倆上方的山脊，發出輕輕的嗚咽，但他離我很近，即使風在呼嘯，我仍聽得到他的呼吸。

我翻身趴著，下巴擱在交疊的手臂上，望著他。傑米的身形上寬下窄，腰臀處修長有力，即使是放鬆的時候，肌肉仍相當緊實，露出健壯而優雅的弧線。溫暖的微風吹來，掀動他腋下柔軟的肉桂色毛髮，漸漸吹乾了汗，他金銅色的髮，也被吹得輕掃過枕著頭的腕邊。初秋的太陽依然熱力十足，曬燙了我的肩膀和小腿，所幸有微風輕輕吹拂。

「我愛你。」我輕聲說，並不是刻意說給他聽，只是突然想說這一句。

他確實聽到了，那張大嘴的嘴角勾起一絲笑意。過了一會兒，他翻身趴著，挨在我身邊，幾片草屑貼在他後背和臀部，我輕輕撥掉一片，手觸之處，他微微顫抖。

我湊過去吻他的肩，享受他皮膚溫暖的氣息與淡淡的鹹味。

但他並沒有回吻我，反而拉開一點距離，支著一隻手肘望我。他的表情有些神祕莫測，讓我有點不安。

「你在想什麼？」我問，邊用一根手指順著他背脊骨的凹處滑下。他又退後了些，讓我摸不到他，然後深吸一口氣。

「我在想……」他欲言又止，低頭看地上，手裡擺弄著一朵探出草叢的小野花。

「你在想什麼？」

「想那是什麼感覺……和國王在一起。」

我覺得自己的心跳停了好幾拍，也發覺到我的臉血色盡失，因為我硬逼自己開口時，嘴唇都麻了。

「你說……什麼感覺？」

他抬起頭，牽動一邊嘴角，努力擠出笑容，但連這微弱的笑容也轉瞬即逝。

「呃，他到底是位國王，可能多少會有點……不一樣。可能會比較特別？」

傑米的笑容淡去，臉色和我一樣蒼白。他又低下頭去，避開我受傷的目光。

他喃喃地說：「我只想知道……就是……他……和我有什麼不同？」我看著他咬住嘴唇，好像後悔說出這句話，但已經太遲。

我說：「你怎麼知道的？」我頭暈目眩，覺得被識破的自己毫無遮蔽，於是轉身趴著，使勁抵著地上粗短的野草。

他搖搖頭，牙齒仍然緊咬住下唇。等他終於鬆口，唇上咬過的地方出現深紅的印記。

「克萊兒，我的克萊兒。」他輕聲說：「我們的第一次妳就徹底把自己交給我，毫無保留地給了我。妳從來不曾對我隱瞞過什麼。那時我要求妳對我誠實，但我也說過妳不擅長說謊。我這樣碰妳的時候……」他伸手覆在我臂上，這個動作出乎我意料之外，不禁縮了一下。

「我愛妳有多久了？」他問我，語調非常平靜：「一年？從我看到妳那刻就開始了。我和妳歡愛有幾次？五百次，還是更多？」他的一根手指撫摸著我，像飛蛾的腳那麼輕，沿著我手臂與肩膀的曲線，滑下我的胸肋，直到我因他的撫觸而顫抖，翻過身來面對他。

傑米的目光隨著手指的路徑游移，手指繼續往下，輕描著我胸部的曲線。「我觸碰妳的時候，妳從來沒有退縮，即使是第一次也沒有——那時如果妳退縮了，我也不會訝異，但妳沒有。從第一次起妳就毫無保留地奉獻給我，妳的每一寸都不曾抗拒我。」

「但現在……」他抽回手。「一開始我以為是因為妳失去了孩子，或許我讓妳害羞，或只是分離那麼久而陌生了。但後來我明白不是。」

接著是一段長長的沉默。我感到心臟平穩、痛苦地搏動，撞擊冰冷的地面；我聽到山下松林間微風的絮語。遠方的小鳥鳴唱著。我多希望自己也是一隻小鳥，我願意付出任何代價，只要能遠離此時此地。

他輕聲問：「為什麼？為什麼騙我？我來找妳的時候，就已決定不管發生什麼，我都可以諒解妳啊！」

我低頭盯著抵著下巴交握的雙手，頓了一下。

「假如……」我又吞了口口水，才說：「假如我告訴你，我已經讓路易……你就會問我這件事。我覺得你不會忘記……或許你會原諒我，但是你永遠不會忘記，這件事會永遠是我們之間的嫌隙。」我再次費力地吞了口口水。天氣這麼熱，我卻雙手冰冷，覺得肚子裡放了一大塊冰。但如果我現在要告訴他真相，就必須全盤托出。

「如果你問我——而且你也問了，傑米，你真的問了！那這件事我就不得不說，還得回想那段經歷，而且我怕……」我聲音越來越弱，說不出口。但他一定要我說。

「怕什麼？」他催我說下去。

我略偏過頭，才不必直視他的眼睛，但還是看得到他背光時輪廓的剪影，透過我長髮間點點光影的縫隙，若隱若現。

「我怕必須告訴你這麼做的理由。」我輕聲說道：「傑米……我一定要、一定要把你救出巴士底監獄，有必要的話，我不惜做出更糟糕的事。但隨後發生了這件事……後來，我有點希望有人會告訴你，讓你發現這件事。我很憤怒，傑米，因為決鬥，還有失去我們的孩子。而且你讓我不得不去……去找路易。我想做一些事把你趕走，讓我再也不要看到你。我這樣做有一部分是……為了傷你的心。」我低聲說。

他嘴角肌肉抽動了一下，但依然繼續低頭凝視他緊握的雙手。之前我們辛苦彌補岌岌可危的裂縫，此時再次擴大加深，成了無法跨越的鴻溝。

「妳的確傷了我的心。」他的嘴緊抿成一條線，久久不語。最後他終於轉過頭，直視著我。我很想逃避他的目光，卻辦不到。

他輕聲說：「克萊兒，我把身體給了黑傑克的時候，就是當時在溫特沃斯，我讓他占有我——妳有什麼感覺？」

這一問讓我全身從頭皮到腳趾一陣刺麻，完全沒意料到他會這麼問。我的嘴一時開開闔闔說不出話來，最後才擠出答案。

「我……不知道。」我有氣無力地說：「我沒想過。一開始當然是生氣。我既是激憤，也覺得噁心，也為你擔心害怕。還有……為你難過。」

「後來我告訴妳，他撩起我的性慾，雖然我不想要，但妳吃醋了嗎？」

我深吸一口氣，感覺草刮在胸口，癢癢的。

「不會，至少我不覺得自己在吃醋，那時候我沒這麼想。畢竟，我明白你……也百般不願。」我咬著嘴唇垂下眼。他的聲音在我肩旁響起，平靜而不帶感情。

「我想妳也不願意上路易的床，是吧？」

「當然不願意！」

「這就對了。」他說著，用拇指掐住一根草的兩邊，慢慢往上拉，把草連根拔起。「我也很氣，也覺得噁心，也為妳難過。」咻的一聲，葉片從葉鞘中脫出。

傑米繼續說，聲音小得像在耳語：「事情發生在我身上的時候，我知道妳想到這件事就會受不了，我也不怪妳。我知道妳必須離開我，我也努力把妳送走，這樣我就不用看見妳臉上厭惡與受傷的表情。」他閉上眼睛，舉起指間的葉片，輕掃過嘴唇。

「但是妳不肯走，妳抱著我、照顧我，妳救了我。無論如何，妳愛我。」他顫抖著深吸了一口氣，再次轉頭面對我。雙眸晶亮，盈滿淚水，只是淚還沒滾落臉頰。

「我想，或許我也可以為妳努力做同樣的事，就像妳對我的付出一樣。所以我還是來到楓丹白露。」他用力一眨眼，雙眼像似一片汪洋。

「然後妳告訴我，什麼也沒有發生。我多少相信了妳，因為我也這麼希望。但隨後……我看得出來，克萊兒，我沒辦法假裝看不到，我知道妳騙了我。我想妳不相信我愛妳，或者……妳原本就想要路易，只是不敢讓我知道。」傑米扔下青草，頭一垂，靠在手背的指節上。

「妳說妳想傷害我……比起我胸口的烙印，還有打在背上的皮鞭，妳的欺瞞，的確重重地傷到了我。想到妳竟然不相信我愛妳，那感覺就像被吊在絞索上，醒來，卻有把刀插進我肚子裡。克萊兒……」傑米的嘴無聲張開又緊閉，過了一會兒，才有力氣繼續說下去。

「我不知道這種傷痛是不是無藥可救，但克萊兒，每當我看著妳，我覺得心裡的血都流光了。」

我們之間的沉默更深沉，空氣中傳來小蟲在岩石間嗡嗡飛舞的細微震波。

傑米像石頭般動也不動，面無表情低頭看著地上。看著他空洞的臉，想到這張臉後隱藏的想法，都讓我難以承受。在涼亭時我見過他絕望憤怒的表情，現在他發揮了可怕的自制力，壓抑的不單是憤怒，甚至連信任、快樂也一併埋葬，一想至此，我覺得整顆心都被掏空。

我多希望有什麼方法打破我們之間那堵沉默的牆，該怎麼做才能重拾我們之間失去的真誠？傑米坐了起來，雙手緊緊環抱大腿，轉過身去，凝望遠處平靜的山谷。

我心想，我寧可他狂暴怒吼，也不要他沉默。我跨過我們之間的隔閡，把手放在他臂上。他的皮膚給太陽照得暖暖的，充滿活力。

「傑米。」我低聲說：「求求你。」

他把頭緩緩轉向我，表情似仍平靜，但他靜靜看著我，瞇起貓般的雙眼。最後他終於伸出手，抓住我的手腕。

他柔聲說：「所以妳希望我打妳？」他加重手上力道，我不知不覺動了一下，想把手抽回來。他往後一拉，把我拉過去抵著他，我赤裸的身子擦過地上的野草。

我只覺自己全身顫抖，手臂起了雞皮疙瘩，寒毛直豎，但我勉強迸出那個字。

「對。」我說。

他的表情深不可測，雙眼盯著我不放，伸出空著的那隻手，在岩石間翻找，摸到一叢蕁麻。他在手指碰到蕁麻的刺時吸了口氣，但仍咬緊牙關，握拳將蕁麻連根拔起。

「加斯科尼的農民會用蕁麻鞭打不貞的妻子。」他說，拿著一叢帶刺的葉子，將蕁麻花輕掃過我一邊胸部。突如其來的刺痛讓我倒抽一口氣，我的肌膚像被施了魔法，出現微微的紅斑。

「妳要讓我這樣做？我該這樣懲罰妳嗎？」他問。

「如果……你想的話。」我的嘴唇抖得很厲害，話都快說不出來了。蕁麻根部有些土屑落在我的雙乳間，有一小塊順著我肋骨滾下，我想像那是因為我狂亂的心跳震落了它。蕁麻在我胸口畫出的痕跡如火燒般刺痛，我閉上雙眼，想著被一叢蕁麻鞭打會是什麼感覺，種種景象如在眼前。

突然間，鉗著我手腕的手鬆開了，我睜眼只見傑米盤腿坐在我身旁，蕁麻已丟到一邊，散落在地。他露出一絲懊悔的苦笑。

「英國姑娘，上一次我因為正當理由打了妳，妳威脅說要用我的短劍把我的心臟挖出來，現在妳卻要我用蕁麻抽妳？」他緩緩搖頭，若有所思，雙手彷彿生出自己的意志，自動捧著我的臉。「我的男性尊嚴對妳真的有那麼重要？」

「對！很重要，非常重要！」我坐直身子，抓住傑米肩膀，做出讓我倆都吃驚的動作——我笨拙地用力吻了他。

一開始，傑米不由自主地回應，把我拉向他，環緊我的背，回吻著我，然後把我壓在地上，他全身的重量讓我在他身下動彈不得。他的肩膀遮住上方明亮的天空，用雙手把我的臂膀固定在身體兩側，讓我成為他的俘虜。

「好。」他低語，直視我雙眼，不許我閉上眼睛，逼我承受他的目光。「好吧，如果妳想要這樣，我就處罰妳。」他的臀朝我一頂，如蠻橫的命令，我雙腿隨之為他打開。我的門扉大敞，迎接他長驅直入。

「永遠，」他對我輕喚：「永遠。永遠不許妳有別人，只能有我！看著我！告訴我！看著我，克萊兒！」他在我體內劇烈律動，我呻吟著想把頭轉開，但他雙手捧著我的臉，逼我看著他的眼，看他俊美而寬闊的嘴因痛苦而扭曲。

「永遠不許，」他的語調更加輕柔：「因為妳是我的。妳是我的妻子、我的心肝、我的靈魂、我的身體……我的一切。」他的重量牢牢壓著我，像我胸口的一塊巨石，但我倆肉體擦出的烈火，驅使我迎向他，索求更多，更多。

他滿足了我的索求，大口喘息。我在他身下拚命扭動，彷彿想逃脫，卻弓起背把自己推向他。他身體一沉，全部進入我，幾乎一動不動。我們合而為一，彷彿那是比肌膚相親更緊密的牽繫。

我身下的草地粗糙帶刺，壓碎的草莖散發強烈的氣味，一如他占有我時身上的味道。他的身體壓著我的乳房，隨著我們前後律動，他的胸毛癢癢地搔著我的胸口。我扭動著，催促他再更激烈一些。他緊緊抵著我，我可以感覺到他大腿肌肉隆起的線條。

「永遠。」他的臉離我只有幾寸，低聲對我說。

「永遠。」我說著，把頭轉開，閉上眼，避開他激烈的目光。

他無動於衷，輕輕把我的頭轉回來面向他，那微小的律動仍在繼續。

「不，我的英國姑娘，睜開眼睛看著我。因為這是要懲罰妳，也是要懲罰我。我知道自己對妳的傷害，妳也要看看妳對我的傷害。看著我。」他輕聲說。

我看了，我是他的俘虜，只為他一人所有。我看了，看他摘下最後的面具，展露他最深處的自我、靈魂的創傷。若我可以，我會為他的傷痛而哭，也為自己的傷痛而哭，但他的目光緊緊攫住我，圓睜的眼裡沒有淚水，如鹹水的海洋無邊無際。他用身體掌控了我，用他的力量推動我，如西風推動小船的風帆。

而我向他航去，一如他向我航來。當歡愛最後一陣小小的風暴襲來，我渾身顫抖，他叫喊出聲，我們合為一體乘浪而行，在彼此眼裡看見自己。

—

午後烈日照在白色石灰岩上，在裂縫與凹洞中灑下深深的陰影。我終於在一塊巨石的隙縫中找到了我要的蘆薈，即便在土壤這麼少的情況下，它仍長得很好。我從蘆薈叢中折了一根，撕開多肉的葉片，把清涼的綠色凝膠塗在傑米手掌的傷口上。

「好點了嗎？」我說。

「好多了。天啊，這些蕁麻還真刺！」傑米把手伸展了一下，痛得臉都歪了。

「就是啊！」我拉下胸衣的領口，小心翼翼地塗上一點蘆薈汁。蘆薈的涼意立刻減輕了不適。

「很高興你沒有採納我的建議。」我瞄了瞄旁邊一叢茂盛的蕁麻，苦笑著說。

他笑著用大手拍拍我的屁股。「我差一點就要照做了，英國姑娘，妳不該這樣慫恿我。」然後，他一臉認真，俯身輕輕吻了我。

「開玩笑的，褐髮美人。那次我對妳發過誓，我是認真的。我絕對不會因為憤怒對妳動手。」他轉身，又輕聲說了一句：「我對妳的傷害也夠多了。」

我想起痛苦的往事，不由縮了一下，但我還欠傑米一個公平的說法。

「傑米……」我嘴唇微微顫抖，對他說：「失去寶寶，不是你的錯。我過去覺得是因為你，但其實不是。我想……我想無論如何，不管你有沒有和黑傑克決鬥，這件事都會發生。」

他還抱著我，感覺溫暖又舒適，又把我的頭輕放在他的肩窩，讓我枕著。「聽妳這麼說，我安心了一點。不過，關於法蘭克，妳會原諒我嗎？」他低頭看我，藍色的雙眸裡有些不安。

「法蘭克？」我大吃一驚：「可是……我要原諒你什麼？」接著我想起來，傑米可能不知道黑傑克還活著，畢竟他在打鬥結束後旋即被捕。但如果他不知道……我深吸一口氣。無論如何他總會發現，由我告訴他或許比較好。

「傑米，你沒有殺死黑傑克。」我說。

奇怪的是，傑米似乎不覺得震驚或意外。他搖搖頭，午後的陽光在他髮間閃耀。傑米的頭髮在獄中長了許多，但還沒長到可以綁起來，所以他得一直把頭髮從眼前撥開。

「我知道，英國姑娘。」他說。

「你知道？那，為什麼……」我不知所措。

「妳不知道這件事？」他遲疑地說。

儘管我們在烈日下，一股寒意卻鑽進我的雙臂。

「知道什麼？」

傑米咬著下唇，為難地看著我。最後，他深吸一口氣，又嘆了一大口氣。「我沒殺他，但我傷了他。」

「對，露易絲說你傷他傷得很重，但她說他正在康復。」突然間，我又看見記憶中布洛涅森林的最後一幕，我陷入一片黑暗前見到的最後一幕。傑米的劍尖劃破濺滿雨水的仿麂皮馬褲，鮮紅血漬頓時染黑了褲子……還有那劍的角度，與傑米用力往下刺去的那一瞬銀光。

「傑米！」我驚恐地瞪大雙眼：「你該不會……傑米，你怎麼可以這樣！」

他低下頭，潮濕的掌心擦著蘇格蘭短裙的兩側，搖搖頭，自己也覺得匪夷所思。

「我太傻了，英國姑娘，我覺得如果他對一個小男孩做出這種事，我還讓他逍遙法外，就稱不上是個男人，不過……整場決鬥我都一直在想：『你不能當場殺了這個混帳，你答應過了，你不能殺他。』」他勉強擠出一絲笑意，低頭看掌心的傷痕。

「當時我殺氣騰騰，就像爐子上滾的燕麥粥，但我一直這麼想：『你不能殺他。』所以我沒殺他，但那是場激烈的決鬥，我幾乎喪失理智，血液直往腦子衝，在我耳朵裡嗡嗡響，我沒法停下來想為什麼不能殺他，只記得我這樣答應過妳。等他躺在我面前，我想起溫特沃斯和佛戈斯的事，劍在我手中自己動起來……」他突然住口不說了。

我只覺得整個頭部都失了血，重重坐到石塊上。

「傑米。」我喚他，他無奈地聳聳肩。

「英國姑娘，」傑米依舊避開我的目光，說：「我只能說，那個地方受傷，生不如死。」

「老天爺。」我坐著不動，聽完這真相，我嚇呆了。傑米靜靜坐在我旁邊，看著自己寬闊的手背。他右手手背上，還有一個小小的粉紅色痕跡。在溫特沃斯，傑克．藍鐸曾用釘子釘穿傑米的右手。

「克萊兒，妳會因為這樣恨我嗎？」他的聲音很輕柔，幾乎有些遲疑。

我搖搖頭，閉上眼。

「不會。」我睜開眼，看見他的臉湊過來，不安地蹙著眉。「現在我不知道該怎麼想了，傑米。我真的不知道。但我不恨你。」我一隻手放在他手上，輕輕捏了捏。「就……讓我獨處一下吧！」

我穿上乾爽的連身長裙，兩手平攤在大腿上。一隻銀的，一隻金的。我的兩隻婚戒都還在手上，我不知道這代表什麼意思。

黑傑克再也不能有孩子了，這點傑米似乎很肯定，我也不想質疑。然而，我還戴著法蘭克的戒指，我還記得我的第一任丈夫，可以隨時想起、重溫他是什麼樣的人、他會做的事。如此一來，他怎麼可能不存在？

我搖搖頭，把風吹乾的鬈髮胡亂塞到耳後。我不懂，而且我也可能永遠不會明白。但是，不管一個人能否改變未來——我們似乎已經改變了——我很確定沒辦法改變剛發生的過去。木已成舟，我無力回天。傑克·藍鐸再也無法有子嗣。

一塊石頭滾下我後面的斜坡，不斷跳動，也帶著碎石一起滑落。我轉身向上望，傑米已經穿好衣服，正在附近探索。

上方不久前才發生落石。附近的石灰岩經日曬雨淋而呈棕色，但斷裂的地方則是乾淨的白色，這堆亂石中只有最微小的植物得以扎根，不像山丘其他地方，覆滿整片濃密的矮樹叢。

傑米在嶙峋的落石中，一步步緩緩挪到一側，專心尋找可以抓握的位置。我看見他緊貼一塊巨石邊緣，抱著大石，在寂靜的午後，我聽得見他的短劍偶然碰觸到巨石的聲音。

然後他就消失了。我坐著等，享受照在肩頭的陽光，心想他會繞一圈，再從岩石另一邊出現。但我沒看到他回來，過了一陣子，我開始擔心。他可能滑倒摔下去，或頭部撞到石頭也不一定。

我用了感覺像一輩子的時間，好不容易解開高跟靴的鞋帶，傑米還是沒回來。我一把抓起裙子，開始上山，光著腳丫小心踩上粗礪而溫暖的石塊。

「傑米！」

「我在這裡，英國姑娘。」他的聲音從我後方竄出，嚇了我一跳，差點重心不穩。他抓住我的胳膊，把我拉到落石間的一塊小空地。

他讓我轉身面對一堵石灰岩牆，牆上有水銹與煙霧形成的汙漬，還有別的東西。

傑米輕聲說：「妳看。」

我往他指的地方看去，越過一大片平滑的洞穴壁面往前看，我為眼前所見倒吸一口氣。

在我面前上方，彩繪的野獸在整片岩石上飛奔，蹄子騰空，朝上方的光亮躍起。成群的野牛、野鹿揚尾奔騰，岩層末端則描摹靈巧的飛鳥，展翅盤桓在地面疾馳的野獸上空。

這些畫用了紅、黑、赭三色，加上巧妙運用岩石本身的紋理凸顯重點，相當精細。岩壁上的動物無聲怒吼，腰腿因使勁而隆起，鳥兒則在岩石縫隙間展翅翱翔。牠們曾活在黑暗的岩洞中，只靠創作者手上的火把照亮。如今遮蔽的岩層傾塌，牠們重見天日，與地上的生物同樣生氣蓬勃。

動物的胸胛與前腿魁梧結實，宛如要躍出岩壁，我看得入迷，忘了傑米，直到他喚我，才回過神來。

「英國姑娘！來一下好嗎？」他的聲音有點奇怪，我急忙向他走去。他站在一個小邊洞的洞口往下望。

他們躺在石堆的後方，像是為了躲避野牛奔馳揚起的風。

那是兩個人，一起躺在洞裡一小塊地上。因為一直關在密閉洞穴的乾燥空氣裡，皮肉雖早已化為塵土，骨頭卻仍完好。有顆頭顱的圓弧上還掛著一小片皮膚，宛如棕色的羊皮紙。我們走入帶進了氣流，輕揚起一縷因年代久遠而變紅的髮絲。

「老天爺。」我輕聲說，好像怕打擾他們。我靠近傑米，他的手環住我腰際。

「你覺得……他們……在這裡被殺了？還是一種獻祭？」

傑米搖搖頭，若有所思地盯著那一小堆纖細、脆弱的骨頭。

「不是。」他說。他聲音也放輕了，彷彿在教堂的聖所中。他轉過身，舉手指著我們後方的牆壁，牆上野鹿飛躍、鸛鳥翱翔，穿越岩石的界線，縱身而出。

「不是。」傑米又說了一遍。「畫了這些野獸的人……不會做這種事。」他再次轉身，看著我們腳邊交纏的兩具骷髏。他俯身，手指輕柔地沿骨骼輪廓滑過，很謹慎地不碰到象牙白的表面。

傑米說：「看看他們躺的姿勢，他們不是摔下來、掉到這裡，也沒有人刻意把他們的屍體擺成這樣。他們是自己躺在這裡的。」他的手伸向較大的骷髏，探向長長的臂骨，又掠過許多細骨組成的肋骨。手過處黑影浮動，如巨大的飛蛾撲翅。

「他抱著她。」傑米說。「他在她背後屈起腿來，緊摟著她，他把頭擱在她肩上。」

傑米的手掠過骨骸上方，解說、指點，用想像力再次為他們還原血肉，於是我終於看到他們當時的樣子，看到他們最後一次擁抱，永遠在一起。細小的指骨已經散落，但殘留的軟骨仍連接著他們的掌骨。小小的指骨交疊著，他們手牽著手，一起等待最後一刻。

傑米已經起身，探查洞穴的內部，夕陽為那面牆灑上深紅與棕黃。

「在那裡。」傑米指著洞穴入口附近，那裡有塊岩石因塵土與年久而呈褐色，但和洞穴深處的石頭不同，沒有水的銹斑與侵蝕痕跡。

「那裡曾是入口。有一天岩石落下，堵住了洞穴。」傑米轉身，一隻手放在隆起的石堆上，這石堆，也就是那對戀人無法見到陽光的原因。

「他們一定曾在岩洞中四處摸索，手牽著手。在塵土與黑暗中尋找出路。」我說。

傑米額頭抵著岩石，閉上雙眼，說道：「但沒了光，空氣又稀薄，所以他們躺在黑暗中，迎接死亡。」

淚水滑過傑米滿是塵土的雙頰，留下長長的淚痕。我用手擦擦眼睛，執起傑米另一隻手，緩緩地讓我的手指與他緊扣。

他轉向我，沉默不語。他用力把我拉到身邊時，長吁了一口氣。在霞光餘暉中，我們用雙手探索彼此，急切地需索暖意，渴求肉體的撫慰。藏在皮下的骨骼堅硬如昔，提醒我們生命如斯短促。

異鄉人 2 琥珀蜻蜓/ 黛安娜.蓋伯頓(Diana Gabaldon)著 ; 林步昇譯. --
初版. -- 新北市 : 大家出版 : 遠足文化發行, 2015.03
冊 ; 公分
譯自 : Dragonfly in amber
ISBN 978-986-6179-87-7(上冊 : 平裝)

874.57 103023021

Dragonfly in amber
異鄉人 Outlander 2：琥珀蜻蜓（上）

作者・黛安娜・蓋伯頓（Diana Gabaldon）｜譯者・林步昇｜封面設計・蔡南昇｜內頁排版・謝青秀｜責任編輯・郭純靜｜副主編・宋宜真｜編輯協力・劉真儀 / 楊雅琪 / 張茂芸｜校對・魏秋綢｜行銷企畫・陳詩韻｜總編輯・賴淑玲｜社長・郭重興｜發行人兼出版總監・曾大福｜出版者・大家出版｜發行・遠足文化事業股份有限公司 231 新北市新店區民權路108-4號8樓 電話・(02)2218-1417 傳真・(02)8667-1065｜劃撥帳號・19504465 戶名・遠足文化事業有限公司｜印製・成陽印刷股份有限公司 電話・02)2265-1491｜法律顧問・華洋法律事務所 蘇文生律師｜定價・500元｜初版一刷・2015 年 3 月｜初版二刷・2015 年 7 月｜有著作權・侵犯必究｜本書如有缺頁、破損、裝訂錯誤，請寄回更換